JEANNE D'ARC

DES MÊMES AUTEURS

Régine Pernoud

Les Statuts municipaux de Marseille, édition critique du texte latin du XIIIe siècle, collection des Mémoires et documents historiques publiés sous les auspices de S.A.S. le prince de Monaco, Paris-Monaco, 1949, LXIX-289 p.
Lumière du Moyen Âge, 1946 ; rééd. Grasset-Fasquelle, 1981 ; Livre de poche, 1983. Prix Fémina Vacaresco 1946.
Histoire de la bourgeoisie en France, rééd. 1976-1977 ; coll. Points-Histoire. 1981.
Vie et mort de Jeanne d'Arc (les témoignages du Procès de réhabilitation 1450-1456), Hachette, 1953, 300 p. ; éd. Livre de poche, 1955 ; rééd. Marabout, 1982.
Jeanne d'Arc par elle même et ses témoins, éd. du Seuil, 1962, 334 p. ; rééd. Livre de Vie, 1975.
Jeanne devant les Cauchons, éd. du Seuil, 1970, 128 p.
8 mai 1429. La libération d'Orléans, Gallimard, coll. « Trente journées qui ont fait la France », 1969, 340 p.
Les Croisades, Julliard, coll. « Il y a toujours un reporter », dirigée par Georges Pernoud, 1960, 332 p.
Les Gaulois, éd. du Seuil, 1957 ; album 1979.
Jeanne d'Arc, éd. du Seuil, 1959 ; album 1981.
Les Croisés, Hachette, 1959, 318 p. ; rééd. *Les Hommes de la croisade,* Fayard-Tallandier, 1982.
Aliénor d'Aquitaine, Albin Michel, 1965, 295 p. ; Livre de poche, 1983.
Héloïse et Abélard, Albin Michel, 1970, 304 p. ;Livre de poche, 1980.
La Reine Blanche, Albin Michel, 1972, 368 p. ; Livre de poche, 1984.
Les Templiers, P.U.F., 1974, rééd. 1977 ; coll. « Que sais-je ? ».
Pour en finir avec le Moyen Âge, éd. du Seuil, 1977, 162 p. ; rééd. Points-Histoire, 1979.
Sources et clefs de l'art roman, avec Madeleine Pernoud, 220 p., Berg International, 1980.
Jeanne d'Arc, P.U.F. coll. « Que sais-je ? », 1981.
Le Tour de France médiéval, avec Georges Pernoud, Stock, 452 p., 1982.
La Femme au temps des cathédrales, éd. Stock, 306 p. ; rééd. Livre de poche, 1983.
Le moyen Âge raconté à mes neveux, 216 p., 1983.
La Plume et le parchemin, avec Jean Vigne, Denoël, 1983.
Les Saints au Moyen Âge, Plon, 1984.
Saint Louis ou le crépuscule de la féodalité, Albin Michel, 1985.

Marie-Véronique Clin

Jeanne d'arc, Nathan, 1982, coll. « Le monde en poche ».

Régine Pernoud
Marie-Véronique Clin

JEANNE D'ARC

Fayard

Cet ouvrage a été écrit avec la collaboration de Madeleine Pernoud

A la mémoire d'André Malraux,
qui fut l'initiateur du Centre Jeanne d'Arc d'Orléans

Avant-propos

Encore un ouvrage sur Jeanne d'Arc !

Telle sera probablement la réaction de plus d'un lecteur en voyant cette biographie en librairie ; avec peut-être à mon endroit une nuance de reproche (car ce même reproche m'a déjà été adressé — sans nuances, justement !).

Jeanne d'Arc : un personnage inépuisable, sur lequel on n'aura jamais tout dit. Et c'est pourtant la prétention du présent ouvrage : rassembler tout ce que l'on sait de certain sur elle. Mais comme pareil propos eût dépassé les forces et la compétence d'un seul auteur, nous avons pour y parvenir travaillé à deux, et même à trois, puisque ma sœur Madeleine Pernoud a joint sa collaboration discrète et toujours efficace au travail que nous avons fourni, Marie-Véronique Clin et moi-même.

Cette triple participation a permis de résoudre la première difficulté qui se présente à qui veut retracer la vie de Jeanne d'Arc : on se trouve en effet arrêté à chaque instant dans le récit des faits et gestes de cette petite jeune fille morte à dix-neuf ans, par des interrogations, des questions qui se posent et surgissent une ligne après l'autre. Et, pour commencer, le nom même par lequel on la désigne. Cet ouvrage s'intitule Jeanne d'Arc. *Nous aurions préféré l'appeler :* Jeanne la Pucelle : *le seul nom sous lequel ses contemporains l'aient connue. Mais, on nous l'a fait remarquer, il était indispensable pour une biographie générale de conserver le nom sous lequel nous la connaissons, nous. Et donner d'emblée l'explication nécessaire au sujet de ce nom eût évidemment retardé le récit.*

De même, la biographie de Jeanne d'Arc se ramène souvent à raconter la part qu'elle a prise aux événements qui secouaient notre pays depuis le début du XVe siècle ; d'où l'obligation de commencer par un tableau général de ce que fut la France, voire l'Europe, durant cette terrible phase de notre « Moyen Age ». Cela a pour effet de n'aborder le moment où il est question de Jeanne elle-même qu'après d'interminables préliminaires. N'était-il pas préférable de renoncer à brosser la grande fresque historique et de n'en donner la substance, au demeurant assez bien connue aujourd'hui, que dans l'appareil documentaire auquel le lecteur peut à tout moment se reporter : chronologie générale, itinéraire de Jeanne, biographies succinctes des principaux protagonistes de son histoire, etc ?

C'est du moins ce qui nous est apparu lorsque nous avons décidé ensemble du plan de cet ouvrage. Nous voulions expressément raconter la vie d'un personnage qui nous est devenu familier au cours de nos années de travail au Centre Jeanne-d'Arc d'Orléans, et que j'avais moi-même approché plusieurs années auparavant. D'autre part, il nous semblait nécessaire que soient exposées aux lecteurs toutes les précisions de lieux, de dates, d'identité, toutes les difficultés d'interprétation, toutes les objections émises ici et là qui pouvaient se présenter au cours du récit et que seul peut résoudre le recours au document authentique. Le plus simple était donc de scinder cette biographie en deux parties : d'une part un récit, de l'autre un appareil documentaire, indispensable dans le cas d'une personnalité aussi riche, aussi surprenante et liée à des événements d'une extrême complexité ; lequel appareil documentaire comporte à son tour deux parties : l'une biographique, la seconde répondant aux questions et débats les plus courants.

Personne ne pouvait mieux que Marie-Véronique Clin se charger de cet appareil documentaire. Depuis sept ans ou davantage, elle répond quotidiennement aux questions posées par nos correspondants (on peut évaluer à un millier, bon an mal an, ce mouvement de courrier) ou par nos visiteurs (quelque vingt-cinq mille chaque année) du Centre et de la Maison de Jeanne d'Arc ; c'est aussi sous sa direction qu'y sont organisées et accomplies les visites de groupes, scolaires ou autres. Surtout, c'est elle qui accueille les chercheurs français et étrangers, les stagiaires qui viennent se former au Centre. Nombre de thèses déjà auront ainsi été préparées avec son aide ; nous pensons à celle de Gerd Krumeich de Düsseldorf, de Robin Blaetz de New York, de Deborah Fraioli, de Syracuse, N.Y., d'Enzo Gibellato, de Milan, de Marina Warner de Londres, — sans parler de Marceline Brun, d'Orléans, et de tant d'autres qui auront fait au Centre les recherches ponctuelles leur permettant de mener à bien leurs travaux. Sa fonction l'amène aussi à préparer les expositions présentées périodiquement à la Maison de Jeanne d'Arc.

Cette activité s'est doublée des recherches personnelles qu'elle a effectuées lors de l'élaboration de ses deux thèses successives, l'une pour sa maîtrise à l'École des Hautes Études, lorsqu'elle a publié le Beauchamp Household Book, *l'autre pour son doctorat de troisième cycle sur* Les Sources de l'Histoire de Jeanne d'Arc.

A Marie-Véronique Clin revenait donc cette moitié de l'ouvrage dans laquelle on tente de répondre aux questions que le lecteur ne peut manquer de se poser.

Mais c'est ensemble que nous avons voulu articuler ces questions selon le récit, mené « en continu », de la vie la plus surprenante qui soit. Si surprenante, à vrai dire, que les termes de « mythe », de « légende », de « folklore » ont maintes fois jailli à son propos sous la plume de nombre d'écrivains. Non dans la bouche des historiens cependant, car s'il s'est jamais agi d'Histoire, et d'Histoire absolument scientifique, fondée sur des documents rigoureusement passés au crible de la méthode historique la plus exigeante, c'est bien à propos de Jeanne d'Arc. Comme elle a surpris ses contemporains autant qu'elle nous surprend nous-mêmes, il n'est guère de chronique, de Mémoires de l'époque qui n'en fassent mention, sans parler des lettres publiques et privées, du registre du Parlement de Paris, etc. Surtout, nous possédons, représentés dans chaque cas par trois manuscrits authentiques portant la signature des notaires, le texte des deux procès qu'elle a subis, l'un pendant sa vie, l'autre après sa mort. Autant dire qu'un historien se disqualifierait en prononçant à son propos le mot de « légende ».

Cette vie n'aura cessé de soulever des questions d'âge en âge et sa renommée s'est étendue à tous les continents : il n'y a dans le monde aucun pays, aucune nation, qui ne nous envie Jeanne d'Arc.

Un impératif sur lequel nous sommes tombées pleinement d'accord : demeurer aussi proches que possible de tous ces documents d'histoire (qu'aujourd'hui chacun peut consulter au Centre Jeanne-d'Arc d'Orléans, sous forme de microfiches). Cela nous a permis de saisir chaque événement d'après les témoins les mieux placés, d'atteindre donc la réalité au plus près. Aussi bien avons-nous commencé notre récit sur la première rumeur qui ait propagé, en 1429, le nom même de Jeanne d'Arc. Nous avons tenté de suivre ensuite son sillage et n'avons évoqué l'enfance et la jeunesse qu'à la fin du récit. La logique eût exigé de les raconter au début, mais le mouvement de l'histoire n'a permis de connaître cette enfance et cette jeunesse qu'au moment où s'est déroulé le Procès en nullité de la condamnation, lorsque les délégués ecclésiastiques sont allés interroger à son propos les gens de Domremy-Greux qui avaient vu naître Jeanne, et l'avaient vu grandir parmi eux. Nous avons choisi le mouvement de l'histoire plutôt que les exigences de la logique.

On s'étonnera peut-être aussi de la place que tiennent dans ce récit la prison et le procès de condamnation. Mais en fait l'éblouissante et brève carrière de Jeanne comporte deux volets : un an de combats, un an de prison. Et cela, les historiens ne l'ont pas toujours mis suffisamment en évidence. Prototype de l'héroïne glorieuse, Jeanne est aussi le prototype du prisonnier politique, de la victime des prises d'otages et autres formes d'oppressions de la personne qui font partie de la vie quotidienne en notre XXe siècle. Ce second volet nous apparaît aussi important que l'autre, celui des victoires. La Personne, seule, face aux idéologies étouffantes, aux fanatismes qui tuent, voilà qui est Jeanne d'Arc. Et si nous n'alignons pas ici les noms qui viennent à l'esprit aujourd'hui, c'est que leur liste serait trop longue, et que les souffrances qu'ils évoquent sont chaque jour remplacées par d'autres encore plus pressantes.

***

On a beaucoup travaillé sur Jeanne d'Arc depuis un demi-siècle, et les découvertes la concernant ont été nombreuses.

La première — et l'une des plus importantes — aura sans doute été l'identification par Pierre Champion, autour de 1930, du troisième manuscrit authentique du Procès dit de réhabilitation, qu'on croyait perdu. Cela fit sensation dans les milieux érudits : il s'agissait du Manuscrit Stowe 84 du British Museum, dont tous les spécialistes de Jeanne d'Arc ont tenu compte depuis ce temps. Les travaux très pertinents du Père Doncœur et Yvonne Lanhers ont ensuite établi l'existence d'une rédaction épiscopale de ce Procès en nullité, antérieure à ce qu'il faut regarder comme l'expédition notariale, ainsi que l'a établi Pierre Duparc[1]. Ces mêmes auteurs, avec la publication de divers textes demeurés inédits ou mal connus pour lesquels nous renvoyons à notre bibliographie, ont donné aux études relatives à Jeanne d'Arc une impulsion décisive concrétisée par la publication nouvelle des textes jadis édités par Quicherat : Procès de Condamnation, par Pierre Tisset et Yvonne Lanhers, Procès en nullité de la condamnation par Pierre Duparc, et ce grâce à la Société de l'Histoire de France et au Département des Vosges, grâce surtout à ce grand érudit qu'est l'ancien directeur de l'École des Chartes, Pierre Marot. On peut souhaiter qu'un semblable effort soit fait pour les textes contenus dans les deux derniers volumes de Quicherat que la thèse de Marie-Véronique Clin a mis à jour.

1. *Voir son Introduction, t. I, pp. XIII-XVII.*

Important effort d'érudition donc, doublé d'un apport semblable dans les publications plus accessibles au grand public. Ici encore nous renvoyons le lecteur à la bibliographie, en insistant sur ce que le présent ouvrage doit aux travaux de Pierre Rocolle, de Jacques Prévost-Bouré, du colonel de Liocourt, d'Henri Bataille à Vaucouleurs, du regretté Yann Grandeau, pour ne citer que les plus proches, auxquels il faut ajouter tous les participants au colloque Jeanne d'Arc organisé à Orléans en 1979, dont les articles ont fait l'objet d'une publication par le C.N.R.S. sous la direction de Jean Glénisson, directeur de l'Institut de Recherche et d'Histoire des Textes, en 1982, sous le titre Jeanne d'Arc, une époque, un rayonnement.

Notre regret sera de n'avoir pu tenir compte, et pour cause, de ce Charles VII *que nous promet Philippe Contamine.*

***

Ce qui est impressionnant, c'est de constater l'intérêt universel que suscite Jeanne d'Arc et comment, dans les pays les plus divers, on tient à être renseigné exactement sur tout ce qui la concerne. Notre plus grande surprise à cet égard a été l'exposition de Tokyo, en 1982, qui nous avait été demandée l'année précédente par la firme Mitsukoshi, même si nous connaissions déjà, par le professeur Takayama qui a traduit en japonais le Procès de condamnation, l'intérêt qu'on porte à l'héroïne au Japon.

Et cela nous amène au souvenir de ces grands spécialistes de Jeanne d'Arc qu'ont été en Angleterre le Révérend Scott, aux États-Unis le Père Daniel Rankin. Celui-ci avait pu profiter des deux importantes bibliothèques consacrées à Jeanne d'Arc aux U.S.A. : le Fonds Griscom à l'Université Columbia et la bibliothèque personnelle du cardinal John Wright (aujourd'hui à la Bibliothèque municipale de Boston). Claire Quintal qui le secondait continue son œuvre et vient de publier une étude sur les Sœurs Jeanne d'Arc. Il y eut en effet, tout un Ordre religieux fondé aux États-Unis sur la spiritualité de Jeanne d'Arc, avant même que celle-ci eût été déclarée sainte ; de même en Belgique, les Travailleuses Missionnaires se réclament elles aussi de Jeanne.

Et il est fort émouvant d'évoquer, à l'autre extrémité du monde, en Union soviétique, les deux historiens qui se sont spécialisés dans l'étude de Jeanne d'Arc : Anatole Levandovski et Vladimir Raytsès ; celui-ci, qui connaît si parfaitement notre langue, notre civilisation, notre histoire a été le conseiller historique du célèbre metteur en scène Gleb Panfilov qui, dès 1970, avait consacré à Jeanne d'Arc un très beau film intitulé Le Début.

C'est assez dire que, de l'Extrême-Orient à l'Extrême-Occident, Jeanne la Pucelle est aujourd'hui une figure universellement reconnue de l'histoire du monde, une personne aimée, et, comme l'a dit magnifiquement André Malraux, vivante « au cœur des vivants ».

R.P., 25 mars 1986.

PREMIÈRE PARTIE

La geste

CHAPITRE PREMIER

« On dit qu'une pucelle... »

« On dit qu'une pucelle est passée par la ville de Gien, qui se rend auprès du noble dauphin pour lever le siège d'Orléans et pour conduire le Dauphin à Reims pour qu'il soit sacré. » Ce « *on-dit* », c'est l'apparition dans l'Histoire de celle que nous appelons Jeanne d'Arc.

Il nous est rapporté par l'un des acteurs de l'événement, celui qui était le mieux placé pour en être informé, Jean le Bâtard, mieux connu par le titre de comte de Dunois qu'il reçut par la suite. Il poursuit : « Comme j'avais la garde de la cité [d'Orléans], étant lieutenant général sur le fait de la guerre, pour plus amples informations sur le fait de cette pucelle, j'ai envoyé auprès du roi le sire de Villars, sénéchal de Beaucaire, et Jamet du Tillay qui fut par la suite bailli de Vermandois. »

Le Bâtard d'Orléans * défend la ville de son demi-frère, Charles, duc d'Orléans, alors prisonnier quelque part Outre-Manche. Il se remet difficilement de la blessure qu'il a reçue lors de la désastreuse attaque menée contre un convoi de ravitaillement anglais. Un trait d'arbalète l'a atteint au pied presque au début de l'action ; deux archers l'ont à grand-peine dégagé et remis à cheval ; après quoi l'engagement a mal tourné. Quelques-uns de ses meilleurs compagnons sont restés sur le terrain, Louis de Rochechouart, Guillaume d'Albret et ce John Stuart de Darnley, le vaillant Écossais, à vrai dire responsable du désordre, car il a commencé l'action sans tenir compte des dispositions arrêtées. Finalement une malheureuse opération menée contre une poignée d'hommes, ceux qui escortaient le convoi de ravitaillement, a sombré dans la plus totale déconfiture. On brocarde chez l'ennemi cette « journée des harengs » * — le convoi comportait surtout des barils de harengs en saumure destinés à l'armée en cette période de carême.

Dans la ville le découragement s'accentue *. Le comte de Clermont, dont la lenteur à gagner le champ de bataille a tout compromis lors de cette journée fatidique du 12 février 1429, a quitté Orléans, emmenant ses troupes en désarroi. Beaucoup de capitaines l'ont imité, même Étienne de Vignolles * toujours prêt pourtant à la bataille.

Le sort d'Orléans n'est plus douteux. Le Bâtard, impuissant, se souvient des beaux jours du siège de Montargis deux ans plus tôt : avec le même Étienne de Vignolles, dit plus familièrement La Hire *, il a promptement délogé les Anglais qui, sous la conduite de Salisbury * leur capitaine, avaient commencé à investir la cité ; le 5 septembre 1427, Salisbury et ses hommes ont dû décamper, et c'est probablement avec l'idée de se venger de cet échec que le même capitaine était venu, un an plus tard, mettre le siège devant Orléans, installant tour à tour, devant chacune des portes de la ville, comme autant de verrous, des « bastides » fortifiées.

Autour du défenseur d'Orléans la méfiance s'accentue ; les habitants ont même dépêché auprès du duc de Bourgogne * une ambassade pour que soit épargnée la ville dont le seigneur est prisonnier. C'est leur dernier espoir : faire appel à ce qui peut subsister de sentiments chevaleresques, puisque, aux temps de la chevalerie, on n'eût jamais envisagé le siège d'un château ou d'une cité dont le seigneur naturel était prisonnier ! Mais c'est une humiliation de plus pour Jean le Bâtard qui a tenté de la défendre à la place de son frère. Les préoccupations des habitants vont à l'immédiat : manger aujourd'hui. Le *Journal du siège*

* Les noms et les événements marqués d'un astérisque font l'objet d'un développement dans la Deuxième partie, *les acteurs,* la Troisième partie, *débats,* ou les Annexes.

d'Orléans ne mentionne plus guère, en ces jours-là, que les arrivées de ravitaillement : un jour ce sont « sept chevaux chargés de harengs et autres vivres ». Deux jours plus tard, ce sont neuf chevaux, eux aussi chargés de vivres, qui pénètrent par la porte de Bourgogne, à l'est de la cité — la seule que l'envahisseur n'ait pu encore investir. Personne n'ose le dire, mais chacun a en mémoire les récits du siège de Rouen dix ans plus tôt : en venir à manger chevaux, chiens, chats, rats et pour finir ouvrir les portes aux vainqueurs du jour !

La stratégie de l'investissement aura été la même, en effet, que pour la cité normande ; c'est celle qui s'impose lors de chacun de ces sièges menés lentement, méthodiquement ; l'ennemi sait que son allié le plus précieux se trouve à l'intérieur : la famine et avec elle, le découragement des habitants.

L'Investissement

C'est à cet instant critique que l'on en est arrivé à Orléans, à la fin de février 1429. Immobilisé par sa blessure, paralysé par son échec, Jean le Bâtard a tout loisir de faire le point de la situation. Il se trouve dans une ville encerclée, toutes issues bouclées, sauf une seule.

Lors de son arrivée à la tête des forces anglaises, le capitaine Salisbury, en homme de guerre expérimenté, avait d'abord assailli les Tourelles, c'est-à-dire les fortifications qui défendaient l'entrée du pont sur la rive gauche de la Loire : deux tours permettant de bloquer au sud le grand pont de pierre fait de dix-neuf arches et prenant appui en son milieu sur l'une des îles parsemant le fleuve en cet endroit. La cité d'Orléans, c'est d'abord un pont, par lequel communiquent les deux France, celle du Nord et celle du Sud.

Les Orléanais ont senti l'offensive venir dès le moment où, au mois de juillet 1428, les petites places de Beauce ont été successivement occupées par les Anglais : Angerville, Toury, Janville, Artenay, Patay et quelques autres. Lorsque Olivet a été prise par l'un des compagnons de Salisbury, John Pole, — celui qu'on appelle *La Poule* dans les rangs français —, le 7 octobre, ils n'ont plus douté de la suite des événements. Hâtivement ils se sont mis à détruire leurs bâtiments sur la rive gauche de la Loire, le faubourg du Portereau, ainsi que l'église et le couvent des Augustins. Disons-le, c'est devenu, pour eux, presque une routine : depuis vingt ans (en fait depuis le désastre d'Azincourt), la population d'Orléans vit en état d'alerte. Les comptes de la ville et de la forteresse en témoignent : envois de messagers, voire d'espions, ou plus souvent d'espionnes, allées et venues de chevaucheurs pour surveiller les mouvements de routiers, vers Étampes et vers Sully-sur-Loire, renforcement du guet sur les remparts de la ville, achat de traits d'arbalète puis de bombardes pour la défense de la cité — se traduisant pour les habitants par une augmentation de la taille —, tout cela fait partie de la vie quotidienne. Il y a eu pis encore : les anciens racontent d'après leurs souvenirs d'enfance ou les récits qu'on leur a faits, comment il avait fallu en 1359 détruire la vénérable église de Saint-Aignan, théâtre d'une première échauffourée entre Français et Anglais ; vainement les chanoines avaient tenté de sauver leur antique collégiale, dont l'origine remontait à celle même du christianisme dans la région et que tout évêque d'Orléans venait visiter lors de son intronisation pour vénérer les reliques de son grand prédécesseur, qui avait défendu la cité contre les assauts d'Attila. Ils n'étaient pas parvenus à la conserver ; la basilique n'avait été reconstruite qu'une fois la paix revenue, une vingtaine d'années plus tard, en 1376, sur l'ordre du sage roi Charles V.

Leur mémoire restait aussi parsemée d'assauts ou d'alertes, causés tantôt par des bandes de routiers, tantôt par des raids de capitaines anglais installés aux alentours et qui fondaient comme des aigles sur Olivet, sur l'abbaye de Saint-Benoît-sur-Loire, ou menaçaient Orléans même, comme en ce jour du « grand effroi », en 1418, où l'on avait cru à un siège imminent, quand les Anglais s'étaient attaqués à la fois à Rouen et à Paris.

Leur échec devant Montargis — « mon premier bonheur

advenu », s'était écrié le dauphin Charles, réfugié à Bourges — avait redonné quelque espoir aux populations, mais très vite il avait fallu déchanter et à nouveau détruire les faubourgs, accueillir les réfugiés en ville, prendre de sérieuses dispositions. Au moment même où ils s'attaquaient aux Tourelles, les Anglais, prévoyants, avaient détruit les douze moulins à bateau qui alimentaient la cité en farine ; aussitôt, dans Orléans même, on avait organisé onze moulins à chevaux actionnant des meules qui broyaient le grain pour le ravitaillement de la cité.

Le 17 octobre, les hostilités avaient commencé ; l'une des trois bombardes que les Anglais venaient d'installer à Saint-Jean-le-Blanc près du couvent des Augustins désormais déserté, avait causé quelques dégâts dans la ville et tué « une femme nommée Belle, près de la Poterne Chesneau ». Cinq jours plus tard la cloche du beffroi donnait à nouveau l'alarme ; pour arrêter l'envahisseur, les Orléanais, hâtivement, détruisaient l'une des arches du pont et fortifiaient l'îlot de la Belle-Croix sur lequel ce pont prenait appui. Cela signifiait qu'on ne défendrait plus le fort des Tourelles et qu'on faisait la part du feu. L'investissement s'était poursuivi, avec des bastides anglaises méthodiquement situées au débouché des principales artères : celle dite de Saint-Laurent vers la route de Blois ; vers la route de Châteaudun et vers Paris, celles que les Anglais nommaient « Londres » et « Paris », tandis qu'une autre servait de relais entre les deux : la bastide dite « Rouen ». Un autre ouvrage fortifié bloquait la route de Gien au carrefour de celle de Pithiviers : la bastide de Saint-Loup. Mais, de ce côté-là, à l'est, le blocus ne serait jamais complet en dépit de l'effort des envahisseurs.

L'Abandon

Telle était la situation qu'avait trouvée le Bâtard d'Orléans à son arrivée dans la cité de son demi-frère, le 25 octobre 1428. Il avait aussitôt pris de nouvelles mesures stratégiques, fait détruire encore quelques-unes des églises ou bâtiments situés hors des remparts — Saint-Loup, Saint-Euverte, Saint-Gervais, Saint-Marc — et installer des pièces d'artillerie aux endroits qui lui avait paru favorables ; quelques renforts lui étaient parvenus avec l'arrivée de Louis de Culant à la tête de deux cents combattants et de Charles de Bourbon, comte de Clermont, le 30 janvier, des Écossais de John Stuart le 8 février. Mais la désastreuse « journée des harengs », le 12 février, avait mis fin à tous les espoirs, et voilà que les Orléanais dépêchaient une ambassade auprès du duc de Bourgogne ! Poton de Xaintrailles * et Pierre d'Orgui proposaient à Philippe le Bon de prendre la cité en charge quitte à garantir sa neutralité ; démarche humiliante pour le Bâtard, mais assez explicable de la part des habitants qui se sentaient abandonnés et qui, somme toute, faisaient appel à un représentant du sang de France, cousin de leur protecteur naturel le duc d'Orléans.

La démarche devait pourtant avoir un résultat négatif. La duc de Bourgogne eût volontiers acquis la cité d'Orléans sans coup férir, mais le Régent Bedford s'y opposa vivement : « Je serais bien courroucé d'avoir battu les buissons pour que d'autres eussent les oisillons ! » Du moins le duc de Bourgogne rappela-t-il les hommes qui s'étaient joints aux assiégeants anglais, mais personne n'a dit quelle pouvait être l'importance de cette garnison bourguignonne, ni quel allègement son départ put produire. Peut-être ne s'agissait-il que de quelques hommes d'armes engagés parmi les troupes soldées par les capitaines anglais.

Seule une intervention divine...

Dans ces circonstances, on comprend que chacun dans Orléans, y compris le Bâtard, prête l'oreille au bruit qui se met à circuler avec insistance d'un secours imprévu venu du ciel, apporté par une jeune fille inconnue disant s'appeler « Jeanne la Pucelle » : seule une intervention divine... Le sort d'Orléans n'est plus qu'une question de jours, d'heures peut-être, car l'offensive décisive peut être déclenchée d'une minute à l'autre.

Avec son sort se joue celui du royaume tout entier : Orléans, la clé de la France du Midi, c'est-à-dire de Bourges — où se trouve retranché celui qui, depuis sept ans, prétend avoir droit au titre de roi de France —, d'Auxerre où les troupes bourguignonnes sont là, toutes disposées à prêter main-forte ; et, au-delà, c'est la jonction avec la Guyenne où les Anglais sont chez eux, sans même avoir à déployer un quelconque esprit de conquête, puisque le fief aquitain leur appartient par voie féodale depuis près de trois siècles, comme héritage d'Aliénor d'Aquitaine.

Plus tard les gens d'Orléans seront amenés à s'expliquer sur le sentiment qui les a pris lorsque ce bruit s'est mis à circuler : « On disait [...] qu'elle était envoyée de par Dieu pour faire lever le siège mis devant la ville. Et les habitants et citoyens se trouvaient pressés de telles nécessités par les ennemis qui assiégeaient qu'ils ne savaient à qui recourir pour avoir remède, si ce n'est à Dieu. »

Le Bâtard, qui est homme de guerre, ne nourrit certainement pas grande illusion à ce propos. Sans doute se dit-il que l'arrivée successive de deux renforts, l'un français et l'autre écossais, ne lui ont pas amené un secours bien satisfaisant et qu'au point où l'on en est... Mais il a raconté plus tard comment lui-même n'a été convaincu de la qualité de ce secours du ciel que bien après, une fois en présence de Jeanne elle-même. De toute façon, en homme sage, il a délégué deux compagnons dont il est sûr pour contrôler cette rumeur insolite. Comme le roi se trouve alors à Chinon, c'est vers cette ville que se sont dirigés Archambaut de Villars et Jamet du Tillay. (Ils savent d'ailleurs qu'ils y retrouveront Raoul de Gaucourt *, le gouverneur d'Orléans désigné par le roi, qui s'y est rendu pour mettre celui-ci au courant de l'abandon dans lequel est la cité.)

Les deux hommes de confiance reviendront à Orléans et feront un rapport fidèle de ce qu'ils ont vu et entendu à Chinon :

« Revenus d'auprès du roi, ils me rapportèrent publiquement, en présence de tout le peuple d'Orléans qui désirait beaucoup savoir la vérité de la venue de cette pucelle, qu'eux-mêmes avaient vu la dite pucelle arriver auprès du roi dans la ville de Chinon. Ils disaient que le roi lui-même n'avait pas voulu la recevoir ; il fallut même que la dite pucelle attendît par l'espace de deux jours avant qu'il lui soit permis d'accéder en la présence du roi, bien qu'elle ait dit continuellement qu'elle venait pour lever le siège d'Orléans et conduire le noble dauphin à Reims pour qu'il fût sacré, demandant instamment d'avoir avec elle des hommes, des chevaux et des armes. »

Jeanne, que nous appelons Jeanne d'Arc *, venait de faire son entrée dans l'Histoire.

CHAPITRE II

Cette Dame Espérance

> « Quand je suis arrivée à la ville de Sainte-Catherine-de-Fierbois, alors j'ai envoyé [une lettre] à mon roi ; puis je suis allée à la ville de Chinon où était mon roi, j'y arrivai vers l'heure de midi et me logeai en une hôtellerie. »

Nous ne possédons pas le texte de cette lettre que Jeanne envoie de Sainte-Catherine-de-Fierbois, sa dernière étape. Visiblement, depuis son arrivée en terre relevant du roi de France, elle n'a rien de plus pressé que de clamer ce qu'elle appellera sa « mission » ; à Fierbois, sachant qu'elle n'est plus qu'à une demi-journée du lieu où réside le dauphin, elle dicte une lettre pour lui. Dans la petite escorte qui l'accompagne se trouve un messager royal — dont le métier est de parcourir infatigablement les routes pour porter les messages —, un nommé Colet de Vienne, qui sans doute a pu guider ses compagnons par voies et par chemins et indiquer les endroits où l'on peut passer les fleuves à gué ; il est tout désigné à présent pour forcer des éperons dans la dernière étape.

Sainte-Catherine-de-Fierbois va tenir une grande place dans l'épopée de Jeanne d'Arc. C'est un lieu historique, et renommé comme tel : la chapelle remonte au VIIIe siècle, et même plus haut encore dans le temps ; Charles Martel, dit-on, y a déposé son épée en guise de trophée après sa première victoire sur les « Sarrasins ». Cette chapelle

pelle sera reconstruite et une église sera bâtie à son emplacement par Hélie de Bourdeilles, l'archevêque de Tours, à qui (alors qu'il était évêque de Périgueux) sera demandée une étude du Procès de condamnation de Jeanne d'Arc. C'est lui qui fera édifier l'église de style flamboyant qui subsiste encore ; l'Aumônerie où très probablement Jeanne fut hébergée (c'est aujourd'hui le presbytère) a été construite dès la date de 1400 par le maréchal de Boucicaut, le héros de la croisade si désastreuse de Nicopolis. A cette époque lors de son séjour à Constantinople, le maréchal avait aidé à défendre la cité byzantine et avait accompli le pèlerinage du Mont-Sinaï où se trouvait, disait-on, la tombe de sainte Catherine ; il en avait rapporté des reliques, conservées dans un reliquaire en argent qui sont les seules reliques de sainte Catherine existant en France.

Lorsque, le lendemain de ce jour (peut-être, comme le veut la tradition, le 4 mars 1429), la petite troupe pénétra dans la cité de Chinon, sur ce carrefour du Grand-Carroi qui était le centre de la ville, au débouché du chemin par lequel on gagnait le château, il y eut sans aucun doute un mouvement de curiosité autour de Jeanne et de ses compagnons. Qui étaient ces gens ? D'où venaient-ils ? Et cette fille aux cheveux coupés en rond comme un garçon, qui semblait à l'aise dans ses vêtements d'homme et ne cachait pas qu'elle voulait être reçue par le roi, quelle pouvait bien être son origine ? Il y eut certainement bien des questions posées dès le moment où ils mirent pied à terre, se servant pour cela de la margelle d'un puits qu'on désigne toujours aux touristes, sur le coin de la place.

De fait, il y avait déjà toute une histoire à raconter : de Jeanne elle-même, on disait qu'elle venait « des marches de Lorraine », ce que nous appellerions la frontière. Ses compagnons l'avaient rencontrée, non dans son village de Domrémy-Greux [1], mais à quelque distance de là, dans la place de Vaucouleurs.

1. Le respect de la phonétique lorraine voudrait que l'on écrive *Domremy,* mais on a suivi dans cet ouvrage l'usage actuel : *Domrémy.*

VAUCOULEURS, UNE « ANOMALIE »

De cette forteresse il a été largement question au cours des années précédentes, du côté anglais aussi bien que du côté français *. Vaucouleurs, cette puissante place forte sur les bords de la Meuse, dans le pays de Toul, aux confins de la Champagne et du Barrois, tient pour le roi de France en plein pays bourguignon. Cette « anomalie » n'a pas manqué d'attirer l'attention du duc de Bedford qui se dit régent de France et exerce le pouvoir pour son neveu le jeune Henry, roi d'Angleterre, et qui, en 1428, de concert avec ses principaux capitaines, a décidé d'en finir avec cette minuscule poche de résistance dans une contrée où les garnisons anglo-bourguignonnes circulent désormais sans difficultés. Le 22 juin, ordre a été donné au gouverneur de Champagne, Antoine de Vergy, d'assiéger cette place dont le nom évoque encore la grande ombre du sénéchal de Champagne compagnon et ami de Saint Louis, Jean de Joinville. N'était-ce pas lui qui, deux cents ans auparavant, avait octroyé une charte de franchise à la cité ?

Pour cette opération, Antoine de Vergy dispose d'un contingent dont on connaît exactement l'effectif — 796 hommes —, ce qui, avec les écuyers et auxiliaires, représente environ 2 500 combattants renforcés par ceux de Pierre de Trie, capitaine de Beauvais, qu'on surnomme Patrouillart, et par Jean, comte de Fribourg et de Neuchâtel, venu de ce qu'on appelle la comté de Bourgogne (la Franche-Comté).

Grand émoi dans le pays alentour, à commencer par cette vallée de la Meuse aux multiples méandres, sillonnée par les gens d'armes. Les paysans des villes comme Domrémy, Greux, Coussey, Burey, abandonnent hâtivement leur demeure et, poussant leur bétail devant eux, cherchent refuge à l'abri des murs de Neufchâteau, la seule ville fortifiée proche ; du haut des remparts ils verront brûler au loin leurs récoltes. Cependant, à Vaucouleurs, le capitaine royal, qui tient obstinément pour le roi de France, Robert de Baudricourt *, a regroupé sa garnison et renforcé les défenses de sa forteresse, qui sont puissantes : vingt-trois tours probablement, échelonnées entre la Meuse et le plateau dont l'escarpement lui sert de base. Les opérations vont se dérouler pendant le mois de juillet ; chacun s'attend à ce que Baudricourt capitule, comme a capitulé à Vitry quatre ans plus tôt, La Hire, le fameux La Hire, entraînant la reddition des petites places de Champagne, Blanzy, Larzicourt, Heilz-L'Évêque. Cette capitulation de Vitry-en-Perthois, reçue par le négociateur du traité de Troyes, Pierre Cauchon, a été un véritable signal de détresse pour ces forteresses de l'est du royaume que la domination anglaise a marqué comme d'un sceau qu'on peut croire définitif.

Reste que rien de définitif, justement, ne se fera cette fois à Vaucouleurs. Vers la fin de mois de juillet, on parvient à un compromis. Baudricourt n'a pas capitulé et obtenu ce qu'on ne peut guère considérer que comme un sursis : les assaillants se retireront moyennant la promesse que lui-même s'interdira tout fait d'armes, toute agression contre les Bourguignons. Vaucouleurs est neutralisée, mais reste libre.

LE TEMPS LUI DURAIT « COMME À UNE FEMME ENCEINTE D'ENFANT ».

Tous ces événements sont très proches pour la petite troupe qui vient d'arriver sur le carrefour du Grand-Carroi. C'est l'été précédent qu'ils ont été vécus ; pensait-on alors à la petite paysanne en cotte rouge qu'on avait vue le mois précédent, autour de l'Ascension, (c'était le 13 mai 1428), arpenter les hautes murailles de Vaucouleurs en demandant à tout venant où était le seigneur Robert et quand il voudrait bien la recevoir ? Peut-être était-elle restée dans la mémoire de Bertrand de Poulengy, l'un des deux seigneurs qui se sont chargés d'escorter jusqu'à Chinon cette même petite paysanne aujourd'hui vêtue en garçon, avec ses chausses grises et son chaperon noir. Bertrand racontait à qui voulait l'entendre qu'il l'avait vue parler à Robert de Baudricourt, le capitaine de Vaucouleurs, qu'elle lui disait qu'elle était venue à lui de la part de son Seigneur, pour qu'il fasse dire au Dauphin qu'il se tienne bien et ne fasse guerre à ses ennemis, car le Seigneur lui donnerait secours avant la mi-carême prochaine. Sans se laisser déconcerter par les rires et les quolibets dont on l'assaillait, Jeanne disait que le royaume n'appartenait pas au Dauphin mais à son Seigneur et que son Seigneur voulait que le Dauphin devienne roi et qu'il ait le royaume en commende ; que les ennemis le veuillent ou non, le Dauphin deviendrait roi, et elle-même le mènerait pour le faire sacrer. A côté de la paysanne se tenait, un peu penaud, celui qu'elle appelait son oncle, un certain Durand Laxart, de Burey-le-Petit. Robert lui avait recommandé de ramener cette fille chez elle avec une paire de claques et l'on n'en avait plus entendu parler.

Deux mois plus tard, Jeanne se trouvait sur la route, se hâtant vers Neufchâteau avec ses parents, sa petite sœur, ses trois frères ; pendant quelque temps elle avait partagé le sort des réfugiés entassés dans une auberge que tenait une femme nommée la Rousse à laquelle elle donnait un coup de main de temps à autre pour la vaisselle et la cuisine, avec son amie Hauviette, un peu plus jeune qu'elle, qui était sa compagne et dont la famille avait fui aussi.

Et voilà qu'on avait revu la cotte rouge de la petite paysanne de Domrémy au cours de l'hiver, tout au début du carême (qui commençait de bonne heure cette année 1429 : le premier dimanche de carême, celui qu'on appelait le Dimanche des Bures, tombait le 13 février). Elle s'était fait congédier une seconde fois sans ménagement par Robert de Baudricourt. Mais Jeanne avait trouvé le moyen de se faire héberger à Vaucouleurs, chez le charron Henri le Royer qui, avec sa femme Catherine, était devenu pour elle un soutien, un appui. Elle déclarait à tous qu'avant la mi-carême il fallait qu'elle soit devant le Dauphin, qu'elle lui apportait le secours du ciel et qu'il n'en aurait pas d'autres. Le temps lui durait « comme à une femme enceinte d'enfant », disait-elle, à tel point qu'avec son oncle, le dévoué Durand Laxart, et un habitant de Vaucouleurs nommé Jacques Alain, un matin, ils avaient pris la route ; ses deux compagnons avaient acheté pour elle un cheval qui leur avait coûté douze francs. Mais ils n'allèrent pas loin : arrivés à Saint-Nicolas-de-Sept-Fonts, sur la route de Sauvroy, Jeanne déclara : « Ce n'est pas ainsi qu'il leur convient de s'éloigner ». Et ils revinrent sur Vaucouleurs.

Le matin, de bonne heure, cette fille, qui semble animée d'une grande piété, se rend à la chapelle du château qu'on appelle Notre-Dame des Voûtes.

> « J'ai vu souvent Jeanne la Pucelle venir à cette église très pieusement ; elle y entendait la messe du matin et restait longtemps à prier. Je l'ai vue sous la voûte de cette église se tenir agenouillée devant la Sainte Vierge, tantôt le visage baissé, tantôt le visage droit »,

déclarera plus tard un chanoine de Notre-Dame de Vaucouleurs, Jean le Fumeux, qui était jeune alors et voyait avec ébahissement, comme tout le monde, aller et venir la petite paysanne de Domrémy.

Certain jour un messager du duc de Lorraine se présenta, porteur d'un sauf-conduit pour Jeanne. Le duc Charles avait entendu parler d'elle dans son château du Nancy et souhaitait la voir ; celui qui n'était guère mieux qu'un écumeur de grands chemins, Charles II, vieilli, malade, espérait sans doute qu'il s'agissait de quelque thaumaturge dont il aurait pu obtenir guérison. Jeanne, toujours accompagnée du brave Durand Laxart, n'hésita pas à prendre la route munie du sauf-conduit du duc, et fut introduite en sa présence :

> « Il m'interrogea sur la recouvrance de sa santé et je lui dis que là-dessus je ne savais rien. Je parlai peu au

duc de mon départ, mais lui dis cependant qu'il me donnât son fils et des gens pour mener en France, et que je prierais Dieu pour sa santé. »

Elle n'a même pas craint de l'admonester sur sa conduite. Chacun savait qu'il avait abandonné « sa bonne épouse », Marguerite de Bavière, pour une fille nommée Alison Dumay dont il avait eu cinq bâtards ; dans la bonne ville de Neufchâteau qui jadis avait assigné son duc devant le Parlement de Paris, de telles histoires couraient le pays ; quant à son « fils », c'était en réalité son gendre, René d'Anjou, le beau-frère du Dauphin.

Quelqu'un avait accompagné Jeanne pendant une partie de ce voyage dont elle avait fait un pèlerinage, puisque c'est alors, sans doute, qu'elle s'était rendue à Saint-Nicolas du Port ; jusqu'à Toul en tout cas, Jean de Nouillonpont l'escortait. Il s'agissait d'un écuyer, familier de Robert de Baudricourt, qui racontait à qui voulait l'entendre comment il avait d'abord plaisanté la petite paysanne en jupe rouge et comment il l'avait abordée près de la capitainerie en lui lançant ironiquement : « Ma mie, que faites-vous ici ? Ne faut-il pas que le roi soit jeté dehors et que nous soyons anglais ? » A quoi la Pucelle avait répondu, comme toujours sans se laisser démonter :

> « Je suis venue ici à chambre de roi [en territoire royal] pour parler à Robert de Baudricourt, pour qu'il vienne me conduire ou me faire conduire au roi ; mais il ne fait pas attention à moi, ni à mes paroles ; cependant, avant que ce soit la mi-carême, il faut que je sois auprès du roi, quand bien même je devrais m'y user les pieds jusqu'aux genoux ; il n'y a personne en effet, ni roi, ni duc, ni fille du roi d'Écosse, ni autre qui puisse recouvrer le royaume de France, et il n'aura de secours, si ce n'est de moi, bien que j'aimerais mieux demeurer à filer auprès de ma pauvre mère, car ce n'est pas mon état, mais il faut que j'aille et je le ferai, puisque mon Seigneur veut que j'agisse ainsi. »

Interloqué, il lui avait demandé : « Mais qui est ton Seigneur ? » Et la Pucelle lui avait dit : « Dieu. »

> « Alors, poursuivait Jean, j'ai promis à la Pucelle, en mettant ma main dans la sienne en signe de foi, que moi, Dieu aidant, je la conduirais vers le roi ; et je lui ai demandé quand elle voulait s'en aller ; elle m'a dit : " Plutôt maintenant que demain et demain que plus tard ". »

Pratique, l'écuyer lui avait alors demandé si elle comptait s'en aller avec les vêtements qu'elle portait ; elle lui avait déclaré qu'elle aimerait mieux avoir des habits d'homme. Et tout aussitôt, il s'en était allé chercher parmi les vêtements de ses serviteurs de quoi l'habiller : chausses, veste et chaperon. Et voilà que, de retour chez les Le Royer, Jeanne avait trouvé d'autres vêtements, que les bonnes gens de Vaucouleurs, désormais gagnés à sa cause, lui avaient fait faire : habits d'homme, chausses, et tout ce qui était nécessaire, plus un cheval qui valait seize francs, ou environ.

« VA, VA ET ADVIENNE QUE POURRA. »

C'est au retour de ce voyage à Nancy que Robert de Baudricourt, de guerre lasse, ébranlé par l'enthousiasme que soulevait le passage de Jeanne la Pucelle, s'était résigné à la laisser partir. L'escorte qu'elle réclamait était toute formée, puisque Jean de Nouillonpont (qu'on appelait aussi Jean de Metz) était disposé à l'accompagner, et de même Bertrand de Poulengy, tous deux prêts à emmener l'un de leurs serviteurs : Julien pour Bertrand et pour Jean de Metz un nommé Jean de Honnecourt — natif sans doute d'Honnecourt-sur-Escaut, la ville d'origine du fameux Villard de Honnecourt, le seul architecte médiéval qui nous ait laissé, non seulement son nom, mais aussi ses très précieux *Carnets*, aujourd'hui bien connus.

Baudricourt leur a adjoint le messager royal Colet de Vienne, qui doit connaître les diverses routes possibles et pouvoir aussi distinguer, chemin faisant, les hommes d'armes et les garnisons tenant pour le roi de France ; un nommé Richard Larcher l'accompagne. Six hommes autour de cette fille qui déjà chevauche comme un homme d'armes. Au demeurant, le cheval étant le seul moyen de transport connu, elle avait dû, plus d'une fois, se trouver à califourchon sur les chevaux de labour de son père, et visiblement la vie « sportive » ne lui faisait pas peur ! Ultime précaution : Robert de Baudricourt s'était rendu chez les époux Le Royer accompagné du curé de Vaucouleurs, Messire Jean Fournier, revêtu de l'étole, qui prononça sur elle un exorcisme. S'il s'agissait d'une créature de mal, qu'elle s'éloigne, et s'il s'agissait d'une créature de bien, qu'elle s'approche d'eux. Jeanne était probablement occupée à filer avec Catherine Le Royer (elle filait fort bien, au dire de celle-ci) et aussitôt s'approcha du prêtre et se jeta à genoux devant lui. Mais elle avait par la suite déclaré à Catherine que dans sa logique de bonne chrétienne elle trouvait que le curé avait mal agi : ne l'avait-il pas déjà entendue en confession ? Il savait donc qu'elle était bonne chrétienne et n'avait pas besoin d'exorcisme ! Cette scène qui pour Jeanne était inutile, voire ridicule, avait peut-être pris place avant son premier départ et témoignait des perplexités du capitaine de Vaucouleurs qui s'était avisé que peut-être il pouvait s'agir d'une sorcière.

Finalement, Robert lui-même avait fait un bout de conduite à la petite troupe jusqu'à la Porte de France, un soir, peu après le dimanche des Bures. « Va, va, et advienne que pourra ! »

Quels pouvaient être les propos des voyageurs venus de si loin, après une équipée de onze jours exactement à travers le pays ? Tout au long du chemin Jeanne n'avait cessé d'encourager ses compagnons ; ils avaient passé leur première nuit dans l'abbaye de Saint-Urbain-lès-Joinville et autant que possible circulaient de nuit pour éviter les mauvaises rencontres, les bandes d'Anglais et de Bourguignons dont on pouvait tout redouter. Jeanne aurait voulu assister à la messe — « si nous pouvions ouïr messe, nous ferions bien ». Mais ils auraient été remarqués ; en fait ils ne purent « ouïr messe » que deux fois, à Auxerre puis à Sainte-Catherine-de-Fierbois, une fois en territoire ami. Durant tout ce temps, déclaraient ces hommes jeunes qui chevauchaient à ses côtés (Jean de Metz avait trente et un ans, Bertrand de Poulengy trente-sept), Jeanne avait dormi auprès d'eux à chaque étape, gardant son pourpoint et ses chausses, bien serrées et liées ; jamais ils n'avaient eu envers elle « mouvement charnel ». « J'étais enflammé par ses paroles et par un amour pour elle divin à ce que je crois ». Ainsi s'exprimait l'entourage de Jeanne la Pucelle.

Cependant un mouvement se faisait autour d'elle, à Chinon comme à Vaucouleurs. Jeanne n'avait cessé d'affirmer à ses compagnons que le roi, ou plutôt le dauphin, comme elle le disait, la recevrait ; messagers et sergents s'affairaient ; quelque anxiété régnait certainement parmi ses compagnons de voyage, tendus vers le but qu'ils avaient à présent atteint. Pour eux Jeanne avait subi une épreuve convaincante : onze jours de compagnonnage pendant lesquels ils l'avaient trouvée sans défaut, sans faiblesse, d'une piété et d'une charité exemplaires et inébranlable dans sa résolution. Restait pourtant l'épreuve décisive : ses dires, ses prédictions correspondaient-ils à quelque chose ?

« Il n'aura secours si ce n'est de moi. »

Le château de Chinon, en dépit des destructions du XVIIe siècle, de la Révolution et de l'Empire, dresse toujours sa masse imposante au-dessus de la ville, comme une falaise dominant la vallée de la Vienne et les toits pointus de la petite cité à ses pieds. On imagine assez bien les allées et venues sur le chemin passablement escarpé qu'on nomme aujourd'hui la rue Jeanne-d'Arc, en ces longues heures qui s'écoulent entre l'arrivée de Jeanne et de son escorte, vers midi, et, le surlendemain au soir, quand elle est enfin admise en présence du roi au château même. « Elle a été beaucoup interrogée », déclare Jean de Metz, et de citer, comme le fait Bertrand de Poulengy, de nobles gens, des conseillers du roi — toute une affluence dans laquelle on devine la perplexité, l'incertitude. Jeanne et ses compagnons n'en ont probablement pas dit davantage que ce qui a pu être reconstitué et exposé plus haut sur leurs origines et leur démarche, avec la déconcertante affirmation : « Il n'aura secours si ce n'est de moi. »

Un important personnage, président de la Chambre des Comptes du roi, Maître Simon Charles, va retracer avec quelque netteté la façon dont se sont déroulés les événements ; il n'était pas lui-même présent à Chinon quand Jeanne y arriva, mais, rentré « au cours du mois de mars » de l'ambassade pour laquelle le roi l'avait envoyé à Venise, il s'est fait raconter ce qui s'est passé par Jean de Metz lui-même, et en homme précis, en a donné un clair résumé. Le roi a fait interroger Jeanne dans l'hôtellerie où elle est installée : qu'est-elle venue faire et que demande-t-elle ? Jeanne hésite à répondre : elle ne veut parler réellement de sa mission qu'en présence du roi ; mais on insiste et elle finit par répondre qu'elle a double mandat de la part du Roi des Cieux. D'abord lever le siège mis devant Orléans, ensuite conduire le roi à Reims pour recevoir son couronnement et son sacre. Cela établi, revenus vers le roi, les conseillers sont divisés. Les uns, croyant que cette fille est manifestement folle sont d'avis de la renvoyer sans plus de façons, les autres pensent que le roi doit au moins l'entendre. Mais il est probable que Charles ne fut réellement convaincu et ne consentit à l'admettre au château qu'après avoir reçu un message de Robert de Baudricourt lui-même, envoyé par celui-ci peu de temps après le départ de la petite escorte et confirmant les dires de Jeanne et de ses compagnons. Sans cette assurance venue directement d'un capitaine d'une fidélité récemment confirmée, le roi, soupçonneux et méfiant comme il l'était, n'aurait sans doute pas reçu Jeanne. La pensée de ce long périple à travers ce qu'en d'autres temps on eût nommé « la zone occupée », des fleuves encore gonflés par l'hiver et franchis à gué et des garnisons ou des troupes ennemies évitées sur les chemins et aux étapes — et le tout dûment confirmé par ce capitaine d'une place-forte lointaine et éprouvée — : tout cela plaidait pour que la rencontre fût au moins tentée. On comprend après coup la sagesse de Jeanne qui s'est d'abord engagée sur la route avec deux compagnons, puis est revenue à Vaucouleurs en déclarant : « Ce n'est pas ainsi qu'il nous convient de nous éloigner. » Son insistance auprès de Robert de Baudricourt paraît mieux justifiée : le blanc-seing du capitaine lui était indispensable.

« Après l'avoir entendue, le roi paraissait radieux. »

« Il était haute heure » — une heure déjà avancée —, la nuit était proche (la tombée de la nuit en ces premiers jours de mars correspond à six heures et demie au soleil ou environ) ; il pouvait donc être sept heures, sept heures et demie quand Jeanne, ses compagnons et probablement un messager du roi s'engagèrent dans la ruelle escarpée à laquelle on a donné le nom de l'héroïne : « Il y avait plus de 300 chevaliers et 50 torches », dira-t-elle en évoquant plus tard ce souvenir. Le comte de Vendôme avait été chargé de l'introduire dans la grande salle du château. Si les trois cents chevaliers dont parle Jeanne représentent une évaluation un peu excessive, on peut penser néanmoins à l'effet que pouvait produire un spectacle comme elle n'en avait jamais vu sur la petite paysanne introduite pour la première fois de son existence dans une vaste salle où brûlent une multitude de torches et de flambeaux éclairant tous ces visages inconnus de grands seigneurs et de nobles dames.

> « J'étais moi-même présent au château et à la ville de Chinon quand la pucelle est arrivée, et je l'ai vue quand elle s'est présentée devant la majesté royale en grande humilité et simplicité, cette pauvre petite bergerette ».

Raoul de Gaucourt exprime là de façon saisissante le contraste entre l'assemblée réunie — peut-être avec une arrière pensée d'intimidation — et la « bergerette » ; toutes les paysannes sont plus ou moins des bergères, à l'époque et dans la bouche des grands de ce monde. Et Gaucourt poursuit son récit :

> « J'ai entendu les mots suivants qu'elle a dits au roi : " Très noble seigneur Dauphin, je suis venue et suis envoyée de par Dieu pour porter secours à vous et au Royaume. " »

Ce témoignage, dans sa concision, exprime bien le contraste entre la personne et le message qu'elle est venue délivrer.

Dans les récits postérieurs, on ne manquera pas d'amplifier ce contraste. Ainsi la Chronique de Jean Chartier, historien officiel en quelque sorte, raconte la scène :

> « Lors, Jeanne venue devant le roi fit les inclinaisons, et les révérences accoutumées de faire au roi comme si elle eût été nourrie à la Cour et, la salutation faite, dit en adressant la parole au roi ; " Dieu vous donne vie, gentil Roi ", alors qu'elle ne le connaissait pas et qu'elle ne l'avait jamais vu ; et il y avait plusieurs seigneurs, pompeusement vêtus et richement et plus que n'était le roi. Pourquoi il répondit à ladite Jeanne : " Ce ne suis-je pas le roi, Jeanne ? " Et en lui montrant l'un des seigneurs, dit : " Voilà le roi. " A quoi elle répondit : " En nom Dieu, gentil prince, c'êtes vous et non autre. " »

Simon Charles, qui n'était pas présent, mais, nous l'avons vu, était arrivé peu de temps après à Chinon, dit seulement :

> « Quand le roi sut qu'elle allait venir, il se retira à part, en dehors des autres ; Jeanne cependant le reconnut bien et lui fit révérence et lui parla un long moment. Après l'avoir entendue, le roi paraissait radieux. »

Enfin le récit fait par Jeanne elle-même au frère Jean Pasquerel son confesseur, élimine les détails accessoires, mais retrace, peut-on croire, fidèlement, les paroles même de Jeanne :

> « Lorsque [le roi] la vit, il demanda à Jeanne son nom et elle répondit : " Gentil Dauphin, j'ai nom Jeanne la Pucelle et vous mande le Roi des Cieux par moi que vous serez sacré et couronné dans la ville de Reims et vous serez lieutenant du Roi des cieux qui est Roi de France. " Et après d'autres questions posées par le roi, Jeanne lui dit de nouveau : " Je te dis, de la part de Messire, que tu es vrai héritier de France, et fils de Roi, et Il m'a envoyé à toi, pour te conduire à Reims, pour que tu reçoives ton couronnement et ta consécration si tu le veux. " Cela entendu, le roi dit aux assistants que Jeanne lui avait dit certain secret que personne ne savait et ne pouvait savoir, si ce n'est Dieu ; c'est pourquoi il avait grande confiance en elle. Tout cela, conclut frère Pasquerel, je l'ai entendu de la bouche de Jeanne, car je n'y ai pas été présent. »

Ce qui ne semble pas faire de doute, c'est que, et quelles que soient les circonstances auxquelles la légende s'est attachée comme à une situation de théâtre, Jeanne ne s'est pas laissé déconcerter par le spectacle intimidant de cette grande salle bruissant de monde et pleine d'une clarté inhabituelle pour elle, qu'elle est allée au roi et qu'elle a délivré calmement le message pour lequel elle a franchi la moitié du pays.

Ce message a dû faire une forte impression sur celui qui le recevait. Charles, que Jeanne appelle le dauphin, vit en exilé depuis le traité de Troyes, et même depuis l'entrée des Anglais à Paris en 1418 ; depuis sept ans — 1422, à la mort de son père Charles VI le Fol —, il attend le sacre qui peut faire de lui un roi ; même s'il est exagéré de dire que sa propre mère a émis des doutes sur sa légitimité, du moins sait-il qu'il est écarté du trône par un traité dûment accepté et scellé. Il n'a pourtant jamais abandonné réellement une partie incertaine, mais, à vingt-six ans, en dépit de sa jeunesse, déceptions, défaites, traverses ne lui ont pas été ménagées. A douze ans il a vu mourir son frère aîné, le dauphin Louis, puis, deux ans plus tard, le second dauphin Jean et ce avec en arrière-plan la désastreuse journée d'Azincourt (25 octobre 1415) qui a pesé si lourd sur sa propre destinée et a creusé de tels vides dans l'entourage royal. Charles de Ponthieu (c'était son titre), devenu dauphin, s'était déclaré régent de France, mais n'avait usé de son titre et tenté une action personnelle que pour la voir aussitôt tourner au pire des revers : la funeste issue de cette entrevue du pont de Montereau où Jean sans Peur, duc de Bourgogne, avait été assassiné dans des circonstances mystérieuses par son escorte. Dix ans se sont écoulés lors de l'entrevue de Chinon, mais ce jour du 10 septembre 1419 pèse toujours d'un poids obsédant sur ses décisions. En réalité, il n'aura de cesse que le souvenir n'en ait été effacé par une réconciliation avec le cousin de Bourgogne.

Il y a tout cela en arrière-plan chez ce jeune homme qu'on dit généralement maussade, au moment où il voit arriver cette fille que lui recommande le message de Baudricourt ; tout cela et aussi les nouvelles d'Orléans qui sont mauvaises. Dès lors, s'entendre interpeller comme celui qui sera « sacré et couronné dans la ville de Reims » a dû produire en lui un certain choc, et son entourage en a été frappé : il a remarqué l'expression « radieuse » du roi après l'entretien personnel qu'il a eu quelques instants avec la nouvelle venue.

Que lui a-t-elle dit ? On ne le saura jamais exactement ; seule sans doute la cheminée demeurée comme suspendue au mur de la grande salle du château en aura été témoin, mais on peut considérer comme vraisemblable ce que le roi aurait raconté à son chambellan Guillaume Gouffier et que nous transmet la chronique de Pierre Sala :

> « Le roi [...] entra un matin en son oratoire tout seul et là il fit une humble requête et prière à Notre Seigneur dedans son cœur, sans prononciation de paroles, où il lui requérait dévotement, que si ainsi était qu'il fût vrai héritier, descendu de la noble Maison de France et que le royaume lui dût justement appartenir, qu'il lui plût de le garder et défendre ou, au pis, lui donner grâce d'échapper sans mort ou prison et qu'il pût se sauver en Espagne ou Écosse qui étaient de toute ancienneté, frères d'armes et alliés des rois de France... »

Jeanne lui aurait répété cette prière, « certain secret que personne ne savait et ne pouvait savoir si ce n'est Dieu », dira par la suite Jean Pasquerel. L'épisode peut sembler minuscule ; il aura dans l'histoire de Jeanne et dans l'Histoire tout court, une place que seuls jugeront démesurée ceux à qui manque l'expérience de ces menus faits qui peuvent changer une vie.

L'entretien a en tout cas fait prendre à Charles une décision immédiate : il va garder Jeanne au château et la confier à l'épouse de Guillaume Bellier, le bailli de Troyes, qui a la haute main sur le personnel de sa maison. La Pucelle ne retournera pas à l'auberge et va demeurer dans les logis royaux ; on lui assigne un logement dans une tour de ce qu'on appelle le château du Couldray, à l'ouest de ce « chateau du milieu », bâtiment principal de la forteresse : superbe donjon bâti deux siècles auparavant, qui a d'ailleurs, dans la partie basse, servi de prison aux dignitaires de l'Ordre du Temple enfermés en 1308 sur l'ordre de Philippe le Bel. Même si l'histoire en a été rappelée à Jeanne, elle préfère sans doute se rendre dans la chapelle toute proche qui est dédiée à saint Martin ; dès ce moment on assigne à son service un jeune garçon de quatorze à quinze ans, nommé Louis de Coutes, qui un peu plus tard deviendra officiellement son page.

> « Un logement lui fut assigné dans une tour du château du Couldray, et j'ai demeuré dans cette tour avec Jeanne. Tout le temps qu'elle fut là, j'ai été continuellement avec elle pendant le jour ; la nuit elle avait des femmes avec elle ; et je me souviens bien qu'au moment où elle fut dans cette tour du Couldray plusieurs fois des hommes de haut rang venaient converser avec Jeanne ; ce qu'ils faisaient ou disaient, on ne le sait, car toujours, quand je voyais ces hommes arriver, je m'en allais, et je ne sais pas qui ils étaient. »

Ce souvenir de garçon timide qui à l'époque s'exerçait au métier des armes dans la suite de Raoul de Gaucourt se complète d'un détail qui l'a frappé :

> « A ce moment, quand j'étais avec Jeanne dans cette tour, je l'ai vue souvent à genoux en train de prier à ce qu'il me semblait ; cependant je n'ai jamais pu entendre ce qu'elle disait, bien qu'elle pleurât quelquefois. »

Mais le séjour au Couldray ne va être que de courte durée. Si ébranlé que le roi ait pu être par le « signe » que Jeanne lui a donné, il n'est pas question de l'écouter sans avoir mieux discerné d'où elle vient et à quel genre de personnage il a réellement affaire. Pour cela il trouve expédient de l'emmener à Poitiers où prélats, théologiens et maîtres de l'Université — ceux du moins, et ils sont rares, qui lui sont restés fidèles — sont rassemblés. Poitiers doit devenir la capitale intellectuelle du roi de Bourges. La maison royale va donc prendre la route, tandis que des messagers iront à Vaucouleurs et dans la région enquêter sur l'origine exacte de la petite paysanne.

Pour elle, Jeanne la Pucelle, est venu le moment des

chevauchées ; elle qui n'avait jamais auparavant quitté son pays natal parcourt désormais la France ; on a calculé qu'elle avait dû couvrir quelque 5 000 kilomètres à cheval jusqu'au moment où elle accomplit — sans doute pieds et poings liés —, sa dernière chevauchée qui l'amènera à Rouen. Mais de cela elle ne sait rien encore ; elle sait seulement que sa carrière sera courte. N'a-t-elle pas déclaré en arrivant à Chinon : « Je durerai un an, guère plus. »

Le duc d'Alençon.

Pour l'instant elle est vraisemblablement tout à la joie de parcourir un pays aimable ; une seule journée aura sans doute suffi pour franchir la distance qui sépare Chinon de Poitiers et qui varie entre un peu moins de 50 et un peu plus de 60 kilomètres suivant qu'on fait ou non la route par Loudun. L'arrivée du cortège dans la cité des ducs d'Aquitaine — séjour préféré de la reine Aliénor quelque trois cents ans plus tôt et, au-delà encore, la cité de la reine Radegonde au tournant des VIe-VIIe siècles, cette arrivée a dû être joyeuse, à la tombée de la nuit, dans la ville hérissée de clochers.

Mais entre temps se place un épisode qu'on ne peut passer sous silence. Jeanne, à Chinon, a reçu une visite qui va marquer dans son épopée : celle du duc d'Alençon, Jean, celui qu'elle appellera « mon beau duc » (ce qualificatif est alors très employé et on dit : « beau neveu », un peu comme nous dirions : « cher neveu ») *. Lui-même raconte ainsi la rencontre :

> « Quand Jeanne vint trouver le roi, celui-ci était dans la ville de Chinon et moi dans la ville de Saint-Florent [près de Saumur] ; je me promenais et chassais aux cailles quand un messager vint me dire qu'était arrivée auprès du roi une pucelle qui affirmait qu'elle était envoyée de par Dieu pour chasser les Anglais et lever le siège mis par ces Anglais, devant Orléans ; c'est

pourquoi le lendemain j'allai vers le roi qui était dans la ville de Chinon et je trouvai Jeanne parlant avec le roi. Au moment où j'approchai, Jeanne demanda qui j'étais, et le roi répondit que j'étais le duc d'Alençon, Alors Jeanne dit : " Vous, soyez le très bien venu, plus ils seront ensemble du sang royal de France, mieux sera. " »

Le jeune duc d'Alençon mérite certes que le roi lui fasse confiance ; proche de Charles par le sang, il l'est aussi par l'âge puisque, né en 1406, il a trois ans de moins que le Dauphin ; mais surtout, il n'est rentré que très récemment d'Angleterre où il était prisonnier : à vingt-trois ans, il a connu cinq ans de captivité ; encore l'avait-on cru mort, car c'est parmi les cadavres qu'on l'a ramassé sur le champ de bataille de Verneuil, en 1424 ; il a été enfermé dans la tour du Crotoy où sa solide constitution lui a permis, contre toute espérance, de se rétablir. Il n'a pu payer qu'une partie de la très forte rançon contre laquelle il a été relâché ; aussi a-t-il dû prendre l'engagement de ne plus combattre contre les Anglais tant que la somme n'aurait pas été versée en totalité. Il est donc prisonnier sur parole. Et l'on conçoit qu'il ait mis quelque hâte à franchir la distance qui sépare Saint-Florent-lès-Saumur de Chinon lorsqu'on lui a parlé de la promesse insolite que venait faire cette fille inconnue, et qu'il ait été curieux de la rencontrer. La réponse de Jeanne a parfois été mal interprétée (uniquement en raison d'une erreur de traduction, car elle dit expressément : « *Quanto plures erunt* : plus ils seront nombreux ») ; elle dû surprendre le duc d'Alençon, qui l'aura retenue. De fait, Jeanne semble dès lors à l'aise, mais elle a encore à s'expliquer avec celui qu'elle appelle le dauphin, comme en témoigne la suite du récit :

« Le lendemain, poursuit Jean d'Alençon, Jeanne vint à la messe du roi, et quand elle vit le roi, elle s'inclina ; et le roi conduisit Jeanne dans une chambre, et j'étais avec lui et le seigneur de La Trémoïlle que le roi retint, disant aux autres qu'ils se retirent. Alors Jeanne fit au roi plusieurs requêtes, entre autres qu'il donne son royaume au Roi des Cieux et que le Roi des Cieux après cette donation lui ferait comme il avait fait à ses prédécesseurs et le remettrait dans son premier état, et beaucoup d'autres choses dont je ne me souviens pas furent dites jusqu'au repas ; et après le repas, le roi alla se promener dans les prés et là, Jeanne courut avec la lance, et moi, voyant Jeanne se comporter ainsi, porter la lance, et courir la lance, je lui donnai un cheval. »

Ébloui, le beau duc ! Jeanne a déjà acquis toute l'aisance nécessaire et mérite visiblement ce cheval. Ce passage permet de comprendre que le duc d'Alençon a dû vivre, dès ces premiers instants, émerveillé par la présence de Jeanne, comme beaucoup d'autres. Et pour compléter ce souvenir :

« Le roi conclut que Jeanne serait examinée par des gens d'Église ; et y furent députés l'évêque de Castres, confesseur du roi [Gérard Machet], l'évêque de Senlis [Simon Bonnet qui en réalité n'était pas encore évêque de cette ville, mais le devint par la suite], ceux de Maguelonne et de Poitiers [Hugues de Cambarel], Maître Pierre de Versailles, par la suite évêque de Meaux, et Maître Jean Morin et plusieurs autres dont je ne me rappelle pas les noms. »

Ce sont là de précieuses indications, inséparables du séjour à Poitiers. Il y a donc eu à Chinon, sinon un véritable procès, comme celui qui sera mené dans la cité poitevine, du moins un interrogatoire en règle par des gens d'Église :

« Ils interrogèrent Jeanne en ma présence, précise le duc d'Alençon : pourquoi était-elle venue et qui l'avait fait venir vers le roi ? Elle répondit qu'elle était venue de par le Roi du Ciel et qu'elle avait des voix et un conseil qui lui disaient ce qu'elle avait à faire, et d'autres choses dont je ne me souviens pas. Mais ensuite, Jeanne elle-même qui prenait son repas avec moi me dit qu'elle avait été très examinée, mais qu'elle en savait et qu'elle en pouvait plus qu'elle n'en avait dit à ceux qui l'interrogeaient. »

Et le Duc d'Alençon conclut sur ce point :

« Le roi, une fois entendu le rapport de ceux qui avaient été délégués à l'examiner, voulurent qu'à nouveau Jeanne aille à la ville de Poitiers et y soit encore une fois examinée ; mais je n'ai pas été présent à cet examen fait à Poitiers. »

Le « PROCÈS DE POITIERS ».

Ce qu'il nous en a dit suffit à nous représenter ce qu'aura été, ce « procès de Poitiers » sur lequel on a quelque peu glosé. Jugeant qu'on ne saurait prendre trop de précautions, le roi veut élargir le nombre et la qualité de ceux qui sont commis à interroger la jeune fille, et c'est à Poitiers qu'il les trouvera rassemblés.

Jeanne est alors logée dans la maison de Maître Jean Rabateau, avocat au Parlement de Paris, qui a rejoint le dauphin deux ans plus tôt. Tandis que quelques femmes étaient chargées de surveiller secrètement sa conduite, on réunit les prélats qui allaient composer un tribunal d'« experts », chargé de l'interroger. François Garivel, conseiller du roi sur le fait des aides, ajoute quelques noms à ceux qu'à donnés le duc d'Alençon : Guillaume Aymeri, des frères prêcheurs, un théologien ; un autre bachelier en théologie nommé Guillaume le Marié, chanoine de Poitiers ; un nommé Pierre Seguin, qu'on désigne comme un spécialiste de l'Écriture sainte ; un carme, Jean Lambert, Mathieu Mesnage, et surtout le frère prêcheur qui sera doyen de la faculté de Poitiers, Seguin Seguin. Garivel précise en même temps que Jeanne a été interrogée à plusieurs reprises et que cet examen a pris quelque trois semaines ; lui-même a eu l'idée de lui poser une question :« Pourquoi appelait-elle le roi, dauphin et non roi ? » ; elle lui répondit qu'elle ne l'appellerait pas roi, jusqu'à ce qu'il ait été couronné et sacré à Reims, dans la cité où elle entendait le conduire ; lui-même a été surtout frappé de la grande piété de cette « simple bergerette », comme on l'appelle.

Mais c'est la déposition de Seguin Seguin qui nous renseigne le mieux sur cet examen de Poitiers qui dut être savoureux, car Jeanne, interrogée par des juges de bonne foi, a dû répondre en toute liberté. Frère Seguin, lorsqu'il rappelle ses souvenirs, est un homme âgé, soixante-dix ans ou environ, mais il se remémore très vivement certaines réponses et nous transmet bien l'impression que Jeanne lui a faite ; il désigne Maître Regnault de Chartres, archevêque de Reims et chancelier de France, comme étant celui qui présidait le Conseil du roi en la matière, et nomme même un membre de l'Université de Paris réfugié lui aussi à Poitiers, Maître Jean Lombard. C'est ce dernier qui interroge Jeanne, lui demandant pourquoi elle est venue « Elle répondit de grande façon », dit-il. Le langage de Jeanne a toujours provoqué l'admiration : « Cette fille parlait très bien », dira aussi d'elle un vieux seigneur des environs de Vaucouleurs, Albert d'Ourches, et d'ajouter : « J'aurais bien aimé avoir une fille aussi bien. »

Et là, pour la première fois, à Poitiers, nous saisissons le récit de ce qu'on doit appeler la « vocation » de Jeanne, l'appel auquel elle dit et maintiendra toujours avoir répondu :

> « Quand elle gardait les animaux, une voix s'était manifestée à elle, qui lui dit que Dieu avait grand pitié du peuple de France et qu'il fallait qu'elle-même, Jeanne, vînt en France. En entendant cela elle avait commencé à pleurer ; alors la voix lui dit qu'elle aille à Vaucouleurs et que là elle trouverait un capitaine qui le conduirait sûrement en France et auprès du roi, et

qu'elle n'ait doute. Et elle avait fait ainsi et elle était venue auprès du roi sans aucun empêchement. »

Et la suite, telle que la rapporte frère Séguin, donne bien la couleur de l'interrogatoire. Il y a la réponse faite à Maître Guillaume Aymeri :

> « Tu as dit que ta voix t'a dit : “ Dieu veut libérer le peuple de France des calamités dans lesquelles il est, s'Il veut le libérer, il n'est pas nécessaire d'avoir des gens d'armes ”, et alors Jeanne répondit : “ En nom Dieu, les gens d'armes batailleront et Dieu donnera la victoire. ” »

« De cette réponse, maître Guillaume se tint content », commente frère Seguin. Il était difficile, en effet, de mieux rendre compte de ce discernement entre l'action de la grâce et les moyens temporels qui posa toujours de délicats problèmes aux théologiens.

En ce qui le concerne, frère Seguin n'a pas craint de raconter comment il fut quelque peu victime de l'humour qui pointe toujours chez Jeanne :

> « Je lui ai demandé quel langage parlait sa voix. Elle m'a répondu : “ Meilleur que le vôtre. ” Moi, je parlais limousin ; et de nouveau je lui demandai si elle croyait en Dieu ; elle répondit : “ Oui, mieux que vous. ” Je lui dis alors que Dieu ne voulait pas qu'on croie en elle, s'il n'apparaissait quelque chose qui fasse penser qu'on devait croire en elle et qu'il n'allait pas conseiller au roi, sur sa simple assertion, de lui confier des gens d'armes pour aller les mettre en péril, à moins qu'elle ne dise autre chose ; et elle répondit : “ En nom Dieu, je ne suis pas venue à Poitiers pour faire signes ” [et cela, comme la réponse faite plus haut à Guillaume Aymeri, Seguin le dit en français, ayant gardé le souvenir des paroles même de Jeanne], mais conduisez-moi à Orléans, je vous montrerai le signe pour lequel

j'ai été envoyée" ; et qu'on lui donnât des gens d'armes en telle quantité qu'il lui semblerait bon. »

Puis vient un véritable exposé de la mission de Jeanne, résumé en quatre points :

« Elle dit alors à lui-même et aux autres qui étaient présents quatre choses qui allaient advenir et qui sont arrivées ensuite. D'abord elle dit que les Anglais seraient chassés et que le siège mis devant la ville d'Orléans serait levé, et que la ville d'Orléans serait libérée des Anglais, mais que d'abord elle leur enverrait des lettres de sommation ; ensuite, elle dit que le roi serait consacré à Reims ; troisièmement que la ville de Paris reviendrait en l'obéissance du roi, et que le duc d'Orléans reviendrait d'Angleterre. Tout cela, concluait Seguin, je l'ai vu s'accomplir. »

Jeanne avait convaincu le premier tribunal commis pour l'examiner :

« Nous avons rapporté tout cela au Conseil du roi et nous fûmes d'opinion que, étant donné la nécessité pressante et le péril dans lequel était la ville d'Orléans, le roi pouvait s'aider d'elle et l'envoyer à Orléans. »

L'étape décisive était donc franchie. A l'arrivée à Poitiers, Jeanne n'était encore qu'une petite paysanne surprenante qui avait étonné le roi et dont on pouvait se demander qui elle était ; à la fin de son séjour elle avait permission d'agir.

Un avocat au Parlement nommé Jean Barbin résume ainsi l'impression qu'elle produisait maintenant à la suite de l'appréciation portée par les clercs et les prélats :

« Par ces même docteurs qui l'avaient examinée et qui lui avaient posé beaucoup de questions, j'ai entendu rapporter qu'elle répondait très prudemment, comme si elle avait été un bon clerc [clerc garde alors le sens de : instruit, lettré], au point qu'ils s'émerveillaient de ses réponses, et croyaient qu'il y avait là quelque chose de divin, compte tenu de sa vie et de son comportement ; et finalement il fut conclu par les clercs après les examens et les interrogations qu'ils avaient faites, qu'il n'y avait en elle rien de mal, rien de contraire à la foi catholique, et, étant donné la nécessité où se trouvaient le roi et le royaume, puisque le roi et les habitants qui lui étaient fidèles étaient à ce moment-là au désespoir et ne savaient quel espoir d'aide avoir s'il ne lui venait de Dieu, que le roi pouvait s'aider d'elle. »

Et — ce qui ne manque pas d'être intéressant — il commence à évoquer, à propos de Jeanne, certaines prophéties faites autrefois :

> « Un certain Maître Érault, professeur en théologie, rapporta qu'il avait entendu autrefois dire, par une certaine Marie d'Avignon qui était venue auparavant auprès du roi, que le royaume de France aurait beaucoup à souffrir et qu'il subirait de nombreuses calamités, disant elle-même qu'elle avait eu beaucoup de visions touchant la désolation du royaume de France, et entre autres, elle voyait beaucoup d'armures qui lui étaient présentées, à elle, et Marie, effrayée, craignait d'être obligée de revêtir ces armures et il lui fut dit qu'elle ne craigne pas, et qu'elle ne revêtirait pas ces armes, mais qu'une Pucelle qui viendrait après elle porterait les mêmes armes et libérerait le royaume de France de ses ennemis ; et il croyait fermement que cette Jeanne était celle dont avait parlé Marie d'Avignon. »

Effectivement, Marie, celle qu'on appelait la Gasque d'Avignon, était une visionnaire connue par ailleurs.

Voilà pour la rumeur populaire, mais le constat officiel, ce sont les conclusions des docteurs : « En elle, Jeanne, on ne trouve pas de mal, mais seulement du bien, humilité, virginité, dévotion, honnêteté, simplicité ». Ses hôtes, Jean Rabateau et son épouse confirment que chaque jour, après le repas, Jeanne prie à genoux un long moment et aussi parfois la nuit, et qu'elle va souvent dans une petite chapelle de la maison et là elle prie longtemps.

Enfin, un autre genre d'examen a été mené dont Jean Pasquerel, le confesseur de Jeanne, s'est fait l'écho :

> « J'ai entendu dire que Jeanne lorsqu'elle vint vers le roi, fut examinée par des femmes pour savoir ce qu'il en était d'elle, si elle était un homme ou une femme, et si elle était corrompue ou vierge ; elle fut trouvée femme et vierge et pucelle. Celles qui la visitèrent furent, à ce que j'ouïs d'elle : la dame de Gaucourt [Jeanne de Preuilly] et la dame de Trêves [Jeanne de Mortemer, épouse de Robert le Maçon]. »

L'une et l'autre dame font partie de la suite de la reine de Sicile, la belle-mère du roi, Yolande d'Aragon, mère de son épouse Marie d'Anjou.

On a souvent mal compris cet examen de virginité ; notre époque qui semble plus attentive aux histoires de sorcellerie qu'on ne l'était au temps de Jeanne d'Arc a vu là une épreuve destinée à vérifier si elle n'était pas sorcière, celles-ci étant toujours soupçonnées d'avoir eu commerce avec le diable ! La réalité semble beaucoup plus simple : Jeanne, qui s'est fait appeler Jeanne la Pucelle — et c'est le seul nom qu'on lui connaîtra, le seul par lequel on la désignera durant sa vie * — aurait été immédiatement confondue si l'on avait découvert à l'examen qu'elle ne l'était pas. Convaincue de mensonge, elle eût immédiatement été renvoyée chez elle : son histoire eût été terminée, jugée sur preuves. L'examen de la virginité était avant tout une preuve de sincérité. Or, en son temps, personne ne mettait en doute que l'être qui souhaitait se consacrer à Dieu sans partage manifeste l'appel reçu en demeurant vierge, donc pleinement autonome, totalement disponible pour le service du Seigneur, cœur et corps, sans partage. Jeanne en était la première persuadée lorsqu'elle déclarait s'être vouée à Dieu dès le moment où elle avait compris que c'était la voix d'un ange qui se manifestait à elle. Pas une seule fois, inutile de le dire, il ne sera question dans ses paroles d'une allusion quelconque à quelque diablerie ou sorcellerie que ce soit : les soupçons de ce genre ne viennent à l'esprit que de l'intellectuel du XXe siècle ! C'est à un tout autre niveau qu'à son époque on considère la virginité de l'être consacré.

Jeanne la Pucelle apparaît bien telle désormais aux yeux des populations, lorsqu'elle quitte Poitiers. L'intérêt étonné qu'on lui porte s'est mué en une sorte de dévotion, le mot n'est pas trop fort. Certes on attend qu'elle ait été mise à l'épreuve — cette épreuve qu'elle demande et qui sera l'action militaire : la libération d'Orléans —, mais déjà c'est une sorte d'*aura* respectueuse qui l'environne ; elle personnifie désormais l'espoir — l'unique espoir au dire des témoins du temps — que le royaume en détresse ne peut plus attendre que de Dieu.

Quelques années auparavant le poète Alain Chartier, qui fut toujours fidèle au roi légitime, avait composé une œuvre mêlée de prose et de vers intitulée *L'Espérance.* Parler d'espérance en l'année 1420, celle du traité de Troyes, qui privait le dauphin de ses droits à la couronne au profit du roi anglais, était une véritable provocation. « Cette dame Espérance, écrit-il, avait la face riante et joyeuse, le regard haut, la parole agréable. »

CHAPITRE III

Neuf jours, dix nuits

« Jésus Maria, Roi d'Angleterre, et vous, duc de Bedford, qui vous dites régent du Royaume de France, vous Guillaume de la Poule [William Pole, comte de Suffolk], Jean, sire de Talbot ; et vous Thomas, sire de Scales, qui vous dites lieutenant dudit duc de Bedford, faites raison au Roi du Ciel. Rendez à la Pucelle, qui est ici envoyée de par Dieu, le Roi du Ciel, les clefs de toutes les bonnes villes que vous avez prises et violées en France. Elle est ici venue de par Dieu pour proclamer le sang royal. Elle est toute prête de faire paix, si vous lui voulez faire raison, pourvu que France vous rendiez, et payez pour l'avoir tenue. Et entre vous, archers, compagnons de guerre, gentils et autres qui êtes devant la ville d'Orléans, allez-vous-en en votre pays, de par Dieu. Et si ainsi ne le faites, attendez les nouvelles de la Pucelle qui vous ira voir brièvement, à vos bien grands dommages. Roi d'Angleterre, si ainsi ne le faites, je suis chef de guerre, et en quelque lieu que j'atteindrai vos gens de France, je les ferai en aller, qu'ils le veuillent ou ne le veuillent ; et s'ils ne veulent obéir, je les ferai tous occire. Je suis envoyée de par Dieu, le Roi du Ciel, corps pour corps, pour vous bouter hors de toute France. Et s'ils veulent obéir, je les prendrai à merci. Et n'ayez point autre opinion, car vous ne tiendrez point le royaume de France de Dieu, le Roi du Ciel, fils de sainte Marie ; mais le tiendra le roi Charles, vrai héritier ; car Dieu, le Roi du Ciel, le veut et cela lui est révélé par la Pucelle, et il entrera à Paris en bonne compagnie. Si vous ne voulez croire les nouvelles, de par Dieu et la Pucelle, en quelque lieu que vous trouverons nous frapperons dedans et ferons un si grand *hahay* qu'il y a bien mille ans qu'en France il n'en fut un si grand, si vous ne faites raison. Et croyez fermement que le Roi du Ciel enverra plus de force à la Pucelle que vous ne lui en sauriez mener avec tous assauts à elle et à ses bonnes gens d'armes ; et aux horions on verra qui aura meilleur droit de Dieu du Ciel. Vous, duc de Bedford, la Pucelle vous prie et vous requiert que vous ne fassiez plus détruire. Si vous lui faites raison, vous pourrez venir en sa compagnie, où les Français feront le plus beau fait qui oncques fut fait pour la chrétienté. Et faites réponse si vous voulez faire paix en la cité d'Orléans ; et si ainsi ne le faites, de vos bien grands dommages qu'il vous souvienne brièvement. Écrit le mardi, semaine sainte. »

Cette lettre, où Jeanne se révèle dans toute sa santé et le dynamisme de sa vocation désormais reconnue, est exactement datée, non seulement par la mention finale — mardi Semaine Sainte, c'est-à-dire le 22 mars 1429 —, mais aussi par un témoin qui l'a vue à Poitiers et a raconté les circonstances dans lesquelles Jeanne a dicté sa lettre ; il s'agit d'un écuyer royal, nommé Gobert Thibault. Il accompagnait Pierre de Versailles et Jean Érault qui se rendaient chez Maître Jean Rabateau pour retrouver Jeanne :

« Comme nous y arrivions, dit-il, Jeanne vint au-devant de nous et elle me frappa sur l'épaule en disant qu'elle aimerait bien avoir beaucoup d'hommes de ma sorte. Alors Pierre de Versailles dit à Jeanne qu'ils étaient envoyés à elle de par le roi ; elle répondit : " Je crois bien que vous êtes envoyés pour m'interroger ", en disant : " Moi, je ne sais ni A ni B. " Alors nous lui demandâmes pourquoi elle venait ; alors elle répondit : “ Je viens de par le Roi des Cieux pour lever le siège d'Orléans et conduire le roi à Reims, pour son couronnement et son sacre. ” Et elle nous demanda si nous avions du papier et de l'encre, disant à Maître Jean Érault : “ Écrivez ce que je vous dirai : Vous, Suffort, Classidas et la Poule [Suffolk, Glasdale, William Pole], je vous somme, de par le Roi des Cieux, que vous en alliez en Angleterre. ” Et cette fois-là, Versailles et Érault ne firent rien d'autre dont je me souvienne, et Jeanne demeura à Poitiers aussi longtemps que le fit le roi. »

Gobert Thibault a été, comme tout le monde, curieux de savoir qui était Jeanne et ce qu'elle voulait ; il n'a pas manqué d'interroger Jean de Metz et Bertrand de Poulengy — qu'il appelle familièrement Pollichon — et nous transmet l'admiration de ces derniers en évoquant la façon dont ils ont traversé toute la région bourguignonne « sans aucun empêchement ». Cette épreuve de vie quotidienne, en un temps où elle n'était encore qu'une petite paysanne forte de ses seules promesses, Jeanne l'avait traversée sans défaillance. Et ce Gobert Thibault, qu'on imagine de solide prestance, était aussi, sans aucun doute, de ces êtres au regard droit qui perçoivent la pureté où elle se trouve ; c'est probablement lui qui a analysé avec le plus de finesse le sentiment général de la soldatesque à l'endroit de Jeanne, alors qu'en ce temps toute fille dans l'armée était une fille à soldats :

« Dans l'armée, elle était toujours avec les soldats ; j'ai entendu dire par plusieurs des familiers de Jeanne que jamais ils n'avaient eu désir d'elle ; c'est-à-dire que parfois ils en avaient volonté charnelle, cependant jamais n'osèrent s'y laisser aller, et ils croyaient qu'il n'était pas possible de la vouloir ; et souvent, quand ils parlaient entre eux du péché de la chair et disaient des paroles qui pouvaient exciter à la volupté, quand ils la voyaient et s'approchaient d'elle, ils n'en pouvaient plus parler et soudain s'arrêtaient leurs transports charnels. J'ai interrogé à ce sujet plusieurs de ceux qui parfois couchèrent la nuit en compagnie de Jeanne, et ils me répondaient comme je l'ai dit, ajoutant qu'ils n'avaient jamais ressenti désir charnel quand ils la voyaient. »

C'est le même sentiment qu'ont exprimé les compagnons de Jeanne, de Vaucouleurs à Chinon ; tous ont été saisis par cette pureté totale du personnage. Autrement dit, ni Gobert Thibault ni ses compagnons n'avaient besoin de recourir à la sorcellerie pour comprendre ce que signifiait l'examen de virginité ! Pour eux, comme pour le peuple en général et comme pour les clercs et les prélats qui l'interrogeaient, Jeanne avait bien le visage de Dame Espérance.

Certains auteurs ont pensé que la *Lettre aux Anglais* coïncidait avec la fin des trois semaines du « procès de Poitiers », ce qui ne semble pas s'accorder avec le témoignage de Gobert Thibault, d'après lequel Jeanne semble tenir un langage qui dénote l'assurance d'une partie presque gagnée, mais reçoit d'autre part ceux qui l'interrogent comme s'ils lui étaient encore peu familiers : leur visite fait probablement partie d'un interrogatoire qui se prolonge sous des formes diverses. Cette fois-ci ils sont venus la surprendre chez elle ; d'autres fois, c'est elle qui est convoquée dans la maison d'une certaine La Macée, disent-ils, où ils sont alors vraisemblablement plus nombreux à lui poser des questions ; il est probable que Jeanne aura passé cette Semaine Sainte et le jour de Pâques à Poitiers.

Or, cette même semaine fut aussi marquée par un événement qui intéressait la France et, par delà, l'ensemble de la chrétienté. En 1429, en effet, le Vendredi Saint tombait le même jour que la fête de l'Annonciation, le 25 mars. Cette coïncidence de deux fêtes également importantes pour les chrétiens était traditionnellement à l'origine d'un pèlerinage à Notre-Dame du Puy-en-Velay, un sanctuaire vénéré depuis toujours. Or, quelques-uns des compagnons de Jeanne s'y rendirent ; on ne sait au juste lesquels : peut-être le messager royal, Colet de Vienne, ou encore Jean de Metz, ou peut-être son serviteur, Jean de Honnecourt ; on peut hésiter entre les six hommes qui sont allés avec elle de Vaucouleurs à Chinon. Ce qui semble certain, c'est qu'ils étaient au moins deux ; peut-être s'agissait-il de Bertrand et de son serviteur Julien. Mais on peut plus probablement penser que c'est le messager royal habitué à courir les chemins qui connaissait à Tours le lecteur du couvent des religieux Augustins et se retrouva aussi tout naturellement avec le groupe des pèlerins lorrains. Parmi eux il y avait aussi la mère de Jeanne, Isabelle, que son nom de Romée désigne comme une itinérante. Il est certes extraordinaire d'imaginer le long chemin des bords de la Meuse jusqu'au Puy-en-Velay. Pourtant leurs étapes n'ont pas dû être beaucoup plus longues ou difficiles que celles des pèlerins venus de Poitiers qui ont dû contourner les monts d'Auvergne, en suivant la vallée de l'Allier : on est aujourd'hui mieux renseigné sur la capacité de déplacements aux temps féodaux.

Si le nombre et l'affluence des pèlerins avaient sensiblement diminué depuis, et surtout au XVe siècle en raison des guerres, ils n'en demeuraient pas moins importants ; au siècle dernier Jules Quicherat s'était refusé à y croire et avait cru voir une faute de copiste dans la mention manuscrite de la ville du Puy : *villa Aniciensi.* Toujours est-il que les pèlerins lorrains en contact avec Jean Pasquerel et sachant qu'il est attaché au couvent de Tours, où réside souvent le roi, lui recommandent Jeanne dont il va devenir effectivement le confesseur. La mère de Jeanne devait être d'une piété intense : c'est elle qui a transmis à sa fille « sa croyance » et c'est elle encore qui lui désigne en quelque sorte celui qui veillera à sa vie spirituelle durant son incroyable aventure.

L'ÉTENDARD, LA BANNIÈRE, L'ÉPÉE.

Jeanne est maintenant entrée dans la phase active de cette aventure. Revenue à Chinon, on l'a emmenée à Tours où le roi lui fait faire « harnais tout propre pour son corps » c'est-à-dire une armure à ses mesures *. L'armure de plates, qu'à son époque on utilise depuis un peu moins de cent ans, puisqu'elle est née avec l'artillerie (et pour s'en défendre), doit être exactement ajustée pour remplir le rôle de protection qui l'a fait naître (contre les projectiles, boulets de pierres, surtout), sans emprisonner bras, jambes et articulations générales.

A Tours, Jeanne a été logée dans la maison de Jean Dupuy et l'on montre encore en ville la boutique du maître armurier par qui fut ciselée et assemblée l'armure. Le livre de comptes du trésorier royal Hémon Raguier a conservé la mention de la somme payée pour ce travail : 100 livres tournois, en date du 10 mai 1429.

Quant à Jeanne elle-même, elle se fait faire un étendard et un pennon * pour lesquels les comptes acquittent aussi le versement de 25 livres tournois à un peintre nommé Hauves Poulnoir. De l'étendard il sera souvent question par la suite ; il va jouer, si l'on peut dire, un rôle actif dans la bataille d'Orléans, d'autant plus que Jeanne l'a bien spécifié : elle « prenait l'étendard en mains quand elle allait à l'assaut, afin d'éviter de tuer personne ». Cette combattante affirmera en effet n'avoir jamais tué personne. Jean Pasquerel nous est témoin de ce que Jeanne se conforme pour la confection de l'étendard, à un ordre qu'elle dit avoir reçu de ses « voix », de son « conseil » :

> « Elle avait demandé aux messagers de son Seigneur, c'est-à-dire Dieu, qui lui apparaissaient, ce qu'elle devait faire, et ils dirent à Jeanne de prendre l'étendard de son Seigneur ; et pour cela Jeanne fit faire son étendard sur lequel était peinte l'image de Notre

> Sauveur, assis au jugement dans les nuées du ciel, et il y avait un ange peint, tenant en ses mains une fleur de lys que l'image bénissait. »

Mais ce n'est pas tout. Jeanne fera aussi exécuter une bannière * destinée, elle, à être portée par les prêtres qui accompagnaient alors toute armée ; cette bannière portera l'image de Notre-Seigneur crucifié ; elle servira de point de ralliement pour les prières auxquelles Jeanne conviera les combattants :

> « Jeanne, deux fois le jour, raconte Pasquerel, le matin et le soir, me faisait rassembler tous les prêtres et une fois réunis ils chantaient des antiennes et des hymnes à sainte Marie et Jeanne était avec eux, et elle ne voulait pas qu'aux prêtres se mêlent les soldats s'ils ne s'étaient confessés, et elle exhortait tous les soldats à se confesser pour venir à cette réunion ; et à la réunion même tous les prêtres étaient prêts à entendre tous ceux qui voulaient se confesser. »

Lorsqu'il s'est agi de faire compléter cet équipement par l'épée, indispensable au combattant, Jeanne a exprimé un souhait insolite : elle a demandé qu'on aille lui chercher une épée à Sainte-Catherine-de-Fierbois où elle s'était arrêtée sur le chemin de Chinon ; par la suite, quand on lui demandait comment elle savait que cet épée était là, elle répondait que « cette épée était dans la terre, rouillée, portant cinq croix gravées ».

> « Elle savait que cet épée était là par ses voix et elle n'avait jamais vu l'homme qui était allé chercher la dite épée, et elle écrivit aux gens d'Église de ce lieu qu'il leur plût qu'elle ait cet épée et ils la lui envoyèrent. Elle n'était pas profondément sous terre, derrière l'autel à ce qu'il lui semble, cependant elle ne sait au juste si elle était devant l'autel ou derrière. Elle dit encore que, aussitôt après que l'épée fut trouvée, les gens d'Église de ce lieu la frottèrent et sur-le-champ la

rouille tomba sans effort, et ce fut un armurier de Tours qui alla la chercher. »

Jeanne avait eu auparavant une épée que lui avait donnée Robert de Baudricourt au moment du départ, lorsqu'il pensait qu'elle et ses compagnons auraient probablement à se défendre en chemin ; elle en aura par la suite une troisième, trophée de guerre pris sur un Bourguignon. Jeanne appréciera cette dernière arme en connaisseur, déclarant que « c'était bonne épée de guerre et bonne à donner de bonnes buffes et de bons torchons ». Pour celle de Sainte-Catherine-de-Fierbois, les clercs de Tours lui offrirent deux fourreaux, l'un de velours vermeil et l'autre de drap d'or ; elle même s'en fit faire un « de cuir bien fort ».

LA MAISON MILITAIRE.

Plus important encore, c'est à Tours que lui fut constituée une maison militaire comme à tout chef de compagnie ; elle eut un intendant, Jean d'Aulon, qui nous l'atteste : « Pour la garde et conduite d'elle, écrit-il, je fus ordonné par le roi notre seigneur » ; elle eut aussi deux pages, Louis de Coutes, dont il a été question plus haut, et Raymond. On lui donna aussi deux hérauts, Ambleville et Guyenne ; les hérauts, messagers revêtus d'une livrée permettant de les identifier, étaient investis d'une fonction officielle, transportaient les messages pour personnalités désignées — rois, princes ou chefs de guerre — et jouissaient de protections par les usages du temps ; on en voyait parfois qui délivraient oralement un défi puis ils regagnaient sains et saufs ce que nous appellerions leurs lignes.

Si Jeanne a pu disposer de ces deux messagers, c'est qu'elle était désormais traitée par le roi comme tout autre combattant de haut rang, ayant des responsabilités personnelles. On a parfois soutenu que l'on se servait d'elle comme d'un fétiche, simplement pour donner cœur et courage aux soldats qu'elle accompagnait ; cette désignation de deux hérauts rend l'assertion improbable. Elle dispose aussi de plusieurs chevaux et déclarera plus tard qu'elle avait cinq coursiers « sans compter les trottiers qui étaient plus de sept ». Les coursiers sont les chevaux de bataille, qu'on appelle aussi les destriers (ceux que l'on conduit de la dextre, de la main droite), alors que les trottiers servent aux allées et venues de son entourage. Cet entourage va comprendre aussi ses deux frères, Pierre et Jean, qui sont venus la rejoindre, vraisemblablement à Tours.

La concentration des troupes royales devait se faire à Blois, située sur la Loire à peu près à mi-chemin entre Tours et Orléans ; mais Tours comme Blois se trouvent dans une région encore contrôlée par les Français, alors qu'en amont la rive droite de la Loire est obstruée par les Anglais.

> « Furent chargés en la ville de Blois, dit le chroniqueur du règne, Jean Chartier, plusieurs chars et charrettes de blé et grand force de bœufs, moutons, vaches, pourceaux et autres vivres. Et Jeanne la Pucelle prit son chemin ainsi que les capitaines droit vers Orléans du côté de la Sologne. »

C'est à Blois, pendant le temps où l'armée y réside, que Jeanne s'est fait faire la bannière dont il a été question plus haut, et si Jean Chartier nous décrit le bétail que l'on va charger sur des radeaux pour subvenir aux besoins des Orléanais et des assiégeants qui viennent tenter de les libérer, le confesseur de Jeanne, lui, est surtout sensible à l'aspect presque religieux de l'armée qui s'ébranle :

> « Quand Jeanne sortit de Blois pour aller à Orléans, elle fit se rassembler tous les prêtres autour de cet étendard, et les prêtres précédaient l'armée. Ils sortirent du côté de la Sologne ainsi rassemblés, chantant le *Veni Creator Spiritus* et beaucoup d'autres antiennes, et campèrent cette nuit dans les champs et de

même le jour suivant. Et le troisième jour ils arrivèrent près d'Orléans où les Anglais tenaient le siège le long de la rive de la Loire. Et les soldats du roi arrivèrent assez près des Anglais de façon qu'Anglais et Français pouvaient se voir à portée d'œil et les soldats du Roi conduisaient les vivres. »

ORLÉANS.

Au témoignage de tous, Jeanne a pris grand soin de cette préparation spirituelle : elle a exhorté ses gens à se confesser ; elle a fait chasser les « ribaudes », filles de joie qui suivaient les soldats, a strictement interdit tout pillage et aussi les jurons et blasphèmes — le duc d'Alençon nous en est témoin : « Jeanne se courrouçait très fort quand elle entendait les soldats jurer, et les grondait beaucoup, et moi aussi, qui jurais de temps à autre. Quand je la voyais je réfrénais mes jurons. » Le « gentil duc » a d'ailleurs pris la part la plus active à tous ces préparatifs ; il s'est rendu à la demande du dauphin près de sa belle-mère, la reine de Sicile, qui semble bien avoir financé ce nouvel effort de guerre vers Orléans. Le Bâtard d'Orléans en fait une description détaillée :

> « Le roi envoya Jeanne en compagnie du seigneur archevêque de Reims [Regnault de Chartres, alors chancelier de France], et du seigneur de Gaucourt, grand maître de l'hôtel du roi, à la ville de Blois, où étaient venus ceux qui conduisaient le convoi de vivres, à savoir le seigneur de Rais [Gilles de Rais] et de Boussac, maréchal de France, avec lesquels étaient le seigneur de Culant [Louis de Graville, amiral de France], La Hire, [c'est le surnom d'Étienne de Vignolles, routier gascon], Ambroise de Loré, devenu depuis prévôt de Paris, qui tous ensemble, avec les soldats escortant le convoi de vivres et Jeanne la

Pucelle, vinrent du côté de la Sologne en armée rangée, jusqu'à la rivière de Loire. »

Long détour donc pour éviter les positions anglaises proches d'Orléans, mais qui s'est fait à l'insu de Jeanne, laquelle est impatiente de rencontrer l'ennemi et d'engager l'action. Elle va, vraisemblablement, être stupéfaite d'apprendre, lorsqu'elle approchera de la Loire, que l'on a en fait dépassé Orléans ; d'où l'entrevue orageuse qui va se dérouler entre elle et le Bâtard et dont celui-ci a gardé un souvenir très vif. Cette fille sur laquelle il a envoyé ses fidèles compagnons se renseigner quelque deux mois plus tôt — il sait qu'elle approche et va bientôt se trouver avec l'avant-garde de l'armée à la hauteur de Chécy où lui-même se rend. Il a d'abord, en stratège avisé, envoyé quelques-unes des troupes dont il dispose faire une diversion du côté de l'une de ces « bastides » ceinturant la ville, nommée Saint-Loup,

> « pour donner aux Anglais à entendre ailleurs, note le *Journal du Siège* — qui est une source précieuse pour ces journées chargée d'histoire —, [les Français] sortirent en grande puissance et allèrent courir et escarmoucher devant Saint-Loup d'Orléans, et tant tinrent les Anglais de près qu'il y eut plusieurs morts blessés et prisonniers de part et d'autre, si bien que les Français apportèrent dans leur cité un des étendards des Anglais. Tandis que cette escarmouche se faisait, entrèrent dans la ville les vivres et l'artillerie que la Pucelle avait conduits jusqu'à Chécy ».

C'est donc sur les hauteurs de ce village et de la jolie église gothique qui le domine qu'il faut se placer si l'on veut reconstituer la scène de l'arrivée de Jeanne vers Orléans. Celle-ci ne perd pas de temps :

> « " Êtes-vous le Bâtard d'Orléans ? demanda-t-elle au seigneur qui s'avance pour l'accueillir.
> — Oui, je le suis et je me réjouis de votre arrivée.

— Est-ce vous qui avez donné le conseil que je vienne ici, de ce côté du fleuve, et que je n'aille pas tout droit là où sont Talbot et les Anglais ? "

« Je répondis que moi-même et d'autres, des plus sages, avaient donné ce conseil, croyant faire ce qu'il y avait de meilleur et de plus sûr. Alors Jeanne me dit : " En nom Dieu, le conseil du Seigneur Notre Dieu est plus sage et plus sûr que le vôtre. Vous avez cru me tromper et c'est vous surtout qui vous trompez ; je vous apporte meilleur secours qu'il ne vous en est venu d'aucun soldat et d'aucune cité : c'est le secours du Roi des Cieux. Il ne vient pas par amour pour moi, mais de Dieu lui-même, qui à la requête de Saint Louis et de saint Charlemagne a eu pitié de la ville d'Orléans et n'a voulu souffrir que les ennemis eussent le corps du seigneur d'Orléans et sa ville. »

Une jeune fille en colère... Mais ce qui va se passer va désarmer l'irritation que le Bâtard aura pu en éprouver ; son inquiétude concerne le convoi de vivres dont il sait qu'il se trouve là-bas, à la hauteur de Blois, et qu'il lui faudra remonter la Loire à contre-courant. Inutile de compter sur le vent, car il souffle vers l'ouest.

« Mais aussitôt et comme au moment même, le vent, qui était contraire et qui empêchait absolument que les navires ne remontent, dans lesquels étaient les vivres pour la cité d'Orléans, changea et devint favorable [...] Depuis ce moment-là ajoute Dunois, j'ai eu bon espoir en elle, plus qu'auparavant. »

Il fait aussitôt hisser les voiles sur les vaisseaux dont il dispose et supplie Jeanne de traverser le fleuve et de se rendre avec lui dans la ville d'Orléans « où on la désirait extrêmement ». Jeanne hésite ; ceux qui l'entourent sont, à son jugement, bien préparés à se battre. Elle les connaît, ils se sont confessés, ils ont prié avec elle, elle hésite à s'en séparer. Dunois va lui-même trouver les principaux capitaines :

> « Je les ai suppliés et leur ai demandé que, pour le secours du roi, ils veuillent bien accepter que Jeanne entre dans la Cité d'Orléans, qu'eux-mêmes, les capitaines avec leur compagnie, aillent à Blois où ils traverseraient la Loire, pour venir à Orléans, parce qu'on ne pouvait pas trouver un passage plus proche. Les capitaines reçurent cette requête et consentirent à traverser à Blois. »

C'est alors que commence l'épopée orléanaise de Jeanne d'Arc, ce vendredi 29 avril 1429 dans la soirée.

> « Jeanne vint avec moi, raconte Dunois, portant en sa main son étendard qui était blanc et sur lequel était l'image de Notre-Seigneur portant une fleur de lys dans la main ; et elle traversa avec moi et La Hire, le fleuve de Loire et nous entrâmes ensemble dans la ville d'Orléans. »

Le rédacteur du *Journal du siège* en a fait une description plus enthousiaste :

> « Elle entra ainsi dans Orléans, ayant à son côté gauche le Bâtard d'Orléans, armé et monté très richement, et après venaient d'autres nobles et vaillants seigneurs, écuyers, capitaines et gens de guerre, et quelques-uns de la garnison et aussi les bourgeois d'Orléans qui étaient allés au-devant d'elle.
>
> « D'autre part, vinrent la recevoir d'autres gens de guerre, les bourgeois et bourgeoises d'Orléans, portant grand nombre de torches et faisant telle joie comme s'ils avaient vu Dieu descendre parmi eux ; et non sans cause, car ils avaient plusieurs ennuis, travaux et peine et grand doute de n'être pas secourus et de perdre tout corps et biens. Mais ils se sentaient déjà tout réconfortés et comme " désassiégés " par la vertu divine qu'on leur disait être en cette simple pucelle qu'ils regardaient fort affectueusement, tant hommes,

femmes que petits-enfants. Et il y avait merveilleuse foule et presse à la toucher, ou au cheval sur laquelle elle était. »

C'est la vocation de Jeanne, cette rencontre avec la foule, et l'on ne peut mieux évoquer l'espoir qu'ont mis en elle les habitants d'une ville assiégée depuis le mois d'octobre précédent. Sept longs mois pendant lesquels l'étau s'est resserré et les essais pour le briser ont été impuissants. Voici un être qui leur promet le secours du ciel ; Jeanne est parmi eux, et déjà ils se sentent « désassiégés ». Il a fallu que Jeanne soit bien sûre de son fait pour ne pas trembler en cet instant à l'idée de décevoir cette foule. Mais elle reste très calme et, selon toute apparence, maîtresse d'elle-même. A preuve le fait suivant :

« L'un de ceux qui portaient les torches s'approcha tant de son étendard que le feu se prit au pennon. Aussi elle frappa son cheval des éperons et le tourna tout doucement jusqu'au pennon dont elle éteignit le feu comme si elle eût longuement suivi les guerres ; ce que les gens d'armes tinrent à grand merveille, et les bourgeois d'Orléans aussi, qui l'accompagnèrent tout au long de la ville et cité, faisant grande joie, et par très grand honneur la conduisirent tous jusqu'auprès de la porte Regnard, en l'hôtel de Jacques Boucher, alors trésorier du duc d'Orléans, où elle fut reçue en très grande joie avec ses deux frères et deux gentilshommes et leurs valets qui étaient venus avec eux du pays de Barrois. »

On peut suivre dans Orléans à l'heure actuelle le parcours de Jeanne d'Arc, depuis la porte de Bourgogne, à l'est de la cité, jusqu'à l'autre extrémité de ce qui fut la vieille ville, vers la Maison de Jeanne d'Arc sur la place aujourd'hui nommée place Charles-de-Gaulle. La maison est une reconstruction après les destructions de la guerre de 1940 qui ont littéralement rasé ce quartier jusqu'au sol à l'exception du chœur de l'église Notre-Dame de Recouvrance, proche de la porte Renard et de l'hôtel de Jacques Boucher.

Jeanne passe sa première nuit en l'hôtel de Jacques Boucher dans une ville remplie de rumeurs et d'allées et venues insolites. Le lendemain commence une neuvaine durant laquelle les événements se succéderont avec une rapidité incroyable au regard de l'Histoire, bien que ces neuf jours aient paru longs à son impatience.

Elle est arrivée toute frémissante d'ardeur, comme on peut l'être à seize ou dix-sept ans. Pour elle, tout ce qui a précédé n'était que préliminaires quelque peu importuns : les examens et interrogatoires qui n'en finissaient plus, la préparation de son armure, le rassemblement de l'armée. Toutes ces semaines lui ont paru interminables ; et voilà qu'une fois sur place il lui faut attendre encore ! Le samedi 30 avril, elle se rend auprès du Bâtard d'Orléans. Comme nous le raconte Louis de Coutes, « à son retour elle était très en colère, car il avait été décidé que ce jour-là on n'irait pas à l'assaut ». De fait, le Bâtard, qui garde le cuisant souvenir de la défaite « des harengs », n'entend engager aucune action tant que les renforts réunis par le roi n'auront pas gagné Orléans. Jeanne, ne pouvant tenir en place, va se rendre compte des positions anglaises qui sur certains points sont à portée de voix des défenses orléanaises. Elle a, peut-être du haut des remparts touchant à la porte Renard, proche du lieu où elle est logée, une première algarade que nous rapporte encore son page :

> « Elle parla avec les Anglais qui étaient dans l'autre boulevard en leur disant de se retirer au nom de Dieu, qu'autrement elle les expulserait. Et un nommé le Bâtard de Granville [il s'agit donc d'un Normand " renié "] dit à Jeanne beaucoup d'injures, lui demandant si elle voulait qu'ils se rendissent à une femme, appelant les Français qui étaient avec Jeanne " maquereaux mécréants ". »

Dans la soirée, pourtant, Jeanne récidive et s'engage sur le pont d'Orléans jusqu'à cette fortification, dans une île de la Loire qu'on appelait la « Belle Croix », après laquelle on avait démoli deux arches pour empêcher les troupes ennemies, solidement retranchées dans le « boulevard des Tourelles », d'entrer dans la cité par le pont. Elle recommence à s'adresser aux ennemis :

« De là, elle parla à Classidas [Glasdale] et aux autres Anglais qui étaient dans les Tourelles et leur dit qu'ils se rendissent de par Dieu, leur vie étant sauve. Mais Glasdale et ceux de sa compagnie répondirent vilainement, l'injuriant et l'appelant " vachère ", criant très haut qu'ils la feraient brûler s'ils la pouvaient tenir. »

Une promesse qui devait être tenue.

Le lendemain 1er mai était un dimanche. Jeanne n'aura pas trouvé mauvais ce jour-là d'observer la trêve dominicale dont elle saura se souvenir une autre fois, mais, lasse aussi des coups répétés frappés à sa porte, acccomplit une chevauchée à travers la ville. Le *Journal du siège* consigne l'événement :

« Ce jour-là chevaucha par la cité Jeanne la Pucelle, accompagnée de plusieurs chevaliers et écuyers, parce que ceux d'Orléans avaient si grande volonté de la voir qu'ils rompaient presque l'huis [la porte] de l'hôtel où elle était logée pour la voir ; il y avait tant de gens de la cité par les rues où elle passait qu'à grand peine elle pouvait passer, car le peuple ne se pouvait rassasier de la voir. Il semblait à tous être grand merveille comment elle pouvait se tenir si gentiment à cheval comme elle le faisait. Et à la vérité elle se maintenait aussi hautement, en toutes manières, comme eût su le faire un homme d'armes suivant la guerre dès sa jeunesse. »

Pendant ce temps le Bâtard d'Orléans est allé à la rencontre des troupes de renfort, et comme c'est lui qui a le commandement et la défense de la ville, Jeanne n'entreprendra rien jusqu'à son retour. Deux jours passent encore, les lundi et mardi 2 et 3 mai ; ce mardi, une grande procession est faite dans la cité, « étant présents Jeanne la Pucelle et autres chefs de guerre, disent les comptes de la ville, pour implorer Notre-Seigneur pour la délivrance de la ville d'Orléans ». Enfin, le mercredi 4 mai, on annonce l'arrivée de Jean le Bâtard ; et Jeanne à son tour s'empresse d'aller à sa rencontre, accompagnée de son intendant Jean d'Aulon ; elle prendra son repas avec ce dernier qui raconte comment, après dîner, le futur Dunois est venu lui annoncer qu'une armée anglaise de renfort a été envoyée vers Orléans et se trouve déjà à la hauteur de Janville. Elle est dirigée par un capitaine de guerre que ses exploits rendront célèbre, John Falstolf.

> « De ses paroles, raconte l'intendant, la Pucelle fut toute réjouie ainsi qu'il me sembla, et elle dit à Monseigneur de Dunois ces paroles ou autres semblables : " Bâtard, Bâtard, au nom de Dieu, je te commande que, aussitôt que tu sauras la venue de ce Falstolf, tu me le fasses savoir, car s'il passait sans que je le sache, je te promets que je te ferai ôter la tête ! " A quoi lui répondit le seigneur de Dunois qu'elle n'en doutât, car il le lui ferait bien savoir. »

Jeanne, que tous ces délais ont agacée, craint qu'on ne lui cache les mouvements qui vont suivre ; elle ne sait pas alors que le moment d'agir est plus proche qu'elle ne le prévoit. Chacun se sépare pour aller prendre un peu de repos, mais pour peu de temps.

> « Soudainement la Pucelle se leva du lit et, faisant grand bruit, m'éveilla, et alors je lui demandai ce qu'elle voulait ; elle me répondit : " En nom Dieu, mon conseil m'a dit que j'aille contre les Anglais et je ne sais si je dois aller à leur bastide ou contre Falstolf qui les doit ravitailler ". »

Jeanne alors de bousculer tout le monde ; après avoir éveillé son intendant et l'hôtesse avec laquelle elle se reposait, elle s'en va vivement houspiller son page : « Ah ! sanglant garçon ! vous ne me diriez pas que le sang de France fût répandu ! » Un mouvement précipité se fait dans la maison de Jacques Boucher ; la femme du trésorier et sa fille s'empressent d'aider Jeanne à s'équiper tandis que Louis de Coutes va chercher son cheval. Il l'amène à la porte de l'hôtel, et là Jeanne lui enjoint d'aller chercher son étendard qu'il lui passera par la fenêtre ; elle se hâte, « courant du côté de la porte de Bourgogne ». C'est en effet dans le prolongement de cette porte que se produit l'événement du jour :

> « Il y avait alors une attaque ou une escarmouche du côté de Saint-Loup, raconte Louis de Coutes ; c'est dans cette attaque que fut pris le boulevard, et Jeanne rencontra en chemin plusieurs Français blessés, ce qui l'attrista. Les Anglais se préparaient à la défense lorsque Jeanne arriva en hâte vers eux, et aussitôt que les Français aperçurent Jeanne, ils commencèrent à crier et la bastide et forteresse fut prise. »

Premier fait de guerre, sans grande importance certes, mais première victoire. Or, Jeanne a d'abord à combattre le découragement qui s'est emparé des combattants, si bien que cette bastide de Saint-Loup, élevée sur l'ancienne voie romaine à laquelle la porte de Bourgogne donnait accès, à proximité de Saint-Loup sur la Loire, à l'est de la ville, est déjà une amorce de renouveau. Mais pour Jeanne c'est aussi une première prise de contact avec la cruauté de la guerre. Son confesseur, Jean Pasquerel, en est témoin, tout comme l'a noté son page. « Jeanne se lamentait beaucoup, dit-il, elle pleura sur ces gens morts sans confession. » Sa réaction : se confesser elle-même, puis « exhorter publiquement tous les soldats à confesser leurs péchés et à rendre grâce à Dieu de la victoire obtenue ».

Le lendemain jeudi était le jour de l'Ascension. Jeanne, revenue chez elle, déclara qu'« elle ne ferait guerre et ne s'armerait par respect pour la fête ; et ce jour-là elle voulait se confesser et recevoir le sacrement de l'Eucharistie, ce qu'elle fit ». Du moins a-t-elle mis à profit ce nouveau loisir forcé pour envoyer aux Anglais une dernière lettre de sommation. Il est probable qu'elle a envoyé trois sommations successives, selon l'usage, mais nous ne possédons pas le texte de la seconde lettre qui pouvait purement et simplement répéter celui de la première, envoyée depuis Poitiers. Celle du jeudi de l'Ascension est plus courte et plus décidée :

« Vous, Anglais, qui n'avez aucun droit sur ce royaume de France, le Roi des Cieux vous ordonne et mande par moi, Jeanne la Pucelle, que vous quittiez vos forteresses et retourniez dans votre pays ou sinon je vous ferai tel *hahay* dont sera perpétuelle mémoire. Voilà ce que je vous écris pour la troisième et dernière fois et n'écrirai pas davantage. Signé Jésus-Maria, Jeanne la Pucelle. »

Suit un post-scriptum qui n'est dépourvu ni d'humour, ni d'intérêt :

« Moi, je vous aurais envoyé mes lettres honnêtement, mais vous, vous détenez mes messagers, car vous avez retenu mon héraut, nommé Guyenne. Veuillez me le renvoyer et je vous enverrai quelques-uns de vos gens pris dans la forteresse de Saint-Loup, car ils n'y sont pas tous morts. »

Peut-être Guyenne et Ambleville avaient-ils été dépêchés pour porter cette seconde sommation dont nous ne possédons pas le texte. Au mépris des lois de la guerre qui protégeaient tous les hérauts, l'un d'entre eux avait été retenu prisonnier. Aussi Jeanne se servit-elle d'un moyen insolite pour cette troisième sommation :

« Elle prit une flèche et lia la lettre avec un fil au bout de la flèche et ordonna à un archer de lancer cette flèche aux Anglais, criant : " Lisez, ce sont nouvelles ! " Les Anglais reçurent la flèche avec la lettre et

> la lurent et l'ayant lue ils commencèrent à pousser de grands cris, disant : " Ce sont nouvelles de la putain des Armagnacs ! " A ces mots, ajoute Jean Pasquerel, qui raconte l'histoire, Jeanne commença à soupirer et à pleurer d'abondantes larmes, invoquant le Roi du Ciel à son aide. Et ensuite elle fut consolée comme elle le disait, car elle avait eu nouvelles de son Seigneur. Et le soir, après dîner, elle m'ordonna de me lever le lendemain plus tôt que je ne l'avais fait le jour de l'Ascension, et qu'elle se confesserait à moi de bon matin, ce qu'elle fit. »

Ce vendredi après l'Ascension sera en effet une journée à surprises. Jeanne se confesse, entend la messe, puis, alors qu'elle se dispose au combat, elle se heurte au gouverneur d'Orléans, Raoul de Gaucourt, qui surveille les portes et interdit d'en sortir. Pourquoi ? Les capitaines ont décidé de ne pas donner l'assaut ce jour-là ; sans doute jugent-ils que le succès obtenu à Saint-Loup suffit pour quelque temps. Jeanne, elle, est d'avis contraire : « Elle fut d'opinion que les soldats devaient sortir avec les gens de la ville et donner assaut à la bastide des Augustins. Beaucoup d'hommes d'armes et de gens de la ville furent du même avis. » Une véritable altercation s'engage alors entre Jeanne et le sire de Gaucourt : « Que vous le vouliez ou non, les hommes d'armes viendront et obtiendront ce qu'ils ont ailleurs obtenu. » L'intendant de Jeanne a raconté dans le détail ce qui s'est passé ce jour-là, car c'est à l'actif de celle-ci qu'il faut mettre la victoire : elle sort avec ses gens « en bonne ordonnance » et franchit la Loire, toujours de ce côté de la porte de Bourgogne — où, la bastide de Saint-Loup une fois prise, il n'y a plus à redouter d'attaques à revers —, pour se diriger sur la rive gauche, vers le quartier qu'on appelle toujours Saint-Jean-Le-Blanc. Les Anglais y ont élevé une autre bastide, prenant appui sur une île de la Loire, l'île aux Toiles. Les combattants français font un pont de bateaux, abordent et trouvent la bastide désemparée : ses défenseurs se sont retirés un peu en aval, vers la bastide, beaucoup plus forte, qu'ils ont installée dans les ruines de l'ancien couvent des Augustins près de la fortification du pont et qu'on appelle les Tourelles. Simple repli opéré pour regrouper leurs forces, qui mettait dès lors celles des Français en mauvaise posture. La retraite est ordonnée :

« Tandis que les Français s'en retournaient de la bastide Saint-Jean-Le-Blanc pour entrer en l'île [aux Toiles], raconte Jean d'Aulon, la Pucelle et La Hire passèrent tous deux, chacun à cheval en un bateau, de l'autre côté de cette île, et montèrent sur les chevaux dès qu'ils furent passés, chacun sa lance en mains. Et lorsqu'ils aperçurent que les ennemis sortaient de la bastide [des Augustins] pour courir sur leurs gens, aussitôt la Pucelle et La Hire, qui étaient toujours devant eux pour les garder, couchèrent leur lance et, tout les premiers, commencèrent à frapper sur les ennemis. Et alors chacun les suivit et ils commencèrent à frapper sur les ennemis de telle manière qu'à force ils les contraignirent à se retirer et à rentrer en la bastide des Augustins [...] Très âprement et en grande diligence ils l'assaillirent de toutes parts de telle façon qu'en peu de temps ils la gagnèrent et prirent d'assaut. Et là furent tués et pris la plupart des ennemis, et ceux qui se purent sauver se retirèrent en la bastide des Tourelles au pied du pont. Et ainsi obtinrent la Pucelle et ceux qui étaient avec elle victoire sur les ennemis ce jour. Et fut la grosse bastide gagnée et demeurèrent devant elle les seigneurs et leurs gens avec la Pucelle toute cette nuit. »

Ainsi la volonté de Jeanne a remporté une victoire inattendue : en défendant la retraite elle a provoqué un assaut et obtenu la prise d'une forte bastide dont l'importance est évidente. Mais à nouveau se manifeste le parti de l'inertie :

« Après dîner vint vers Jeanne un chevalier vaillant et notable dont je ne me rappelle plus le nom [c'est Pasquerel qui parle, et il est possible que son amnésie soit voulue pour éviter de mettre en cause Raoul de Gaucourt ou peut-être le Bâtard lui-même]. Il dit à Jeanne que les capitaines et les soldats du roi avaient tenu ensemble conseil et qu'ils voyaient qu'ils étaient peu nombreux au regard des Anglais, et que Dieu leur avait fait grande grâce des satisfactions obtenues, ajoutant : " Considérant que la ville est bien munie de vivres, nous pourrions bien garder la cité en attendant le secours du roi et il ne semble pas indiqué au conseil que les soldats sortent demain. " »

Fureur de Jeanne qui a décidé, elle, que cette nouvelle victoire n'était qu'une étape sur le chemin de la victoire définitive, et qui se soucie peu du conseil des capitaines. Sans plus attendre elle s'adresse de nouveau à son chapelain :

> « Levez-vous demain bon matin et plus tôt que vous ne l'avez fait aujourd'hui, et faites du mieux que vous pourrez ; tenez-vous toujours auprès de moi, car demain j'aurai beaucoup à faire et plus que je n'eus jamais ; et demain le sang me sortira du corps au-dessus de mon sein. »

Jean Pasquerel, bien qu'il ne se battît pas, allait effectivement avoir beaucoup à faire, le lendemain de ce jour, samedi 7 mai. On sentait la victoire proche ; durant toute la nuit, des gens d'Orléans avaient traversé la Loire en barque pour porter aux gens de guerre retranchés dans la bastide des Augustins « pain, vin et autres vivres ». Le matin, dès l'aube, Jean Pasquerel célébra la messe. L'assaut fut donné à la forteresse des Tourelles, qui bloquait le pont depuis le mois d'octobre précédent : « Et l'assaut dura là du matin jusqu'au coucher du soleil. »

Journée remplie d'événements s'il en fut, où Jeanne se dépense sans compter et montre pleinement de quoi elle est capable ; elle a la conviction que cette journée sera décisive. « Ce jour même, déclare Pasquerel, j'avais entendu dire à la Pucelle : “ en nom Dieu, on entrera cette nuit en la ville par le pont. ” » Ce qui signifiait que les communications, interrompues depuis sept mois, seraient rétablies entre les deux rives de la Loire.

La victoire.

C’est vers l’heure du déjeuner ou peu après que Jeanne est frappée d’une flèche légèrement au-dessus du sein, comme elle l’a prévu. Aussitôt elle pleure, on la tire hors de la mêlée, on enlève la flèche qui n’a pas dû pénétrer très avant ; quelqu’un suggère de lui « appliquer un charme », ce qu’elle refuse avec énergie : « Je préférerais mourir plutôt que de faire quelque chose que je sache être un péché, ou être contre la volonté de Dieu. » Si bien qu’elle reçoit les soins d’usage à l’époque, c’est-à-dire qu’on applique de l’huile d’olive et une tranche de lard pour aider les lèvres de sa blessure à se cautériser. Après quoi Jeanne reprend l’assaut.

Mais la défense de la forteresse des Tourelles est forte et bien organisée ; on s’emploie à isoler la bastide en faisant s’effondrer l’une des arches sur lesquelles elle prend appui. Les comptes de la ville en portent trace : ils précisent la somme remise « à un nommé Jean Poitevin, pêcheur de son métier, qui a mis à terre sèche un chaland qui fut mis sous le pont des Tourelles pour les ardre [brûler] quand elles furent prises ». Ce chaland, qui devait être rempli de fagots et de bitume, a été enflammé sous l’arche.

Mais cela ne s’est pas fait sans que Jeanne ait dû, une fois de plus, intervenir expressément, car vers le soir le découragement a gagné les combattants. Le Bâtard d’Orléans vient la trouver et lui signifie qu’il va donner l’ordre à l’armée de se replier dans la cité. Jeanne a la réaction du bon sens — un bon sens de femme, qui comprend mieux que le stratège ce dont les hommes qui se battent depuis le matin, ont besoin — : « Reposez-vous un peu, mangez et buvez », conseille-t-elle. Et elle conjure le Bâtard d'attendre encore un peu. On la voit alors monter à cheval et se retirer seule « en la vigne assez loin de la foule des hommes et dans cette vigne elle resta en oraison l'espace de la moitié d'un quart d'heure », précise Dunois.

Puis c'est l'épisode décisif. Jeanne a remis son étendard à un écuyer nommé le Basque, à qui Jean d'Aulon demande de le suivre jusqu'au pied du fossé. Elle aperçoit alors son étendard et comme celui qui le portait est entré dans le fossé, elle le saisit par le bout et tire de toutes ses forces ; « et branlait l'étendard de manière que j'imaginais, dit Jean d'Aulon, que ce faisant les autres croiraient qu'elle leur faisait quelque signe ».

> « Bref, tous ceux de l'armée de la Pucelle s'assemblèrent et de nouveau se rallièrent et avec grande âpreté assaillirent le boulevard, que peu de temps après ce boulevard et la bastide furent par eux pris et abandonnés des ennemis ; et entrèrent les Français dans la cité d'Orléans par le pont. »

C'est assez dire que les Tourelles sont prises. Jeanne est émue, car le chef de compagnie qu'elle appelle Classidas,

> « armé des pieds à la tête, tomba dans le fleuve de Loire et fut noyé et Jeanne émue de pitié commença à pleurer beaucoup sur l'âme de ce Classidas et des autres qui étaient là noyés en grand nombre, et ce jour-là tous les Anglais qui étaient au-delà du pont furent pris ou tués ».

Pour franchir les arches qui ont été détruites, on improvise alors un pont de planches sur lequel passent quelques-uns des défenseurs restés dans Orléans. La communication est désormais rétablie ; la partie est gagnée. Tous, on l'imagine,

> « firent grande joie et louèrent Notre-Seigneur de cette belle victoire qu'Il leur avait donnée. Et bien devaient

le faire, ajoute le chroniqueur, car on dit que cet assaut qui dura depuis le matin jusqu'au soleil couchant fut tant grandement assailli et défendu, que ce fut un des plus beaux faits d'armes qui eût été fait longtemps auparavant [...] Tout le clergé et le peuple d'Orléans chantèrent dévotement *Te Deum Laudamus* et firent sonner toutes les cloches de la cité, remerciant très humblement Notre-Seigneur de cette glorieuse consolation divine et firent grande joie de toute part, donnant merveilleuse louange à leurs vaillants défenseurs et spécialement sur tous à Jeanne la Pucelle. Elle demeura cette nuit et les seigneurs, capitaines et gens d'armes avec elle sur les champs, tant pour garder les Tourelles ainsi vaillamment conquêtées que pour savoir si les Anglais du côté de Saint-Laurent ne sortiraient point, voulant secourir ou venger leurs compagnons. Mais ils n'en avaient nul vouloir. »

Jeanne fut reconduite vers son logement pour que sa blessure soit soignée et prit quelques rôties trempées dans du vin pour se restaurer. Elle était entrée dans la ville par le pont...

Le lendemain était un dimanche, le dimanche 8 mai, qui devait tant compter dans les annales d'Orléans et, beaucoup plus tard, du pays tout entier ; le chroniqueur du *Journal du siège* poursuit :

« Le lendemain matin, jour de dimanche et huitième jour de mai, ce même an 1429, les Anglais désemparèrent leurs bastides et levant leur siège se mirent en bataille [...] Pourquoi la Pucelle et plusieurs autres vaillants gens de guerre et citoyens sortirent d'Orléans en grande puissance et se mirent et rangèrent devant eux en bataille ordonnée, et en tel point furent très près l'un de l'autre, l'espace d'une heure entière, sans se toucher. »

L'un des grands « suspense » de l'Histoire, cette heure où Français et Anglais sont face à face sous les remparts d'Orléans. Du côté français, on est, cette fois-ci, impatient de se battre. Alors que précédemment il fallait relever les courages, provoquer l'ardeur combative de gens habitués à se laisser vaincre et trouvant toujours qu'ils en avaient assez fait. Galvanisés par les extraordinaires victoires qui se sont succédé, les 6 et 7 mai, les Français ont du mal à contrôler leur fougue ; mais Jeanne intervient dans un sens tout autre, justement, que les jours précédents :

> « Ce que les Français souffrirent de très mauvais gré, poursuit le *Journal du siège,* obéissant au vouloir de la Pucelle qui leur commanda et défendit dès le commencement que pour l'amour et l'honneur du saint dimanche ils ne commencent point la bataille, ni ne fassent assaut aux Anglais ; mais si les Anglais les assaillaient, ils se défendissent fort et hardiment et qu'ils n'eussent aucune peur et qu'ils seraient les maîtres. »

Jeanne reste donc imbue des règles anciennes de la chevalerie, qui restreignait le temps de la guerre, imposait la trêve du dimanche et des jours de fêtes et mettait l'épée du plus fort au service du plus faible. Elle a quelque mal en la circonstance à imposer son point de vue en un temps où la guerre a déjà pris le tour féroce qui ne fera que s'accentuer.

> « L'heure passée, les Anglais se mirent en chemin et s'en allaient bien rangés et ordonnés dans Meung-sur-Loire et levèrent et laissèrent totalement le siège qu'ils avaient tenu devant Orléans depuis le douzième jour d'octobre 1428 jusqu'à ce jour. »

Orléans était libérée.

Exultation et stupeur ! Toute la ville est traversée de ce grand frisson de joie qui marque et marquera à travers les siècles toute libération, individuelle et collective.

> « Rentrèrent en grande joie dans Orléans la Pucelle et les autres seigneurs et gens d'armes en la très grande

exultation de tout le clergé et peuple, qui tous ensemble rendirent humble grâce à Notre-Seigneur, et louanges très méritées pour les très grands secours et victoires qu'Il leur avait donnés et envoyés contre les Anglais, anciens ennemis du royaume [...] Ce même jour et le lendemain aussi, firent très belle et solennelle procession les gens d'Église, seigneurs, capitaines, gens d'armes et bourgeois étant et demeurant dans Orléans, et visitèrent les églises par grande dévotion. »

Et le rédacteur du *Journal* de noter la réconciliation générale qui s'opère en ce jour. Jusqu'alors les bourgeois et gens d'Orléans ont redouté les hommes d'armes ; on ne connaît que trop les méfaits dont peuvent être capables les combattants face à une population désarmée ; ces routiers, qui sont tous des mercenaires recrutés par des capitaines qui ne maintiennent pas toujours dans leurs rangs la discipline nécessaire, sont aussi redoutables en temps de paix qu'en temps de guerre. Leur emploi par les rois et les hauts seigneurs a fait toute l'horreur de ce que plus tard les manuels scolaires appelleront la « guerre de Cent Ans », qui n'a plus rien à voir avec la guerre féodale des XIIe et XIIIe siècles.

Or, dans la joie générale, les bourgeois d'Orléans ne redoutent plus ceux qui en principe les défendaient, mais dont ils sentaient aussi que leur présence dans la cité était comme le ver dans le fruit ; même la guerre change de visage sous la conduite de la Pucelle !

Et déjà les messagers se sont succédé sur la route en direction de ce château de Chinon où, quelques semaines plus tôt, Jeanne exhortait le Dauphin à ne pas douter, à lui faire confiance et qu'à Orléans on verrait le signe de ce qu'elle affirmait : qu'elle était envoyée de Dieu pour rétablir le royaume de France. Aussi bien le Dauphin se préoccupait-il de dicter une lettre circulaire à l'adresse de ses « bonnes villes » — une lettre à laquelle il devra par deux fois, avant de l'avoir achevée, ajouter un nouveau paragraphe parce qu'un nouveau courrier lui est advenu entretemps :

« De par le Roi, chers et bien aimés, nous croyons que vous avez su les continuelles diligences par nous faites, de donner tout secours possible à la ville d'Orléans, depuis longtemps assiégée par les Anglais, anciens ennemis de notre royaume [...] Et pour ce que nous savons que plus grande joie et consolation vous ne pourriez, comme loyaux sujets, avoir, que de m'entendre annoncer bonne nouvelle, nous vous apprenons que par la merci Notre-Seigneur, dont tout procède, nous avons de nouveau fait ravitailler à puissance et par deux fois en une seule semaine, la ville d'Orléans, bien et grandement, aux vu et su des ennemis sans qu'ils y aient pu résister. »

Il s'agit là des deux convois de ravitaillement qui ont pu pénétrer dans Orléans par la Loire, le premier sous la conduite de Jeanne et le second sous celle du Bâtard d'Orléans. Charles raconte ensuite comment le mercredi précédent (4 mai) a été gagnée « une des plus fortes bastilles de l'ennemi, celle de Saint-Loup ».

Mais voilà qu'à nouveau un messager se présente. Le roi reprend la lettre qu'il croyait avoir terminée :

« Depuis ces lettres faites, nous est venu ici un héraut environ une heure après minuit, lequel nous a rapporté sur sa vie que vendredi dernier, nos gens passèrent la rivière par bateau à Orléans et assiégèrent du côté de la Sologne la bastide du bout du pont. Et le même jour gagnèrent le logis [la bastide] des Augustins et le samedi aussi assaillirent le reste de ladite bastide qui défendait le Pont, où il y avait bien 600 combattants anglais sous deux bannières et l'étendard de Chandos. Et finalement par grande prouesse et vaillance d'armes, moyennant toujours la grâce de Notre-Seigneur, gagnèrent toute ladite bastide et en étaient tous les Anglais qui y étaient, morts ou pris. [Il poursuit en exhortant ses correspondants à] honorer les vertueux faits et choses merveilleuses que ce héraut qui a été présent nous a rapporté, et aussi de la Pucelle qui a toujours été en personne à l'exécution de toutes ces choses. »

Mais ce n'est pas tout ; le roi devra compléter à nouveau sa lettre par une dernière nouvelle :

« Et depuis encore, avant la perfection [achèvement] de ces lettres, sont arrivés vers nous, deux gentilshommes qui ont été à la besogne, lesquels certifient et confirment tout, plus amplement que le héraut [...] Après que nos gens eurent samedi dernier, prise et déconfite la bastide du bout du pont, le lendemain, au point du jour, les Anglais qui y étaient demeurés délogèrent et s'en sauvèrent si hâtivement qu'ils laissèrent leurs bombardes, canons et artillerie et la plupart de leurs vivres et bagages. »

Haletante, cette lettre écrite à Chinon dans la nuit du 9 au 10 mai 1429 !

Ce même 10 mai, les nouvelles d'Orléans parvenaient aussi à Paris et le greffier du Parlement, Clément de Fauquembergue, qui avait pris l'habitude d'inscrire sur son registre, en dehors des causes judiciaires qu'en raison de sa fonction il devait noter, les événements du jour en une sorte de « Journal Officiel », inscrivait :

« Mardi 10e jour de mai, fut rapporté et dit à Paris publiquement que dimanche dernier passé, les gens du Dauphin en grand nombre, après plusieurs assauts continuellement entretenus par force d'armes, étaient entrés dedans la bastide que tenait Guillaume Glasdale et autres capitaines et gens d'armes anglais, de par le roi, avec la tour de l'issue du pont d'Orléans [Les Tourelles], par-delà la Loire et que ce jour les autres capitaines et gens d'armes tenant les sièges... étaient partis de ces bastides et avaient levé leur siège, pour combattre les ennemis qui avaient en leur compagnie une Pucelle seule ayant bannière entre les ennemis, si comme on disait. »

Et comme il n'est pas interdit à un greffier de rêver, il dessina dans la marge un petit croquis de cette Pucelle dont on parlait tant de part et d'autre de la Loire, à Paris, comme à Chinon. Il l'a représentée de profil, en robe et les cheveux longs (il ne l'avait pas vue !) en donnant une grande importance tant à son épée qu'à son étendard : les deux détails qui frappaient d'étonnement — une simple pucelle parmi des gens d'armes, et qui se distinguait d'eux par son étendard marqué des deux noms : *Jésus Maria* *.

Ainsi possède-t-on deux témoignages inscrits sur le vif de l'événement entre tous extraordinaire qui venait de se passer.

Cependant, insoucieuse des remous créés, ne songeant qu'à poursuivre la mission qu'elle déclarait lui être confiée, Jeanne, ayant quitté Orléans et l'hôtel de Jacques Boucher, était déjà sur la route.

CHAPITRE IV

« Il avait été à la peine, c'était bien raison qu'il fût à l'honneur »

C'est à Loches que se rendirent Jeanne et le Bâtard d'Orléans pour rencontrer le roi après la levée du siège.

> « Elle prit sa bannière dans sa main et chevaucha vers le roi et ils se rencontrèrent, raconte une chronique allemande de l'époque, très bien renseignée. Alors la jeune fille inclina sa tête devant le roi autant qu'elle put, et le roi la fit aussitôt relever et l'on pensait qu'il l'aurait bien embrassée de la joie qu'il avait. Cela se passait le mercredi avant la Pentecôte et elle resta auprès de lui jusqu'après le troisième jour de juin. »

La date indiquée est celle du 11 mai 1429 ; elle est confirmée par le Bâtard qui escortait Jeanne. On ne voit donc pas qu'elle ait quelque temps savouré le fruit de sa surprenante victoire, ni que les Orléanais aient eu le temps de bien la connaître, elle qui aura porté le casque et l'armure, pendant la moitié au moins de son court séjour.

Ce que l'on constate aussi, c'est la prodigieuse renommée que l'exploit rencontra partout en Europe. La chronique que nous avons citée émane d'un nommé Éberhard de Windecken qui n'est autre que le trésorier de l'empereur Sigismond ; celui-ci a visiblement pris grand intérêt aux hauts faits de Jeanne et se sera fait renseigner à son propos.

Les plus empressés à transmettre et faire connaître la victoire de Jeanne à Orléans furent probablement les facteurs des grands négociants italiens qui avaient des succursales en Flandre et en Avignon, les places commerçantes alors les plus importantes. On trouve dans le journal d'Antonio Morosini à Venise l'enregistrement de toutes les nouvelles envoyées par les agents étrangers. Comme leur commerce portait en grande partie sur les armes et l'équipement militaire, ils étaient les premiers intéressés à connaître l'état des guerres en France. L'une de ces lettres, envoyée de Bruges au mois de mai, raconte comment une pucelle née aux confins de Lorraine

> « se rendit auprès du Dauphin, elle voulut parler à lui seul à l'exclusion d'aucun autre [...] Elle lui dit qu'il devait faire un effort militaire, jeter des vivres dans Orléans, et donner bataille aux Anglais ; qu'ils seraient certainement victorieux et que le siège de la ville serait levé [...] Un Anglais qui s'appelle Lawrence Trent honnête et discrète personne, écrit de tout cela, en voyant ce que disent dans leurs lettres tant d'hommes honorables d'une entière bonne foi : “ Cela me fait devenir fou. ” Il ajoute, comme témoin oculaire, que beaucoup de barons la tiennent en estime, ainsi que beaucoup de gens du commun [...] Sa victoire sans conteste dans la discussion avec les maîtres en théologie la fait ressembler à une autre sainte Catherine venue sur la terre. Beaucoup de chevaliers l'entendant argumenter et dire chaque jour tant de choses admirables, disent que c'est là grand miracle. »

Un peu plus tard, le même Morosini fait mention d'une autre lettre, celle-là reçue de son correspondant d'Avignon :

> « Cette demoiselle a dit à Messire le dauphin qu'elle devait aller à Reims lui faire ceindre la couronne de toute la France, et nous savons que tout ce qu'elle a dit s'est toujours accompli, que ses paroles sont toujours

confirmées par l'événement ; elle est en vérité venue, conclut-il, pour accomplir de magnifiques choses en ce monde. »

NAISSANCE D'UNE LÉGENDE.

Ailleurs, encore en Italie, on s'intéresse aussi à Jeanne : la duchesse de Milan-Bonne Visconti, lui écrira pour lui demander de la faire remettre en possession de son duché ! Et un autre personnage, un conseiller du roi, Perceval de Boulainvilliers, qui a épousé la fille du gouverneur d'Asti, écrit de son côté au duc de Milan, Philippe-Marie Visconti, une lettre dithyrambique : A l'heure où elle naquit à Domrémy dans la nuit de l'Épiphanie (le 6 janvier), les coqs se mirent à chanter, éveillant tout le village « comme hérauts d'une joie nouvelle ». Jeanne n'aurait jamais égaré une seule brebis lorsqu'elle gardait les troupeaux dans son enfance, et pendant six jours et six nuits, elle aurait pu rester complètement armée, étonnant tout le monde par la façon dont elle supporte l'armure etc., etc. Un poète du nom d'Antoine d'Asti a pu traduire en vers cette lettre qui semble inspirée des éloges à la manière antique, et qui déjà se fait l'écho d'un folklore suscité par les exploits, bien réels, de Jeanne, déjà amplifiés par la renommée.

C'est le cas aussi bien chez l'ennemi que parmi les partisans du roi de France, car ce *Journal d'un bourgeois de Paris* qui est l'œuvre au jour le jour d'un clerc de l'Université de Paris fait également mention des exploits de Jeanne agrémentés de divers racontars ; dans sa petite enfance elle gardait les brebis, « les oiseaux des bois et des champs venaient à son appel manger son pain dans son giron comme privés » [apprivoisés] ; et l'on sent le dépit de l'homme quand il note : « En ce temps les Armagnacs levèrent le siège d'Orléans d'où ils chassèrent les Anglais », tout en ajoutant que la Pucelle avait prédit à un capitaine qu'il serait tué : « Il en fut ainsi, car il se noya le jour de la bataille. » Ce qui signifie qu'on commentait partout la mort de Glasdale, dans l'attaque des Tourelles. Le bruit courait que Jeanne lui aurait prédit qu'il mourrait « sans saigner ».

Il s'agit là d'échos sans grande portée du point de vue historique, si ce n'est qu'ils attestent l'émotion extraordinaire causée par la levée du siège d'Orléans. Ces Français, qu'on jugeait irrémédiablement battus, se relèvent tout à coup et répondent au plus grand effort de guerre fait par leurs vainqueurs en les jetant dans la Loire. Cela sous l'impulsion d'une jeune fille de seize à dix-sept ans. Aux yeux de tous elle est la Vierge inspirée dont on peut attendre n'importe quel miracle. On va voir les capitouls (les conseillers municipaux) de la ville de Toulouse, lui écrire pour lui exposer leurs embarras financiers ! Dans le Midi encore, à Montpellier, la légende veut que le boulevard Bonne-Nouvelle ait été ainsi nommé par allusion à celle de la libération d'Orléans. Le sud de la France est résolument loyaliste et c'est dans les archives de Narbonne que se trouve l'unique exemplaire qui nous reste de la lettre de Charles le Dauphin envoyée à toutes les bonnes villes du royaume : seule cette cité l'a conservée en original alors que d'autres en ont seulement gardé mention dans leur registre. De fait, le mouvement qui soutient le roi légitime est bien nommé « armagnac » ; on a voulu au XXe siècle déceler au sein de ce midi de la France on ne sait quelle rancœur laissée par la guerre des Albigeois. Le fait est qu'on serait bien en peine de citer quelque texte qui — avant le XIXe siècle — fasse écho à l'affreux épisode ! Les remous qui ont secoué les cités languedociennes deux cents ans auparavant sont alors oubliés et la sage administration qui a suivi, sans aucune trace de persécution, même linguistique (la lettre des capitouls comme leur registre est en langue d'oc) explique largement que les populations se soient ralliées au roi de France et lui aient fourni la plus grande partie des subsides dont il manquait alors cruellement. Le cas de la Guyenne est tout différent, car elle demeure dans le droit féodal, pendant que la moitié nord de la France se trouve sous l'emprise anglaise par droit de conquête : deux modes de possession qui s'opposent l'un à l'autre. La Guyenne, avec Bordeaux en tête, tient pour le roi d'Angleterre comme pour son légitime seigneur — avec, en arrière- plan, l'avidité commerciale des vignerons bordelais, en un temps où l'on a calculé que les Anglais boivent plus de vin par habitant qu'ils ne le font aujourd'hui. Alors que la conduite des vainqueurs a déjà, en Normandie et en Ile-de-France, à l'époque de Jeanne d'Arc, soulevé une résistance comparable à celle que nous connaîtrons au XXe siècle contre une autre occupation.

Nul ne semble avoir mieux résumé ce que fut la rumeur publique autour des exploits de Jeanne que son chapelain, Jean Pasquerel : « Jamais on n'a vu telle chose comme l'ont été vues de votre fait ; en aucun livre on ne lit des faits semblables. » C'est donc avec cette *aura* de victoire que Jeanne se retrouve auprès du Dauphin ; elle a conscience d'avoir, en libérant Orléans comme elle l'avait promis, donné le « signe » que chacun réclamait. Mais sa manière n'est pas triomphaliste et elle sait aussi que la partie la plus importante de sa mission reste à accomplir : « Je fus la première à poser l'échelle en haut dans la bastide du bout du pont d'Orléans », déclarera-t-elle plus tard. C'est en s'exposant elle-même qu'elle gagne la bataille, et il lui faudra s'exposer de nouveau. On a vu son apport personnel dans la libération d'Orléans, et comment, à trois reprises c'est son comportement qui, dans des cas précis, a décidé de la victoire. A Loches, il en sera de même ; c'est elle qui emportera la décision.

Comment donc exploiter au mieux la victoire d'Orléans et sa libération ? Il était évident que du point de vue stratégique une offensive sur Chartres, sur la Normandie, voire sur Paris, semblait s'imposer. Et ce d'autant plus que dès ce moment-là les effectifs français avaient commencé à s'enfler au-delà de toute espérance. On a mention de la décision du duc de Bretagne faisant savoir à Jeanne que, ne pouvant venir lui-même — puisqu'il était « dans un grand état d'infirmité » —, il envoyait son fils avec des renforts armés ; l'un de ceux qui devaient plus tard raconter ses souvenirs, Gobert Thibault, déclarait en parlant des gens d'armes du temps : « Il s'en trouva beaucoup, car tous la suivaient. » Les victoires de Jeanne avaient littéralement galvanisé le pays.

Sur la décision prise le Bâtard d'Orléans s'est exprimé sans équivoque :

« Je me souviens qu'après les victoires dont j'ai parlé [Orléans], les seigneurs de sang royal et les capitaines voulaient que le roi aille en Normandie, et non à Reims ; mais la Pucelle a toujours été d'avis qu'il fallait aller à Reims pour consacrer le roi, et donnait la raison de son avis, disant que, une fois que le roi serait couronné et sacré, la puissance des adversaires diminuerait toujours et qu'ils ne pourraient finalement nuire, ni à lui ni au royaume. Tous se rallièrent à son avis. »

Mais il a fallu que Jeanne insiste très fermement auprès du roi. Le même Bâtard la décrit dans ce château de Loches au moment où le roi, dans sa chambre, tient conseil avec ses familiers, Christophe d'Harcourt, Gérard Machet, l'évêque de Castres, Robert Le Maçon, chancelier de France :

« La Pucelle, avant d'entrer dans la chambre, frappa à la porte et, sitôt entrée, se mit à genoux et embrassa les jambes du Roi, disant ces paroles ou d'autres semblables : " Noble Dauphin, ne tenez plus tant et si longuement conseil, mais venez le plus tôt possible à Reims pour recevoir une digne couronne. " »

C'est alors que Christophe d'Harcourt l'interroge ; Jeanne l'intrigue ; il ne doute plus de l'inspiration divine qui la conduit, mais il a la curiosité de connaître le « comment », la manière de procéder de ce mystérieux « conseil » auquel elle se réfère. Et à sa suite le roi insiste. Jeanne, rougissante, répond :

« Quand quelque chose n'allait pas, parce qu'on ne voulait pas s'en remettre facilement à elle de ce qui lui était dit de la part de Dieu, elle se retirait à part et priait Dieu, se plaignant à Lui que ceux à qui elle parlait ne la croyaient pas facilement ; et, sa prière faite à Dieu, elle entendait une voix qui lui disait : " Fille-Dé [Dieu], va, va, va, je serai à ton aide, va. " Et quand elle entendait cette voix, elle ressentait une grande joie et désirait être toujours en cet état [...] En répétant ainsi une parole de ses voix, elle-même exultait de merveilleuse façon, levant ses yeux vers le ciel. »

Jeanne va emporter la décision, et il est probable que c'est durant ces jours au château de Loches qu'elle y est parvenue. Les déplacements qu'elle accomplit ensuite sont en rapport direct avec le nouvel effort de guerre qu'elle va fournir, car c'est sans doute à partir de ce 23 mai qu'elle se rend chez le duc d'Alençon à Saint-Florent-lès-Saumur. A ce moment le duc a de nouveau les mains libres ; sa rançon est versée, mais l'on conçoit que son épouse ait appréhendé la suite des événements. Elle venait de payer de si fortes sommes que volontiers elle eût supplié son époux de ne plus combattre. Et « Jeannette » l'avait rassurée : « Dame, n'ayez crainte, je vous le rendrai en bonne santé et en tel état ou même meilleur qu'il est à présent ! »

Sur cette promesse réconfortante, le duc et la duchesse d'Alençon se sont séparés. On retrouve ensuite Jeanne à Selles-en-Berry, où le duc s'est aussi rendu « avec très grosse compagnie » ; il a même joué une partie de paume avec le jeune Guy de Laval : il s'agit d'un seigneur qui, avec son frère André, est venu se joindre à l'armée royale. Guy de Laval écrit à sa mère, et sa lettre qui nous a été conservée traduit bien l'effervescence qui régnait entre Selles-en-Berry et Saint-Aignan où se trouve le roi :

« On dit ici que Monseigneur le connétable vient avec 600 hommes d'armes et 400 hommes de traits et que Jean de La Roche vient aussi et que le roi n'eut jamais si grande compagnie que l'on espère ici ; et jamais gens n'allèrent de meilleure volonté à la besogne qu'ils vont à celle-ci. »

Le jeune garçon enthousiaste raconte comment, à Loches, il est allé voir « Monseigneur le dauphin au château. C'est un très bel et gracieux seigneur ; très bien formé, bien agile et habile pour l'âge d'environ sept ans qu'il doit avoir » — il s'agit du futur Louis XI, que Jeanne a dû voir aussi, lors de son séjour. Il gardera toute sa vie le souvenir de cette rencontre d'enfance et se trouve être le seul de nos rois qui ait témoigné de quelque reconnaissance envers Jeanne ; il a donné son nom à deux de ses filles, l'une légitime et l'autre naturelle (mais à vrai dire le nom de Jeanne était alors très courant).

Pour Guy de Laval aussi, la rencontre avec Jeanne la Pucelle fut un événement ; celle-ci avait fait envoyer à sa grand-mère Anne de Laval, qui avait été l'épouse de Duguesclin, « un bien petit anneau d'or », tout en considérant que c'était là un trop modeste cadeau eu égard à la renommée de cette illustre Dame et du preux combattant son époux. Guy semble ravi de l'entrevue :

> « La Pucelle fit très bonne chère [très bon accueil] à mon frère et à moi, armée de toutes pièces sauf la tête et tenant la lance en mains. Et après que nous fûmes descendus à Selles, j'allai en son logis la voir ; elle fit venir le vin et me dit qu'elle m'en ferait bientôt boire à Paris. Cela semble chose toute divine de son fait, et de la voir et de l'ouïr. »

Et de la décrire avec une admiration qui touche à la ferveur :

> « Je la vis monter à cheval, armée tout en blanc sauf la tête, une petite hache en sa main, sur un grand coursier noir, qui à la porte de son logis se démenait très fort et ne souffrait qu'elle montât ; alors elle dit : " Menez-le à la Croix " qui était devant l'église auprès en chemin. Et alors elle monta sans qu'il se bougeât,

comme s'il fût lié. Et alors elle se tourna vers la porte de l'église qui était bien proche : " Vous, les prêtres et gens d'Église, faites procession et prières à Dieu ". Et alors elle se retourna en son chemin en disant : " Tirez avant, tirez avant ", son étendard déployé que portait un gracieux page, et avait sa hache petite en la main. Et son frère [Pierre ou Jean ?] qui est venu depuis huit jours, partit aussi avec elle tout armé en blanc... »

LA CAMPAGNE DE LOIRE.

On se trouve, à la date où cette lettre est écrite, le mercredi 8 juin, tout près du départ. Jeanne et son frère font alors la route vers Romorantin ; après quoi va commencer ce qu'on nomme la « campagne de Loire ». Il s'agit en effet de déloger l'ennemi des places où il est encore installé sur les bords du fleuve et dans le plat-pays alentour de façon à garantir les arrières de l'armée lorsqu'elle s'engagera sur la route de Reims. Guy et André de Laval tiennent à faire leurs premières armes lors de cette campagne et ne cachent pas leur impatience. Leur mère a dû envoyer des lettres au roi — chassée alors de Laval, elle s'est retirée en Bretagne au château de Vitré — pour que les jeunes gens ne prennent pas part tout de suite au combat :

> « Vous avez fait bailler je ne sais quelle lettre, continue Guy, à mon cousin de La Trémoïlle, à cause desquelles le roi s'efforce de vouloir me retenir avec lui jusqu'à ce que la Pucelle ait été devant les places anglaises autour d'Orléans, où l'on va mettre le siège, et déjà l'artillerie en est pourvue ; et ne s'en émeut point la Pucelle, disant que lorsque le roi prendra son chemin vers Reims, j'irai avec lui. »

Mais Guy de Laval entend bien partir avant : « Et autant en dit mon frère » ajoute-t-il. Après quoi il va solliciter de sa mère « de la chevance au mieux que faire se pourra : nous n'avons plus en tout qu'environ trois cents écus du poids de France ».

La suite des événements sera marquée de cette même rapidité qui caractérise l'action de Jeanne chaque fois qu'elle a liberté d'agir. Nous l'avons vue quitter Selles pour Romorantin et de là se rendre à Orléans. Les débris de l'armée anglaise chassée d'Orléans se sont repliés à Jargeau sous la conduite de Suffolk. Par ailleurs, le duc de Bedford s'était empressé de rassembler un autre corps d'armée qui devait venir en renfort et que commandait le fameux John Falstolf.

C'est au duc d'Alençon que le roi a confié la direction de cette campagne de Loire. Il évalue à 600 lances — donc autant de chevaliers et en tout près de 2 000 hommes — l'armée qu'il dirige d'abord contre Jargeau ; leur nombre se trouve doublé dès le lendemain, car ils sont rejoints par la compagnie du Bâtard d'Orléans et celle de Florent d'Illiers, capitaine de Châteaudun. On assiste alors à un débat entre capitaines : faut-il donner l'assaut à la ville ? On assure que les Anglais y sont nombreux. C'est Jeanne, une fois de plus, qui va provoquer l'événement :

> « Jeanne, voyant qu'il y avait difficultés entre eux, leur dit qu'ils ne craignent aucune multitude et qu'ils ne fassent pas difficulté de donner l'assaut aux Anglais, car Dieu conduisait leur affaire. Elle dit que si elle n'était sûre que Dieu conduisait cette affaire, elle préférerait garder les brebis plutôt que de s'exposer à de tels périls. »

Les combattants font donc route vers Jargeau dans l'intention, comme le dit expressément le duc d'Alençon, de demeurer dans les faubourgs et d'y passer la nuit.

> « Le sachant, les Anglais vinrent à leur rencontre et de prime abord repoussèrent les gens du roi, raconte le duc d'Alençon. Ce que voyant, Jeanne, prenant son étendard, alla à l'attaque, exhortant les soldats qu'ils

eussent bon courage et ils firent tant que cette nuit-là, les soldats du roi furent logés dans les faubourgs de Jargeau. Je crois — ajoute le duc, certes bien placé pour raconter l'histoire —, que Dieu conduisait cette affaire, car cette nuit il n'y eut pour ainsi dire pas de garde, de sorte que si les Anglais étaient sortis de la ville, les soldats du roi eussent été en grand péril. »

Et à nouveau le lendemain, plutôt que de laisser le conseil des capitaines traîner en logueur, chacun donnant son avis sans qu'on parvienne à une entente,

« Jeanne elle-même me dit : " Avant, gentil duc, à l'assaut ! " Et comme il me semblait qu'il était prématuré de commencer l'assaut si rapidement, Jeanne me dit : " N'ayez doute, l'heure est prête quand il plaît à Dieu ", et qu'il fallait agir quand Dieu le voulait : " Agissez et Dieu agira ! ", me disant plus tard : " Ah, gentil duc, craindrais-tu ? Ne sais-tu pas que j'ai promis à ta femme de te ramener sain et sauf ? " »

C'est au cours de cet assaut que le duc d'Alençon estime que Jeanne lui a sauvé la vie :

« Jeanne me dit à un moment où je me tenais à une place que je me retire de cet endroit et que, si je ne me retirais, cette machine, en me montrant une machine qui était dans la ville, te tuera. Je me retirai, mais peu après, à cet endroit d'où je m'étais retiré, quelqu'un fut tué, qui s'appelait Monseigneur du Lude ; cela me fit grand peur et je m'émerveillai beaucoup des dits de Jeanne après tous ces événements. »

Il raconte ensuite la tentative de Suffolk pour obtenir une trêve en plein combat, mais il n'est pas entendu. On termine l'assaut, non sans que Jeanne alors sur une échelle, l'étendard en mains, ne soit frappée à la tête d'une pierre qui se brise sur son casque, sa « chapeline » ; renversée à terre, elle se relève et crie aux soldats : « Amis, amis, sus ! Notre Sire a condamné les Anglais ; à cette heure, ils sont nôtres, ayez bon cœur ! »

C'était le 12 juin 1429. Suffolk avait été fait prisonnier, et sans perdre un instant les troupes se dirigeaient vers Meung et Beaugency. La ville même de Beaugency fut assez rapidement contrôlée par les Français, les Anglais s'étant retirés dans le château. A ce moment-là, le duc d'Alençon reçut un renfort imprévu en la personne du connétable Arthur de Richemont, alors en disgrâce : il avait naguère exercé sur le dauphin Charles une forte influence, mais se trouvait supplanté dans les faveurs royales par La Trémoïlle, devenu son ennemi d'allié qu'il avait été. La campagne allait-elle se ressentir de ces luttes d'influence ? « Je dis à Jeanne que si le connétable venait, moi je m'en irais. » Sur quoi, elle lui fait remarquer « qu'il était besoin de s'aider ». On venait d'apprendre, en effet, que « l'armée anglaise approchait et qu'en sa compagnie était le seigneur de Talbot » ; c'était un homme de guerre éprouvé, et son nom contribua à calmer les discordes qui régnaient dans le camp français. Le duc d'Alençon négocia la reddition du château de Beaugency et accorda un sauf-conduit à sa garnison.

> « Tandis que les Anglais se retiraient, vint quelqu'un de la compagnie de La Hire qui me dit, ainsi que le capitaine du roi, que les Anglais venaient, qu'on les aurait bientôt face à face, et qu'ils étaient à peu près mille hommes d'armes. »

De fait, ce 17 juin, les deux armées sont en présence et l'on peut laisser la parole à un autre témoin oculaire mais qui, lui, combat dans les rangs des Anglais, le Bâtard de Wavrin :

> « Vous eussiez vu de toutes parts parmi cette Beauce qui est ample et large, les Anglais chevaucher en très belle ordonnance ; puis, quand ils parvinrent à une lieue près de Meung, et assez près de Beaugency, les

Français, avertis de leur venue, avec environ six mille combattants, dont étaient chefs Jeanne la Pucelle, le duc d'Alençon, le Bâtard d'Orléans, le maréchal de Lafayette, La Hire, Poton et autres capitaines, se rangèrent et mirent en bataille sur une petite montagnette, pour mieux voir la contenance des Anglais. »

Ces derniers s'arrêtent et se rangent eux aussi en bataille, leurs archers formant, comme de coutume, les premières lignes avec « leurs pieux estoqués devant eux » ; ces pieux fichés en terre s'opposent à toute charge de cavalerie ; ils délèguent alors deux hérauts vers les Français disant qu'il ne tient qu'à eux de descendre du mont et de venir combattre. « Réponse leur fut faite de par les gens de la Pucelle : " Allez vous loger pour aujourd'hui, car il est assez tard, et demain, au plaisir de Dieu et de Notre-Dame, nous nous verrons de plus près. " »

PATAY, RÉPLIQUE ET REVANCHE D'AZINCOURT.

La nuit du 17 au 18 juin va se passer sur ce défi. Chacun reste sur ses positions, les Anglais du côté de Meung, les Français dans Beaugency, non sans quelques inquiétudes sur la suite, puisqu'on sait que les renforts anglais sont en marche. Le Bâtard d'Orléans raconte que le duc d'Alençon a consulté Jeanne dans son incertitude :

« Elle lui répondit à haute voix, disant : " Ayez tous de bons éperons ! " Ce qu'entendant les assistants demandèrent à Jeanne : " Que dites-vous ? Est-ce que nous allons leur tourner le dos ? " Alors Jeanne répondit : " Non, mais ce seront les Anglais qui ne se défendront pas et seront vaincus, et il vous faudra avoir de bons éperons pour leur courir après. " Et il en fut ainsi, car ils prirent la fuite et il y en eut, tant mort que captifs, plus de 4 000. »

Ce 18 juin est en effet le jour de la plus grande victoire remportée par Jeanne ; et non plus à l'assaut comme au moment du siège d'Orléans, mais en rase campagne. C'est la bataille de Patay, qui est une véritable réplique d'Azincourt ; avec le 8 mai, ce 18 juin est la plus grande date à noter à l'actif de la Pucelle en fait de combat. Jean de Wavrin décrit l'extraordinaire fait d'armes, auquel il a personnellement assisté. Après l'avant-garde se trouvent les principaux corps de batailles que conduisent Falstolf, Talbot *, un nommé Thomas Rameston et d'autres.

Une suite de hasards – malencontreux pour les Anglais – vient bouleverser cette belle ordonnance : l'avant-garde, avertie de l'arrivée des Français, vient prendre place avec les chariots de ravitaillement et l'artillerie « tout au long des haies qui étaient près de Patay » ; puis Talbot se poste là où il juge que les Français doivent passer, « estimant qu'il pourra garder ce passage jusqu'à l'arrivée des autres batailles », « mais il en fut autrement », ajoute Jean de Wavrin.

> « Raidement venaient les Français après leurs ennemis qui ne pouvaient pas encore voir, ni ne savaient le lieu où ils étaient, lorsque d'aventure les avant-coureurs virent un cerf partir hors des bois, qui prit son chemin vers Patay et s'en alla se jeter parmi la bataille des Anglais d'où il s'éleva un haut cri ; ils ne savaient pas que leurs ennemis fussent si près d'eux. »

Ce cerf providentiel renseigne l'armée française sur la position des ennemis ; les chevaucheurs courent vivement informer leurs compagnies, leur faisant savoir « qu'il [est] l'heure de besogner ». Un engagement va se produire avant que la jonction des divers corps anglais ait pu être réalisée dans le plus grand désordre. Ceux de l'avant-garde voient arriver en toute hâte le capitaine Falstolf et croient « que tout était perdu, et que les batailles s'enfuyaient. Aussi le capitaine de l'avant-garde, tenant pour vérité qu'il en était ainsi, avec son étendard blanc, lui et ses gens prirent fuite et abandonnèrent la haie ». A ce moment Falstolf et ses gens sont eux aussi pris de panique. « Il lui fut dit en ma présence, déclare Jean de Wavrin, qu'il prît garde de sa personne, car la bataille était perdue pour eux. » Dans un autre corps de bataille, Talbot venait en effet d'être fait prisonnier ; confusion, déroute.

> « Et étaient déjà les Français si avant en la bataille qu'ils pouvaient à volonté prendre ou tuer ceux que bon leur semblait ; et finalement les Anglais y furent déconfits à peu de perte des Français. »

Le Bâtard de Wavrin lui-même partagea le sort de Falstolf, qui s'enfuit vers Étampes et Corbeil.

Du côté français il y avait eu trois morts ; du côté anglais, les chroniqueurs bourguignons évaluent les pertes à 2 000 hommes et c'est Wavrin qui conclut :

> « Ainsi obtinrent les Français la victoire au lieu de Patay où ils passèrent cette nuit, remerciant Notre-Seigneur de leur belle aventure [...] Pour cette place ainsi appelée, la bataille portera perpétuellement en nom : " la journée de Patay. " »

Étonnante journée qui provoqua la panique jusqu'à Paris. Dès que la victoire de Patay fut connue, les Parisiens crurent que « les Armagnacs allaient les assaillir et renforcèrent leur guet et commencèrent à fortifier leur défense ».

Mais non, ce n'était pas sur Paris que Jeanne entendait diriger l'armée royale rassemblée à Gien et qui pouvait alors compter quelque 12 000 combattants. Dans la foulée du combat, le roi, désormais convaincu, avait décidé de se diriger sur Reims. Et de lancer la lettre de convocation d'usage aux bonnes villes de son royaume ainsi qu'aux vassaux, ceux qu'on nommait les pairs — laïques et ecclésiastiques — qui devaient assister à la cérémonie du couronnement et y participer. Parmi eux le duc de Bourgogne. Jeanne elle-même lui envoya une lettre — malheureusement perdue aujourd'hui —, qui le conviait à venir prêter fidélité au roi de France. Une autre lettre dictée par elle était demeurée dans les archives jusqu'aux incendies de la guerre de 1940 : celle qu'elle envoya alors aux habitants de Tournai pour les convier à Reims : « Par mon martin, je mènerai le gentil roi Charles et sa compagnie sûrement et il sera sacré à Reims », d'après Perceval de Cagny, le chroniqueur du duc d'Alençon, alors à son service et qui nous conte combien Jeanne fut dépitée de cette nouvelle attente, éprouvante pour sa patience, de onze jours entre la victoire de Patay et le départ de Gien. Ce n'est en effet que le 29 juin que le roi se met en marche. « Et de dépit [la Pucelle] se délogea et alla loger aux champs deux jours, avant le départ du roi. »

Ce départ vers Reims, en fait, était une sorte de contresens stratégique, car il impliquait un trajet en plein pays bourguignon.

Le chemin de Reims.

Dès la première étape, Auxerre, le 20 juin, on se heurte à la garnison bourguignonne ; pendant trois jours les ambassades se succèdent entre le roi et les bourgeois de la ville, qui finissent par fournir des vivres à l'armée et déclarent prudemment qu'ils feront « au roi pareille obéissance que feraient ceux des villes de Troyes, Châlons et Reims ».

Parler de Troyes, c'était évoquer la ville où le roi d'Angleterre, Henry V, avait été déclaré régent de France, tandis que son mariage avec Catherine de France, faisait de lui le gendre du malheureux Charles VI et d'Isabeau de Bavière et qu'à leur descendance était promise la couronne de France. Nulle part ailleurs on ne pouvait trouver réunis un tel faisceau d'événements tendant à écarter « le roi de Bourges ». Prudemment Jeanne, parvenue à Saint-Phal — ce qui représente un peu plus de cinq lieues (22 kilomètres) de Troyes —, adressait, le 4 juillet une lettre aux habitants, tandis que le roi Charles en faisait autant de son côté. Il promettait une amnistie complète et Jeanne de même :

> « Loyaux Français, venez au devant du roi Charles, et qu'il n'y ait point de faute, et ne vous doutez [ne redoutez rien] pour vos corps, ni vos biens, si ainsi faites ; et si ainsi ne le faites, je vous promets et certifie sur vos vies que nous entrerons à l'aide de Dieu, en toutes les villes qui doivent être du saint royaume et y ferons bonne paix ferme, qui que vienne contre. A Dieu vous recommande, qu'Il soit garde de vous s'il lui plaît. Réponse brièvement. »

A ce ferme langage, les gens de Troyes, inquiets, commencent par se demander, comme ceux d'Auxerre, quelle sera l'attitude des bourgeois de Reims et d'ailleurs. Les envois de messagers se succèdent ; ils délèguent également un certain cordelier, frère Richard, qui jouit d'une grande réputation de sainteté. Jeanne évoquera, non sans ironie, son arrivée : « Quand il vint vers moi, en m'approchant il faisait des signes de croix et jetait de l'eau bénite ; et je lui dis : " Approchez hardiment, je ne m'envolerai pas ! " » Elle commençait à avoir l'habitude de ce genre d'exorcismes !

En réalité la situation de l'armée était fort critique. Les vivres manquaient, une forte garnison bourguignonne était à l'intérieur de la ville, et, comme toujours, les capitaines étaient très partagés sur la conduite à tenir. Le Bâtard d'Orléans raconte comment Jeanne intervint une fois de plus :

> « Alors la Pucelle vint et entra dans le conseil [du roi], disant ces paroles ou à peu près : " Noble Dauphin, ordonnez que votre gent vienne et assiège la ville de Troyes, et ne traînez plus en longs conseils car, en nom Dieu, avant trois jours je vous introduirai dans la cité de Troyes, par amour, ou par force ou par courage, et la fausse Bourgogne en sera toute stupéfaite. " »

Cela dit, Jeanne entreprit d'installer les troupes le long des fossés et de les munir d'artillerie, « et elle travailla si bien cette nuit-là que le lendemain l'évêque et les citadins de la cité firent leur obéissance au roi, frémissant et tremblant ». L'autre témoin oculaire, Simon Charles, précise que Jeanne prit son étendard :

> « Quantité de gens de pieds la suivaient, à qui elle ordonna de faire des fagots pour remplir les fossés. Ils en firent beaucoup, et le lendemain Jeanne cria à l'assaut, donnant signe de mettre les fagots dans les fossés. Voyant cela, les habitants de Troyes, craignant l'assaut, envoyèrent au roi pour négocier leur composition. Et le roi fit composition avec leurs habitants et fit son entrée à Troyes en grande pompe, Jeanne portant son étendard auprès du roi. »

Ce fut le dimanche 10 juillet qu'eut lieu cette entrée dans la ville qui avait été celle de la trahison.

L'armée reprit sa marche le 12 juillet pour se trouver deux jours plus tard devant Châlons-sur-Marne. Le héraut royal Montjoie se présenta avec les lettres du dauphin, promettant comme ailleurs « l'abolition » [l'amnistie] et l'évêque, Jean de Montbéliard, imitant le geste qu'avait eu celui de Troyes, Jean Léguisé, allait sans plus attendre au devant du dauphin pour lui remettre les clés de la ville. Ainsi, au fur et à mesure qu'on approchait du but, les négociations se faisaient moins longues, l'attente moins pénible, la marche de l'armée plus assurée.

Cette étape de Châlons — la dernière pour laquelle il fallut parlementer — fut marquée par une scène importante qu'il y a lieu de retenir pour la suite de l'histoire. En effet, à la suite des messages envoyés par le roi pour faire connaître aux habitants de son royaume qu'il se rendait à Reims afin d'y recevoir, selon une tradition plusieurs fois séculaire, son sacre — invitation que partout les crieurs publics durent répéter et amplifier, en tout cas dans les régions qui lui étaient restées fidèles —, les bonnes gens s'étaient mis en route. Là encore c'était une démarche traditionnelle ; le couronnement d'un roi était une manifestation populaire, très solennelle certes, mais ne revêtant rien de la gravité et du caractère fermé qu'impliquent les cérémonies officielles de notre temps.

Sur la route donc, Jeanne va retrouver quelques-uns de ceux qui l'appellent Jeannette : des gens de son village, venus de Domrémy pour assister à ce sacre qui pour eux, plus encore que pour les autres habitants du royaume, n'est pas comme les autres. Il y a là l'un de ses parents nommé Jean Moreau, qui racontera plus tard avec émotion qu'à cette rencontre Jeanne lui a fait cadeau « d'une veste rouge qu'elle portait ». Jean Moreau faisait partie d'un petit groupe de cinq habitants de Domrémy qui avaient pris la route ensemble. Or, en causant avec eux, Jeanne va leur faire une confidence importante : « Elle disait, raconte l'un d'eux, nommé Gérardin d'Épinal, qu'elle ne craignait rien, si ce n'est la trahison. » A l'époque où le mot est prononcé, pareil aveu peut surprendre : Jeanne est dans tout l'élan d'une victoire qu'on peut considérer comme acquise et toute proche ; mais nous aurons maintes fois l'occasion d'évoquer ce pressentiment exprimé dans des circonstances insolites.

Le samedi 16 juillet, au château de Sept-Saulx, le roi recevait une députation de bourgeois de Reims qui lui offraient pleine et entière obéissance comme à leur souverain. C'était la première fois que s'exprimait aussi ouvertement le loyalisme d'une ville située en pays « bourguignon ». Il faut ajouter que le même jour, un certain nombre de ceux qu'on appelait les « Français reniés » (nous dirions : ceux qui ont *collaboré* avec l'ennemi) avaient quitté la ville : parmi eux l'ancien recteur de l'Université de Paris, originaire de Reims, un nommé Pierre Cauchon qui avait été l'un des principaux négociateurs du traité de Troyes... Et ce même soir, Charles faisait son entrée dans la ville de Reims aux cris de : « Noël, Noël ! » poussés par la population.

Le lendemain, dimanche 17 juillet 1429, le sacre du roi se déroula suivant le cérémonial habituel, encore que les préparatifs en aient été quelque peu précipités. Le dauphin était désormais Charles VII, consacré par l'onction qui fait les rois en tant qu'héritiers légitimes du royaume.

Nous avons peu de détails sur le déroulement même de la cérémonie. L'*Ordo coronationis* a peu varié à travers les temps, si bien que l'on peut penser que ce sacre s'est déroulé à quelques détails près comme celui de Saint Louis, alors enfant, presque exactement deux cents ans plus tôt, en 1226. Celui que Jeanne appelait jusqu'alors le dauphin — « elle disait qu'elle ne l'appellerait pas roi, jusqu'à ce qu'il ait été couronné et sacré à Reims où elle était décidée à le conduire », déclare l'un des conseillers royaux, François Garivel —, Charles, s'était probablement présenté devant la cathédrale la veille au soir, pour « prier Dieu et demeurer veillant en oraison tant qu'il lui semblera bon et que sa dévotion le retiendra ». Au matin les quatre cavaliers qu'on appelle « les otages de la Sainte Ampoule » se seront acheminés vers l'abbaye de Saint-Remi pour prendre possession du précieux flacon d'huile dont on disait qu'il aurait été apporté par les anges lors du baptême de Clovis ; l'usage voulait qu'on en mêlât une goutte avec le Saint-Chrême qui servirait pour les onctions du sacre. C'étaient le maréchal de Boussac, l'amiral de Culant, le sire de Graville et un personnage appelé à faire parler de lui, Gilles de Rais. On ne connaissait encore ce dernier que comme un vaillant combattant ; il avait participé à la levée du siège d'Orléans comme à la campagne de Loire ; en témoignage de reconnaissance, Charles VII lui octroierait deux mois plus tard, par un acte toujours conservé aux Archives nationales, le droit de porter des fleurs de lys sur l'orle (la bordure) de ses armes.

A leur retour, escortant la Sainte Ampoule que leur a

remise l'abbé Jean Canard, les quatre « otages » ont rencontré la longue procession des chanoines, évêques et prélats présents entourant le roi qui aura passé la nuit au palais archiépiscopal puis fait son entrée au chant des psaumes. Le grand portail de la façade a été ouvert à deux battants et l'on a entendu le bruit des sabots des chevaux mêlé aux acclamations de la foule qui s'est massée aussi bien à l'extérieur qu'à l'intérieur de la cathédrale, car les quatre cavaliers qui escortent l'Ampoule entrent ce jour-là à cheval dans l'édifice.

Les diverses phases de la cérémonie comportent d'abord les serments exigés du roi, puis, au chant du *Te Deum*, la bénédiction des insignes royaux : la couronne, les éperons d'or, le sceptre et aussi — depuis le début du XIVe siècle —, ce qu'on appelle la main de justice : une sorte de second sceptre en ivoire sculpté. Enfin a lieu l'onction, qui est l'essentiel du rite et qui est assimilée à un sacrement comme la confirmation ou l'ordre. Le roi se prosterne sur les marches de l'autel, tandis que l'on chante les litanies des saints ; puis l'archevêque, qui s'est prosterné de même à ses côtés, le marque de l'huile sainte sur la tête, sur la poitrine, sur les épaules et aux jointures des bras. Le roi, qui n'a gardé que ses chausses et une chemise fendue devant et derrière, revêt alors la tunique et la chape de soie ; après une nouvelle onction sur les mains, il enfile ensuite les gants et on lui passe au doigt l'anneau qui est symbole d'union et signifie l'alliance entre le roi et son peuple. Enfin la couronne, placée sur l'autel, est mise sur la tête du roi, mais non sans que douze pairs (six laïques, six ecclésiastiques) l'aient tenue au-dessus de sa tête pendant qu'il est conduit depuis l'autel jusqu'à l'estrade sur laquelle est placé le trône. C'est alors que, comme sur les sceaux de l'époque, il apparaît en Majesté Royale.

> « Et à l'heure que le roi fut sacré, et aussi quand l'on lui assit la couronne sur la tête, tout homme cria : Noël ! Et trompettes sonnèrent en telle manière, qu'il semblait que les voûtes de l'église se dussent fendre. Et durant ledit mystère, la Pucelle s'est toujours tenue

> joignant du roi, tenant son étendard en sa main. Et c'était moult belle chose de voir les belles manières que tenait le roi et aussi la Pucelle. Et Dieu sache si vous y avez été souhaitées. »

Ainsi s'expriment trois gentilshommes angevins chargés de raconter la cérémonie à la reine et à sa mère.

Après l'hommage prêté par l'archevêque et les pairs, on a vu Jeanne s'agenouiller devant le roi, et, l'embrassant par les jambes, lui dire en pleurant à chaudes larmes :

> « Gentil Roi, ores est exécuté le plaisir de Dieu qui voulait que je lève le siège d'Orléans et que je vous amène en cette cité de Reims recevoir votre saint sacre en montrant que vous êtes vrai roi et celui auquel le Royaume doit appartenir. »

Et le chroniqueur de noter l'émotion générale à cet instant : « Et faisait grand pitié à tous ceux qui la regardaient. »

Jeanne se trouve en effet dans l'assistance, et s'y trouvent aussi son père et sa mère, Jacques d'Arc et Isabelle Romée. Que Jeanne, dont en cet instant on reconnaît la part essentielle qu'elle a prise, ait été mieux placée que les autres capitaines, cela nous est attesté par ses ennemis eux-mêmes qui lui poseront la question : « Pourquoi votre étendard fut-il plus porté dans l'église de Reims, au sacre du roi, que les étendards des autres capitaines ? » A quoi elle fera la réponse du bon sens : « Cet étendard avait été à la peine, c'était bien raison qu'il fût à l'honneur. »

Gerson et Christine de Pisan.

Encore une fois et comme en écho à la foule rémoise qui accompagne et souligne la cérémonie, il faut rappeler l'éclatante impression que produit en France et hors de France ce sacre inattendu.

A vrai dire, avant même le sacre du roi, une première passe d'armes a été échangée : deux libelles ont vu le jour à propos de Jeanne, l'un émanant d'un clerc de l'Université de Paris, mais qui ne nous a pas été conservé. L'autre, une réponse à cette toute première attaque des universitaires parisiens, émane d'un personnage bien connu, Jean Gerson *. Celui à qui fut, un temps, attribuée *l'Imitation de Jésus-Christ* avait été chancelier de l'Université de Paris et connaissait mieux que personne l'esprit qui y régnait ; lui-même avait été radié et exclu du corps universitaire en raison de ses opinions. Depuis le 6 juillet 1418, son absence était consignée sur les registres. En fait, s'étant rendu au concile de Constance, il avait appris que Paris se trouvait entre les mains des Anglo-Bourguignons et n'avait pas voulu y rentrer. Après avoir résidé quelque temps en Autriche, il s'était rendu à Lyon, ville relevant toujours de l'Empire, et y avait rejoint l'un de ses frères alors prieur des Célestins. La défense de Jeanne, qu'il dut composer au cours du mois de juin 1429, est certainement sa dernière œuvre, puisqu'il est mort le 12 juillet, avant même le sacre de Reims.

En agissant ainsi pour celle qui venait de si éclatante façon renverser le cours des choses, Jean Gerson ne pouvait savoir qu'il se retrouvait tout proche d'une autre femme dont il avait aussi pris la défense bien des années auparavant : Christine de Pisan. On connaît le cri que celle-ci jeta à la nouvelle des événements dont elle fut témoin :

L'an mil quatre cent vingt et neuf
Reprit à luire le soleil.

Personnage fort en vue, poète et historienne à qui le duc de Bourgogne, Philippe le Hardi, avait peu de temps avant sa mort demandé de composer l'histoire de son frère « le sage roi Charles V », Christine qui n'a cessé d'exhorter à la paix ses contemporains, de conjurer aussi les femmes de ne pas se laisser dépouiller de leurs droits — Christine semble littéralement éblouie de ce qui se passe. A l'arrivée des Anglais à Paris, elle avait quitté la ville et s'était retirée très probablement au couvent de Poissy où sa fille était moniale :

Je Christine qui ai pleuré
Onze ans en abbaye close.

Elle voit tout à coup une aube inespérée se lever ; pendant onze ans elle a gardé le silence, cessant d'écrire, sinon des poèmes qui sont de véritables oraisons, elle retrouve aujourd'hui la plume et l'inspiration pour célébrer cette femme, cette fille inconnue qui vient de remporter des victoires qu'on eût considéré comme impossibles à tout homme :

Voici femme, simple bergère,
Plus preux qu'oncques homme fut à Rome.

Dans sa verve enfin retrouvée elle est intarissable : 56 strophes, 448 vers et déjà elle esquisse l'histoire de Jeanne ; elle rappelle comment elle a été examinée par des clercs, des prélats, comment surtout elle a fait ses preuves :

Quand fut le siège à Orléans
Où d'abord sa force apparut.

Elle évoque surtout ce sacre et ce couronnement obtenus contre toute espérance :

A très grand triomphe et puissance
Fut Charles couronné à Reims.

Pour conclure enfin :

[...] Jamais parler
N'ouîmes de si grand merveille.

On sent que Christine de Pisan a eu quelque mal à contenir son propre enthousiasme devant cette « chose sur toutes merveillable ». C'est la dernière œuvre que nous ayons de cette femme qui en l'occurrence a si parfaitement rempli son double rôle : historienne et poète de son temps.

Elle n'a pu connaître l'œuvre d'un autre poète, son contemporain, qui lui aussi, vers la même date du mois de juillet 1429, exalte Jeanne, non en vers, mais en prose, mais une prose poétique. Il s'agit d'Alain Chartier qui se révèle comme le premier auteur de poèmes en prose :

> « La voilà, celle qui ne semble pas être venue de quelque point du monde, mais avoir été envoyée du ciel pour soutenir de la tête et des épaules la Gaule abattue à terre... Ô vierge singulière, digne de toute gloire, de toutes louanges, des honneurs divins, tu es la grandeur du royaume, tu es la lumière du lys, tu es la clarté, tu es la gloire, non seulement des Français, mais de tous les chrétiens. »

Dans le tumulte des voix qui s'élèvent au-dessus du tumulte des armes, en cette époque étonnante, alors que partout on commente les événements survenus contre toute attente et toute prévision, de la Cour de l'empereur en Allemagne jusque dans les boutiques des commerçants italiens installés à Bruges ou en Avignon, ces voix de poètes qui s'élèvent sont probablement, avec le recul du temps, les plus véridiques sur les exploits de la Pucelle. Des pages et des pages de commentaires vont être composées, multipliant sur Jeanne les opinions et les appréciations les plus diverses. L'histoire se doit de le reconnaître, au vu des documents contemporains : ce sont eux qui ont donné la note juste. Sans doute, pour parler de Jeanne, et mieux encore pour la comprendre, fallait-il d'abord être poète.

CHAPITRE 5

« Un an, guère plus »

La cérémonie du couronnement à Reims s'est déroulée avec le faste habituel, encore que de façon un peu précipitée. Le roi ne quitte la cité que le 21 juillet pour aller ce même jour accomplir le geste, traditionnel aussi, de « toucher les écrouelles », pour exercer, à l'abbaye Saint-Marcoul de Corbény, à peu de distance de Reims, ce pouvoir guérisseur qui lui était attribué après son sacre.

Le sacre d'un roi est par excellence ce qui symbolise l'union des sujets autour de leur souverain. Il est donc plus instructif de relever le nom des absents. La reine d'abord, Marie d'Anjou ; elle aurait dû recevoir elle aussi les onctions et la couronne aux côtés du roi ; Charles VII l'avait d'ailleurs mandée alors qu'il était à Gien. Mais au moment où l'armée s'ébranlait, il l'avait renvoyée à Bourges, et l'on peut penser que l'opération dans laquelle il se lançait était trop incertaine pour lui en laisser courir les dangers. Cette absence, cependant, est de soi significative : en cette époque de guerre et de combats, ce sont les combattants qui importent, et bientôt la présence de la femme sera tout à fait éclipsée par celle du soldat. Si Marie d'Anjou n'est pas à Reims, ce 17 juillet, c'est que l'on considère, dans l'entourage royal, que seul le roi compte vraiment. Et de fait le couronnement de la reine sera dès lors considéré comme une cérémonie plutôt secondaire, et il n'aura pas lieu à Reims, mais à Paris. La dernière reine couronnée sera Marie de Médicis en 1610. Fini le temps d'Aliénor d'Aquitaine et de Blanche de Castille ! Dès cette époque le rôle de la reine n'aura cessé de s'amenuiser en France.

Un autre personnage eût voulu être présent au sacre : le connétable Arthur de Richemont. A lui devait revenir l'honneur de porter l'épée du sacre après la bénédiction. C'est le sire d'Albret qui fut désigné à sa place pour la tenir, la pointe haute, pendant la durée de la cérémonie. La chronique de Guillaume Gruel, familier du connétable, raconte comment celui-ci, qui venait de participer à la brillante victoire de Patay, avait beaucoup insisté pour accompagner le roi à Reims mais que le roi s'y était refusé en dépit des instances de Jeanne « qui en fut très déplaisante ». Guillaume ajoute même que le roi avait déclaré « que mieux aimerait ne jamais être couronné que mondit seigneur y fût... ». Ici il faut noter l'influence, toute-puissante sur Charles VII, de La Trémoïlle qui s'opposait directement à Richemont.

Deux autres absences notables encore : celle de l'évêque de Beauvais, qui était l'un des six pairs ecclésiastiques ; mais elle ne s'explique que trop bien lorsqu'on connaît la carrière du personnage, depuis toujours agent dévoué des Anglo-Bourguignons.

Enfin celle de Philippe le Bon, duc de Bourgogne, l'un des six pairs laïques. Jeanne lui avait écrit au matin même du sacre, le dimanche 17 juillet ; sa lettre nous a été conservée aux Archives de Lille. Et cette pièce est émouvante :

> « Jésus Maria. Haut et redouté prince, duc de Bourgogne, la Pucelle vous requiert de par le Roi du Ciel, mon droiturier et souverain Seigneur, que le roi de France et vous fassiez bonne paix ferme, qui dure longuement. Pardonnez l'un à l'autre de bon cœur, entièrement, ainsi que doivent faire loyaux chrétiens ; et s'il vous plaît à guerroyer, si allez sur les Sarrasins. Prince de Bourgogne, je vous prie, supplie et requiers tant humblement que requérir vous puis, que ne guerroyez plus au saint royaume de France, et faites retraire, incontinent et brièvement, vos gens qui sont

en certaines places et forteresses dudit saint royaume. Et de la part du gentil roi de France, il est prêt de faire paix avec vous, sauf son honneur, s'il ne tient qu'à vous. Et vous fais assavoir de par le Roi du Ciel, mon droiturier et souverain Seigneur, pour votre bien et pour votre honneur et sur votre vie, que vous n'y gagnerez point bataille à l'encontre des loyaux Français, et tous ceux qui guerroient audit saint royaume de France, guerroient contre le roi Jésus, Roi du Ciel et de tout le monde, mon droiturier et souverain Seigneur. Et vous prie et requiers à jointes mains que ne faites nulle bataille ni nc guerroyez contre nous, vous, vos gens ou sujets, et croyez sûrement que, quelque nombre de gens que vous ameniez contre nous qu'ils n'y gagneront pas et sera grande pitié de la bataille et du sang qui y sera répandu de ceux qui viendront contre nous. Et a trois semaines que je vous avais écrit et envoyé bonne lettre par un héraut, que fussiez au sacre du roi qui, aujourd'hui dimanche dix-septième jour de ce présent mois de juillet, se fait en la cité de Reims : dont je n'ai eu point de réponse, ne n'ouïs oncques (jamais) depuis nouvelles dudit héraut. A Dieu vous recommande, et soit garde de vous, s'il lui plaît ; et prie Dieu qu'il y mette bonne paix. Écrit audit lieu de Reims, ledit dix-septièmc jour de juillet,

« Au duc de Bourgogne. »

La revanche de ceux du conseil de Cour.

D'autant plus touchante, cette lettre, que Jeanne ignore l'intense activité diplomatique qui dans le même temps se manifeste entre la France, l'Angleterre et la Bourgogne.

Quelqu'un en effet, malgré la situation difficile où le plaçaient les événements, gardait son sang-froid et mettait tout en œuvre pour parer aux effets désastreux des victoires de Jeanne : c'était Jean, duc de Bedford, régent de France. L'un de ses meilleurs capitaines, John Talbot, venait d'être fait prisonnier par Jeanne et le duc d'Alençon à Patay. A l'autre, John Falstolf, on reprochait d'avoir fui en cette même bataille, alors qu'en fait sa retraite précipitée lui avait du moins permis de sauver son corps d'armée. Par ailleurs, Bedford savait que 350 hommes d'armes, tant cavaliers qu'archers, venaient de débarquer à Calais le 1er juillet ; c'était une armée recrutée par Henry Beaufort, cardinal de Winchester, oncle naturel du duc de Bedford, (un bâtard de son grand-père Jean de Gand, duc de Lancastre) pour aller combattre les Hussites de Bohême. Cette armée avait été recrutée moyennant des dîmes spéciales levées avec l'autorisation du pape et complétées par son appui financier ; d'un commun accord oncle et neveu s'entendirent pour la détourner de son but premier. Le 15 juillet, les troupes quittaient Calais pour Paris où elles arrivaient dix jours plus tard. Elles constituaient un renfort tout frais pour la lutte contre celui qu'on reconnaissait désormais roi de France, Charles VII.

Mais non content d'avoir ainsi canalisé à son profit une force militaire que le bon peuple croyait avoir levée pour le bien de la chrétienté, Bedford mène parallèlement une offensive diplomatique d'envergure. Son frère Henry V était un combattant émérite ; lui, c'est l'administrateur. Il a épousé Anne de Bourgogne, sœur du duc Philippe — « la plus agréable dame qui fut alors en France, étant belle, jeune et bonne », déclare le Bourgeois de Paris — et s'appuie sur ce lien familial pour obtenir d'un allié qu'il ne sent pas toujours très sûr les garanties qui lui sont indispensables afin de conjurer les menaces qui pèsent alors sur la conquête anglaise. Très habilement il a invité le duc de Bourgogne à venir passer quelques jours à Paris. Entre le 10 et le 15 juillet, une série de fêtes et de manifestations spectaculaires, avec procession générale et sermon à Notre-Dame, vont avoir pour effet de faire promettre au peuple que « tous seraient bons et loyaux au régent et au duc de Bourgogne ».

Ô Paris très mal conseillé !
Fols habitants sans confiance !

s'était écriée Christine de Pisan.

Le duc de Bourgogne allait regagner ses États nanti de joyaux pour une somme de 20 000 livres et de la promesse que le don lui serait renouvelé à la fin du mois, moyennant quoi il s'engageait à recruter une armée. Par l'entremise de son héraut, Jarretière, Bedford s'empressa de réclamer des subsides à la ville de Londres, faisant valoir que sans l'alliance bourguignonne la puissance anglaise s'en allait « d'un seul coup ».

Autre aspect, beaucoup plus grave encore, de ce jeu diplomatique : les négociations que La Trémoïlle avait engagées dès le 30 juin avec la Cour de Bourgogne, tant et si bien que le 16 juillet, le Bourguignon Jean de Vimeu quittait Dijon pour Arras afin de rendre compte de l'état de ces négociations à Philippe le Bon, à son retour de Paris. Une ambassade conduite par David de Brimeu arrivait à Reims lors du séjour du roi, et, dans une lettre destinée à mettre la reine Marie d'Anjou et sa mère Yolande au courant de la cérémonie du couronnement, s'exprimait l'espoir que le roi concluera « bon traité [...] avant qu'il parte ». La même lettre faisait allusion à Jeanne : « Elle ne fait doute qu'elle ne mette Paris en son obéissance. » C'était indiquer clairement les préoccupations de chacun. Jeanne ne pensait qu'à poursuivre une offensive qui s'était révélée si féconde, tandis que le roi ne songeait qu'à négocier et, en fait de « bon traité », allait conclure une trêve... de quinze jours !

Ainsi, après une journée triomphale vécue à Reims, on se retrouve en plein malentendu. Cette trahison qui seule faisait peur à Jeanne, le point de départ en a été marqué lors même de ce banquet du sacre auquel elle a été conviée. Tous ses actes seront désormais en porte-à-faux. Au moment où son père et sa mère, ainsi que le dévoué Durand Laxart, qui les a accompagnés, repartent vers Domrémy encore tout étourdis de la gloire inattendue de « Jeannette », celle-ci a dû avoir, avec sa merveilleuse prescience, le sentiment qu'allait commencer pour elle le temps des incertitudes, des échecs, et du calvaire ; ce qui expliquerait la douloureuse exclamation qu'elle va laisser échapper sur la route, en un lieu exactement défini dans les souvenirs du Bâtard d'Orléans, entre la Ferté-Milon et Crépy-en-Valois : « Plaise à Dieu mon créateur que je puisse maintenant me retirer, laisser les armes et m'en aller servir mon père et ma mère en gardant les brebis, avec ma sœur et mon frère qui se réjouiraient tant de me revoir ! » Ce ton de regret, si inhabituel chez elle, la révèle désarmée devant ce qu'il lui faut combattre à présent : la trahison, insaisissable, qu'elle sent toute proche et qui, à chaque pas, la précède. C'est ici le lieu de rappeler la réflexion d'un contemporain : « Nous ne sommes pas du conseil de Cour, nous sommes de l'exploit des champs. » Dorénavant c'étaient ceux du conseil de Cour qui allaient avoir la parole.

Le contraste entre l'un et l'autre état d'esprit est comme imprimé sur deux itinéraires : celui que suit l'armée royale à l'aller quand elle est guidée par Jeanne, et celui du retour, quand c'est la volonté, ou plutôt l'absence de volonté royale, qui le détermine. Le premier est droit comme flèche, le second aussi tortueux qu'a pu l'être sa diplomatie. Le roi met trente-six jours pour franchir les quelque 150 kilomètres qui séparent Reims de Paris. On imagine le supplice que dut subir Jeanne, qui ne songeait qu'à profiter de l'élan qu'elle sentait autour d'elle : « Un Français eût abattu dix Anglais, note un contemporain. » Elle voudrait se porter sur Paris et elle ne sait pas que d'avance Charles VII s'est engagé à y renoncer. Elle a dû avoir quelque espoir lors des premières étapes, Vailly, puis Soissons : [le roi] « s'en alla à Soissons où il fut reçu à très grande joie de tous ceux de la cité et beaucoup l'aimaient et désiraient sa venue. » En fait, le sacre a fait le roi et désormais toutes les villes expriment leur joie et leur volonté de le reconnaître. Il reçoit ainsi le message de Laon, Château-Thierry, Crépy, Provins, Coulommiers. De Crépy-en-Valois il envoie ses hérauts à Compiègne demandant aux habitants « qu'ils se missent en son obéissance, lesquels répondirent qu'ils le feraient très volontiers ». Même la cité de Beauvais, dont Pierre Cauchon est l'évêque, chante le *Te Deum* pour le roi de France.

Pendant son séjour à Château-Thierry, le 31 juillet, Charles VII exempte, à la prière de Jeanne, les habitants de Domrémy et Greux de tout impôt. C'est la seule demande faite par la Pucelle, et cette exemption s'est maintenue à travers les temps jusqu'au règne de Louis XVI.

Cependant, le régent Bedford profitait de ce délai inespéré pour renforcer les défenses de Paris ; il quittait la ville le 4 août à la tête d'une puissante armée et remontait la Seine en suivant la rive gauche. Trois jours plus tard, il lançait de Montereau un défi au roi de France : « Vous qui faites séduire et abuser le peuple ignorant et vous aidez de gens superstitieux et réprouvés, comme d'une femme désordonnée et diffamée, étant en habits d'homme et de conduite dissolue... » Il lui proposait de prendre place au pays de Brie et en Ile-de-France et qu'ils puissent s'y mesurer en personne. L'armée anglaise allait manœuvrer en direction de Senlis et s'arrêter le 14 août près du village de Montépilloy. Entre-temps, le duc de Bedford avait eu l'habileté de nommer le duc de Bourgogne gouverneur de Paris. Ainsi, un prince de sang royal exerçait désormais l'autorité sur la capitale.

Il semblait que la bataille décisive allait avoir lieu à Montépilloy. Le paisible cours de la Nonnette, la petite rivière qui sillonne le pays en cet endroit, a servi de point d'appui à l'armée de Bedford que sont venus renforcer sept cents Picards envoyés par le duc de Bourgogne. Les troupes françaises qui viennent de Crépy-en-Valois sont réparties en « batailles » dont la première, commandée par le sire d'Albret, comporte Jeanne elle-même avec le Bâtard d'Orléans et La Hire.

Nouveau *suspense* entre Français et Anglais : toute une journée s'écoule, celle du 15 août, où, sous un soleil brûlant, dans la poussière (« il y avait si grande poudre, dit Perceval de Cagny, qu'on ne reconnaissait ni Français, ni Anglais »). On attend de part et d'autre un engagement qui peut être décisif. Les Anglais, à leur habitude, se sont retranchés derrière des rangées de pieux aiguisés et des charrettes qui leur font comme un rempart. Charles VII chevauche avec le duc de Bourbon et La Trémoïlle ; Bedford, dont la lettre pourtant avait le ton d'un défi, ne se manifeste pas. L'après-midi du 16 août, on apprend que les Anglais retournent vers Paris.

« Tout le jour ils furent l'un devant l'autre, sans haies et sans buissons, près l'un de l'autre le trait d'une couleuvrine, écrit celui qu'on appelle le Héraut Berry — témoin oculaire de cette journée où le sort hésita —, et ne combattit point. Et le soir le roi partit et s'en alla avec son armée à Crépy et le duc de Bedford alla à Senlis. »

PHILIPPE LE BON, ARBITRE DE LA SITUATION.

Un autre événement se passait ce même 16 août à Arras. Le duc de Bourgogne Philippe le Bon dut éprouver ce jour-là à quel point, que ce soit vis-à-vis des Anglais ou vis-à-vis des Français, il était le maître et l'arbitre de la situation : une ambassade française, conduite par l'archevêque de Reims Regnault de Chartres accompagné de plusieurs notables parmi lesquels Raoul de Gaucourt, venait littéralement supplier le « Grand duc d'Occident », lui présentant, comme le firent remarquer les témoins, « des offres de réparation plus qu'à la Majesté royale n'appartenait ». En expiation du forfait de Montereau, on le priait d'accepter toutes les garanties possibles « par otage, peines corporelles et pécuniaires, obligation et soumission d'Église et séculière, les plus fortes que l'on pourrait aviser ». Tout cela en échange d'une simple neutralité dans le conflit qui opposait Français et Anglais. De leur côté, ces derniers avaient dépêché à Arras Hugues de Lannoy, diplomate bourguignon, mais qui faisait partie du Conseil royal d'Angleterre. Habilement, le duc de Bourgogne laissait entendre qu'il se prêterait à la conférence de paix prévue pour 1430 et qu'avait proposée le médiateur qu'on voit apparaître dans la plupart de ces négociations, Amédée VIII de Savoie.

Entre-temps cependant les bourgeois de Reims, inquiets, s'étaient adressés à Jeanne. Le roi de France s'étant éloigné, ils se retrouvaient isolés en pays bourguignon, et les mouvements de troupes qui se faisaient dans les parages pouvaient légitimement les troubler. Jeanne leur répondit par une lettre où perce quelque inquiétude :

> « Je vous promets et certifie que je ne vous abandonnerai point tant que je vivrai. Et il est vrai que le roi a fait trêve au duc de Bourgogne quinze jours durant [...] Combien que des trêves qui sont ainsi faites je ne sois point contente, et ne sais si je les tiendrai. Mais si je les tiens ce sera seulement pour garder l'honneur du roi. »

Elle les incite à « faire bon guet et garder la bonne cité du roi ». Les lieu et date sont bien significatifs : « Écrit ce vendredi 5e jour d'août emprès Provins, un logis sur champs, au chemin de Paris. » Cette lettre-là, pas plus que celle envoyée au duc de Bourgogne, n'a de signature, mais porte bien la marque de la personnalité de Jeanne et de ses intentions. Ce : « Au chemin de Paris » est lui aussi un défi.

Mais le malentendu va se poursuivre. Tandis que Jeanne ne songe qu'à mettre à profit le mouvement d'enthousiasme et à utiliser la forte armée qui se trouve réunie, le roi, lui, n'a en tête que négociations et trêves. Le 17 août lui sont apportées à Crépy, où il s'est retiré, les clés de Compiègne. Le lendemain il fait son entrée dans la ville par la porte de Pierrefonds, accueilli par les notables et quelqu'un dont on reparlera, Guillaume de Flavy *. C'est un capitaine routier dont dépend en fait la défense de la ville. Quelques jours plus tard, le 21 août, arrivera aussi à Compiègne une ambassade bourguignonne, conduite par Jean de Luxembourg * : un autre nom qu'on retrouvera par la suite.

Après une semaine de négociations laborieuses sera signée pour une durée de quatre mois une trêve s'appliquant à toutes les régions situées sur la rive droite de la Seine depuis Nogent-sur-Seine jusqu'à Honfleur. Pendant ce temps ni Bourgogne ni France ne pourront s'emparer des villes situées dans les limites indiquées, ni en recevoir obéissance. Mais des garanties plus certaines ne figurent pas dans les clauses, car elles ont été données verbalement par Charles VII, qui s'est, entre autres choses, engagé à remettre au duc de Bourgogne les villes les plus importantes sur le cours de l'Oise : Compiègne, Pont-Sainte-Maxence, Creil et Senlis. Bedford pouvait être satisfait d'avoir replié sur Paris son armée intacte, et le duc de Bourgogne se trouvait plus que jamais maître de la situation.

Pendant ce même temps étaient rédigés par l'agent anglo-bourguignon Hugues de Lannoy deux mémoires, exposant le plan de guerre à adopter désormais en France. Ce plan insistait sur l'importance qu'il y aurait à faire venir en France, avant l'expiration des trêves — c'est-à-dire avant Noël — une forte armée anglaise, « une bonne et grande puissance de gens d'armes et d'armées ». Plus que jamais il serait indispensable de se ménager l'alliance du duc de Bourgogne, puisque sans lui « aucun bon exploit durable ne peut être fait ». Après le 1er janvier 1430, quand les trêves seraient arrivées à expiration, l'Angleterre entretiendrait pour lui 2 000 hommes qu'elle prendrait à sa charge, moyennant quoi il aurait le devoir de défendre Paris. Mais il conviendrait de l'en récompenser « en lui baillant autorité grande et notable », et aussi en lui faisant don « d'aucune grande seigneurie ». Ces deux points seront observés à la lettre par le duc de Bedford qui sait admirablement provoquer et entretenir les alliances indispensables. Le 13 octobre, Philippe le Bon se verra octroyer par lui « la lieutenance générale » du royaume de France, tandis que, le 12 janvier 1430, les comtés de Champagne et de Brie lui seront expressément attribués par la puissance anglaise.

D'autres alliances fructueuses sont prévues dans ce plan

de guerre : ainsi on s'assurera l'attachement du duc de Bretagne en lui octroyant le comté de Poitou et celui du connétable Arthur de Richemont qu'on pourra reconquérir en le nommant connétable au nom du roi d'Angleterre et en lui attribuant la Touraine, la Saintonge, le pays d'Aunis et La Rochelle. Ainsi la France dans ses diverses régions continuait à être répartie au mieux des intérêts anglais. On prévoyait en même temps une offensive sur le Berry redevenu le lieu de retraite du roi de France, tandis que des troupes seraient envoyées en Guyenne pour y contenir ses alliés les comtes d'Armagnac et de Foix. Rien n'était donc oublié pour pallier « la très grande nécessité qui est présentement en France » et annuler les succès récemment remportés grâce à la Pucelle. Tout cela au lendemain même de trêves qui étaient d'utiles parades et permettaient de mettre le dispositif en place. D'autre part, Hugues de Lannoy conseilla d'envoyer un certain nombre d'ambassades auprès des rois de Castille, d'Aragon, de Portugal, du duc de Milan, de Lorraine, et surtout en Écosse, « des alliés où les ennemis ont très grande espérance et dont ils se vantent très fort ».

L'ÉCHEC DEVANT PARIS.

Tandis que ces projets étaient échafaudés dans l'ombre, Jeanne, au témoignage de Perceval de Cagny, était dans une impatience grandissante :

> « Quand le roi se trouva au dit lieu de Compiègne, la Pucelle fut bien marrie du séjour qu'il y voulait faire. Elle appela le duc d'Alençon et lui dit : " Mon beau duc, faites appareiller vos gens et ceux des autres capitaines. Par mon martin [bâton], je veux aller voir Paris de plus près que je ne l'ai vu. " »

Bedford de son côté, avait dû quitter Senlis, et s'était rendu à Rouen, car les nouvelles de la Normandie étaient alarmantes. La province était parcourue par des « partisans » — ainsi nommait-on les résistants d'alors. Et le chroniqueur de poursuivre :

> « Le vendredi suivant, vingt-sixième jour de ce mois d'août, furent la Pucelle, le duc d'Alençon et la compagnie logés en la ville de Saint-Denis. Et quand le roi sut qu'ils étaient logés en la ville de Saint-Denis, il vint à grand regret jusqu'à la ville de Senlis. Et il semblait qu'il fût conseillé au contraire du vouloir de la Pucelle, du duc d'Alençon et de leur compagnie. »

On ne saurait mieux dire. Les jours qui suivent se passent en escarmouches, et pour Jeanne en examen des remparts de Paris où la population vit dans l'affolement et organise la défense sur l'ordre du Bourguignon Louis de Luxembourg, évêque de Thérouanne, qui est chancelier de France pour le roi d'Angleterre. Cependant, le duc d'Alençon commence une série d'allées et venues entre Saint-Denis et le lieu où réside le roi, Senlis, puis Compiègne : « Et il n'y avait homme, de quelque état qu'il fût, qui ne dît : " Elle mettra le roi dans Paris, si à lui ne tient. " »

Finalement, l'assaut est donné le jeudi 8 septembre ; partant de La Chapelle, Jeanne, le maréchal de Rais, le sire de Gaucourt donnent l'assaut à la porte Saint-Honoré. Le roi de son côté était arrivé la veille à Saint-Denis, se laissant porter par l'enthousiasme de son entourage, mais décidé, comme la suite le prouvera, à ne rien faire.

Le greffier du Parlement de Paris, qui, quatre mois plus tôt, presque jour pour jour, avait consigné la libération d'Orléans, Clément de Fauquembergue, note ce jour-là sur son registre :

> « Jeudi huitième jour de septembre, fête de la Nativité de la Mère-Dieu, les gens d'armes de Messire Charles de Valois assemblés en grand nombre près du mur de Paris, vers la porte Saint-Honoré, espérant par commotion de peuple grever et dommager la ville et les habitants de Paris, plus que par puissance et force d'armes, environ deux heures de l'après-midi commencèrent de faire semblant de vouloir assaillir ladite

ville de Paris [...] Et à cette heure, il y eut dedans Paris des gens affectés ou corrompus qui élevèrent une voix de toutes les parties de la ville deça et delà les ponts, criant que tout était perdu, que les ennemis étaient dedans Paris, et que chacun se retirât et fît diligence de se sauver. »

Il est très probable que, pour une grande partie de la population, l'espoir de l'arrivée du roi de France était sincère, et ces mouvements de panique attestent l'indécision profonde au sein de la population. Pendant ce temps, entre la porte Saint-Honoré et la porte Saint-Denis, l'attaque était vivement menée :

> « La Pucelle prit son étendard en mains et avec les premiers entra dans les fossés, vers le marché aux pourceaux, écrit Perceval de Cagny. L'assaut fut dur et long, et c'était merveille d'ouïr le bruit et le vacarme des canons et couleuvrines que ceux dedans, jetèrent à ceux de dehors, et toute manière de traits en si grande abondance qu'innombrables [...] L'assaut dura depuis environ l'heure de midi jusqu'environ l'heure de jour tombant ; et après soleil couchant la Pucelle fut frappée d'un trait d'arbalète par la cuisse et depuis qu'elle fut frappée elle s'efforçait plus fort de dire que chacun s'approchât des murs et que la place serait prise ; mais parce qu'il était nuit et qu'elle était blessée et que les gens d'armes étaient lassés du long assaut qu'ils avaient fait, le sire de Gaucourt et autres vinrent prendre la Pucelle et contre son vouloir l'emmenèrent hors des fossés et ainsi se termina l'assaut. »

On ramena Jeanne au camp de La Chapelle où elle était restée en prière une partie de la nuit précédente. Le lendemain en dépit de sa blessure, elle allait partir aux côtés du duc d'Alençon, mais « vinrent le duc de Bar et le comte de Clermont de par le roi », qui donnèrent l'ordre de la retraite. Le duc d'Alençon avait fait faire un pont de bateaux pour reprendre l'offensive : le roi le fit démolir pendant la nuit.

Puis, demeurant à Saint-Denis jusqu'au mardi 13 septembre, il donna ensuite l'ordre de « retourner sur la rivière de Loire, au grand déplaisir de la Pucelle ». Plus que jamais, selon le mot de Poton de Xaintrailles, ceux « du conseil de Cour » avaient eu raison de « ceux de l'exploit des champs ».

Jeanne, avant de se retirer, allait suspendre dans la basilique de Saint-Denis, en ex-voto, « un blanc harnais entier pour homme d'armes avec une épée gagnée devant la ville de Paris » — celle d'un prisonnier qu'elle avait fait en assiégeant la place.

Elle « ne craignait rien sinon la trahison », mais la trahison était partout en ce retour du sacre. Le héraut Berry raconte que durant son séjour à Compiègne, avant même l'attaque sur Paris, le roi avait reçu Jean de Luxembourg, « qui lui fit plusieurs promesses de faire paix entre le roi et le duc de Bourgogne, dont il ne fit rien, sinon le décevoir ». Quant au duc lui-même, Philippe le Bon, il adressait à Charles Pierre de Bauffremont, seigneur de Charny, pour lui mander « qu'il lui ferait avoir Paris [...] et qu'il viendrait à Paris pour parler à ceux qui tiendraient son parti ; pour cette cause, il lui fallait avoir un sauf-conduit ; et le dit duc eut le sauf-conduit du roi, mais quand il fut venu à Paris, le duc de Bedford et lui firent alliance plus fort que devant n'avaient fait à l'encontre du roi ».

Cette seconde scène de dupes eut lieu alors que déjà Charles VII avait regagné Gien, le 21 septembre. A ce moment-là, ce qui comptait surtout pour Jeanne, c'est que l'ère des victoires était close : elle voyait se défaire la grande armée du sacre qui avait rassemblé tant d'hommes dans un espoir commun. Cette défaite morale, alors qu'elle avait pour sa part si exactement tenu les promesses sur lesquelles le roi lui-même et son entourage s'étaient décidés à agir, constituait pour elle le plus douloureux des échecs. Le moment même de son triomphe, lorsque le roi avait à Reims reçu l'onction qui le consacrait aux yeux du monde et plus encore de son peuple, marquait le retournement de la situation : Charles étant désormais roi, sa volonté seule comptait. Il entendait mener sa propre politique, et cette politique s'écartait tout à fait de « l'exploit des champs » ; elle restait obstinément fixée sur la réconciliation avec le duc de Bourgogne, peut-être pour tenter d'effacer le désastreux souvenir du « guet-apens de Montereau », où était mort Jean Sans Peur, peut-être aussi parce que, selon le mot de Perceval de Cagny, « il semblait qu'il fût content à cette heure de la grâce que Dieu lui avait faite, sans autre chose entreprendre ». Le sentiment de décevoir autour de lui les gens des bonnes villes et l'ensemble de son peuple, maintenant gagné à sa cause, perce pourtant dans la lettre circulaire émanée de la chancellerie royale à la date du 13 septembre ; seul l'exemplaire adressé aux habitants de Reims nous est resté : le roi tient visiblement à rassurer ses sujets. Il va « faire un tour outre la rivière de Seine », mais c'est parce qu'une trêve a été conclue avec le duc de Bourgogne et qu'il prépare la paix ; s'il emmène son armée, c'est parce qu'un long séjour « eût été pour nos pays de par-deçà la destruction totale ». Et qu'on se rassure : si le duc de Bourgogne ne tient pas sa promesse, le roi reviendra « avec une grande armée ».

CHARLES VII :
" MUABLETÉ, DÉFIANCE ET SURTOUT ENVIE ".

Que faire à présent ? En une phrase qui résume bien des pourparlers et des hésitations, le héraut Berry écrit : « Le roi étant à Gien, le duc d'Alençon désirait amener la Pucelle et les gens d'armes du roi en Normandie, mais le seigneur de La Trémoïlle ne le voulut pas. » De son côté, le chroniqueur du duc d'Alençon ajoute : « Et la Pucelle demeura envers le roi [...] moult ennuyée du département » [de son départ]. Jeanne ne verra plus son « beau duc » : « Ils ne voulurent jamais consentir, dit Perceval de Cagny, en parlant des conseillers, ni faire ni souffrir que la Pucelle et le duc fussent ensemble et depuis il ne l'a plus recouvrée. »

Cette attitude du roi Charles VII semble bien résumer

l'homme. Il a été magnifiquement décrit par le chroniqueur bourguignon Georges Chastellain, lequel a tracé des principaux personnages de son temps des portraits aussi inoubliables que ceux qui sont nés sous le pinceau de Jean Fouquet : à ce « Charles septième » il attribue trois vices : « muableté, défiance et surtout envie ». Il ajoute :

> « Il y eut fréquentes et diverses mutations autour de sa personne, car c'était l'habitude qu'en termes de temps, quand on s'était bien élevé auprès de lui jusqu'au sommet de la roue, lors commençait à s'en ennuyer et à la première occasion qui pouvait donner quelque apparence, volontiers la renversait de haut en bas. »

On ne saurait mieux décrire ce qui se passait alors entre Jeanne et ce roi qu'elle avait littéralement porté au trône. Et c'est aussi ce qui allait se produire de façon à peu près invariable avec tous ceux qui approchèrent Charles VII, au point qu'autour de sa personne les rébellions allaient foisonner. Ce même duc d'Alençon qu'il sépare de Jeanne, parce qu'il craint ce que pourra produire leur double enthousiasme brisé par lui sur les remparts de Paris, complotera quelque jour avec les Anglais ; Dunois lui-même, le sage, le fidèle, sera entraîné dans l'une des révoltes de la noblesse. Inutile de rappeler ce que furent les relations du roi et de Jacques Cœur ; mais, plus près de lui encore, il faut rappeler ce que fut sa conduite avec son propre fils. Chaque fois que le dauphin Louis remporte une victoire, il s'empresse de le rappeler à la Cour et de le neutraliser.

Pour l'instant, il se rend successivement à Selles-en-Berry, puis à Montargis, savourant ses victoires et recevant les hommages de ses sujets, à Loches, à Vierzon, à Jargeau, à Issoudun avant de s'installer vers le 15 novembre dans l'une de ses résidences favorites, le château de Mehun-sur-Yèvre.

Jeanne, cependant, avait été confiée au sire d'Albret, le demi-frère de La Trémoïlle, lieutenant général du roi en Berry. Il la conduisit d'abord à Bourges, où elle allait connaître trois semaines de repos chez René de Bouligny, conseiller général des finances du roi ; son épouse, Marguerite La Touroulde, devait avoir plus tard l'occasion d'évoquer ce séjour de Jeanne chez elle, ses conversations avec l'héroïne et les éclats de rire de celle-ci quand les bonnes gens lui apportaient leur chapelet ou autres objets de piété : « Touchez-les donc vous-même, disait-elle à Marguerite, ils seront aussi bons de votre toucher que du mien ! » Elle atteste non seulement la piété de Jeanne — avec laquelle elle s'est plus d'une fois rendue à la messe, et aussi de nuit à l'office de matines —, mais également sa pureté en tout son comportement ; les deux femmes se sont souvent rendues ensemble, selon l'usage, aux bains et aux étuves, et la nuit partageaient le même lit.

SAINT-PIERRE-LE-MOÛTIER.

Une idée, cependant, probablement due à La Trémoïlle, paraissait susceptible d'occuper utilement Jeanne : diriger son ardeur contre les chefs de bandes. Quelques-uns, retranchés dans les châteaux ou donjons dont ils avaient pu se rendre maîtres, devenaient en ce temps d'insécurité de redoutables seigneurs-brigands rançonnant à leur fantaisie marchands ou combattants et semant la terreur dans les populations alentour. L'un d'entre eux était alors célèbre dans le centre de la France : Perrinet Gressart *. Installé à la Charité-sur-Loire, il vendait ses services tantôt au duc de Bourgogne, tantôt à Bedford qui savait ménager l'aventurier et le comblait de faveurs et d'argent. Pendant quelque temps, La Trémoïlle lui-même avait été fait prisonnier par le chef de bande et ne s'en était tiré qu'en versant une forte rançon, 14 000 écus « de bons poids ». Depuis, Perrinet n'avait fait que fortifier ses positions dans le Nivernais et était de plus en plus devenu l'agent de l'Angleterre ; en dehors de La Charité, il tenait Saint-Pierre-le-Moûtier, Dompierre-sur-Besbre ou La Motte-Josserand, dont il s'intitulait le seigneur. Sa position le faisait redouter aussi bien des Bourguignons que des Français.

S'attaquer au personnage n'était certes pas une petite entreprise, mais ce n'était pas non plus ce que Jeanne considérait comme sa mission, qu'elle eût voulu poursuivre en direction de l'Ile-de-France ou de la Normandie : déloger l'envahisseur. Elle accepta pourtant. Toujours accompagnée de son intendant Jean d'Aulon et des hommes d'armes qu'on veut bien lui octroyer, elle se prépare, selon l'avis des conseillers royaux, à investir la place forte de Saint-Pierre-le-Moûtier, à mi-chemin entre Nevers et Moulins, qui constitue, entre les mains des routiers, un relais gênant.

Peu avant son départ pour cette expédition se place l'entrevue que Jeanne eut avec une voyante ou soi-disant telle, Catherine de La Rochelle, qui lui était envoyée par ce même frère Richard auquel elle avait déjà eu affaire lors du siège de Troyes. Catherine prétendait que chaque nuit lui apparaissait une Dame Blanche vêtue d'or qui lui ordonnait d'aller vers le roi et qu'elle lui découvrirait des trésors cachés grâce auxquels on pourrait entretenir des hommes d'armes pour les combats à venir. Jeanne reçut cette visionnaire au lieu nommé alors Montfaucon-en-Berry (appelé depuis Villequiers) à quelque distance de Bourges, près de Baugy. Elle veilla avec elle deux nuits de suite sans voir de Dame Blanche. Après quoi elle conseilla à Catherine « de retourner à son mari, faire son ménage et nourrir ses enfants » et écrivit au roi qu'elle pensait que « c'était folie et néant que le fait de cette Catherine ».

Le siège de Saint-Pierre-le-Moûtier se révéla difficile ; l'expédition était sous le commandement du sire d'Albret, avec le maréchal de Boussac et le comte de Montpensier ; l'assaut donné par l'armée royale fut repoussé et la retraite commençait quand Jean d'Aulon aperçut la Pucelle

> « demeurée très petitement accompagnée de ses gens et d'autres, et, chevauchant vers elle, lui demanda ce qu'elle faisait ainsi seule et pourquoi elle ne se retirait pas comme les autres. Après qu'elle eut ôté sa salade [casque plat] de dessus sa tête, elle me répondit, raconte Jean d'Aulon, qu'elle n'était pas seule et

qu'encore avait dans sa compagnie, cinquante mille de ses gens et que de là ne se partirait jusqu'à ce qu'elle eût pris la dite ville. A cette heure, ajoutait-il, quelque chose qu'elle eût dite, elle n'avait pas avec elle plus de quatre ou cinq hommes [...] Je lui dis derechef qu'elle s'en allât et se retirât comme les autres faisaient ; alors elle me dit que je fisse apporter des fagots, et des claies pour faire un pont sur les fossés de la ville, afin qu'ils y puissent mieux approcher ; et en me disant cette parole, elle s'écria à haute voix et dit : " Aux fagots et aux claies, tout le monde, afin de faire le pont ! " Lequel incontinent après fut fait et dressé. De quelle chose je fus tout émerveillé, car incontinent la ville fut prise d'assaut sans y trouver pour lors trop grande résistance. »

Tout cela se passait au mois de novembre 1429. La ville prise, on se dirigea vers le nord pour entreprendre le siège de La Charité-sur-Loire, qui était le fief même de Perrinet Gressart. L'hiver était précoce cette année-là, et l'armée avait à peu près épuisé ses munitions à Saint-Pierre-le-Moûtier. Des lettres furent alors envoyées depuis Moulins aux deux villes de Clermont et Riom, leur demandant de l'aide : des « habillements de guerre », tels que poudre, salpêtre, soufre, traits d'arbalète, etc. La lettre adressée aux habitants de Clermont n'est connue que par l'inscription sur le registre de la ville qui s'empressa de répondre par deux quintaux de salpêtre, un quintal de soufre et deux caisses de traits. Ceux de Riom se contentèrent d'envoyer une somme d'argent qui d'ailleurs arriva trop tard ; en revanche ils ont gardé l'original de la lettre, en date du 9 novembre. Or, détail précieux, au contraire des précédentes lettres déjà mentionnées, celle-là porte la signature *Jehanne*, écrite de façon assez malhabile (cinq jambages au lieu des quatre pour former le double N). Mais cela constitue un indice suffisant pour prouver que Jeanne, entretemps, avait appris, soit à lire et à écrire — ce qui est d'ailleurs vraisemblable —, soit en tout cas à signer son nom *.

LA « GRANDE DÉPLAISANCE ».

Le siège de La Charité commença le 24 novembre. Ce fut une défaite : « Par le plus fort de l'hiver et à peu de gens devant La Charité au siège [...] furent environ un mois et s'en levèrent honteusement, sans ce qu'il vînt secours à ceux de dedans, et perdirent bombardes et artillerie », écrit laconiquement le héraut Berry ; l'autre témoin de ce temps malheureux, Perceval de Cagny, renchérit : « Parce que le roi ne fit finance de lui envoyer vivres ni argent pour entretenir sa compagnie, lui convint bien lever son siège et s'en départir à grande déplaisance. »

On imagine la « grande déplaisance » de Jeanne, qui pour Noël se trouvait à Jargeau. Et ce ne sont certes pas les lettres de noblesse que le roi lui octroya à la fin de ce mois de décembre à Mehun-sur-Yèvre qui ont dû lui apporter quelque consolation :

> « Voulant rendre grâce aux multiples et éclatants bienfaits de la grandeur divine qui nous ont été accordées par le ministère de la Pucelle, Jeanne d'Ay de Domremy [...], considérant en outre les services louables, gracieux, et utiles déjà rendus de toutes façons par la dite Jeanne la Pucelle, à nous et à notre royaume et que nous espérons de poursuivre dans l'avenir... »

Le roi anoblissait aussi ses parents et ses frères ; il allait jusqu'à préciser que pour Jeanne et sa famille la noblesse se transmettrait aussi en ligne féminine et non plus seulement en ligne masculine comme c'était devenu la coutume depuis le temps de Philippe le Bel. Il y avait dans ce geste déjà le réflexe du souverain, voire du ministre qui décerne une décoration au fonctionnaire qu'il vient de congédier. Charles VII avait une âme d'administrateur.

Et c'est un sombre hiver qui s'amorce pour Jeanne. Elle l'aura sans doute passé pour la plus grande partie à Sully-sur-Loire, dans le château appartenant à la famille de La Trémoïlle, et l'on n'a guère que de menus faits à signaler. Ainsi, il est certain que, le 19 janvier, elle a été invitée à Orléans à un banquet offert par la municipalité. Parmi les convives se trouvait celui chez qui elle avait été reçue à Poitiers, Jean Rabateau, procureur général de la Chambre des comptes. Les registres municipaux attestent que l'un au moins des frères de Jeanne, Pierre, qui l'avait assistée durant toutes ses campagnes était aussi invité. D'autre part, à la fin du mois de janvier 1430, le peintre qui avait confectionné son étendard et que les textes nomment Hauves Poulnoir allait marier sa fille. Jeanne écrivit au trésorier de la cité de Tours en sollicitant pour la jeune épousée une somme de cent écus afin de lui permettre d'acheter sa garde-robe. Le conseil municipal, après délibération, jugea qu'un tel don excédait ses possibilités et se contenta de payer le pain et le vin de la noce, pour une somme de 4 livres 10 sous.

D'autres noces, fastueuses celles-là, se déroulèrent dans le même temps à Bruges. Le Grand Duc d'Occident, Philippe le Bon, à l'apogée de sa gloire, épousait, le 8 janvier 1430, Isabelle de Portugal. C'est alors, au milieu de ces fêtes d'un luxe inouï, qu'il créa l'Ordre de la Toison d'Or, un ordre de chevalerie dans lequel entra la noblesse bourguignonne ; parmi les chevaliers qu'il réunit autour de lui — comme le Roi Arthur autour de la Table Ronde —, Philippe le Bon, nomma cet Hugues de Lannoy qui avait été son négociateur lors des trêves conclues avec Charles VII et qui par ailleurs avait préparé, on l'a vu, tout un plan d'offensive militaire, lequel ne tarderait pas à être mis à exécution contre le roi de France.

Philippe le Bon avait reçu, dès le 13 octobre, le titre de lieutenant général du roi d'Angleterre pour le royaume de France. Le 12 février suivant, Bedford lui faisait don des comtés de Brie et de Champagne à charge pour lui de les conquérir. Depuis les débuts de la conquête, il distribuait ainsi en toute générosité les domaines français à ses capitaines ou aux membres de sa famille. Pour le duc de Bourgogne, c'était un cadeau fort appréciable, car ces deux comtés se situaient entre ses domaines de Bourgogne et ceux de Picardie et de Flandre et arrondissaient sensiblement ses États. La ville de Dijon avec les délégués des diverses régions placées sous sa souveraineté lui avaient voté une aide de guerre de 12 000 livres. Cependant, les trêves avaient été prolongées jusqu'au 15 mars, sous le prétexte qu'une conférence de paix pourrait être tenue à Auxerre, au début d'avril, mais d'autres délais encore furent demandés, et la conférence remise au mois de juin. Philippe le Bon n'avait pourtant pas attendu pour mettre des garnisons bourguignonnes à Roye et à Montdidier et, dès le mois de mars, sans même attendre l'expiration des trêves, pour envoyer en Champagne une armée commandée par le maréchal de Toulongeon.

Offensive bourguignonne.

Depuis le 15 février, Charles VII avait quitté sa résidence de Mehun-sur-Yèvre pour venir s'installer à Sully-sur-Loire où Jeanne alla le rejoindre au début du mois de mars. L'optimisme dont il avait fait preuve en concluant ces trêves qui avaient si malencontreusement cassé l'élan de l'armée royale commençait à faire place à une inquiétude fort justifiée. L'attitude du duc de Bourgogne, reculant sans cesse l'échéance de cette conférence de paix à laquelle devaient aboutir les trêves tout en exigeant sans délai la remise des villes de l'Oise qui lui avaient été promises en garantie de ces mêmes trêves et en lançant l'offensive à travers la Champagne, était plus qu'équivoque. Par contraste, les mouvements de « partisans » se manifestaient un peu partout. A Saint-Denis, où le Bourguignon avait installé une garnison, une opération soudaine en venait à bout ; à Melun les troupes anglaises n'allaient pas tarder à être chassées par un soulèvement des habitants ; à Paris même, une conjuration d'envergure, de caractère populaire et bourgeois, était tramée durant ce mois de mars : des clercs, des artisans, des marchands, menés par un nommé Jacques Perdriel, âme du complot, dont les religieux du couvent des Carmes déguisés en « laboureurs » assuraient les liaisons. La capture de l'un d'entre eux, frère d'Allée, fit échouer le soulèvement ; mis à la torture il donna le nom des conjurés, et il y eut plus de cent cinquante arrestations et six exécutions publiques aux Halles de Paris le 8 avril. D'autres, plus obscurément, furent jetés dans la Seine. Quelques-uns réussirent à se racheter à prix d'argent. C'est à Compiègne que la résistance fut la plus vive. En exécution des trêves, le comte de Clermont était venu exiger de par le roi que les habitants se rendent au Bourguignon car la ville faisait partie, avec Creil et Pont-Sainte-Maxence, des « garanties » livrées pour l'observation des trêves. Mais les gens de Compiègne avaient énergiquement refusé et le capitaine de la garnison française, Guillaume de Flavy, avait répondu en mettant les fortifications en état de défense ; Charles de Bourbon ne put qu'avouer au duc de Bourgogne son impuissance à s'y faire obéir. Les habitants avaient fait leur choix et étaient « résolus de se perdre, eux, leurs femmes et leurs enfants plutôt que d'être exposés à la merci du duc [de Bourgogne] ».

Il est certain que ce mois de mars 1430 fut mis à profit par Jeanne pour se préparer à nouveau à la guerre. Elle savait qu'on n'aurait raison de l'ennemi « qu'au bout de la lance », comme elle l'avait déclaré à Catherine de La Rochelle qui lui offrait, elle, de faire découvrir des trésors cachés. Durant le même mois, elle écrit deux lettres aux habitants de Reims lesquels se sentent plus que jamais en danger : « Très chers et bien aimés et très désirés à voir, Jeanne la Pucelle ai reçu vos lettres faisant mention que vous doutiez [vous craigniez] d'avoir le siège » ; sans nommer les ennemis dont on sait bien où ils sont, elle ajoute :

> « Fermez vos portes, car je serai bien bref vers vous et, si eux y sont, je leur ferai chausser leurs éperons si à hâte qu'ils ne sauront comment les prendre et se lever d'ici, et si bref que ce sera bientôt. »

Cette lettre, bien dans son style, est datée du 16 mars ; quelques jours plus tard, le 28, elle en dictait une autre. Entre-temps on avait appris que toujours à Reims, un complot se tramait, celui-là groupant quelques habitants qui souhaitaient se rendre au duc de Bourgogne : « Très chers et bons amis, on a rapporté au roi que dans la bonne cité de Reims il y avait beaucoup de mauvais. » Mais le roi sait aussi que dans leur grande majorité les Rémois lui sont fidèles : « Croyez que vous êtes bien en sa grâce, et si vous aviez à besogner, il vous secourrait quant au regard du siège ; et connaît bien que vous avez moult à souffrir pour la dureté que vous font ces traîtres bourguignons adversaires. » L'une et l'autre de ces lettres portent sa signature. Il s'agit maintenant d'une belle signature, bien ferme sur les originaux qui nous ont été conservés.

Aucune signature, en revanche, sur le texte d'une autre missive dont on a retrouvé récemment l'original et qui était adressée en son nom par son aumônier Jean Pasquerel à l'intention des Hussites de Bohême *. Elle est en latin et sa rédaction va dans le sens des tentatives de rapprochement que Charles VII esquissait avec l'empereur allemand Sigismond et avec le duc d'Autriche Frédéric IV. Les Hussites, disciples de Jean Hus, étaient adeptes d'un mouvement religieux qui avait des répercussions sur le plan politique et que l'empereur tentait depuis une dizaine d'années de réduire par la force. Il avait sollicité contre eux une croisade, et l'on sait comment les troupes levées en Angleterre grâce aux subsides collectés en vue de cette croisade avaient été, à leur arrivée à Calais, détournées par ordre du cardinal de Winchester, Henry Beaufort, pour les mettre à la disposition de Bedford dans sa lutte contre le roi de France. Ce dernier tentait donc de se concilier des alliances à l'est.

Philippe le Bon, dans le même temps, ne se contentait pas, lui, d'une offensive diplomatique. Le 4 avril 1430 il est à Péronne, où il a ordonné le rassemblement de ses troupes. L'avant-garde se met en marche sous le commandement de quelqu'un, Jean de Luxembourg, dont le nom reviendra dans l'histoire de Jeanne. Le 22, le duc part à son tour « avec toute sa puissance », et, de son côté, le 23 avril, Bedford attend l'arrivée à Calais d'Henry VI qui débarque bientôt avec 2 000 hommes et « grosse garnison de bétail et de vivres ». Entre-temps, le petit roi, âgé de neuf ans, a été couronné roi d'Angleterre à Westminster (6 novembre 1429).

Il est d'ailleurs à remarquer que le duc de Bedford a rencontré de sérieuses difficultés pour lever ce contingent : à deux reprises, les documents nous l'attestent, il a dû sévir en personne et envoyer des mandements pour contraindre ceux qui refusent de passer en France « par crainte des artifices de la Pucelle ».

Le plan de l'opération a été soigneusement concerté entre Bourguignons et Anglais. Philippe le Bon tient avant tout à s'emparer des villes commandant le passage de l'Oise, notamment de celles qui ont refusé sa domination, Creil et Compiègne, et Bedford est d'accord avec lui pour protéger l'Ile-de-France, et nommément Paris, « cœur et chef principal du royaume ». Les opérations commencent pour le duc de Bourgogne au mois de mai. Le 6, il est à Noyon, et la forteresse de Gournay-sur-Aronde, au nord de Compiègne, se rend sans combat ; il lui faut ensuite entreprendre l'investissement de Choisy-au-Bac qui commande le passage de l'Aisne ; ce qu'il fait le lendemain, s'y portant en personne.

Ce n'est qu'à cette date du 6 mai que Charles VII se décidera à reconnaître son erreur et à s'avouer dupé par son cousin de Bourgogne. Le chancelier Regnault de Chartres le clame sans ambages :

> « Après qu'il nous a par aucun temps amusé et déçu par trêves et autrement, sous ombre de bonne foi, parce qu'il disait et affirmait avoir volonté de parvenir au bien de la paix que pour le soulagement de notre pauvre peuple, qui, à la déplaisance de notre cœur, tant a souffert et souffre chaque jour pour le fait de la guerre, avons fort désirée et désirons, il s'est mis avec

certaines puissances pour faire guerre à l'encontre de nous et de nos pays et loyaux sujets. »

Mais, alors que le duc de Bourgogne met en place un plan de bataille soigneusement prévu et qu'il est assuré du renfort de l'armée anglaise, Charles VII, lui, n'a rien préparé. Seule œuvre pour lui celle qu'il a privée de tout moyen d'agir : Jeanne la Pucelle. Il est vrai que la nouvelle de son entrée en action s'est rapidement répandue et a semé la panique en Ile-de-France : « De sa venue fut grande voix et grand bruit à Paris et autres places contraires au roi », écrit Perceval de Cagny. Selon ce chroniqueur, c'est dans les derniers jours de mars ou au moins en avril que Jeanne aurait décidément quitté Sully-sur-Loire avec une petite compagnie qui s'est mise à son service : celle d'un chef de routiers nommé Barthélemy Baretta et de quelque deux cents Piémontais. Le chroniqueur va jusqu'à soutenir que ce départ se fit à l'insu du roi et que Jeanne, sans prendre congé de lui, fit semblant d'aller « à quelques ébats » et sans s'en retourner s'en alla à la ville de Lagny-sur-Marne — ce qui paraît assez peu vraisemblable et peut être mis sur le compte des exagérations habituelles de Perceval de Cagny. Il semble cependant qu'au mieux le roi et ses conseillers l'aient laissée partir à ses risques et périls. On peut dire, pour résumer la situation, qu'à la bataille d'Orléans elle était chef de guerre et qu'au départ de Sully elle n'était plus que chef de bande. Elle a auprès d'elle son intendant Jean d'Aulon, et aussi son frère Pierre, mais on ne voit pas qu'elle ait une maison militaire, ni de pages, ni surtout de ces hérauts qui remplissent une mission en quelque sorte officielle. Elle est un capitaine parmi beaucoup d'autres, qui a recruté des combattants soldés.

Jeanne se dirigea d'abord vers l'Ile-de-France. Elle était à Melun, à son propre témoignage, lors de la semaine de Pâques qui tombait cette année-là le 22 avril. La ville ne pouvait que lui être sympathique et bien l'accueillir : elle venait de chasser la garnison anglaise. De là Jeanne se rendit à Lagny : « Ceux de la place faisaient bonne guerre aux Anglais de Paris et d'ailleurs », avec quelques capitaines, Jean Foucault, Geoffroy de Saint-Aubin, et « Canede », Hugues Kennedy, un Écossais.

Elle prend alors part à un fait d'armes contre une bande d'Anglo-Bourguignons commandés par un routier fameux, Franquet d'Arras, dont les compagnons sont mis en déroute ; lui-même est fait prisonnier. Or il est réclamé par le bailli de Senlis qui entend le poursuivre pour ce que nous appellerions des délits de droit commun. Mais Jeanne, de son côté, voulait le conserver pour pouvoir l'échanger contre un partisan, Jacquet Guillaume, qui avait pris part au complot récemment ourdi à Paris et dont on venait d'apprendre l'échec — ce qui nous prouve qu'elle était tenue au courant des faits et gestes des Armagnacs dans la capitale. Sur ces entrefaites, on apprit la mort de Jacques Guillaume, probablement condamné et exécuté comme la plupart de ses compagnons. Elle laissa donc Franquet d'Arras à la justice qui, après un procès de quinze jours, le fit mettre à mort comme « meurtrier, larron et traître ». Comme la plupart de ces routiers, gens de sac et de corde, ses méfaits pouvaient lui valoir semblable condamnation...

Lagny fut également le théâtre d'un autre souvenir, émouvant celui-là : on vint un jour chercher Jeanne dans la demeure où elle logeait, la suppliant de venir assister un nouveau-né sur le point de mourir, un bébé de quelques jours point encore baptisé. La mère est là, avec des amies, des filles de la ville. L'enfant n'a pas donné signe de vie depuis trois jours, « il était noir comme ma cotte », devait déclarer Jeanne. Elle se met en prière : « J'étais avec les pucelles à genoux devant Notre Dame à faire ma prière », devait-elle raconter, quand l'enfant s'éveilla. Il bâilla à trois reprises, et reçut le baptême avant de mourir et d'être enseveli en terre chrétienne.

On suit Jeanne à la trace jusqu'à Senlis où elle arrive le 24 avril. Puis on la perd jusqu'à Compiègne, où elle est certainement le 14 mai. Ce jour-là, les autorités de la cité lui offrent une réception. Deux personnages importants s'y trouvent déjà : l'archevêque de Reims, Regnault de Chartres, et le comte de Vendôme, Louis de Bourbon. Jeanne prend part à une opération pour secourir Choisy-au-Bac, commandé par Louis de Flavy, le frère du défenseur de Compiègne, Guillaume de Flavy. Plus tard, une attaque menée par surprise sur Pont-l'Évêque est refoulée grâce à l'intervention d'un seigneur bourguignon, Jean de Brimeu, à qui le duc de Bourgogne a confié la garde de la ville de Noyon. Quelques jours après, lors d'une embuscade, Brimeu devait être fait prisonnier par Xaintrailles.

La forteresse de Choisy n'allait pas moins succomber à la très forte artillerie qu'avait emmenée avec lui le duc de Bourgogne. Le 16 mai, Louis de Flavy et ses hommes durent l'abandonner et se réfugier à Compiègne.

Le surlendemain, Jeanne, avec Regnault de Chartres et le comte de Vendôme, quitta Compiègne en direction de Soissons pour tenter de passer l'Aisne et de prendre à revers les Bourguignons à la hauteur de Choisy. Mais le capitaine de Soissons, Guichard Bournel, tout en acceptant de laisser passer la Pucelle et les deux hauts seigneurs, refusa l'entrée aux hommes d'armes, alléguant que les habitants ne voulaient pas entretenir les gens de guerre. Le lendemain, dit le héraut Berry, « les dits seigneurs s'en allèrent à Senlis et la dite Pucelle à Compiègne, et incontinent qu'ils furent partis de Soissons, Guichard vendit la cité au duc de Bourgogne et la mit en la main de Messire Jean de Luxembourg : dont il fit laidement et contre son honneur ».

COMPIÈGNE.

Revenue à Compiègne depuis Crépy-en-Valois, Jeanne et la troupe réduite qui l'accompagne — trois à quatre cents combattants — cheminent de nuit à travers la forêt et entrent dans la ville par la porte de Pierrefonds « à heure secrète du matin ». Dans la journée elle prépare avec Guillaume de Flavy une opération surprise contre l'un des postes bourguignons installés le long de l'Oise au nord de la ville, à Margny, commandé par Baudot de Noyelles. Le Bourguignon Chastellain, qui n'a pas assisté à l'événement mais se trouve très bien renseigné, décrit alors Jeanne et nous donne la dernière image de la guerrière :

> « Elle montait à cheval armée comme serait un homme et parée sur son harnais d'une huque de riche drap d'or vermeil ; elle chevauchait un coursier lyart [gris] moult bel et moult fier et se contenait en son harnais et ses manières comme l'eût fait un capitaine [...] Et en cet état, avec son étendard haut levé et voletant en l'air, du vent, et bien accompagnée de nobles hommes beaucoup, entour quatre heures après-midi, saillit dehors la ville [sortit]. »

L'attaque faillit réussir. A Margny, les hommes occupés à aménager la place sont d'abord dispersés, mais se ressaisissent — non sans mal —, cependant que Jean de Luxembourg et le seigneur de Créqui, chevauchant pour venir inspecter le terrain, sont alertés par le tumulte et donnent l'éveil aux troupes embusquées à Clairoix ; « à force d'éperons », ils rejoignent la bataille. « Le bruit qui se levait partout et la grande noise des voix criant fit venir gens de tous côtés et afflua secours vers [les Bourguignons] plus qu'il n'en fallait. » L'alerte est donnée à Venette — où des troupes anglaises sont venues renforcer celles du duc de Bourgogne — et jusqu'à Coudun, où le duc en personne se dirige à son tour vers Margny. Jeanne déclara plus tard qu'à deux reprises elle repoussa l'ennemi sur ses positions, et une troisième fois le reconduisit jusqu'à mi-chemin. Pourtant, voyant arriver les renforts de Venette et de Clairoix, les Français commencent à se replier sur Compiègne. Craignant d'être débordés, plusieurs d'entre eux se ruent sur le pont de bateaux que Guillaume de Flavy a fait disposer sur l'Oise, et Jeanne, qui ne se retire qu'à regret, protège la retraite. La bataille fait rage à l'entrée du pont :

> « Et pendant ce temps, déclare Perceval de Cagny, le capitaine de la place, voyant la grande multitude de

Bourguignons et Anglais près d'entrer sur le pont, pour la crainte qu'il avait de la perte de sa place, fit lever le pont de la ville et fermer leur porte. Et ainsi demeura la Pucelle enfermée dehors et peu de ses gens avec elle. »

Faut-il, une fois de plus, évoquer la prescience de Jeanne disant qu'elle ne craignait rien, si ce n'est la trahison ? Chastellain, pourtant, l'évoque au moment où, se débattant dans le dernier carré, elle succombe :

« La Pucelle, passant nature de femme, soutint grand fait et mit beaucoup de peine à sauver sa compagnie de perte, demeurant derrière comme un chef et comme la plus vaillante du troupeau [...] Un archer, raide homme et bien aigre, ayant grand dépit qu'une femme dont tant avait ouï parler serait rebouteresse [viendrait à bout] de tant de vaillants hommes [...] la prit de côté par sa huque de drap d'or et la tira de cheval, toute plate à terre. »

Certains détails du récit de l'événement de Compiègne ont suscité la réflexion *. A juste titre : ce n'est pas la porte de la ville qu'on a refermée, mais celle qui donnait sur l'enceinte, et celle-ci n'était pas indispensable à la défense de la cité proprement dite et coupait prématurément la retraite des combattants. Il y a donc lieu de rappeler encore la crainte de Jeanne, quant à la « trahison », bien que certains historiens en aient écarté l'hypothèse.

Le récit de Chastellain se réfère à ce qu'on a appelé « le rituel de la reddition dans la guerre du XVe siècle [1] ». Au milieu des ennemis qui la pressent et crient à qui mieux mieux : « Rendez-vous à moi et baillez la foi » [donnez moi votre promesse], Jeanne crie d'abord : « J'ai juré et baillé ma foi à autre qu'à vous et je lui tiendrai mon

1. Article de Jean Glénisson, dans « Jeanne d'Arc, une époque, un rayonnement », colloque du Centre Jeanne d'Arc d'Orléans, octobre 1979, publ. du C.N.R.S., 1982, pp. 113-122.

serment. » Puis c'est l'épisode de l'archer qui brutalement la tire par sa huque et la jette à terre tandis que le Bâtard de Wamdonne qui se présente, reçoit sa foi. Ce Bâtard est un lieutenant de Jean de Luxembourg, c'est de celui-ci que Jeanne dépendra désormais comme prisonnière. Mais il n'est pas le seul à s'empresser de venir voir sa capture : « Le Bâtard, plus joyeux que s'il eût un roi entre ses mains, la mena hâtivement à Margny et là la tint en sa garde jusqu'à la fin de la besogne. » Non loin de là, en effet, à Coudun, se trouve Philippe le Bon, qui accourt, alerté par « les grands cris et ébaudissements pour la prise de la Pucelle ». Au témoignage du chroniqueur bourguignon Enguerrand de Monstrelet, qui était présent,

> « ceux du parti de Bourgogne et les Anglais furent très joyeux, plus que d'avoir pris cinq cents combattants, car ils ne craignaient et redoutaient ni capitaines ni autre chef de guerre, tant qu'ils l'avaient fait jusqu'à ce jour de cette Pucelle [...] Le duc l'alla voir au logis où elle était et lui dit quelques paroles dont je ne me souviens pas très bien, bien que j'y aie été présent ».

Curieuse amnésie chez un homme qui a la chance unique d'assister à pareille entrevue et dont la mémoire est généralement si fidèle !

Toujours est-il que Jeanne est désormais prisonnière. « Je durerai un an, guère plus », a-t-elle dit. Une autre année s'ouvre pour elle, qui tout entière se passera dans l'ombre. Mais pour l'Histoire, elle n'est pas moins riche d'enseignements que la précédente.

CHAPITRE VI

« Il est licite à un prisonnier de vouloir s'évader »

« La semaine de Pâques dernièrement passée, alors que je me trouvais sur les fossés de Melun, il me fut dit par mes voix, c'est-à-dire les voix de saintes Catherine et Marguerite, que je serais prise avant qu'il fût la Saint-Jean et qu'il fallait qu'il en fût ainsi et que je ne m'ébahisse pas, mais que je le prenne gré et que Dieu m'aiderait. »

C'est donc entre le 22 et le 29 avril que Jeanne apprend qu'elle sera faite prisonnière, et avant la Saint-Jean, c'est-à-dire sous deux mois (24 juin). Par les interrogatoires du procès, nous savons ce qu'il en fut de cette révélation et combien il lui en coûta d'accepter ce que lui disaient « ses voix » :

« Depuis ce lieu de Melun, ne vous fut-il pas dit par vos voix que vous seriez prise ?
— Oui, de nombreuses fois et presque tous les jours ; et je demandais à mes voix que lorsque je serais prise, tantôt je meure, sans long tourment de prison, et mes voix me dirent que je prenne tout en gré et qu'il fallait qu'ainsi fût fait ; mais elle ne me dirent pas l'heure, et si j'avais su l'heure je n'y serais pas allée. J'avais demandé plusieurs fois à mes voix de savoir l'heure de ma capture, mais elles ne me la dirent pas.
— Si vos voix vous avaient ordonné de sortir de

Compiègne en vous signifiant que vous seriez prise, est-ce que vous y seriez allée ?
— Si j'avais su l'heure et que je doive être prise, je n'y serais point allée volontiers. Toutefois, j'aurais fait le commandement des voix quoi qu'il dût advenir.
— Quand vous êtes sortie de Compiègne, avez-vous eu voix ou révélation de partir et faire cette sortie ?
— Je ne sus pas que je serais prise ce jour-là et n'eus pas d'autres commandements de sortir ; mais il m'avait toujours été dit qu'il fallait que je fusse prisonnière. »

Semblable dialogue suffit à faire sentir ce qu'il y a de dramatique pour Jeanne dans l'événement du 23 mai 1430. Un événement qu'elle sait inéluctable, mais contre lequel elle se débat de toutes ses forces, ne l'acceptant en fin de compte que comme étant expressément la volonté de Dieu.

Notre époque, qui a étendu l'univers carcéral au-delà de tout ce qui a pu exister auparavant, appliquant la peine de prison non seulement aux conséquences de la guerre, mais aussi aux délits d'opinion, voire l'infligeant à nombre de victimes totalement innocentes — que l'on songe aux prises d'otages — devrait reconnaître en Jeanne celle qui aura éprouvé toutes les détresses d'une vie de prisonnière... Mais si l'on veut mesurer ce que représente sa capture pour les diverses sphères du monde où elle eut lieu, il faut prendre connaissance de trois lettres. Toutes reflètent bien l'état d'esprit de ceux dont elle va désormais dépendre.

Le duc de Bourgogne d'abord. Nous avons vu dans quels sentiments d'exultation il adresse aux bonnes villes de ses États une circulaire pour leur annoncer la capture. De même les développe-t-il dans un message adressé au duc de Savoie :

« Par le plaisir de notre benoît Créateur, la femme appelée Pucelle a été prise, de laquelle prise sera connue l'erreur et folle créance de tous ceux qui aux faits de cette femme se sont rendus enclins et favora-

> bles [...] Et cette chose nous écrivons pour nouvelle en espérant que vous en aurez joie et consolation et en rendrez hommage à notre Créateur qui, par son benoît plaisir veuille conduire le surplus de nos entreprises, au bien de notre sire, le Roi d'Angleterre et de France, et en réconfort de ses bons et loyaux sujets... »

COUPABLE DE « PLUSIEURS CRIMES SENTANT L'HÉRÉSIE ».

Une autre lettre fut composée dès le 26 mai, donc trois jours après la prise de Jeanne qui avait eu lieu tard dans la soirée, sans doute vers 6 heures ou 6 heures et demie ; elle émanait de l'Université de Paris, qui n'avait probablement appris la nouvelle qu'après qu'elle eut été « criée » dans les rues de la capitale, le 25 mai — c'est le jour où elle fut aussi enregistrée sur le registre du Parlement. C'est dire qu'on n'a pas perdu de temps. L'Université de Paris écrit au duc de Bourgogne au nom de l'inquisiteur de France pour que Jeanne lui soit livrée :

> « Comme tous loyaux princes chrétiens et tous autres vrais catholiques sont tenus d'extirper toutes erreurs venant contre la foi et le scandale qui s'en suivent dans le simple peuple chrétien, et qu'il soit à présent de commune renommée [que] par certaine femme nommée Jeanne, que les adversaires de ce royaume appellent la Pucelle, ont été en plusieurs cités, bonnes villes et autres lieux de ce royaume semées et publiées diverses erreurs [...] Nous vous supplions de bonne affection, vous, très puissant prince [...] que le plus tôt que sûrement et convenablement faire se pourra, soit amenée prisonnière par devers nous la dite Jeanne, soupçonnée véhémentement de plusieurs crimes sentant l'hérésie, pour comparaître par devant nous et un procureur de la Sainte Inquisition... »

C'est assez dire quelle sorte de sentiments anime les suppôts de l'Université parisienne. Ces maîtres à penser ne se sont pas même donné le temps de la réflexion. Dès le mois de mai 1429, ils avaient flairé l'hérésie dans les victoires de Jeanne. A présent, une fois captive, elle était plus que jamais coupable à leurs yeux de « plusieurs crimes sentant l'hérésie ». Ils seront, tout au long de cette seconde année de la vie publique de Jeanne, les instruments les plus zélés et les plus efficaces d'une vengeance dont l'âpreté dépasse encore les vues de duc de Bourgogne.

Il faut faire état d'une troisième missive, celle de l'archevêque de Reims, Regnault de Chartres, aux habitants de la cité du Sacre, pour dire que si Jeanne a été prise à Compiègne c'est « parce qu'elle ne voulait croire aucun conseil et n'en faisait qu'à son plaisir ». Et de lui trouver rétrospectivement toutes sortes de défauts : « Elle s'était constituée en orgueil pour les riches habits qu'elle avait pris et parce qu'elle avait fait, non ce que Dieu lui avait commandé, mais sa volonté. » D'ailleurs n'avait-il pas lui-même trouvé pour la remplacer « un jeune pastour des montagnes du Gévaudan, lequel disait ni plus ni moins que la Pucelle » ; il s'agit de ce malheureux berger Guillaume qui se croyait inspiré. Regnault de Chartres, en l'assimilant à Jeanne, ne manifesta pas une grande faculté de discernement...

C'était, une fois de plus, la voix du « conseil de Cour » qui s'exprimait par sa plume avec un accent triomphal envers ceux de « l'exploit des champs ». Regnault de Chartres avait pourtant passé quelque temps avec Jeanne pendant ce mois de mai, et c'est avec son aide et celle du comte de Vendôme, Louis de Bourbon, qu'ils avaient fait la tentative sur Soissons et avaient été mis en échec par la trahison de Guichard Bournel. Mais les deux seigneurs s'étaient retirés lorsqu'ils avaient appris la reddition de Choisy-au-Bac. Ils avaient décidé de gagner la vallée de la Marne, tandis que Jeanne était retournée sur Compiègne pour tenter de réconforter les habitants et d'empêcher un siège imminent grâce à sa petite troupe de Piémontais. Le parti des prudents dominait décidément dans l'entourage de Charles VII.

De Beaulieu à Rouen.

Jeanne avait été emmenée avec son intendant Jean d'Aulon, le frère de celui-ci, Poton le Bourguignon, et son propre frère à elle, Pierre, dans la forteresse de Clairoix. Lionel de Wamdonne, qui avait reçu sa foi, était, nous l'avons dit, un lieutenant de Jean de Luxembourg. C'est donc de ce dernier que la prisonnière allait dépendre. Étrangement, les deux hommes étaient l'un et l'autre défigurés ; c'est au cours d'un combat à la hache avec Poton de Xaintrailles, six ans auparavant, en 1423, que le premier avait eu le visage déchiré ; cela se passait à Arras. L'année suivante, à Guise, lors d'un autre combat, il était resté estropié « de bras et de jambe ». Quant à Jean de Luxembourg, il avait perdu un œil en Champagne en 1420, mais n'en était pas moins demeuré un combattant valeureux. Le 21 août 1421, le duc de Bourgogne avait tenu à être armé chevalier par lui. Or, ce même jour, au cours d'un combat avec les gens du dauphin à Mons-en-Vimeu, Jean de Luxembourg avait été de nouveau « navré au visage de travers le nez », comme disent les chroniqueurs.

L'historien de *Jeanne prisonnière*, Pierre Rocolle, place le départ de Clairoix au 26 mai. La veille, 25 mai, était le jour de l'Ascension et donc marqué d'une trêve ; par ailleurs, ce 26 mai, de nouvelles dispositions furent prises par les Bourguignons autour de Compiègne : Philippe le Bon alla s'établir à l'abbaye de Saint-Corneille. Jean de Luxembourg lui-même s'installa à Margny. Il avait décidé d'enfermer cette prisonnière — dont il pouvait, quoi qu'il arrive, tirer une forte rançon — dans le château de Beaulieu-lès-Fontaines, dont il s'était emparé au début de cette année 1430. Il avait ensuite fait choix, justement, de Lionel de Wamdonne pour en être le châtelain. Jeanne fut donc transférée, en même temps que Jean d'Aulon et que son frère Pierre, jusqu'à Beaulieu, à une dizaine de kilomètres au nord de Noyon. La tradition veut qu'elle ait fait étape au cours de cette route d'une quarantaine de kilomètres en tout, au château de Beauvoir, proche du village d'Élincourt où se trouvait un prieuré dédié à sainte Marguerite. Il n'est pas impossible, comme le veut toujours la tradition, qu'elle ait demandé et obtenu d'aller s'agenouiller un instant pour vénérer celle dont elle disait entendre la voix.

On montre aujourd'hui à Beaulieu des souterrains qui constituaient au XVe siècle les soubassements de la tour dans laquelle elle fut sans doute logée — pour peu de temps d'ailleurs, car un épisode inattendu se produisit. Le 6 juin, Philippe le Bon s'était rendu à Noyon avec son épouse Isabelle de Portugal, et celle-ci avait exprimé le désir de voir la prisonnière. On la fit venir, et elle fut sans doute mise en présence du duc et de la duchesse dans le cadre du Palais épiscopal proche de la cathédrale — on sait que l'évêque de Noyon, Jean de Mailly, s'était rallié à la cause bourguignonne et donc au roi d'Angleterre et il sera du reste question de lui par la suite. Nous n'avons aucun récit de l'entrevue entre les deux femmes et l'on peut, faute de détails, se rallier à une opinion récemment émise : peut-être Isabelle de Portugal s'est-elle montrée accessible à quelque pitié. Jeune épousée, elle était enceinte de cinq mois, lorsqu'elle se rendit à Noyon venant de Péronne où elle demeurait depuis le début des attaques sur Compiègne . Il se peut donc que son influence ait joué pour faire choix d'une autre résidence pour la prisonnière et la transférer au château de Beaurevoir, beaucoup plus vaste et mieux habité qu'une forteresse que le va-et-vient des soldats rendait peu sûre pour une femme.

Le séjour à Beaulieu-lès-Fontaines est également marqué pour Jeanne par une évasion manquée, et nous nous rallierions volontiers à l'idée que cette tentative eut lieu après l'aller et retour à Noyon, la captive ayant appris qu'elle allait être transférée beaucoup plus loin et séparée de son intendant et de son frère. Au procès, il sera question d'une évasion « entre deux pièces de bois », dont Jeanne dira : « Étant dans ce château, j'avais enfermé mes gardiens dans la tour, si ce n'eût été le portier qui me vit et me rencontra. » Faute d'en savoir davantage, on peut supposer qu'elle avait espéré, ses gardiens une fois enfermés, libérer ses deux compagnons. La tentative échoua donc, et le transfert à Beaurevoir se fit probablement dans la première quinzaine de ce mois de juin 1430.

On peut toutefois se demander au passage pourquoi aucun chroniqueur n'a raconté la seconde entrevue à Noyon entre Jeanne et le duc de Bourgogne accompagné de la duchesse. On sait que le comte de Luxembourg et son épouse, Jeanne de Béthune, s'y trouvaient aussi. Or, le 22 juin, l'Université de Paris écrit à nouveau au duc de Bourgogne pour le sommer de livrer la prisonnière à son jugement. Cette fois, elle était représentée par quelqu'un avec qui Jeanne ne tarderait pas à faire connaissance : l'évêque de Beauvais, Pierre Cauchon — au demeurant chassé de son évêché, car il avait dû quitter précipitamment Beauvais, comme il avait quitté Reims à l'annonce de l'arrivée des armées françaises.

Pierre Cauchon se trouvait à Calais le jour où fut connue la nouvelle de la capture de Jeanne, c'est-à-dire le 26 mai. Comme il faisait partie des conseillers et familiers du duc de Bedford, nul doute que des projets aient été aussitôt faits et un plan esquissé pour que la prisonnière fût remise au plus tôt aux Anglais et aux universitaires parisiens. Mais, visiblement, Philippe le Bon n'avait pas mis beaucoup d'empressement à leur répondre. Si l'on compare cette attitude à la joie qu'il avait manifestée au moment où Jeanne lui fut amenée après sa capture, on en vient à penser que les deux femmes qui se trouvaient présentes à Noyon avec lui auront peut-être eu quelque influence sur lui et provoqué un mouvement de clémence. Jeanne elle-même témoignera de la sympathie dont fera preuve l'épouse de Jean de Luxembourg lorsqu'elle la retrouvera au château de Beaurevoir.

On a pu reconstituer avec quelque vraisemblance les étapes de la route entre Beaulieu-lès-Fontaines et Beaurevoir, soit une soixantaine de kilomètres. On suppose qu'elle a fait halte au château de Ham où, beaucoup plus tard, un autre prisonnier célèbre devait être enfermé, le futur Napoléon III. Elle a dû ensuite passer par Saint-Quentin et peut-être apercevoir l'admirable collégiale qui n'a été sauvée que de justesse au début du XXe siècle, car elle avait été entièrement minée quand les armées françaises y parvinrent à la fin de la Grande Guerre et aurait dû sauter, comme a sauté le château de Coucy.

Quant au château de Beaurevoir, il n'en reste qu'une tour et quelques murailles disséminées dans des propriétés avoisinantes. C'était cependant une puissante forteresse qui faisait partie des domaines de la famille de Luxembourg depuis 1270, quand Jeanne de Beaurevoir avait épousé Waleran Ier de Luxembourg : une union qui fut à l'origine de la lignée des Luxembourg. L'arrière petit-fils de Waleran Ier, Guy de Luxembourg, avait eu quatre enfants, dont Jeanne de Luxembourg, née en 1363, qui tint une certaine place dans la suite de l'histoire de Jeanne d'Arc, et Jean II qui eut trois enfants, Pierre, Louis et Jean III de Luxembourg, celui-là même qui détint Jeanne prisonnière. C'est lui qui avait épousé Jeanne de Béthune, laquelle d'un premier mariage avait une fille nommée elle aussi Jeanne. Elle portait le nom de son père Robert de Bar, tué à Azincourt.

Les « Dames de Beaurevoir ».

Jeanne d'Arc va donc être enfermée dans la tour du donjon de ce château de Beaurevoir où vivent trois autres Jeanne — Jeanne de Bar, Jeanne de Béthune et Jeanne de Luxembourg, tante de ce même Jean dont dépend le sort de la prisonnière. Son séjour sera, à son propre témoignage, de quatre mois ou environ. La dureté en sera atténuée par ces « trois Jeanne » qui lui manifestent une évidente sympathie. La façon dont la prisonnière en parlera lorsqu'elle évoquera à son procès le temps passé à Beaurevoir ne laisse aucun doute. Elle racontera comment ces dames lui offrirent un habit de femme ou de l'étoffe pour en faire et ajoutera : « Si j'avais dû prendre habit de femme je l'aurais fait plus volontiers à la requête de ces femmes que d'aucune autre femme qui soit en France, excepté ma Reine... » Et elle dira aussi, ce qui est grave : « La dame de Luxembourg avait requis à Monseigneur de Luxembourg que je ne fusse point livrée aux Anglais. »

On ne peut s'empêcher ici de faire réflexion sur le rôle respectif de l'homme et de la femme en semblable situation. C'est une image s'appliquant à tous les temps que celle de ces trois femmes s'efforçant d'avoir avec leur prisonnière une attitude humaine. En ce XVe siècle où la guerre est partout et a pris un visage implacable, seules les femmes savent préserver ce caractère d'humanité que le respect de l'autre commande vis-à-vis de l'être le plus démuni qui soit : le prisonnier, tombé au pouvoir de plus fort que lui. Enseignement profond et valable pour les siècles. On verra certes des exceptions : des femmes chefs de gouvernement de notre époque ont montré une dureté sans nuances envers des prisonniers politiques — et ce précisément en Angleterre. Mais dans le passé c'est une reine d'Angleterre qui s'était entremise pour supplier le roi de laisser la vie sauve à ceux qu'on appelle toujours « les bourgeois de Calais ». À toutes les périodes de l'Histoire, les exemples abondent de femmes qui ont su dominer la guerre en gardant mieux que les hommes des sentiments d'humanité. Grande leçon, celle que donnent ces trois Jeanne, à Beaurevoir, vis-à-vis de Jeanne d'Arc !

Et il est vrai aussi que leur attitude, beaucoup plus que celle de Jean de Luxembourg, est dictée par un juste discernement sur la cause qu'il convient d'embrasser : celle du conquérant, ou celle du pays conquis ? Jean de Luxembourg, vassal de Philippe le Bon, duc de Bourgogne, estime n'avoir pas d'autre ligne de conduite à tenir que celle de la fidélité à son seigneur. Celui-ci, à vrai dire, l'a comblé d'honneurs et lui a décerné le collier de la Toison d'Or, le jour même où il a fondé cet Ordre de chevalerie, le 7 janvier 1430, à l'occasion de son mariage, avec Isabelle de Portugal. Jean de Luxembourg a été l'un des vingt-quatre élus. Il lui serait certes difficile de ne pas suivre son seigneur dans ses choix de guerre. Il lui a juré fidélité et, plus prosaïquement, pourrait s'attendre dans le cas contraire à toutes sortes de représailles. Les dames de Beaurevoir, elles, sont plus libres dans leur jugement. L'épouse même de Jean ne peut oublier qu'elle est la veuve de l'un de ces chevaliers tombés sur le champ de bataille en combattant contre Henry V de Lancastre. Quant à sa tante, elle été l'une des dames d'honneur d'Isabeau de Bavière, reine de France ; et plus encore, elle a été choisie pour être l'une des marraines de Charles lorsqu'il était né en 1403 : Charles, devenu depuis Charles VII, roi de France, sacré et couronné à Reims l'année précédente. Si Jean de Luxembourg peut hésiter à embrasser une autre cause que celle qu'a choisie — par vengeance ! — le duc de Bourgogne, il doit aussi hésiter à mécontenter sa tante, dont il est l'héritier. Au moment même du séjour de Jeanne d'Arc à Beaurevoir, la dame de Luxembourg — alors « moult ancienne », selon l'expression d'un chroniqueur du temps (elle a 67 ans) — va elle-même recueillir l'héritage de son petit-neveu Philippe de Brabant, mort à Louvain le 4 août 1430. Les comtés de Saint-Pol et de Ligny, les seigneuries qui appartenaient à son frère Waleran lui reviennent alors à elle, faute d'autre successeur. Enguerrand de Monstrelet nous raconte comment il y eut testament ou promesse de testament de la part de la dame de Luxembourg en faveur de Jean « pourtant qu'elle aimait moult cordialement son neveu, sire Jean de Luxembourg, [elle] lui donna à prendre et avoir grande partie de ses seigneuries après son trépas ; dont point ne fut bien content le seigneur d'Enghien, son frère aîné » — Jean de Luxembourg avait un frère aîné nommé Pierre qui visiblement n'était pas de la même façon que lui dans les bonnes grâces de Jeanne.

On conçoit dès lors l'indécision, accrue en ce mois d'août, dans laquelle pouvait être Jean de Luxembourg qui avait de solides raisons de ne mécontenter ni son seigneur ni sa tante. D'où le *suspense* de ce séjour à Beaurevoir où se joue le sort de la prisonnière.

En arrière-plan cependant, aucune hésitation ; bien au contraire, une intense activité, mais pas du côté où on l'aurait attendue, c'est-à-dire à Bourges dans l'entourage royal. Il faut bien se rendre à l'évidence : on ne possède pas le moindre document permettant de croire que le roi a offert une rançon ou tenté une quelconque démarche pour faire libérer Jeanne d'Arc. Les exemples d'ingratitude de ce genre abondent au cours de l'Histoire, mais il en est peu d'aussi flagrants.

C'est l'Université de Paris qui se dépensait, craignant sans doute qu'un geste du roi de France ne vienne lui ravir celle qu'elle réclamait depuis un an déjà (avant même le sacre de Charles VII !), dès après la libération d'Orléans. Pierre Cauchon *, son ancien recteur devenu évêque de Beauvais par la grâce du duc de Bourgogne au lendemain du traité de Troyes dont il avait été le principal négociateur, fut sans cesse sur les routes durant cet été 1430.

Après avoir passé le mois de juin à Paris d'où il envoie les lettres citées plus haut à Philippe le Bon et à Jean de Luxembourg pour les prier « de bailler [donner] ou faire bailler cette femme à révérend père en Dieu Monseigneur l'évêque de Beauvais », il se rend à Calais où se trouve toujours le duc de Bedford avec Henry VI. Ce dernier, en dépit de son jeune âge, a été sacré roi d'Angleterre à Westminster, nous l'avons vu, et l'on n'a pas perdu l'espoir, en dépit de ce qui s'est passé à Reims, de le faire sacrer aussi roi de France, réalisant ainsi la théorie de la double couronne sur la tête d'un même et unique monarque. Les conditions d'achat de la prisonnière sont alors arrêtées : offrir une rançon de 6 000 livres et laisser entendre que l'on irait jusqu'à 10 000, suivant les règles de tout marchandage. Celui qui l'avait prise, Lionel de Wamdonne, recevait lui-même une pension de 300 livres. Arrivé le 27 juin, Cauchon à nouveau écrit sans tarder à Philippe le Bon et à Jean de Luxembourg en leur précisant ces nouvelles conditions. Que le duc de Bourgogne n'ait pas répondu à ses précédentes lettres, cela pouvait l'inquiéter.

Il repartit alors le 7 juillet pour Compiègne et, le 14 du même mois, eut une entrevue successivement avec Philippe le Bon et avec Jean de Luxembourg, qui attendait dans une pièce voisine le résultat du premier entretien. Sans aucun doute il sut être convaincant, puisque peu après les deux hommes repartaient ensemble pour se rendre au château de Beaurevoir. Comme le fait remarquer Pierre Rocolle « un tel déplacement supposait un début d'entente ». Ce que fut l'entrevue de l'évêque avec la dame de Luxembourg ou avec la détenue, nous l'ignorons, mais il semble qu'il n'ait rien obtenu de positif. En revanche il ne serait pas impossible — l'hypothèse a été émise par plusieurs historiens sérieux — que ce soit cette visite qui ait déterminé la seconde tentative d'évasion de Jeanne d'Arc.

> « Quelle fut la cause pour laquelle vous avez sauté de la tour de Beaurevoir ?
> — J'avais entendu dire que tous ceux de Compiègne jusqu'à l'âge de sept ans devaient être mis à feu et à sang, et j'aimais mieux mourir que de vivre après une telle destruction de bonnes gens et ce fut une des causes de ce que je sautai ; et l'autre fut que je savais que j'étais vendue aux Anglais et j'aurais préféré mourir que d'être en la main des Anglais mes adversaires. [...] Après que je fus tombée de la tour, je fus pendant deux ou trois jours sans vouloir manger et je fus blessée en ce saut tellement que je ne pouvais manger, ni boire ; et cependant j'eus [ré]confort de sainte Catherine qui me dit que je me confesse et demande pardon à Dieu de ce que j'avais sauté et que sans faute ceux de Compiègne auraient secours avant la fête de Saint-Martin d'hiver. Alors j'ai commencé à revenir à la santé et j'ai commencé à manger et bientôt j'ai été guérie. »

La Saint-Martin d'hiver, c'est le 11 novembre. Le « saut de Beaurevoir » aura donc eu lieu bien auparavant.

Dans le même temps, les événements militaires vont se

précipiter, tandis que Cauchon regagne Rouen à la fin du mois de juillet et y retrouve une fois de plus le duc de Bedford et son neveu le petit roi. Tandis que l'évêque s'emploie d'ores et déjà à lever une taxe votée par les États de Normandie pour le roi d'Angleterre, en particulier pour payer la rançon de la Pucelle, le duc de Bourgogne décide d'activer le siège de Compiègne et c'est à Jean de Luxembourg qu'il donne le commandement et la conduite de ce siège à dater du 15 août.

Mais ce n'est pas une opération militaire qui décidera du sort de Jeanne d'Arc. Au début du mois de septembre, la dame de Luxembourg se prépare à partir pour Avignon ; peut-être même, étant donné son âge qui lui impose de fréquentes étapes, a-t-elle quitté Beaurevoir plus tôt, peu après le 20 ou 25 août. Ce qui est certain, c'est qu'à l'arrivée dans la ville des Papes elle fait son testament, le 10 septembre 1430. Sans doute la fatigue ressentie lui en faisait-elle comprendre la nécessité, et ce n'était pas une vaine précaution, car elle allait mourir le 18 septembre.

Jeanne de Luxembourg, comtesse de Ligny, avait accompli ce déplacement comme un véritable pèlerinage qu'elle avait l'habitude de faire chaque année sur la tombe de son jeune frère, le saint cardinal Pierre de Luxembourg. Il était mort à dix-huit ans, le 2 juillet 1387. Dans sa courte vie, il avait franchi toutes les étapes de la carrière ecclésiastique. Né à Ligny-en-Barrois le 20 juillet 1369 et orphelin à l'âge de deux ans, élevé très probablement par les soins de sa sœur aînée, il était à dix ans chanoine de Notre-Dame de Paris et évêque de Metz à quatorze ans et demi. Il avait été fait cardinal par le pape (ou plutôt l'antipape) Clément VII en Avignon. C'est dans cette ville qu'il était mort, et son tombeau dans l'église des Célestins était très vite devenu un véritable lieu de pèlerinage. Le martyrologe de cette église atteste que Jeanne de Luxembourg s'y rendait elle-même chaque année. Suivant les dispositions qu'elle avait prises, elle allait être inhumée à l'abbaye du Montcel, près de Pont-Sainte-Maxence.

Désormais Jean de Luxembourg, héritier de sa tante, ne ressent plus l'influence que celle-ci pouvait exercer sur lui.

En revanche il a dû subir, et de plus en plus, celle de son propre frère, Louis, depuis toujours partisan résolu de la cause anglaise : évêque de Thérouanne, on va le retrouver à plusieurs reprises dans l'histoire de Jeanne d'Arc, et il est bien significatif qu'après avoir été nommé, en 1436, archevêque de Rouen, il soit mort en Angleterre évêque d'Ely en 1443. Autrement dit, il fait partie de ces prélats qui, comme l'évêque de Noyon, Jean de Mailly, embrassèrent totalement la cause anglaise.

Le moment approche pourtant où la ville de Compiègne, après s'être vaillamment défendue, va se libérer. Le 24 octobre, un assaut décisif est donné par le maréchal de Boussac, établi à Verberie et venu en renfort. Jean de Luxembourg doit se replier sur Noyon et quitte la place « honteusement », affirme Monstrelet, en abandonnant ses bombardes et ses pièces d'artillerie. Le samedi suivant, 28 octobre, les petites forteresses autour de Compiègne se rendent aux Français et Jean de Luxembourg regagne le château de Beaurevoir où désormais sa décision va faire loi. Jeanne pouvait être rassurée sur le sort de « ses bons amis de Compiègne », mais de plus en plus sûre aussi de celui qui l'attendait, elle :

> « Sainte Catherine me disait presque chaque jour, devait-elle déclarer plus tard, que je saute pas et que Dieu m'aiderait et aussi ceux de Compiègne. Et je dis à sainte Catherine que si Dieu aidait ceux de Compiègne, moi-même je voulais être là bas. Alors sainte Catherine me dit : " Sans faute il faut que vous preniez en gré et vous ne serez pas délivrée jusqu'à ce que vous ayez vu le roi des Anglais. " Et je lui répondis : " Vraiment je ne voudrais pas le voir ; et j'aimerais mieux mourir que d'être mise en la main des Anglais. " »

L'ACHAT.

Ce pathétique dialogue résume bien ce qui va se passer. Les efforts de Pierre Cauchon pendant « sept vingt treize » (153) jours « où il a vaqué au service du roi notre seigneur pour ses affaires, tant en la ville de Calais comme en plusieurs voyages en allant vers Monseigneur le duc de Bourgogne ou vers messire Jean de Luxembourg en Flandre, au siège devant Compiègne à Beaurevoir pour le fait de Jeanne qu'on dit la Pucelle » — et pour lesquels le receveur général de Normandie, Pierre Surreau, lui verse une somme de 765 livres tournois — ont été fructueusement employés. La quittance qu'il a signée — l'évêque de Beauvais sait faire payer ses services — date du dernier jour de septembre. Et le 24 octobre, qui est le jour de la libération de Compiègne, le trésorier anglais Thomas Blount rassemble les 5 000 livres qui manquent encore pour la rançon de Jeanne d'Arc. C'est sans doute vers cette même date qu'il faut placer son départ du château de Beaurevoir.

On pense que le receveur général des Finances de Philippe le Bon, Jean de Pressy, l'accompagnait. Ce qui est sûr c'est que sa présence est plusieurs fois mentionnée par la suite à Arras, où l'on retrouve Jeanne, tandis que de son côté Philippe le Bon y est le 2 novembre. On sait que Jeanne reçut dans cette ville l'obole qu'elle avait sollicitée des bourgeois de Tournai, à savoir une somme de 22 couronnes d'or « pour employer en ses nécessités ». Il a aussi été question d'un Écossais qui aurait fait son portrait dans cette ville, mais il est bien probable que, selon la rectification due au Père Doncœur, c'est une erreur de scribe qui a fait lire Arras au lieu de Reims et que ce portrait a été exécuté au moment du sacre *.

Il apparaît certain que, à la date du 6 décembre, Jean de Luxembourg avait été payé de la vente de Jeanne la Pucelle qu'il venait de faire aux Anglais. C'est attesté par une quittance de Jean Bruyse, écuyer, qui avait lui-même reçu « les dix mille livres tournois... pour avoir Jeanne qui se dit la Pucelle, prisonnière de guerre ». Somme qui lui avait été remise par le receveur Pierre Surreau. L'Université de Paris, de son côté, avait fait tout son possible pour hâter la négociation : le 21 novembre, elle adressait une lettre à Pierre Cauchon :

> « Nous voyons avec un extrême étonnement l'envoi de cette femme vulgairement appelée la Pucelle se différer si longuement au préjudice de la foi et de la juridiction ecclésiastique. »

Cependant la rumeur a déjà porté au loin la nouvelle de la trahison. Une lettre datée du 24 novembre, enregistrée dans le Journal de Morosini et envoyée de la succursale de Bruges à Venise par un observateur bien renseigné en fait foi :

> « Il est certain que la Pucelle a été envoyée à Rouen au roi d'Angleterre et en cette occurrence Messire Jean de Luxembourg qui l'a faite prisonnière a touché 10 000 couronnes pour la livrer aux Anglais. »

Plus directement encore, Nicolo Morosini, qui a quitté Bruges le 15 décembre, déclare à Venise :

> « On entendit d'abord dire que la demoiselle était aux mains du duc de Bourgogne et beaucoup de gens répétaient que les Anglais l'auraient pour de l'argent, qu'à cette nouvelle le dauphin leur manda une ambassade pour leur dire qu'à aucune condition du monde il ne devait consentir à telle affaire ; qu'autrement il ferait pareil traitement à ceux des leurs qu'il a entre les mains. »

Simple rumeur : elle nous transmettrait le seul écho d'un effort tenté par celui que la chronique appelle encore le Dauphin, Charles VII, non pour racheter Jeanne, mais empêcher du moins qu'elle ne soit livrée à l'ennemi.

Et beaucoup plus loin, à Constantinople, on aura plus

tard encore un écho de l'étonnement qu'a produit un familier du duc de Bourgogne, Bertrandon de La Broquière, lorsqu'il a affirmé que la Pucelle a été faite prisonnière par les Anglais : autour de lui on refuse de le croire. Même l'informateur de Morosini indique au mois d'août :

> « On a dit que cette damoiselle avait été enfermée avec plusieurs damoiselles dans une forteresse sous escorte de bonne garde ; mais que, ne pouvant être si bien gardée que Dieu ne pût faire à son plaisir, elle s'échappa et retourna vers ses gens sans avoir été molestée en sa personne. »

Jeanne ne pouvait pas avoir été prise, ni enfermée, son pouvoir était trop grand, et Dieu lui viendrait forcément en aide afin qu'elle puisse s'échapper. C'est ce qu'un peu partout les gens ont pensé ; à Orléans, en particulier, on refusait de croire que pareil sort pouvait être celui de la Pucelle. Dans le même temps, il est vrai, les clercs, dans les régions fidèles à la cause française, ordonnaient des prières pour sa libération. On en a le témoignage pour une cité comme Embrun, dans les Alpes, où trois oraisons demandent au Seigneur « que la Pucelle détenue dans les prisons des ennemis soit libérée sans mal, et lui soit donné d'achever complètement l'œuvre que Vous lui avez ordonnée ». A Tours, à Meaux et à Orléans même des offices furent ainsi célébrés à son intention.

A Arras la tradition veut que Jeanne ait été enfermée dans l'un des châtelets qui surmontaient ce qu'on appelle la porte Ronville. On peut supposer qu'elle quitta ce lieu aux environs du 15 novembre. Le 21 de ce même mois, l'Université de Paris manifeste sa joie par une lettre adressée « à très excellent prince, le roi de France et d'Angleterre ». Ils exultent, les universitaires :

> « Nous avons nouvellement entendu qu'en votre puissance est rendue à présent cette femme dite la Pucelle, ce dont nous sommes fort joyeux, confiants que par votre bonne ordonnance cette femme sera

> mise en justice pour réparer les grands maléfices et scandales advenus notoirement en ce royaume à l'occasion d'elle, au grand préjudice de l'honneur divin, de notre sainte foi et de tout votre bon peuple... »

Ils demandent à présent que la proie soit remise entre leurs mains et que l'évêque de Beauvais puisse la juger à Paris. On peut du moins en conclure que le transfert d'Arras au Crotoy eut lieu vers cette date, dans les derniers jours de novembre, puisque c'était là que la rançon devait être versée.

Les principales étapes de cette route, d'une centaine de kilomètres, ont été sans doute le château de Lucheux, puis l'abbaye de Saint-Riquier. Il se peut bien que pour cette dernière étape, Jeanne ait été conduite dans le château qui se dressait alors à Drugy et dont les locaux d'une ferme rappellent aujourd'hui encore le plan : les caves actuelles peuvent être une partie des souterrains du château en question et ce serait là que deux religieux de Saint-Riquier, le prévôt et le grand aumônier, seraient venus saluer Jeanne au passage. Comme dans plusieurs autres abbayes de la région normande, à Fécamp et même au Mont Saint-Michel, l'abbé avait embrassé la cause bourguignonne, mais les moines, eux, étaient loin de partager ses sentiments. L'abbé de Saint-Riquier, Hugues Cuillerel, était d'ailleurs absent lors du passage de la petite troupe qui escortait la prisonnière.

Au milieu des hommes d'armes qui l'entouraient, Jeanne a dû le lendemain, après avoir contourné la grande forêt de Crécy, atteindre l'estuaire de la Somme. Elle aura vu la mer pour la première fois et n'a pu la voir sans angoisse, car elle savait qu'au-delà était l'Angleterre. Comment conserver alors quelque espoir de s'échapper ?

TRACTATIONS.

Les tractations, cependant, devaient aller bon train, et Pierre Cauchon de déployer une grande activité en ce mois de décembre, afin d'abord d'obtenir de Bedford un accord satisfaisant sur le lieu où la prisonnière serait jugée, et ensuite d'assurer des conditions de procédure valables au regard des juridictions ecclésiastiques. Il lui fallait un procès mené en lieu sûr et, qui plus est, un « beau procès ».

Pour avoir le droit d'être lui-même le juge de Jeanne, il aurait fallu que Cauchon obtienne que le procès se déroule à Beauvais. La capture de la prisonnière sur la rive droite de l'Oise pouvait à la rigueur justifier et accréditer sa compétence, encore que pour les tribunaux d'Inquisition celle qu'il entendait juger en tant qu'hérétique aurait dû avoir commis le délit d'hérésie sur son diocèse ; les apparences étaient sauves du fait du lieu de sa capture... Mais il n'était pas question de la juger à Beauvais, qui s'était rendue au roi de France. Bedford décida alors que le procès aurait lieu à Rouen où la puissance anglaise était solidement établie depuis douze ans. Une délégation de territoire fut sollicitée dans les formes de la part du chapitre de Rouen et bien sûr obtenue par acte daté du 28 décembre 1430. Sans perdre de temps, Cauchon envoya aussi en Lorraine un agent chargé de se renseigner sur la jeunesse, voire l'enfance de Jeanne, et de rassembler sur place des informations. On ne connaît pas le nom de ce délégué, mais on sait qu'il se rendit à Chaumont où un nommé Nicolas Bailly lui fut adjoint, comme notaire, ainsi qu'un clerc nommé Gérard Petit, compétent dans les questions juridiques. Les trois hommes devaient se rendre successivement à Domrémy, à Vaucouleurs, probablement aussi à Toul ; les résultats de leur enquête ne parviendraient à Rouen qu'à la fin du mois de janvier 1431.

Mais entre-temps, à la requête de Cauchon, une escorte d'une cinquantaine d'hommes d'armes partait avec lui pour assurer le dernier déplacement de Jeanne, depuis Le Crotoy jusqu'à la cité normande : deux « lances fournies », disait-on, ce qui représente une dizaine d'hommes d'armes plus vingt-cinq archers et les gens nécessaires pour s'occuper des bagages et aussi du transport de la rançon. Celle-ci a dû être versée vers le 15 décembre et le dernier trajet a lieu aussitôt. L'itinéraire reconstitué par Pierre Rocolle semble justifié. Du Crotoy Jeanne aurait été conduite en barque jusqu'à Saint-Valéry-sur-Somme, en suivant à marée haute le chenal que la Somme trace dans l'estuaire, tandis que les cavaliers et leur monture — le gros de la troupe — passaient la Somme au pont d'Abbeville, car le transport d'une cinquantaine de chevaux et cavaliers sur des barques eût présenté quelques difficultés. Il y eut probablement une halte à Saint-Valéry ou peut-être seulement dans la petite ville d'Eu, à 24 kilomètres de là, si la traversée de l'estuaire put se faire assez rapidement. Il est probable que par la suite l'itinéraire fut sur une partie de la route celui de l'ancienne voie romaine, par Arques et Bosc-le-Hard. Enfin l'escorte atteignit le château de Bouvreuil, jadis construit par Philippe Auguste et devenu la résidence de celui qui lui avait été désigné comme gouverneur du petit roi Henry VI, le comte de Warwick. On y accédait sans avoir besoin de traverser la ville même de Rouen.

C'était la veille de Noël.

CHAPITRE VII

« Je sais bien que ces Anglais me feront mourir »

L'ombre est désormais totale autour de Jeanne : ombre du cachot, incertitude sur son sort : le lot de tout prisonnier.

La tour dans laquelle elle est enfermée subsistait encore au début du XIXe siècle : on l'appelait la Tour couronnée, l'une des sept que comptait la forteresse du Bouvreuil qui enserrait une vaste basse-cour ; elle était tournée « vers les champs », ont dit quelques témoins, donc vers l'extérieur, et l'on pense que la pièce dans laquelle Jeanne fut enfermée se trouvait au premier étage. Des fouilles récemment menées sur l'emplacement du château ont conduit à modifier sensiblement ce que l'on connaissait de la configuration générale des lieux, mais les résultats ne sont pas encore complets, ni publiés. Une seule certitude : ce qu'on nomme aujourd'hui la tour Jeanne d'Arc représente le reste de l'ancien donjon, très restauré, et non pas le lieu précis de sa détention.

En ce qui concerne la pièce même qui servit de prison, on peut adopter la reconstitution qu'on en a faite et concevoir qu'elle comportait trois renfoncements dans l'épaisseur des murailles : l'un correspondant à la fenêtre, sans nul doute pourvue de barreaux, le second à une latrine — dont toutes les tours de ce genre étaient pourvues —, enfin un troisième qui devait communiquer directement avec l'escalier d'accès et qui, ouvrant probablement sur une archère, permettait à ceux qui s'y tenaient d'entendre ce qui se disait dans la pièce sans être vus. Il est possible qu'une surveillance ait été également exercée par le plancher séparant cette salle de celle du second étage. De cette surveillance, c'est un écuyer du roi, John Grey, qui était principalement chargé, assisté de deux autres Anglais, John Berwoit et William Talbot. A tous les trois on a fait prêter sur la Bible le serment de se montrer vigilants et d'interdire toute visite qui n'aurait pas été autorisée au préalable par Cauchon ou par Warwick, le gouverneur du château, en personne. Ils sont eux-mêmes aidés dans leur besogne par « cinq Anglais de la plus basse condition, ceux qu'on appelle en français houssepaillers » (terme dont nous vient *houspiller*, ce qui est assez significatif).

LES MAINS LIÉES, LES PIEDS FERRÉS.

Un petit groupe sculpté, qui a conservé sa polychromie et qui peut dater du XVe siècle, faisant partie des collections du château du Plessis-Bourré, montre une prisonnière les mains liées entre deux personnages aux attitudes équivoques, puisqu'on a pu les décrire tantôt comme « deux bourreaux qui semblent implorer son pardon », tantôt comme deux tourmenteurs aux côtés de Jeanne enchaînée. Quelle qu'en soit l'interprétation exacte, il semble bien qu'aucune avanie n'ait été épargnée à Jeanne dans sa prison de Rouen. Où est le temps où les « trois Jeanne » de Beaurevoir lui offraient une robe en lui demandant amicalement de s'en vêtir ? « Je l'ai vue dans les prisons du château de Rouen, dans une pièce assez ténébreuse, ferrée et enchaînée », déclare Isambart de La Pierre, dominicain du couvent Saint-Jacques de Rouen et assesseur au procès de condamnation. De son côté, un nommé Pierre Daron, qui fut lieutenant du bailli de Rouen, précise qu'il l'a vue « au château dans une tour, enferrée par les pieds avec une grosse pièce de bois aux pieds ; elle avait plusieurs gardiens anglais ». Les détails les plus amples ont été donnés par l'huissier Jean Massieu dont les attributions comportaient la charge d'accompagner la prisonnière du lieu de sa détention à la salle où était réuni le tribunal. Elle était, dit-il, aux mains de « cinq Anglais » dont il en demeurait de nuit trois dans la chambre et deux dehors à l'huis de la chambre.

> « Et je sais de certain que de nuit elle était couchée, ferrée par les jambes de deux paires de fers à chaîne, et attachée très étroitement d'une chaîne traversante par les pieds de son lit, tenante à une grosse pièce de bois d'une longueur de 5 ou 6 pieds et fermant à clé. »

Jeanne était donc ferrée par les pieds durant le jour, tandis que la nuit on accrochait à cette entrave une chaîne qui, passant par le pied du lit, tenait à une pièce de bois qu'elle n'eût pu remuer. Il ajoute pourtant : « Lorsque je la conduisais et la reconduisais, elle était toujours déferrée. » Elle n'aurait pu, en effet, parcourir la distance de sa prison à la salle d'audience avec les fers aux pieds. Dès sa première comparution, Jeanne se plaignit « d'être détenue enchaînée et en des entraves de fer ». Cauchon avait prévu mieux encore : dans sa terreur que Jeanne lui échappât, il avait fait forger par un nommé Étienne Castille une cage de fer dans laquelle elle eût été maintenue debout « liée au cou, aux mains et aux pieds ». Mais il ne semble pas qu'elle y ait été enfermée.

Torture physique dont on imagine combien elle pouvait accabler cette fille pleine de santé et que nous avons vue si apte à la vie de plein air, aimant les chevauchées, toujours prête à agir. Pourtant, c'était peu à côté des tortures morales : moqueries des gardiens dont on devine le niveau — « souvent ils se moquaient d'elle, et elle le leur reprochait » — ; cris et bruits hostiles dès qu'elle paraissait dans la cour du château. Et surtout, cette surveillance par des hommes, des geôliers anglais comme ceux qui du haut des remparts d'Orléans la traitaient de « ribaude » et de « paillarde », ou encore de « putain des Armagnacs ». On comprend aisément qu'elle ait eu besoin de son habit d'homme et de ses chausses « bien serrées et liées » comme au temps où elle dormait ainsi vêtue avec les soldats — portés, eux, à la révérer et à la respecter, lors de ses campagnes sur les bords de Loire.

Comment a-t-elle pu dans ces conditions préserver sa virginité et demeurer « Jeanne la Pucelle » ? Il est certain que, selon ce que dira plus tard le principal notaire du procès, Guillaume Manchon, la jeune fille redoutait « que la nuit les gardiens ne lui fissent quelque violence ». Et « une fois ou deux elle s'est plainte à l'évêque de Beauvais, sous-inquisiteur, et à maître Nicolas Loiseleur, que l'un des gardes avait voulu la violer ».

Quelqu'un pourtant est intervenu en sa faveur. Elle a dû subir, une fois de plus, à Rouen, cet examen de virginité auquel elle avait déjà été soumise à Poitiers ; cette fois-ci, il a certainement eu lieu pendant que se déroulaient les diverses enquêtes menées dans son pays d'origine, car il a été pratiqué sous le contrôle d'Anne de Bourgogne, duchesse de Bedford. La duchesse et son époux ayant quitté Rouen le 13 janvier 1431, la date est facile à déduire. On connaît le nom de l'une au moins des matrones qui l'ont examinée, Anne Bavon, et l'on sait que sa virginité a été dûment constatée ; Anne Bedford, émue, fit défense aux gardiens de la molester.

Prisonnière de guerre ou prisonnière d'Église ?

Reste que l'équivoque de sa condition est manifeste dès ses premiers jours dans la prison de Rouen : c'est un procès d'hérésie que Pierre Cauchon entend lui faire, donc un procès d'Église pendant lequel elle devrait être détenue dans les prisons ecclésiastiques, où elle serait gardée par des femmes et dans des conditions de décence et relativement adoucies — celle que connaissent à l'époque les femmes accusées d'hérésie. Pourtant, Jeanne ne cesse pas, durant tout le procès, d'être traitée en prisonnière de guerre, enferrée et gardée par des soldats. Pour tourner cette illégalité, l'évêque de Beauvais, d'accord avec le duc de Bedford, a eu recours à une fiction : la serrure de la porte de sa prison serait munie de trois clés, dont l'une serait détenue par Henri Beaufort, cardinal de Winchester, qui allait être présent pendant toute la durée du procès, et les deux autres par les juges, c'est-à-dire Cauchon lui-même ou le promoteur qu'il ne tarderait pas à désigner, Jean d'Estivet, et le vice-inquisiteur, lui aussi désigné par l'inquisiteur de France, Jean Graverent. Cet artifice de procédure ne pouvait mystifier que ceux qui le voulaient bien. Il n'était pas plus valable que la défense que Cauchon allait faire à Jeanne, lors de sa première comparution : « Nous vous interdisons de quitter sans notre permission les prisons qui vous sont assignées dans le château de Rouen, *sous peine d'être convaincue du crime d'hérésie.* » Ce qui ne devait aucunement tromper la prisonnière, laquelle riposta aussitôt : « Je n'accepte pas cette défense ; si je m'évadais, jamais personne ne pourrait me blâmer d'avoir enfreint ou violé ma foi. » Tout le drame, en réalité, se jouera sur cette équivoque : prisonnière de guerre que l'on entend condamner ou hérétique suspectée comme telle par l'Église.

La raison profonde de cette accusation, c'est qu'elle permet de disqualifier, en même temps que Jeanne, le roi de France qui lui doit sa couronne, c'est-à-dire la cause qu'elle soutient. Autrement dit, Jeanne est véritablement l'archétype du prisonnier politique : celui qu'on poursuit parce qu'il gêne le pouvoir établi et l'idéologie dont il se prévaut, tandis que l'on cherche un prétexte ou un autre pour le faire condamner. Notre XXe siècle a suffisamment d'exemples du genre à proposer pour que chacun comprenne.

LA « JUSTIFICATION » DES UNIVERSITAIRES.

L'idéologie, elle, a été mise en place depuis longtemps déjà. Jeanne n'était pas encore née que les universitaires parisiens, par la bouche de l'un d'entre eux, Jean Petit, avaient justifié le meurtre de Louis d'Orléans par son cousin Jean Sans Peur à grand renfort d'argumentation. Pour la première fois dans notre histoire, des intellectuels avaient prôné l'assassinat politique : ils n'allaient être que trop bien entendus. Une Christine de Pisan avait dénoncé avec beaucoup de discernement la place croissante de Dame Opinion : envahissante, cette puissance indécise, sans forme et sans visage, capable de soulever partout « rébellions, débats, commotions et batailles », mais qui, propagatrice de faux jugements, habile à faire « haïr et aimer sans cause », allait diviser le peuple et les grands pour le plus grand profit du duc de Bourgogne. Celui-ci avait su obtenir l'appui des universitaires d'une part, et de l'autre de ces grands bourgeois qu'étaient les maîtres de la Boucherie parisienne, disposant de toute une armée de couteliers et écorcheurs qu'on a vus à l'œuvre dans Paris au moment de la révolte cabochienne. Ce sont les mêmes intellectuels qui se veulent à la même époque, maîtres de la situation dans l'Église divisée par le Grand Schisme, et qui ont élaboré toute la théorie de la « double monarchie », laquelle légitime en France la conquête anglaise. En leur assurant, à eux, prébendes et considération, car les serviteurs de Dame Opinion n'oublient jamais leur intérêt propre. Ils savent se faire payer en deniers sonnants.

Leur plan allait réussir. Ce traité de Troyes dont Pierre Cauchon, ex-recteur de l'Université de Paris, avait été l'infatigable négociateur, instaurait une nouvelle légalité fondée sur la conquête brutale et justifiée par les clercs. Et voilà qu'une misérable fille, une paysanne sortie d'on ne sait où, était venue mettre en péril le bel édifice en donnant un coup d'arrêt aux victoires du conquérant et en faisant sacrer le fils de Charles VI ! Mais à présent, on la tenait, cette fille du diable, et l'Université de Paris pouvait se réclamer du prestige même de l'Église universelle qu'elle comptait diriger aussi. Le pape Martin V pouvait bien être redevenu le seul successeur de Pierre et garder son autorité de pape vis-à-vis du Concile : l'Université de Paris, par le moyen des conciles périodiques, espérait continuer à régenter la chrétienté comme elle l'avait fait au temps des papes d'Avignon et la gouverner par la voie d'une assemblée parlementaire. C'est tout cela qui était bien clairement en jeu dans la condamnation qu'on ne manquerait pas d'infliger à cette fille du peuple grossière et ignorante, dont il serait facile de réduire l'insolence.

Pourtant le beau procès s'annonçait mal. L'examen de virginité qui eût convaincu la Pucelle de mensonge avait été négatif et tournait à l'avantage de celle-ci. Quant à l'enquête menée dans son pays natal, elle, était franchement désastreuse pour l'évêque de Beauvais. Le tabellion Nicolas Bailly, après avoir interrogé douze ou quinze témoins à Domrémy et dans cinq ou six paroisses proches « n'avait rien trouvé sur Jeanne qu'il n'eût voulu trouver en sa propre sœur ». Une échange de messages à propos de ces informations ne fit que les confirmer, et, bien qu'ils eussent été traités de « faux Armagnacs » par le bailli de Chaumont, les enquêteurs ne rapportèrent rien qui pût être à charge contre Jeanne.

Par conséquent,le juge ne pourra paradoxalement formuler aucun chef d'accusation. L'étude très attentive menée par Pierre Tisset à propos de ce procès de condamnation dégage cela bien nettement : Jeanne n'a été condamnée que sur les interrogatoires menés à Rouen. Faiblesse évidente du procès qui devient pour l'Histoire une non moins évidente attestation de ce que fut la personne de Jeanne d'Arc. Rien n'aura pu être produit contre elle et c'est sur ses paroles, consignées par ses ennemis eux-mêmes, qu'on l'a condamnée, alors que ces mêmes paroles nous donnent une si haute idée de sa grandeur comme de sa pureté. Cauchon ne s'est pas douté qu'il élevait ainsi, de ses propres mains, le seul monument à Jeanne d'Arc qui fût digne d'elle et qui demeure impérissable précisément grâce aux minutes qui ont été conservées.

On comprend mieux alors les atermoiements et les lenteurs d'un procès que sans nul doute Cauchon tout autant que Bedford aurait souhaité mener rapidement.

DOUBLE IRRÉGULARITÉ.

Difficultés accrues par les réticences du vicaire de l'inquisiteur, un frère dominicain du couvent de Rouen nommé Jean Lemaître, qui en toute légalité devait être le principal des deux juges en procès d'Inquisition, dûment convoqué, avait répondu que « tant pour la sérénité de sa conscience que pour une plus sûre conduite du procès il ne voulait se mêler de cette présente affaire ». Il avait allégué qu'il n'en avait pas le pouvoir car son vicariat ne s'étendait que sur les cités du diocèse de Rouen, et « ce procès était mené en territoire emprunté » par l'évêque de Beauvais, sur sa propre juridiction. Il fallut revenir à la charge, envoyer un nouveau message à l'inquisiteur de France, Jean Graverent, à Paris, pour que Jean Lemaître consente à se présenter, ce qu'il ne fit qu'à la deuxième séance du procès, le 22 février, alors que tous les préliminaires étaient achevés. En dépit du soin que Cauchon prendrait de respecter les formes d'un procès d'Inquisition il y avait une double irrégularité : l'inquisiteur était absent et ce qu'on appelait « les informations préalables » étaient anonymes et inconnues, en particulier de la principale intéressée, Jeanne. Pierre Tisset a fortement souligné comme un « phénomène tout à fait exceptionnel [1] » que le procès soit uniquement constitué des interrogatoires de l'accusée sans que personne ne sache, à commencer par elle-même, quelle charge avait été recueillie contre elle.

On comprend dès lors que Cauchon ait voulu réunir un imposant tribunal — en réalité un jury, puisqu'il était lui-même seul juge avec l'inquisiteur — tant pour compenser ces carences qu'il connaissait tout le premier que pour impressionner Jeanne. Il a multiplié les lettres officielles et fait notamment appel au chapitre de Rouen, que le roi d'Angleterre a informé de la « commission de territoire »

1. Procès de condamnation, t. III, p. 85.

lui permettant à lui, évêque de Beauvais, d'exercer une juridiction à Rouen. De plus, toujours au nom du roi d'Angleterre, la prisonnière de guerre d'Henry VI est officiellement livrée au jugement de l'évêque de Beauvais par une lettre mentionnant expressément la prière à lui faite par l'Université de Paris pour que le procès ait lieu. Les termes en sont accablants sur la véritable nature du procès :

> « Notre intention est de ravoir, et reprendre par devers nous la dite Jeanne, s'il arrivait qu'elle ne fût pas convaincue, ni atteinte des cas " d'hérésie " ou d'un d'entre eux ou d'autres touchant ou regardant notre foi. »

On ne saurait mieux indiquer le caractère politique du procès, ni le sort de toute façon réservé à Jeanne.

« Je ne sais sur quoi vous voulez m'interroger. »

La première séance publique a lieu le mercredi 21 février, à 8 heures environ du matin. C'était le mercredi des Cendres, premier jour d'un carême qui pour Jeanne était depuis longtemps commencé... Elle allait se trouver seule devant quarante-quatre personnages énumérés par le procès-verbal du jour, dont 9 docteurs en théologie, 4 docteurs en droit canon, 1 docteur « en l'un et l'autre droit », 7 bacheliers en théologie, 11 licenciés en droit canonique, 4 en droit civil, plus le promoteur, Jean d'Estivet. La jeune fille est seule, aucun avocat ne l'assiste, ce qui est contraire aux usages de l'Inquisition. La détention ne semble pas avoir affaibli sa capacité de résistance. Cauchon s'en apercevra dès la toute première formalité qui consiste à lui faire prêter serment :

> « Je ne sais sur quoi vous voulez m'interroger, répond-elle ; peut-être pourrez-vous me demander des choses que je ne vous dirai pas. »

Nouvelle et plus pressante exhortation de l'évêque :

> « Vous jurerez de dire vérité de ce qui vous sera demandé qui concerne la foi catholique et toutes autres choses que vous saurez.
> — De mes père et mère, de toutes les choses que j'ai faites depuis que j'ai pris le chemin pour venir en France, volontiers je jurerai ; mais les révélations à moi faites de par Dieu, jamais je n'en ai dit ou révélé, sinon à Charles, mon roi. Et quand on me voudrait couper la tête, je ne les révélerai, car je sais par mes visions que je les dois tenir secrètes. »

A plusieurs reprises questions et réponses se répètent jusqu'au moment où enfin Jeanne, à genoux, les deux mains sur le missel qu'on lui présente, jure de dire la vérité sur ce qui lui serait demandé concernant matière de foi et qu'elle saurait.

Après ce préambule inattendu, vient l'interrogatoire proprement dit, que subit tout détenu ou accusé aujourd'hui encore sur ses nom, prénom et qualité :

> « Au pays où je suis née on m'appelait Jeannette, et en France, Jeanne [...] Je suis née en un village qu'on appelait Domrémy-Greux, au lieu de Greux est la principale église. Mon père était nommé Jacques d'Arc, et ma mère Isabeau ».

Elle nomme ensuite ses parrains et marraines, le prêtre qui l'a baptisée, un certain Jean Minet, dont elle pense qu'il vit encore ; enfin son âge : « A ce qu'il me semble environ dix-neuf ans. »

Et soudain, c'est un autre obstacle imprévu. L'évêque lui enjoint de dire *Pater Noster*. A quoi, Jeanne répond :

« Écoutez-moi en confession et je vous le dirai volontiers. » Malgré l'insistance et les ordres pressants qu'elle reçoit, elle refuse de réciter le *Pater* si on ne l'entend en confession ; ce sont ensuite les réponses citées plus haut à propos de la façon dont elle est gardée en prison par des hommes, des Anglais, et tenue aux fers. Puis on l'assigne à comparaître le lendemain à la même heure.

Le souhait exprimé par Jeanne que l'évêque l'entendît en confession n'était évidemment pas conforme aux usages d'un procès d'Inquisition. Il n'en était pas moins habile, et tendait à rappeler à Cauchon son état de prêtre, tenu en son âme et conscience à prêter au sacrement de pénitence la même importance que Jeanne lui accordait de son côté. De toute façon, si elle avait quelque illusion à ce sujet, elle n'allait pas tarder à être complètement éclairée.

Le lendemain, seconde comparution. La scène de la veille se renouvelle à propos du serment : « Je vous ai fait ce serment hier, il doit bien vous suffire ; vous me chargez trop » Jeanne consent néanmoins « à dire la vérité sur les points qui toucheraient la foi ».

C'est ensuite Jean Beaupère, l'un des assesseurs, qui est chargé de l'interrogatoire. Tout le désigne pour ce rôle : comme Pierre Cauchon, il a été recteur de l'Université de Paris (en 1412 et 1413), et celle-ci l'a délégué à Troyes pour assister le même Cauchon lors des négociations du traité de 1420 ; c'est lui aussi qui a obtenu, en 1422, de la reine d'Angleterre et du duc de Gloucester confirmation des privilèges de la même Université. Par la suite, nommé chanoine de Rouen, il ne cesse d'agir comme agent de l'occupant et peu après sera officiellement l'ambassadeur du roi d'Angleterre au concile de Bâle où il se rendra le 28 mai 1431, avant même le supplice de Jeanne ; le roi Henry VI lui assignera en 1435 un revenu annuel de cent livres « pour ses bons services en France et au concile de Bâle ». C'est d'ailleurs un véritable collectionneur de bénéfices, il est chanoine non seulement à Rouen, mais aussi à Besançon, à Sens, Paris, Beauvais, Laon, Autun, Lisieux, et ce bien qu'il ait été mutilé de la main droite lors d'une désagréable aventure (une attaque de brigands, inopinée, sur la route entre Paris et Beauvais) et qu'il ne puisse assurer l'exercice effectif de ces canonicats dispersés de la Bourgogne à la Normandie ! Jean Beaupère pose donc à Jeanne les questions relatives à sa jeunesse, à ce qu'elle nomme sa « voix », et à son départ de Vaucouleurs jusqu'à son arrivée à Chinon. En fait, on ne l'interroge guère sur ses exploits comme Orléans et Patay, mais on lui parle de Saint-Denis, « l'escarmouche devant la ville de Paris » : « N'était-ce pas alors jour de fête ? — Je crois bien que ce fut jour de fête. — Cela était-il bien ? — Passez outre. »

C'est assez dire que l'interrogatoire conduit habilement l'exposé des événements pour n'insister que sur une attaque menée le 8 septembre 1429, fête de la Nativité Notre-Dame, où eut lieu l'assaut contre la porte Saint-Honoré. Après cette séance, qui a été longue, Jeanne est assignée à comparaître de nouveau le surlendemain, samedi 24 février.

Une surprise l'attendait ce jour-là : parmi les assesseurs figurait Nicolas Loiseleur. Elle avait plus d'une fois vu le personnage : il était venu lui rendre visite dans sa prison, se faisant passer pour natif des bords de Meuse, lui aussi, et prisonnier comme elle. Étant prêtre, il lui avait proposé d'être son confesseur, et, mise en confiance, elle s'était confessée à lui. Or, beaucoup plus tard, l'un des notaires désignés pour ce procès, Maître Guillaume Manchon, devait révéler qu'avec l'un de ses assistants nommé Boisguillaume (« et des témoins », ajoute-t-il sans préciser) il avait reçu l'ordre de se tenir caché dans ce recoin donnant sur la chambre de la prisonnière et d'où il pouvait tout entendre « de ce qu'elle disait ou confessait au dit Loiseleur ». Si l'on ne connaissait pas à l'époque les micros d'écoute, un semblable procédé, devenu classique dans les affaires politiques, était utilisé autant que faire se pouvait.

Jeanne a dû comprendre alors jusqu'où iraient les subterfuges employés contre elle. On la voit, dès le début de l'interrogatoire, extrêmement rétive et plus que jamais entêtée à refuser de prêter serment comme on l'en pressait.

Cauchon lui-même et plusieurs assesseurs ont dû tous ensemble exiger un nouveau serment, car Jeanne, excédée, répond d'abord : « Permettez-moi de parler. » Et l'on songe à ce que rapportera, plus tard, l'huissier Jean Massieu : dans ces interrogatoires qui duraient généralement dit-il, de 8 heures à 11 heures, il était courant que plusieurs juges à la fois posent des questions, si bien que « plusieurs fois elle dit à ceux qui l'interrogeaient : " Beaux seigneurs, faites l'un après l'autre. " » En tout cas, elle finit par dire : « Je suis prête à jurer de dire la vérité sur ce que je saurai concernant le procès » — et la minute porte une addition significative : « Mais je ne dirai point tout ce que je sais. »

« Si la voix me l'a défendu... »

Jeanne se situe délibérément dans cet interrogatoire dans la position la plus dangereuse pour elle : en communication avec ce monde de l'au-delà qu'elle désigne globalement par : « les voix ». Elle indique donc nettement le caractère surnaturel de sa mission. Ainsi, quand Beaupère lui demande si la voix lui a interdit de rien dire de ce qu'on lui demandera, elle se réserve de répondre plus tard : « Lui est-il interdit de faire connaître ses révélations ? », elle objecte : « Si la voix me l'a défendu, que voulez-vous en dire ? » Un instant après elle ajoute : « Croyez que ce ne sont pas les hommes qui me l'ont interdit ! » Elle insiste sur la distance entre le monde avec lequel elle affirme communiquer et celui qui l'environne : « J'ai plus grande crainte de leur manquer en disant quelque chose qui déplaise à ces voix, que je n'en ai de vous répondre. »

Pourtant le ton n'est pas celui d'une illuminée. La meilleure preuve en est cet humour, qui devient ici bravade : « Cette nuit même ma voix m'a dit beaucoup de choses pour le bien de mon roi, que j'aimerais bien que le roi sache en ce moment, dussè-je ne pas boire de vin jusqu'à

Pâques, car il en serait plus joyeux à dîner ! » Et c'est sans doute cette bravade qui provoquera un peu plus tard une question perfide : « Votre voix vous a-t-elle révélé que vous vous évaderiez de prison ?

— Ai-je à vous le dire ? »

Le ton ne cessera de monter jusqu'à ce sommet destiné à rester dans toutes les mémoires. Jeanne aura provoqué l'interrogateur en disant : « N'était la grâce de Dieu je ne saurais rien faire. » La question fameuse lui est alors posée : « Savez-vous si vous êtes en la grâce de Dieu ? » Et la réponse semble s'épanouir comme une fleur : « Si je n'y suis, Dieu m'y mette, et si j'y suis Dieu m'y garde, car je serais la plus dolente du monde si je savais n'être pas en la grâce de Dieu. » Le notaire Boisguillaume, en rapportant cette réponse, déclarait plus tard : « Ceux qui l'interrogeaient furent stupéfaits. » Non sans raison.

On a rapproché cette réponse d'une prière que l'on retrouve dans trois manuscrits du XVe siècle. Est-ce de cette prière que Jeanne se serait inspirée ? Ne peut-on croire au contraire que cette réponse qui atteint au sublime dans sa simplicité ait servi par la suite de prière ? L'étonnement des assesseurs ne se justifierait guère s'il s'agissait d'une formule usuelle. Le notaire ajoute qu'on suspendit alors l'interrogatoire. Ce qui est certain c'est que, dans le texte du procès, il y a aussi coupure. Les paroles précédentes de Jeanne, on l'a déjà fait remarquer, ont été transcrites en style direct ; à partir de ce moment, la rédaction prend le style indirect : « Elle dit ensuite que si elle était en péché elle pense que la voix ne viendrait pas à elle, et elle voudrait que chacun l'entendît aussi bien qu'elle même », etc.

Le tribunal ne désarme pas pour autant. Jean Beaupère, qui doit avoir son idée concernant la « voix », l'interroge sur cet arbre qu'on appelle à Domrémy l'Arbre des fées. L'enquête faite au village lui a probablement révélé que, comme le bruit en courait (effectivement certaines gens l'ont dit), Jeanne « aurait pris son fait à l'arbre des fées » ; son propre frère le lui avait répété et elle « lui disait le contraire ». C'est en tout cas cette question qui suscite l'évocation poétique par Jeanne de la fête au village :

> « Assez près du village de Domrémy, il y a un arbre, qu'on appelle l'Arbre des dames ; d'autres l'appellent l'Arbre des fées ; auprès duquel est une source ; j'ai entendu dire que les malades de la fièvre boivent à cette source et vont y chercher de l'eau pour avoir santé. Cela, je l'ai vu moi-même, mais je ne sais s'ils guérissent ou non [...] C'est un grand arbre appelé fau [hêtre], et d'où vient le beau mai, que l'on disait appartenir à Monseigneur Pierre de Bourlémont, chevalier. Quelquefois j'allais m'y promener avec les autres filles et je faisais à cet arbre des guirlandes pour l'image de Notre-Dame de Domrémy. J'ai vu mettre de ces guirlandes aux branches de l'Arbre par les jeunes filles, et quelquefois, moi-même j'en ai mis avec les autres ; parfois nous les emportions et parfois nous les laissions [...] Je ne sais pas si depuis que j'ai eu discernement, j'ai dansé près de cet arbre ; j'ai bien pu danser avec les enfants, mais j'y ai plus chanté que dansé. »

Elle poursuit en évoquant, près de là, le Bois Chesnu (« on le voit depuis la porte de mon père et il n'y a pas la distance d'une demi-lieue »). Elle ne craint pas non plus de rappeler, à propos de ce Bois Chesnu ou bois des chênes, que des prophéties circulaient, disant que des alentours de ce bois devait venir une pucelle qui ferait des choses admirables ; « mais, dit-elle, je n'y ai point ajouté foi ».

Là-dessus se clôt cet interrogatoire assez riche, tandis qu'une nouvelle assignation est faite pour le mardi suivant, 27 février. C'est ce jour-là que Jeanne révélera les noms des saintes dont elle dit recevoir révélation : sainte Catherine et sainte Marguerite. Cette fois encore, c'est Jean Beaupère qui questionne. Bien entendu, après avoir demandé comme incidemment si Jeanne jeûnait pendant ce carême, il reprend l'interrogatoire à propos des voix : « Jeanne a-t-elle entendu cette voix le samedi ? » Elle répond par ce qui pourrait être une confidence :

— « Je ne comprenais pas bien la voix, et je ne comprenais rien que je puisse vous répéter, jusqu'à ce que je fus retournée dans ma chambre.
— Que vous a dit la voix quand vous êtes revenue vers votre chambre ?
— Elle m'a dit que je devais vous répondre hardiment. »

Et c'est un peu plus tard, lorsqu'il insiste : « Est-ce la voix d'un ange ? » qu'elle nomme les deux saintes ; celles-ci feront désormais nommément partie de cet entourage invisible dont Jeanne se réclame. On l'a fait remarquer, sainte Catherine, patronne des jeunes filles, était aussi patronne de la paroisse de Maxey-sur-Meuse, proche de Domrémy, et c'était une sainte très populaire au Moyen Age, tout comme sainte Marguerite d'Antioche, qu'on invoquait volontiers pour les femmes en couches et dont une statue, que Jeanne a probablement vue, subsiste dans l'église même de Domrémy.

Désormais les questions seront orientées de façon insistante sur ces apparitions des deux saintes, auxquelles, toujours ce même mardi, Jeanne ajoutera spontanément saint Michel. Ce fut, dit-elle, saint Michel qui vint d'abord. Et elle aussi se fait insistante :

« Ce fut saint Michel que je vis devant mes yeux et il n'était pas seul, mais était bien accompagné d'anges du ciel [...] Je les ai vus de mes yeux corporels aussi bien comme je vous vois ; et quand ils me quittaient je pleurais et j'eusse bien voulu qu'ils m'emportent avec eux. »

C'est aussi lors de cet interrogatoire qu'elle fait pour la première fois mention du « Livre de Poitiers » : « Si vous mettez cela en doute, envoyez à Poitiers où j'ai été naguère interrogée. » Sans aucun doute, le procès de Poitiers a donc porté sur ses apparitions et Jeanne a probablement déjà donné des réponses où elle nommait les saints et les saintes dont elle disait tenir révélation. Et l'interrogatoire sera poursuivi sur ce sujet jusqu'au moment où l'accusée répondra : « Je vous l'ai assez dit, que ce sont saintes Catherine et Marguerite, et croyez-moi si vous voulez ! » Elle renouvelle aussi avec force ce qu'elle maintiendra tout au long du procès :

> « Je ne suis venue en France que par le commandement de Dieu [...] J'aimerais mieux être tirée à quatre chevaux que d'être venue en France sans la permission de Dieu [...] Tout ce que j'ai fait est par le commandement du Seigneur [...] Il n'y a rien au monde de ce que je fis qui ne fût du commandement de Dieu [...] etc. »

L'HABIT D'HOMME.

Et c'est enfin au cours de cet interrogatoire qu'apparaît une question à laquelle Jeanne n'attache d'abord aucune importance :

> « Est-ce Dieu qui lui a commandé de prendre un habit d'homme ?
> — L'habit, c'est peu, la moindre chose ; et je n'ai pas pris l'habit d'homme par le conseil d'homme de ce monde. Je n'ai pris cet habit ni rien fait que par le commandement de Dieu et de ses anges. »

D'autres questions relatives à cet habit n'attireront que les réponses précédemment citées : elle n'a rien fait au monde que par le commandement de Dieu, sans qu'elle prenne la peine de nommer expressément cet habit d'homme. En fait, personne encore, et probablement même pas Cauchon lui-même, ne se doute de l'importance que cet habit est destiné à prendre dans la suite du procès.

On tente alors, et c'est la première fois, de surprendre quelque chose des révélations qu'elle dit avoir eues à propos du roi de France :

> « Y avait-il un ange sur la tête de votre roi quand vous l'avez vu pour la première fois ?
> — Par sainte Marie ! Je ne sais et je n'en ai point vu. »

Mais elle fera allusion au signe que le roi a eu, lui permettant d'ajouter foi à ses dires, en précisant que ce signe lui venait « par les clercs ».

La question ramène à l'entrevue de Chinon et au procès de Poitiers, tandis que, sans se faire prier semble-t-il, Jeanne racontera comment son épée a été trouvée à Sainte-Catherine-de-Fierbois : « A-t-elle fait faire une bénédiction ? — Je n'y ai jamais fait ou fait faire une quelconque bénédiction et n'aurais su qu'en faire. » De l'épée on passe à la description de l'étendard, ce qui provoque la réponse fameuse à la question : « Aimiez vous mieux votre étendard ou votre épée ? — J'aimais mieux, voire quarante fois, mon étendard que mon épée. » Elle précisera un peu plus tard :

> « Je portais moi-même l'étendard en mains quand on allait à l'assaut, pour éviter de tuer personne ; je n'ai jamais tué personne. »

La séance se clôt sur une évocation, comme toujours assez rapide, des faits d'armes à Orléans et à Jargeau.

Le tribunal vint se réunir à nouveau le jeudi 1er et le samedi 3 mars, toujours pour des interrogatoires publics. Il semble bien que pour la première de ces séances, celle du jeudi, ce soit Cauchon lui-même qui l'ait dirigée. Il l'entame sur un point qui pouvait confondre Jeanne, mais surtout qui préoccupait vivement les universitaires parisiens : le Pape. On fait lecture d'une lettre écrite à la Pucelle par le comte d'Armagnac sur la question qui longtemps avait divisé la chrétienté : « Quel est le véritable pape ? — Quant à ce qui est de moi, je crois au seigneur pape qui est à Rome », déclare Jeanne sans ambages. Cette réponse, irréprochable du point de vue de la foi, comme de la discipline ecclésiastique, ne pouvait que gêner les universitaires qui avaient si longtemps pris le parti du pape d'Avignon et se trouvaient bien loin d'être ralliés sans arrière-pensée à celui de Rome, Martin V, puisqu'ils allaient susciter le dernier antipape de l'histoire au concile de Bâle. Quant à la lettre du comte d'Armagnac, Jeanne n'y avait fait de toute façon qu'une réponse dilatoire. Et comme le programme de cette séance portait décidément sur les relations épistolaires, on lut la première lettre de sommation de Jeanne, laquelle ne fit aucune difficulté pour en reconnaître le texte, à l'exception de quelques expressions que les clercs avaient peut-être mises de leur cru. C'est à cette occasion que, plus provocante que jamais, elle énonça :

> « Avant qu'il soit sept ans les Anglais perdront plus grand gage qu'ils ne firent devant Orléans, et ils perdront tout en France [...] Et ce sera par grande victoire que Dieu enverra aux Français. »

En tâchant de se faire préciser (ce qu'elle refuse) le jour, l'heure, l'année de cette victoire, on lui demande ce qu'elle a dit à son gardien anglais, John Grey, à propos de la fête de Saint-Martin d'hiver — cela prouve que les gardiens remplissent aussi le rôle qu'ils auront tenu à travers les temps dans les procès politiques, et que leur rapport quotidien est utilisé dans les interrogatoires de leur prisonnière.

L'entretien bifurque ensuite un peu et porte à nouveau sur les saintes auxquelles Jeanne attribue les voix qui lui parlent : elle ne révèle rien de valable sur leur aspect, s'amuse quand on lui demande si les saintes qui lui apparaissent ont des cheveux. « C'est bon à savoir ! » Essayant de lui en faire dire davantage, Cauchon pose la question : « Sainte Marguerite parle-t-elle la langue des Anglais ? — Comment parlerait-elle anglais puisqu'elle n'est pas du parti des Anglais ? »

Le « signe du roi ».

On discerne alors de plus en plus précisement l'arrière-pensée de l'évêque qui tente de la confondre sur des questions touchant à la sorcellerie. Tour à tour il sera question d'anneaux, on reviendra sur l'Arbre des fées et la source de Domrémy, et tout à coup : « Qu'avez-vous fait de votre mandragore ? — Je n'ai pas de mandragore et n'en eus jamais ! » Et comme on insiste : « J'ai entendu dire que c'est chose à faire venir l'argent, mais je n'en crois rien » ; et d'ajouter aussitôt : « Mes voix ne m'ont jamais rien dit de cela. »

C'est un contraste sur lequel il faut insister. Jeanne se réclame de « voix » qui, à son témoignage, n'ont rien à voir avec les préoccupations de ses juges, avec les anneaux porte-bonheur ou encore avec ces recettes de magie vulgaire à laquelle s'arrêtent les savants docteurs qui lui font face. Le décalage est confirmé par le robuste humour qui caractérise l'accusée et dont elle donne une preuve convaincante dans cet interrogatoire du 1er mars :

« Quel aspect avait saint Michel, quand il vous apparut ? [...] Était-il nu ?
— Pensez-vous que Dieu n'ait pas de quoi le vêtir ?
— Avait-il des cheveux ?
— Pourquoi les lui aurait-on coupés ? [...]
— Avait-il une balance ?
— Je n'en sais rien [...] J'ai grand joie quand je le vois... »

C'est sans doute avec quelque découragement que Cauchon en revient alors au « signe du roi » : « Je vous l'ai dit, que vous ne me tireriez pas cela de la bouche. Allez le lui demander ! » Pour la première fois est associée au signe la couronne royale. Prenant en quelque sorte l'offensive, Jeanne précise qu'en dehors de la couronne que le roi reçut à Reims, « s'il avait attendu, il aurait eu une couronne mille fois plus riche ». On reviendra maintes fois sur cette couronne royale...

L'interrogatoire du samedi suivant va être beaucoup plus long et touchera des sujets très divers. D'abord à propos des saints et saintes qui lui apparaissent : « Je vous ai dit ce que je sais et ne répondrai autre chose. » C'est Jean Beaupère qui l'interroge ce jour-là. Il ne craint pas, à propos des voix, de poser la question du sort même qui attend Jeanne :

> « Avez vous su par révélation que vous vous évaderiez ?
>
> — Cela ne touche pas votre procès ; voulez-vous que je parle contre moi !
>
> — [...] Vos voix vous ont-elle dit quelque chose de cela ?
>
> — Oui, vraiment, elles m'ont dit que je serais délivrée, mais je ne sais le jour ni l'heure, et que je fasse hardiment bon visage. »

Délivrer, délivrance... Dans le langage des mystiques, c'est généralement la mort que l'on désigne ainsi, mais ce n'est probablement pas dans ce sens que Jeanne elle-même l'emploie.

De nouveau, Jean Beaupère, changeant de tactique, l'interroge sur l'habit d'homme : « Je vous ai répondu là-dessus. » Et elle ajoute : « Et c'est écrit à Poitiers. » Les théologiens qui l'avaient une première fois interrogée et qui n'avaient « rien trouvé que de bien en elle » avaient donc abordé cette question de l'habit d'homme, sans toutefois en faire un délit. C'est un point important à noter en ce début du mois de mars, lorsqu'on sait que, faute de mieux, les juges en viendront à faire de l'habit d'homme le seul chef d'accusation « solide ». Jeanne est loin de songer à cette utilisation de sa tenue à laquelle elle tient toutefois « par obéissance à ses voix » et pour un motif aisément compréhensible si l'on songe qu'en prison, étendue sur sa couche, elle a les jambes enchaînées.

Les questions portent ensuite l'empreinte de ces arrière-pensées de sorcellerie qui ne cessent de hanter l'esprit des juges. Cette fois c'est sur les pennons ou panonceaux adoptés dans l'armée par la Pucelle et par ceux qui la suivaient, que va porter leur suspicion : « Les a-t-on aspergés d'eau bénite ? [...] — A-t-on fait tourner des toiles par manière de procession autour d'un autel ou d'une église pour en faire des panonceaux ? » Et les réponses que fait Jeanne motivent et justifient le souvenir plein de rancune que Jean Beaupère gardera de ces interrogatoires, quand il dira, lors du Procès en nullité : « Elle était bien subtile, de subtilité appartenante à femme ! »

Plus perfides pourraient être les questions relatives à l'enfant que Jeanne avait ranimé à Lagny le temps qu'il soit baptisé, ou celles concernant Catherine de La Rochelle. Mais Jeanne en fait dans les deux cas un récit d'une simplicité désarmante. Il en est de même pour le saut de la tour de Beaurevoir dont le tribunal a surtout dû retenir cette réponse : « J'aimerais mieux rendre mon âme à Dieu que d'être en la main des Anglais. »

À HUIS-CLOS.

Les séances d'interrogatoire public avaient duré exactement onze jours.

C'est huit jours plus tard, le samedi 10 mars, que Jeanne eut la surprise de voir entrer dans la salle où elle était emprisonnée Pierre Cauchon lui-même, accompagné de trois personnages qui avaient déjà figuré à plusieurs reprises parmi les assesseurs : Nicolas Midy, Gérard Feuillet et aussi Maître Jean de La Fontaine qui entre-temps avait été désigné par l'évêque de Beauvais pour mener à sa place les interrogatoires. Il y avait là aussi l'huissier Jean Massieu — figure désormais familière puisqu'il avait accompagné Jeanne à chacun de ses transferts de la salle de prison à la salle d'audience — et également le chanoine de

Rouen Jean Secard, avocat ecclésiastique, qui d'ailleurs apparaît rarement dans les comptes rendus d'audience.

Nicolas Midy et Gérard Feuillet font partie de ces six universitaires spécialement délégués par l'Université de Paris pour suivre le procès et qui sont conduits à Rouen par Jean de Rinel, agent du roi d'Angleterre et mari de la nièce de Pierre Cauchon, Guillemette Bidault. Seul Jean de La Fontaine, qui est aussi un universitaire, maître ès-arts et licencié en droit canon, n'est pas expressément membre de cette délégation. Cauchon a dû pressentir en lui l'homme consciencieux : il conduira ses interrogatoires avec application, mais cela l'amènera à quelques réticences et même, au témoignage du notaire Guillaume Manchon, à venir lui-même avertir Jeanne de ce que, si elle ne déclarait sa soumission au pape et au concile, elle se mettait « en grand danger ». Quand l'évêque eut connaissance de cette démarche, il se « courrouça très fort », Jean de La Fontaine, mesurant le danger, quitta Rouen discrètement. De fait, il cesse de conduire l'interrogatoire et disparaît tout à fait des procès-verbaux à dater du 28 mars.

Durant ce premier interrogatoire à huis-clos, Jean de La Fontaine interroge d'abord Jeanne sur les circonstances de sa capture et sur les avertissements qu'ont pu lui donner ses voix à cette occasion :

> « Si j'avais su l'heure et que je dusse être prise, je n'y serais point allée volontiers ; toutefois j'aurais fait le commandement de mes voix, quoi qu'il dût advenir. »

Et elle rappelle « qu'il lui a toujours été dit qu'il fallait qu'elle fût prisonnière ».

On lui demande aussi des précisions sur les ressources dont elle a disposé : chevaux ou argent [10 000 à 12 000 écus] ; elle reparle du « signe » du roi. Et ce dernier point suscite le début d'un développement symbolique sur lequel elle va revenir à plusieurs reprises. Il s'agit d'une sorte de parabole ou d'image dans laquelle elle semble se complaire et qu'elle enrichit d'un interrogatoire à l'autre durant tout le mois. On peut en voir l'origine dans les questions posées le 1er mars lorsqu'elle fait allusion à cette couronne « mille fois plus riche » que celle que le roi reçut au sacre. L'ensemble a été repris dans l'article 51 de l'acte d'accusation du promoteur Jean d'Estivet :

> « Un ange donna le signe à son roi ; [...] ce signe, Jeanne a juré à sainte Catherine de n'en rien dire [...] L'ange a certifié à son roi en lui apportant la couronne qu'il aurait tout le royaume de France entièrement avec l'aide de Dieu. Quant à la couronne, elle fut remise à l'archevêque de Reims qui lui-même la reçut et la remit au roi en présence de Jeanne [...] L'ange vint par le commandement de Dieu [...] Il vint devant son roi et fit la révérence, en s'inclinant devant lui [...] Il y avait plusieurs autres anges en sa compagnie et aussi sainte Catherine et sainte Marguerite qui furent avec l'ange jusque dans la chambre de son roi [...] Quant à la couronne elle fut apportée de par Dieu, et il n'y a orfèvre au monde qui sût la faire si belle et si riche. »

Sur une nouvelle question, elle précise que la couronne « aura bonne odeur » pourvu qu'elle soit bien gardée.

La plupart de ces détails ont été donnés lors de l'interrogatoire du 13 mars au cours duquel Jeanne fait aussi la réponse sublime. Lorsque Jean de La Fontaine lui demande : « Pourquoi vous, plutôt qu'une autre ? », elle dit : « Il plut à Dieu ainsi faire par une simple Pucelle, pour rebouter les ennemis du Roi. »

L'ANGE ET LA COURONNE.

Le langage symbolique à propos de l'ange et de la couronne a déconcerté beaucoup d'historiens et de commentateurs. Il est pourtant dans l'esprit du temps, ou plutôt dans l'esprit des temps qui ont précédé et sont près de finir : un temps où d'instinct on préfère le symbole, qui paraît plus significatif que toute définition. Il nous est difficile d'entrer dans ce jeu, aujourd'hui où la définition rationnelle semble seule admise en matière d'exposé et de raisonnement, mais pour l'ensemble de l'âge féodal, c'est le symbole qui a été l'instrument même de l'échange, de la communication. C'est en cet âge féodal que le langage héraldique a connu son plein essor : un véritable langage de signes et de couleurs dont les règles ne se sont fixées, voire figées, que par la suite. Le parler populaire se ressent encore, à l'époque de Jeanne, du temps où la remise d'une motte de terre signifiait la vente d'un champ, l'acte écrit n'intervenant ensuite que pour mémoire ; n'en est-il pas resté quelque chose dans la poignée de main sur les marchés ? Le langage de l'image nous révèle à plein ce procédé mental. François Garnier, en l'étudiant à travers les illustrations de manuscrits, a ouvert une voie nouvelle aux recherches, demeurées si pauvres, sur la miniature : celle-ci ne tend à donner une description de la réalité qu'à partir des XIVe-XVe siècles. Jusqu'alors elle *signifie* cette réalité, parce que tout y est symbolique, parce qu'une main levée, l'index droit, signifie qu'on donne un ordre, que la taille différente des personnages indique leur rang dans la société, etc.

Il semble bien que, pour saisir l'apologue de l'ange et de la couronne, il faille se reporter à cette mentalité que ne connaissent déjà plus, à l'époque de Jeanne, les intellectuels, surtout ceux de l'Université parisienne. Leur langage est celui de la déduction, de la définition, de l'analyse, autrement dit le nôtre.

Et l'on imagine la prisonnière édifiant cet apologue dans sa solitude, travestissant à plaisir sa propre démarche et le sens de ce qu'elle est venue faire « en France » par l'image de l'ange apportant sa couronne au roi. Elle-même du reste donnera, et sans difficultés, semble-t-il, la « clé » de l'apologue en déclarant que, sous cette figure, c'était sa mission qu'elle entendait évoquer, et la couronne que reçut le roi qu'elle était venue, du commandement de Dieu, rétablir en son pouvoir.

Le « PROCÈS ORDINAIRE ».

Les interrogatoires à huis-clos se succèdent donc le samedi 10 mars, le lundi 12, matin et après-midi, le mardi 13, le mercredi 14, matin et après-midi, le jeudi 15, le samedi 17, également matin et après-midi ; Jean de La Fontaine, avec l'inquisiteur et plusieurs universitaires parisiens ainsi que Pierre Cauchon lui-même, reviennent encore se faire préciser quelques points le samedi 24 mars. L'évêque est encore là, le dimanche des Rameaux, 25 mars, avec Jean Beaupère, Nicolas Midy et deux autres dont les noms reviennent fréquemment : Pierre Maurice et Thomas de Courcelles, pour tenter de convaincre Jeanne de laisser son habit d'homme qui dans l'intervalle a souvent été évoqué dans les questions des juges sous le prétexte qu'on ne lui permettrait pas d'entendre la messe, ni de recevoir le sacrement de l'Eucharistie pour la fête de Pâques si elle gardait cet habit.

Après cette série d'interrogatoires, extrêmement serrés comme on le voit, le procès d'office — ce que nous appellerions l'instruction — est considéré comme terminé. Suivra, à partir du lundi 26 mars, le « procès ordinaire ». Et il est bon de se souvenir, en lisant ces pages, de la remarque sur laquelle insiste Pierre Tisset : Jeanne n'a pu être condamnée que sur ses propres paroles, puisque aucun chef d'accusation n'a été émis en ce qui la concerne et toutes les enquêtes auxquelles a pu se livrer Cauchon pendant les mois de janvier et février n'ont pu fournir matière à procéder contre elle.

On ne peut moins faire que de rappeler quelques-unes des paroles les plus saisissantes de la Pucelle au cours de ces interrogatoires du mois de mars. Ainsi, lorsque le juge lui rappelle l'épisode de ses pseudo-fiançailles :

> « Qu'est-ce qui vous poussa à faire citer un homme dans la ville de Toul pour cause de mariage ?

— Je ne le fis pas citer ; ce fut lui qui me fit citer, et là je jurai devant le juge de dire vérité : à cet homme, je n'avais pas fait de promesse. »

Et de rappeler que, dès qu'elle eut compris que c'était la voix d'un ange qui l'appelait dans le jardin de son père, elle avait voué sa virginité pour la garder aussi longtemps qu'il plairait à Dieu, et que c'était à l'âge de treize ans ou environ.

A la suite Jean de La Fontaine l'interroge sur son départ, sur son père, et sur sa mère à qui elle n'avait rien dit, et reçoit cette réponse sans réplique : « Puisque Dieu le commandait, eussè-je eu cent pères et cent mères, eussè-je été fille de roi, je serais partie. » Elle précisera, lorsqu'on revient sur l'interrogatoire dans l'après-midi de ce lundi 12 mars, qu'à son père et sa mère « elle obéissait en tout, sauf au procès qu'elle eut dans la ville de Toul pour cause de mariage ». Ce sont donc ses parents qui avaient arrangé ces « fiançailles » et sans nul doute à cause des inquiétudes que pouvait leur causer le comportement de leur fille. Elle s'en explique aussi :

« J'ai entendu dire à ma mère que mon père disait à mes frères : “ Vraiment, si je croyais que cette chose advînt, que je redoute au sujet de ma fille, je voudrais que vous la noyiez, et si vous ne le faisiez, je la noierais moi-même. ” »

Il avait maintes fois rêvé en effet que Jeanne sa fille s'en allait avec des gens d'armes, et l'on imagine l'interprétation que ce père pouvait donner à un tel rêve.

Elle est amenée aussi à s'expliquer sur le saut de Beaurevoir :

« Je ne le faisais pas par désespoir, mais dans l'espoir de sauver mon corps et d'aller secourir plusieurs bonnes gens qui étaient en nécessité. Et après le saut je m'en suis confessée et ai requis pardon du Seigneur.
— Vous a-t-on pour cela infligé pénitence ?

— Je portai une partie de la pénitence par le mal que je me fis en tombant ! »

C'est le bon sens même.

D'autres interrogatoires permettent de faire toute clarté sur des affaires comme celle de Franquet d'Arras qu'elle livra à la justice et à propos duquel visiblement elle n'éprouve pas le moindre trouble de conscience : il s'agissait d'un larron traître et meurtrier. Ou encore des questions secondaires comme une certaine haquenée achetée à l'évêque de Senlis et qui, déclare Jeanne, « ne valait rien à chevaucher ».

D'autres points plus importants sont soulevés, à travers lesquels s'éclaire pour nous la vie mystique de Jeanne. Ainsi, au cours de l'interrogatoire du mardi 14 mars au matin, s'explique-t-elle, semble-t-il, presque spontanément, sur ses entretiens avec ses voix :

> « Sainte Catherine m'a dit que j'aurais secours ; et je ne sais si ce sera en étant délivrée de prison ou quand je serai en jugement, s'il survenait un trouble par le moyen duquel je pourrais être délivrée, et je crois que ce sera l'un ou l'autre. Mais le plus souvent me disent mes voix que je serai délivrée par grande victoire ; et ensuite me disent mes voix : “ Prends tout en gré, ne te chaille de ton martyre, tu t'en viendras enfin au Royaume de Paradis. ” Et cela, mes voix me le disent simplement et absolument, c'est à savoir sans faillir. J'appelle cela martyre pour la peine et adversité que je souffre en prison et ne sais si j'en souffrirai de plus grande, mais je m'en rapporte en tout à Notre Seigneur. »

Jeanne n'ira jamais plus loin dans les confidences sur ses voix que lors de cette émouvante évocation qui la fait passer de ce qu'elle-même souhaite ou désire à l'annonce du sort qui l'attend et qu'elle pressent malgré elle lorsqu'elle prononce le mot de martyre. Elle voudrait lui donner une autre interprétation, mais l'avertissement des voix l'entraîne au-delà d'elle-même. La question lui est alors posée :

« Est-elle assurée d'être sauvée ?
— Je crois fermement ce que mes voix m'ont dit, à savoir que je serai sauvée, aussi fermement que si j'y étais déjà.
— Après cette révélation, croyez-vous que vous ne puissiez pécher mortellement ?
— Je n'en sais rien, mais du tout je m'en rapporte à Dieu.
— Cette réponse est de grand poids.
— Aussi je la tiens pour un grand trésor. »

L'interrogatoire se clôt sur cette parole qui a dû peser sur la détermination de Jean de La Fontaine lorsqu'il prit le parti de quitter Rouen après avoir tenté de conseiller Jeanne.

« Je serais morte, n'était la voix qui me réconforte chaque jour. »

Il apparaît en tous cas bien clairement que Jeanne a constamment eu dans sa prison le secours de ses voix auxquelles elle se réfère ; « et même, j'en ai bien besoin », soupire-t-elle certain jour. Ou encore : « Je serais morte, n'était la voix qui me réconforte chaque jour. »

Cette assistance quotidienne rend mieux compte de la foi inébranlable de Jeanne. Une foi qui a la solidité du diamant : étymologiquement, *diamant* signifie *indomptable.* La foi de Jeanne possède bien cette qualité, indomptable, imperméable à toute idéologie (« Je ne vous dis rien que je prenne en ma tête »), transparente, cristalline ; et avec cela d'une absolue simplicité. Ce que reflète sa prière, car elle nous livre, d'ailleurs sans aucun embarras, sa prière, le mercredi 28 mars : « Très doux Dieu, en l'honneur de votre Sainte Passion, je vous requiers, si vous m'aimez, que vous me révéliez comment je dois répondre à ces gens d'Église. Je sais bien, quant à l'habit, le commandement comment je l'ai pris ; mais je ne sais point par quelle manière je le dois laisser. Pour ce, plaise vous à moi l'enseigner. »

Le greffier a pris soin de laisser cette prière en français, telle donc que Jeanne l'a dite.

C'EST TOUT UN, DE DIEU ET DE L'ÉGLISE.

Dans le même ordre d'idée, il y a l'étonnante familiarité avec ce monde des anges, déconcertant pour notre univers, lequel ne connaît plus que les extraterrestres. De ce point de vue les paroles de Jeanne semblent encore l'apparenter à une héroïne de la Bible, puisque le Nouveau comme l'Ancien Testament rappellent constamment la présence des anges qui, dans la création, semblent équilibrer l'univers animal et environnent l'homme d'un autre univers d'ordre strictement spirituel. C'est le 12 mars, vers la fin de la matinée, qu'elle fait cette confidence surprenante à propos des anges : « Ils viennent beaucoup de fois entre les chrétiens, qu'on ne les voit pas ; et je les ai beaucoup de fois vus entre les chrétiens. » Il est douteux que les anges puissent entrer dans les catégories admises par les universitaires, mais d'autre part, ce n'est pas sur la croyance aux anges qu'un tribunal d'Inquisition pouvait poursuivre un accusé en tant qu'hérétique !

En revanche, Cauchon se crut sans doute tout près de triompher lorsqu'il fut question d'Église militante. Le 15 mars, en effet, Jean de La Fontaine ouvrit l'interrogatoire en demandant :

> « S'il arrive que vous avez fait quelque chose qui soit contre la foi, voulez-vous vous en rapporter à la détermination de notre sainte Mère l'Église, à laquelle vous devez vous en rapporter ?
>
> — Que mes réponses soient vues et examinées par

Dessin à la plume par Clément Fauquembergue, greffier au Parlement de Paris (10 mai 1429). Bibliothèque de l'Assemblée nationale. *Document C.J.A. d'Orléans.*

Charles VII et son Conseil ; Jeanne apparaît en bas à droite. Miniature des *Chroniques de Charles VII* par Jean Chartier (xve siècle) Rouen, B.N., Ms 112. *Document C.J.A. d'Orléans.*

Jeanne à l'Étendard.
Miniature de la fin du XVe siècle, Paris, Archives nationales. *Document C.J.A. d'Orléans.*

Jeanne d'Arc.
Gravure de Couché-Fils d'après Vauzelles, dérivée du Portrait des Échevins. Extrait de l'ouvrage de Lebrun des Charmettes. *Document C.J.A. d'Orléans.*

Une Jeanne d'Arc peu connue du XVIIe siècle. Peinture de l'École française.
Galerie des Illustres, Beauregard-en-Blésois. Photo Éditions Combier.

La Pucelle.
Gravure du XVIIIe siècle extraite de *La Galerie des femmes fortes* de Le Moyne.
Document C.J.A. d'Orléans.

Jeanne d'Arc : Gravure de Chaussard (1806) d'après la statue de Gois. *Document C.J.A. d'Orléans.*

Jeanne d'Arc à Sully. Lithographie d'Albert Ligier (fin XIXe s.). *Document C.J.A. d'Orléans.*

Jeanne d'Arc, la Pucelle d'Orléans.
Statue par Marie d'Orléans (début XIXe s.). *Document C.J.A. d'Orléans.*

"Sur la route de la victoire". Carte postale patriotique (1916). *Document C.J.A. d'Orléans.*

Jeanne d'Arc : gravure d'Albert Decaris (xxe siècle). *Document C.J.A. d'Orléans.*

Lettre de Jeanne d'Arc aux habitants de Riom (9 novembre 1429). Signature autographe. *Document C.J.A. d'Orléans.*

> des clercs et qu'on me dise ensuite s'il y a là quelque chose qui soit contre la foi chrétienne [...] S'il y a quelque chose de mal contre la foi chrétienne que Dieu ordonne, je ne voudrais pas le soutenir et je serais bien irritée de venir au contraire. »

Est-ce lui, ou l'un ou l'autre des deux universitaires présents — Nicolas Midy et Gérard Feuillet — qui entreprend d'exposer à l'accusée la différence entre Église triomphante et Église militante ? Jeanne qui, elle, n'est pas familière avec les catégories abstraites, répond seulement : « Je ne vous répondrai pas autre chose pour le présent. »

Mais ayant compris sans doute qu'ils tenaient là une question-clé, les juges allaient y revenir inlassablement. Plus de vingt fois par la suite on évoquera cette soumission à l'Église. Le 17 mars, elle aura une réponse qui eût emporté toute hésitation pour des juges de bonne foi : « M'est avis que c'est tout un, de Dieu et de l'Église, et qu'on n'en doit pas faire de difficulté. Pourquoi faites-vous difficulté que ce soit tout un ? »

Et l'on recommence à définir pour elle cette Église militante dont visiblement Jeanne redoute qu'on ne désigne par là les ecclésiastiques qui la tourmentent, notamment cet évêque qui se dit son juge. On insistera, en lui demandant si elle se sent tenue de dire toute la vérité au pape. A quoi elle réplique : « Menez moi devant notre seigneur pape, et je lui répondrai sur tout ce que je devrai répondre. »

La soumission à l'Église militante.

Lorsque commence le procès ordinaire, Cauchon sait qu'il tient un chef d'accusation valable : la soumission à l'Église militante. Jean de La Fontaine, nous l'avons vu, a dès lors cessé de l'interroger ; il est encore présent, pourtant, le mardi 27 mars, lorsque, « dans la chambre près la grand'salle du château de Rouen », une nouvelle séance publique a lieu, au cours de laquelle Pierre Cauchon fait appel aux assesseurs pour qu'ils donnent leur avis sur le libelle qu'entre-temps a rédigé le promoteur. Le premier à s'exprimer s'appelle Nicolas de Venderès, chanoine de Rouen, licencié en droit canon. Il est très assidu aux séances qui vont suivre et jouera par la suite un rôle actif. Pour lui il faut contraindre l'accusée à prêter serment : si elle refuse, elle doit être excommuniée. La Fontaine déclare se ranger à son avis, et la plupart des autres assesseurs demandent qu'on lise à Jeanne les articles rédigés par le promoteur avant de la déclarer excommuniée. Quelques-uns même, comme Pierre Miget, prieur de Longueville, un bénédictin très assidu au procès, qui pourtant votera pour l'abandon au bras séculier, déclare que sur les articles sur lesquels Jeanne ne pourrait répondre, on ne saurait lui imposer de répondre par oui ou par non comme il est d'usage.

Les articles du libelle sont lus à l'accusée les 27 et 28 mars : soixante-dix articles dus à la plume verbeuse, ampoulée et solennelle de Jean d'Estivet, celui qu'on avait surnommé *Bénédicité* à cause de son langage ordurier. On y retrouve la plupart des questions posées à Jeanne, démesurément grossies et sans tenir compte des réponses faites à l'audience. Ainsi, pour donner un exemple de l'article 7 : « Jeanne eut parfois coutume de porter une mandragore dans son sein, espérant par ce moyen avoir une fortune prospère en richesses et choses temporelles, affirmant qu'une mandragore de ce genre avait vigueur et effet. » Le procès-verbal contient néanmoins l'énergique réponse de l'accusée : « Cet article sur la mandragore, elle le nie tout à fait. » De même l'un des articles suivants, à propos du jeune homme devant l'official de Toul pour cause de mariage : « Pour la poursuite de ce procès, elle alla plusieurs fois à Toul, et exposa à cette occasion quasiment tout ce qu'elle avait », etc., etc. Le libelle est entièrement conçu dans cet esprit si l'on peut dire. Mieux encore, à propos de l'habit d'homme que l'article 13 reproche à Jeanne d'avoir porté (habit d'homme « court, réduit et dissolu »), la réponse catégorique qui figure sur la minute française du procès n'a pas été insérée dans le procès-verbal latin *.

Il est à remarquer que dans ce libelle, l'habit d'homme tient une place croissante, et cet habit que Jeanne a considéré comme tout naturel — et de même les habitants de Vaucouleurs, ses compagnons du premier voyage, le roi, les prélats même du procès de Poitiers — devient obsédant pour les juges. Le 15 mars, on était allé jusqu'à exercer, nous l'avons vu, une sorte de chantage : la Semaine Sainte approchant, on offrait à Jeanne de pouvoir entendre la messe si elle consentait à se dépouiller de l'habit d'homme. A quoi, elle avait fini par offrir : « Faites-moi faire un habit long jusqu'à terre, sans queue, et donnez-le moi pour aller à la messe. » Ou encore : « Donnez-moi un habit à la manière d'une fille de bourgeois, à savoir une houppelande longue, et semblablement un chaperon de femme, et je les prendrai pour entendre la messe. » Mais cela sans résultat.

Enfin il faut signaler les articles totalement mensongers et contraires aux déclarations de Jeanne ; ainsi du 56e : « Jeanne s'est plusieurs fois vantée d'avoir deux conseillers qu'elle appelle “ conseillers de la fontaine ” qui vinrent à elle après qu'elle fut prise. » Et d'ajouter — ce qui est conforme à l'obsession des juges — qu'au dire de Catherine de La Rochelle, « Jeanne sortirait des prisons par l'aide du diable si elle n'était pas bien gardée ». On conçoit que « à cet article Jeanne répondit qu'elle s'en tient à ce qu'autrefois elle en a dit, et quant aux conseillers de la fontaine, elle ne sait ce que c'est ». Et encore, et toujours dans le même ordre d'idées, qu'elle aurait fait couler de la cire fondue sur la tête des petits enfants pour opérer « par ce sortilège » de nombreuses « divinations ». Imperturbablement, elle nie les prétendus actes de divination et renvoie à ce qu'elle a répondu. Dans ce libelle, frauduleux sur bien des points, sont enfin ajoutées des réponses de Jeanne faites par la suite, le 18 avril ou plus tard. Les derniers articles insistent sur la soumission à l'Église militante :

« Pourvu qu'elle ne me commande quelque chose impossible à faire, et ce que j'appelle impossible, c'est que je révoque les faits que j'ai faits et dits et ce que j'ai déclaré dans ce procès à propos des visions et révélations qui m'ont été faites de par Dieu ; je ne les révoquerai pour quoi que ce soit ; ce que Notre Seigneur m'a fait faire et commandé et commandera, je ne manquerai à le faire pour homme qui vive, et au cas que l'Église voudrait que je fasse autre chose au contraire du commandement qui m'a été fait par Dieu, je ne le ferais pour quoi que ce soit.
— Si l'Église militante vous dit que vos révélations sont illusions ou choses diaboliques, vous en rapporterez-vous à l'Église ?
— De cela je m'en rapporterai toujours à Dieu dont j'ai toujours fait le commandement, et je sais bien que ce qui est contenu au procès vient par le commandement de Dieu, et ce que j'affirme dans ce procès avoir fait par commandement de Dieu, il m'eût été impossible d'en faire le contraire. Et au cas que l'Église militante me commanderait de faire le contraire, je ne m'en rapporterais à homme au monde, hors à notre Sire, dont j'ai toujours fait le bon commandement.
— Croyez-vous que vous n'êtes pas soumise à l'Église de Dieu qui est sur terre, c'est-à-dire à notre seigneur le pape, aux cardinaux, archevêques, évêques et autres prélats de l'Église ?
— Oui, notre Sire premier servi.
— Avez-vous commandement de vos voix de ne pas vous soumettre à l'Église militante qui est sur terre ni à son jugement ?
— Je ne répondrai autre chose que je prenne en ma tête, mais ce que je réponds, c'est du commandement de mes voix ; elles ne me commandent pas que je n'obéisse à l'Église, Dieu premier servi. »

Le 31 mars, Jeanne avait été de nouveau interrogée à huis clos dans la salle où elle était emprisonnée et l'interrogatoire avait porté plus spécialement sur l'obéissance à l'Église. Les jours suivants, du 2 au 7 avril, furent consacrés à la rédaction de douze articles extraits des soixante précédents, qui devaient être envoyés aux docteurs et prélats appelés en consultation, selon les usages de l'Inquisition, car on devait soumettre les chefs d'accusation et le résumé des audiences à des docteurs étrangers au procès afin qu'ils se prononcent sur le degré de culpabilité de l'accusée.

Jeanne avait dû passer ce jour de Pâques dans sa lugubre prison sans pouvoir entendre la messe. C'était, cette année-là, en ce jour de Pâques, le 1er avril, qu'on changeait de millésime, et dorénavant les actes du procès portent la date de 1431. Les articles furent d'abord soumis pour délibération à un certain nombre d'assesseurs parmi lesquels on retrouve, bien entendu, les délégués de l'Université de Paris plus deux prélats anglais, Guillaume Haiton, l'un de ceux qui avaient négocié en 1419 le mariage d'Henry V avec Catherine de France et Richard Prati qui devait mourir évêque de Chichester. On peut noter aussi la présence de Frère Isambart de La Pierre, un dominicain, qui a souvent comparu dans les interrogatoires à huis-clos à partir du 10 mars.

TENTATIVE D'EMPOISONNEMENT ?

La séance d'interrogatoire suivante a lieu le mercredi 18 avril dans la prison de Jeanne. Elle est alors malade, et Cauchon croit bon de lui dire « que les docteurs et maîtres venaient à elle familièrement et charitablement la visiter dans sa maladie pour la consoler et la réconforter ».

Nous avons quelques détails sur cette défaillance de santé par deux des médecins qui la visitèrent et qui ont rappelé leurs souvenirs à l'époque du procès en nullité. Ainsi Jean Tiphaine, propre médecin de la duchesse de Bedford et d'ailleurs convoqué comme assesseur au procès :

« Quand Jeanne fut malade, les juges m'ont mandé de la visiter et j'ai été conduit vers elle par le nommé d'Estivet. En présence de d'Estivet, de maître Guillaume de La Chambre, maître en médecine, et de plusieurs autres, je lui ai tâté le pouls pour savoir la cause de sa maladie, et je lui ai demandé ce qu'elle avait et où elle avait mal. Elle m'a répondu qu'une carpe lui avait été envoyée par l'évêque de Beauvais, qu'elle en avait mangé et qu'elle pensait que c'était la cause de sa maladie. Alors d'Estivet la rabroua, disant que c'était faux ; et il l'appela paillarde, disant : " C'est toi, paillarde, qui as mangé de l'alose et d'autres choses qui t'ont fait du mal " ; elle répondit que non, et il y eut beaucoup de paroles injurieuses échangées entre Jeanne et d'Estivet. Par la suite, voulant en savoir davantage sur la maladie de Jeanne, j'ai entendu dire par des gens qui étaient là qu'elle avait eu beaucoup de vomissements. »

Cette carpe à laquelle Jeanne attribue son indisposition pose aussi quelques questions à l'historien. Jusqu'alors, en effet, on ne voit pas que Jeanne, dont la constitution était exceptionnellement robuste, ait jamais été incommodée, en dépit des fatigues et des conditions inconfortables et souvent exténuantes de ses chevauchées et de ses campagnes ainsi que de son emprisonnement. La fureur de d'Estivet devant cette assertion rend l'épisode suspect. Pierre Cauchon aurait-il eu l'idée d'un expédient pour en finir avec ce procès décevant ?

Empoisonnement ou intoxication accidentelle ? On ne le saura jamais au juste. Pour cet homme toujours pressé et pressant dans chacune de ses actions — qu'il s'agisse d'obtenir qu'on lui livre ou non une prisonnière ou d'aller lui-même récolter l'argent promis par les États de Normandie —, on conçoit que le « procès » dans lequel il s'était engagé, lui ait paru alors aboutir à une impasse. De là à imaginer un accès d'impatience...

Mais les Anglais, eux, pensaient tout autrement. C'est ce

dont témoigne l'autre médecin convoqué pour examiner Jeanne, Guillaume de La Chambre :

> « En ce qui concerne sa maladie, le cardinal d'Angleterre et le comte de Warwick m'envoyèrent chercher. J'ai comparu devant eux, avec Maître Guillaume Desjardins, maître en médecine, et d'autres médecins. Alors le comte de Warwick nous dit que Jeanne avait été malade, à ce qu'on lui avait rapporté, et qu'il nous avait fait mander pour que nous prenions soin d'elle, car pour rien au monde le roi ne voulait qu'elle meure de sa mort naturelle. Le roi en effet la tenait pour chère, et l'avait cher achetée, et il ne voulait pas qu'elle meure, si ce n'est des mains de la justice, et qu'elle fût brûlée ; et nous fîmes tant, la visitant avec soin, qu'elle guérit. J'allai la voir ainsi que Maître Guillaume Desjardins et les autres. Nous la palpâmes du côté droit et la trouvâmes fiévreuse ; c'est pourquoi nous décidâmes de la saigner ; en rendant compte de la chose au comte de Warwick, il nous dit : " Faites attention à la saignée, car elle est rusée et pourrait se tuer. " Néanmoins elle fut saignée, ce qui la soulagea immédiatement ; une fois ainsi guérie, un certain Maître Jean d'Estivet survint, qui échangea avec Jeanne des paroles injurieuses et l'appela : putain, paillarde ; Jeanne en fut fort irritée, si bien qu'elle eut de nouveau la fièvre et retomba malade. »

Cauchon pouvait se dire que bien des voix discordantes se faisaient entendre. Certes l'Université de Paris, consultée le 12 avril, abondait dans son sens et prenait à la lettre les articles rédigés par d'Estivet. Et de même une bonne partie des assesseurs : l'évêque de Lisieux, Zanon de Castiglione, celui de Coutances, Philibert de Montjeu, l'abbé de Fécamp, Gilles de Duremort et son aumônier Jean de Bouesgue — tous personnages qui émargeaient aux comptes du roi d'Angleterre — approuvaient sans réserves ses positions. Mais il n'en était pas de même des abbés de Jumièges et de Cormeilles, Nicolas Le Roux, et Guillaume

Bonnel, qui écrivirent d'abord pour demander que tout le Procès fût porté devant l'Université de Paris, puis pour que Jeanne fût mieux instruite de la question et qu'on lui relût les articles en français en lui expliquant nettement le danger qu'elle courait. Par ailleurs, onze avocats de l'officialité de Rouen eux aussi exprimèrent des réserves, et trois des assesseurs — Pierre Minier, Jean Pigache et Richard du Grouchet — protestèrent que les révélations de Jeanne ne sauraient être interprétées en mauvaise part. Un autre encore, Raoul le Sauvage, estima que le Procès devait être soumis au Saint-Siège.

Visiblement on ne connaît pas encore à Rouen la mort du Pape Martin V, survenue le 20 février de cette année 1431, ni l'accession, le 3 mars suivant, d'Eugène IV qui pendant tant d'années va se heurter aux pères du concile de Bâle, parmi lesquels figureront la plupart des assesseurs au procès de Jeanne d'Arc, Thomas de Courcelles en tête.

Et il y a l'hostilité à peine voilée du chapitre de Rouen ; lors d'une première réunion, le 13 avril, les chanoines ont prétexté qu'ils n'étaient pas assez nombreux pour délibérer valablement. Le lendemain, ils se sont accordés pour dire que les douze articles devaient être lus à Jeanne en français, et qu'elle devait être mieux informée sur tout ce qui concerne la soumission à l'Église militante. Il est assez significatif que cette lettre-là n'ait pas été retenue dans le texte du Procès, pas plus qu'une autre, de l'évêque d'Avranches, Jean de Saint-Avit, formellement défavorable au procès en général — comme quelques autres clercs de Rouen, par exemple Jean Lohier, ou Maître Nicolas de Houppeville, qu'on allait tout simplement faire jeter en prison.

Bref, l'unanimité n'était pas faite sur le cas de Jeanne la Pucelle, et comme chef d'accusation que restait-il, tout bien considéré ? La soumisssion à l'Église militante, bien sûr. Mais Jeanne venait d'être informée par Jean de La Fontaine et deux religieux — dont l'un sans doute n'était autre qu'Isambart de La Pierre — de modifier son attitude à ce sujet. Quant à l'habit d'homme, c'était, chacun pouvait le sentir et Cauchon mieux que personne, un piètre motif de condamnation.

Pourtant, la volonté des occupants anglais était bien nette : Jeanne devait être formellement condamnée, ce qui entraînerait pour Charles VII déshonneur et désaveu. Cauchon aurait failli à sa tâche s'il n'avait pas poursuivi son dessein.

La séance du 18 avril était consacrée à ce qu'on appelait « admonitions charitables » dans le vocabulaire de l'Inquisition. Peut-être aussi espérait-on que dans son état de faiblesse Jeanne serait amenée à une parole compromettante. Déception : elle remercie l'évêque de ce qu'il lui dit « pour son salut » et ajoute :

> « Il me semble, vu la maladie que j'ai, que je suis en grand péril de mort ; et s'il est ainsi, que Dieu veuille faire de moi son plaisir, je demande à avoir confession et le sacrement de l'Eucharistie et à être enterrée en terre sainte. »

Prenant occasion de cette demande l'évêque poursuit :

> « Puisque vous demandez que l'Église vous donne le sacrement de l'Eucharistie, voulez-vous vous soumettre à l'Église militante ? Et on vous promettrait de vous remettre ce sacrement.
> — Quoi qu'il doive arriver, je ne ferai ou dirai autre chose que ce que j'ai dit auparavant au procès. Je suis bonne chrétienne, et bien baptisée, et mourrai en bonne chrétienne [...] Quant à Dieu, je l'aime, je le sers, je suis bonne chrétienne et je voudrais aider et soutenir l'Église de tout mon pouvoir.
> — Voulez-vous, qu'on ordonne une belle et notable procession pour vous ramener en bon état si vous n'y êtes pas ?
> — Je veux bien que l'Église et les catholiques prient pour moi. »

Jeanne semble rétablie lorsque a lieu la seconde « admonition charitable », le mercredi 2 mai ; c'est alors Maître Jean de Châtillon, un bachelier en théologie de l'Université de Paris, ami de Cauchon et de Beaupère, qui l'interroge. A propos de l'Église militante, elle répond sans équivoque :

> « Je crois bien à l'Église d'ici-bas [...] Je crois bien que l'Église militante ne peut errer ni faillir ; mais quant à mes dits et mes faits je les mets et m'en rapporte entièrement à Dieu qui m'a fait faire ce que j'ai fait. »

Et lorsqu'on lui parle du pape, elle répond : « Menez-moi à lui et je lui répondrai. »

Huit jours plus tard, Jean Massieu venait à nouveau chercher Jeanne. Il ne la conduisit pas dans la salle d'audience habituelle, mais dans la grosse tour du château, celle qui subsiste encore dûment restaurée — il s'agit en fait, on l'a vu, de l'ancien donjon. Jeanne allait se trouver face à face avec Cauchon et quelques assesseurs qu'elle avait déjà vus à plusieurs reprises : Jean de Châtillon, Guillaume Érard, André Marguerie, Nicolas de Venderès, l'Anglais Guillaume Haiton, le trop bien connu Nicolas Loiseleur, Aubert Morel, avocat à la cour de Rouen, ainsi que le bénédictin Jean Dacier, abbé de Saint-Corneille de Compiègne. Et il y avait aussi quelqu'un que Jeanne ne connaissait pas, Maugier Leparmentier, le bourreau, avec son aide. Cette fois c'était de la torture qu'on la menaçait :

> « Vraiment, déclare Jeanne, si vous deviez me faire arracher les membres et faire partir l'âme du corps, je ne vous dirai pas autre chose ; et si je vous en disais quelque chose, après je dirai toujours que vous me l'auriez fait dire par force. »

Si habitués qu'ils fussent aux réactions de la Pucelle, ils

ne s'attendaient visiblement pas à cette réponse. Cauchon décida de surseoir et de faire approuver sa démarche par d'autres personnages, plus nombreux. A cet effet il réunit, le samedi suivant dans sa maison, une douzaine d'assesseurs, sur lesquels trois seulement déclarèrent qu'il leur paraissait « expédient » de mettre Jeanne à la torture pour « savoir la vérité sur ses mensonges » : Aubert Morel, Thomas de Courcelles et Nicolas Loiseleur, dont on pouvait évidemment tout attendre. Il semble que Cauchon ait été sensible au raisonnement avancé par Raoul Roussel qui, interrogé le premier, déclara s'opposer à la torture « afin qu'un procès aussi bien fait que l'avait été celui-ci ne puisse être calomnié ».

Ce qui allait se passer le lendemain ne se trouve pas dans les procès-verbaux officiels et pour cause. Jeanne n'allait pas moins y être mêlée. Le dimanche 13 mai, en effet, Richard Beauchamp, comte de Warwick, donnait un grand dîner auquel il avait invité plusieurs personnalités mêlées à son histoire. Son fameux Livre de Comptes (*Beauchamp Household Book* publié récemment par Marie-Véronique Clin) consacre deux pages aux achats faits pour la table ce jour-là, au lieu d'une seule généralement, et mentionne les fraises à la crème — les premières de la saison — qui furent servies au dessert. Nul doute que les vins mentionnés aussi n'aient été servis en abondance à la table que présidait sa fille Margaret Beauchamp, épouse de John Talbot, qui était toujours prisonnier depuis Patay. Quelque peu excités sans doute à la fin de ce repas d'apparat, les invités décidèrent de se rendre dans la pièce où Jeanne était emprisonnée. Et c'est ainsi qu'elle vit entrer Jean de Luxembourg, son frère Louis, l'évêque de Thérouanne, Humphrey comte de Stafford, des familiers du château, et le comte de Warwick lui-même, accompagné d'un chevalier bourguignon qu'elle connaissait pour l'avoir déjà rencontré : Aimond de Macy. En réalité il y avait aussi à table, expressément mentionnés sur le Livre de Comptes, l'évêque de Beauvais, Pierre Cauchon, et l'évêque de Noyon, Jean de Mailly. Mais ils n'avaient pas jugé opportun de se rendre chez la prisonnière... Aimond de Macy a rapporté la scène :

> « [Ligny] s'adressa à Jeanne en lui disant : " Jeanne, je suis venu ici pour vous mettre à rançon pourvu que vous vouliez bien promettre que vous ne vous armerez jamais contre nous ". Elle répondit : " En nom Dieu, vous vous moquez de moi, car je sais bien que vous n'en avez ni le pouvoir, ni le vouloir. " Et elle répéta cela à plusieurs reprises, parce que le comte persistait dans ses dires ; et elle dit ensuite : " Je sais bien que ces Anglais me feront mourir, parce qu'ils croient après ma mort gagner le royaume de France. Mais seraient-ils cent mille Godons de plus qu'ils ne sont à présent, ils n'auront pas le royaume. " A ces paroles le comte de Stafford fut indigné et tira sa dague à moitié pour la frapper, mais le comte de Warwick l'en empêcha. »

Aimond de Macy semble avoir été attiré par Jeanne, plus qu'il ne l'eût souhaité, car lui-même a raconté qu'il l'avait vue pour la première fois quand elle était en prison au château de Beaurevoir, et qu'à plusieurs reprises il avait conversé avec elle.

> « J'ai tenté plusieurs fois, jouant avec elle, de lui toucher les seins, essayant de mettre ma main sur sa poitrine, ce que Jeanne ne voulait souffrir, mais elle me repoussait de tout son pouvoir. Jeanne était en effet d'honnête tenue, tant dans ses paroles que dans ses gestes. »

Aimond l'avait revue une fois au château du Crotoy et il avait été édifié par ce que disait d'elle le chancelier de l'église d'Amiens, Nicolas de Queuville, qui plusieurs fois était venu célébrer dans la prison la messe à laquelle Jeanne assistait : « Il disait beaucoup de bien de Jeanne », raconte-t-il. Le chevalier bourguignon prolongea son séjour à Rouen ; il était présent un peu plus tard, lors de la scène de « l'abjuration de Saint-Ouen »...

Les douze articles.

Visiblement, lors de ce repas du 13 mai, Warwick avait fait entendre fermement à l'évêque de Beauvais que ce procès avait assez duré. D'autre part, le lendemain 14 mai, le recteur et l'Université de Paris faisaient tenir des lettres à Pierre Cauchon pour lui dire qu'après de nombreuses consultations et très sérieuses délibérations provoquées par la visite de Jean Beaupère, Nicolas Midy et Jacques de Touraine, qui leur avaient communiqué les douze articles rédigés sur le libelle de d'Estivet, ils avaient enfin émis « un unanime consentement » et qu'il fallait agir de façon « à ce que cesse l'injuste et scandaleuse démoralisation des peuples » provoquée naturellement par « une femme du nom de Jeanne que l'on appelle " La Pucelle " ». Suivaient des commentaires sur les douze articles, qui bien évidemment la déclaraient apostate, menteuse, schismatique et hérétique. Pierre Cauchon se hâta alors, le samedi 19 mai, de réunir à nouveau les assesseurs pour qu'ils délibèrent à leur tour sur les conclusions de ces maîtres des vénérables facultés de Théologie et Décret (Droit canon) de « Notre mère l'Université de Paris ». Une fois de plus, le mercredi suivant, Jeanne fut admonestée dans les formes et répondit dans sa manière à elle :

> « La manière que j'ai toujours dite et tenue en ce procès, je la veux maintenir et, si j'étais en jugement et que je voie le feu allumé, et les bourrées prêtes et les bourreaux prêts à bouter le feu, et que je sois dedans le feu, je n'en dirais pourtant autre chose et soutiendrai ce que j'ai dit au procès jusqu'à la mort. »

C'est à Maître Pierre Maurice qu'elle fit cette réponse, le jeune maître frais émoulu de la licence de théologie (il avait été reçu premier au mois de janvier de l'an 1429 et moins de six mois plus tard, en mai 1429, il était également premier à la maîtrise), brillant sujet comme on le voit. Il est probable que cette réponse dût l'impressionner. Sa jeunesse était-t-elle accessible à la pitié ? Toujours est-il qu'au dernier moment, s'étant rendu dans la prison de Jeanne alors que celle-ci vient d'apprendre de quelle mort elle va périr, et s'écrie : « Maître Pierre, où serai-je ce soir ? » Pierre Maurice sait trouver la réponse qu'il faut : « N'avez-vous pas bon espoir en Dieu ? »

AU CIMETIÈRE DE SAINT-OUEN.

Cependant, Cauchon avait décidé d'organiser, le jeudi 24 mai, après la fête de la Pentecôte, une mise en scène destinée à impressionner la prisonnière. Dans le cimetière de l'abbaye Saint-Ouen, plusieurs tribunes furent dressées, l'une destinée à Jeanne, les autres aux assesseurs présents sous la présidence du cardinal Henri Beaufort, l'évêque de Winchester en personne, s'y trouvaient aussi Louis de Luxembourg, Jean de Mailly, l'évêque de Norwich et William Alnwick, secrétaire privé des deux rois Henry V et Henry VI ; c'était lui qui était chargé de l'office, important entre tous, de conserver leur sceau. Il y avait aussi là huit abbés d'abbayes Normandes, puisqu'à ceux de Fécamp, de Cormeilles et de Jumièges s'étaient joints ceux de Saint-Ouen, du Bec-Helloin, de Mortemer, de Préaux et aussi du Mont-Saint-Michel, Robert Jolivet, le seul à avoir fui la vaillante abbaye qui résistait et devait demeurer pendant quarante ans libre et fidèle en dépit des assauts et des menaces des Anglais installés sur la côte. Maître Guillaume Érard, chanoine de Rouen, lui aussi maître de l'Université parisienne et que le roi d'Angleterre devait charger de représenter ses intérêts quatre ans plus tard aux négociations d'Arras, fit à l'adresse de Jeanne une solennelle prédication, dont plusieurs témoins interrogés au procès de nullité se rappelaient quelques passages, en particulier Frère Isambard et Martin Ladvenu, autre dominicain au couvent de Rouen. Celui-ci raconte comment le prédicateur s'écria : « Ô Maison de France ! Tu n'avais jamais connu de monstre jusqu'ici ! Mais à présent te voilà déshonorée en prêtant foi à cette femme, magicienne, hérétique, superstitieuse. » Jeanne alors l'avait interrompu, s'écriant : « Ne parle point de mon roi, il est bon chrétien. » Le mieux placé pour raconter la scène est évidemment l'huissier Jean Massieu qui se trouvait à côté de Jeanne, sur la même estrade, et à qui le prêcheur fit signe : « Fais-la taire. » Sa prédication achevée, Guillaume Érard s'adressa directement à Jeanne :

> « Voici mes seigneurs les juges qui plusieurs fois vous ont sommée de soumettre tous vos dits et faits à Notre Sainte Mère l'Église, en vous expliquant et remontrant, qu'en vos dits et faits il y avait plusieurs choses qui, à ce qu'il semble aux clercs, n'étaient pas bonnes à dire et soutenir.
> — Je vous répondrai. Quant à ce qui est de la soumission à l'Église, j'ai répondu à ce point : de toutes les œuvres que j'ai faites, qu'il soit envoyé à Rome vers Notre Saint-Père le Souverain pontife ; à qui, et à Dieu en premier, je me rapporte. Quant à mes dits et faits, je les ai faits de par Dieu, et je n'en charge personne, ni mon roi, ni autre. S'il y a quelque faute, c'est à moi et non autres. »

Et à une nouvelle question, elle persiste : « Je m'en rapporte à Dieu et à notre Saint Père le Pape » — on a plusieurs exemples de procès d'Inquisition dans lesquels l'appel du pape a suffi à interrompre la procédure.

LA CÉDULE.

Par trois fois Guillaume Érard répéta son exhortation, tandis que Jean Massieu tendait à Jeanne une cédule, c'est-à-dire une lettre d'abjuration, en la pressant de signer. A ce moment, raconte Jean Massieu,

> « il y eu grand murmure parmi ceux qui étaient présents. Au point que j'ai entendu [l'évêque Cauchon] dire à quelqu'un : " Vous ferez réparation pour cela "... Pendant ce temps j'avertissais Jeanne du péril qui la menaçait, au sujet de la signature de cette cédule et je voyais bien que Jeanne ne comprenait pas cette cédule. »

Cependant, à l'appel du Pape, on ne faisait d'autre réponse que de dire « qu'il était impossible d'aller chercher Notre-Seigneur le Pape aussi loin ». Jeanne ayant, au témoignage de Massieu, demandé que la cédule soit vue des clercs et qu'ils donnent conseil, Guillaume Érard répondit : « Fais-le maintenant, sinon aujourd'hui tu finiras tes jours par le feu ».

Aimond de Macy, qui était présent, déclare que c'est le secrétaire du roi d'Angleterre, Laurent Calot — bien connu par ailleurs puisqu'on le voit souvent figurer au château parmi les hôtes de Warwick — qui tira de sa manche une petite cédule et la tendit à Jeanne pour qu'elle la signe. Celle-ci, par manière de dérision, traça d'abord un rond ; Laurent Calot lui tint la main et lui fit tracer une croix sur la cédule.

Qu'y avait-il sur cette cédule ? Au témoignage de Guillaume Manchon — qui en sa qualité de notaire devait être attentif à la conclusion de toute cette scène —, Jeanne riait... On peut se demander si la croix qu'elle venait de tracer en guise de signature (nous avons vu qu'elle avait signé son nom sur plusieurs lettres, dès la fin de l'an 1429) ne lui rappelait pas cette croix qu'elle mettait sur les messages de guerre — signal convenu pour que celui qui recevait sa lettre la considère comme nulle et non avenue.

Tout cela se passait dans une étrange confusion : l'évêque de Beauvais se voyait reprocher par les Anglais présents de n'avoir pas condamné Jeanne, tandis que Jean Massieu lui faisait la lecture de cette cédule. Celle-ci, au dire de témoins oculaires, était longue de six à sept lignes alors que dans le texte du procès, la cédule d'abjuration insérée comporte 47 lignes d'impression, pour la traduction française (44 pour le texte latin).

> Elle « me fut remise, déclare Jean Massieu, pour que je la lise, et je l'ai lue à Jeanne, et je me souviens bien que dans cette cédule il était noté qu'à l'avenir elle ne porterait plus ni armes, ni habit d'homme ni les cheveux rasés. Et beaucoup d'autres choses dont je ne me souviens plus ; et je sais bien que cette cédule contenait environ 8 lignes et pas davantage, et je sais absolument que ce n'était pas celle dont il est fait mention au procès, car celle que je lui ai lue était différente de celle qui fut insérée dans le procès, et c'est celle-là, que Jeanne a signée. »

Cette scène surprit tout le monde, « car les Anglais étaient indignés contre l'évêque de Beauvais, les docteurs et les assesseurs au procès, parce que Jeanne n'avait pas été convaincue et condamnée et livrée au supplice ». Leur attitude était menaçante : « Le roi a bien mal dépensé son argent avec vous. » Et le même témoin oculaire, Jean Favé, maître des requêtes du roi, poursuivit :

> « J'ai entendu des gens dire en outre que, comme le comte de Warwick, après cette prédication, se plaignait à l'évêque et aux docteurs, disant qu'il en allait mal pour le roi parce que Jeanne leur échappait, l'un d'entre eux lui répondit : " Seigneur, n'ayez souci, nous la rattraperons bien. " »

Mais la conclusion, en ce qui concerne Jeanne, nous est relatée par le notaire Guillaume Manchon :

> « Au départ du prêchement de Saint-Ouen, après l'abjuration de la Pucelle, comme Loiseleur lui disait : " Jeanne, vous avez fait une bonne journée, s'il plaît à Dieu, et vous avez sauvé votre âme ", elle demanda : " Or çà, entre vous gens d'Église, menez-moi en vos

prisons, et que je ne sois plus en la main de ces Anglais ". Sur quoi, Monseigneur de Beauvais répondit : " Menez-la où vous l'avez prise ". Pourquoi elle fut ramenée au château d'où elle était partie. »

On le sait, seuls les relaps, c'est-à-dire ceux qui, après avoir une première fois abjuré leurs erreurs, y revenaient, pouvaient en réalité être condamnés à mort par un tribunal d'Inquisition et livrés pour cela « au bras séculier ». Cauchon avait réussi en désespoir de cause et faute d'autres réels chefs d'accusation, à faire de l'habit d'homme le signe même d'une insoumission à l'Église. Avec la cédule contenant promesse de ne plus porter l'habit d'homme, ce devrait être un jeu de faire de Jeanne une relapse : il suffisait de la reconduire dans la prison anglaise et qu'elle se retrouve exposée aux sévices de ses gardiens pour qu'elle reprenne l'habit qui la protégeait.

« Réponse mortelle. »

Dans quelle circonstance exacte y fut-elle contrainte ? Martin Ladvenu affirme : « Quelqu'un s'approcha d'elle, secrètement, de nuit, j'ai entendu de la bouche de Jeanne qu'un Milord anglais entra dans la prison et tenta de la prendre par force. » Jean Massieu donne une version un peu différente : après avoir repris l'habit de femme le jeudi de Pentecôte, au moment où elle se levait le matin du dimanche suivant, jour de la Trinité, elle n'aurait pas trouvé ses habits de femme que les gardiens anglais lui avaient enlevés, lui jetant le sac dans lequel était l'habit d'homme ; alors, « elle se vêtit de l'habit d'homme qu'ils lui avaient baillé ». Que ce fût pour l'une ou l'autre raison, Cauchon apprit, le dimanche 27 mai, que Jeanne avait repris l'habit d'homme et, sans perdre un instant, se rendit le lendemain matin à la prison, accompagné du vice-inquisiteur et de quelques assesseurs.

« Jeanne était vêtue d'un habit d'homme, à savoir, tunique, chaperon, et gippon [robe courte] et autres vêtements d'hommes, habit que sur notre ordre elle avait autrefois laissé, et avait pris habit de femme. Aussi l'avons nous interrogée, pour savoir quand et pour quelle cause elle avait de nouveau repris cet habit d'homme : " Je l'ai pris de ma volonté, déclara Jeanne ; je l'ai pris parce que c'était plus licite et convenable d'avoir habit d'homme puisque je suis avec des hommes que d'avoir habit de femme ; je l'ai repris parce que ce qui m'avait été promis n'a pas été observé, à savoir que j'irais à la messe et recevrais le corps du Christ et serais mise hors des fers. " »

Elle ajoute un peu plus tard :

« J'aime mieux mourir que de rester aux fers ; mais s'il m'est permis d'aller à la messe et qu'on me mette hors des fers, et que je sois mise en prison gracieuse et que je puisse avoir femme [la précision *avoir femme* est portée sur la minute, mais non sur le texte officiel du procès], je serai bonne et ferai ce que l'Église voudra.
— Depuis ce jour de jeudi, avez-vous entendu les voix de saintes Catherine et Marguerite ? demande Cauchon.
— Oui.
— Que vous ont-elles dit ?
— Dieu m'a mandé par saintes Catherine et Marguerite grande pitié de cette forte trahison à laquelle j'ai consenti en faisant abjuration et révocation pour sauver ma vie, et que je me damnais pour sauver ma vie. »

Sur la marge le greffier a noté : « Réponse mortelle ».
Après avoir précisé que ses voix lui avaient dit ce qui allait se passer au cimetière de Saint-Ouen ce jeudi-là, elle ajoute : « Tout ce que j'ai dit et révoqué, je l'ai fait seule-

ment à cause de la peur du feu ». Et encore : « Je n'ai pas dit, ni entendu révoquer mes apparitions, à savoir que c'étaient saintes Catherine et Marguerite ». « Cela entendu, ajoute le procès-verbal, nous nous sommes éloignés d'elle, pour procéder par suite selon droit et raison ».

Deux témoins ont attesté qu'au sortir de la pathétique entrevue, Cauchon s'adressa gaiement à quelques Anglais, dont Warwick lui-même, qui l'attendaient dans la cour du château : « Fare well, faites bonne chère, c'est fait... »

« Évêque, je meurs par vous. »

Le mercredi 30 mai, tôt dans la matinée, Jeanne voit entrer dans sa prison deux dominicains Martin Ladvenu — qu'elle a déjà vu siégeant comme assesseur au procès — et un autre, un jeune frère nommé Jean Toutmouillé, qui l'assistait. Ce dernier, jeune et impressionnable — il ne le prouvera que trop — nous a laissé de la scène un récit impressionnant :

> « Le jour que Jeanne fut délaissée au jugement séculier et livrée à combustion, je me trouvais le matin en la prison avec frère Martin Ladvenu, que l'évêque de Beauvais avait envoyé vers elle pour lui annoncer la mort prochaine et pour l'induire à vraie contrition et pénitence, et aussi pour l'entendre en confession. Ce que le dit Ladvenu fit fort soigneusement et charitablement. Et quand il annonça à la pauvre femme la mort dont elle devait mourir ce jour-là, qu'ainsi ses juges l'avaient ordonné, et entendu et ouï la dure et cruelle mort qui lui était prochaine, elle commença à s'écrier douloureusement et pitoyablement se tirer et arracher les cheveux. “ Hélas ! me traite-t-on ainsi horriblement et cruellement qu'il faille que mon corps

net en entier, qui ne fut jamais corrompu, soit aujourd'hui consumé et rendu en cendres ! Ah ! j'aimerais mieux être décapitée sept fois que d'être ainsi brûlée. Hélas ! si j'eusse été en la prison ecclésiastique à laquelle je m'étais soumise, et que j'eusse été gardée par des gens d'Église, non par mes ennemis et adversaires, il ne me fût pas si misérablement arrivé comme il est. Ah ! j'en appelle devant Dieu, le Grand Juge, des grands torts et ingravances qu'on me fait. » Et elle se complaignait merveilleusement en ce lieu des oppressions et violences qu'on lui avait faites en la prison par les geôliers et par les autres qu'on avait fait entrer contre elle.

Après ces complaintes survint l'évêque dénommé auquel elle dit aussitôt : « Évêque, je meurs par vous. » Il lui commença à remontrer en disant : « Ah ! Jeanne, prenez-en patience, vous mourrez pour ce que vous n'avez pas tenu ce que vous nous aviez promis et que vous êtes retournée à votre premier maléfice. » Et la pauvre Pucelle lui répondit : « Hélas ! si vous m'eussiez mise aux prisons de cour d'Église et rendue entre les mains des concierges ecclésiastiques compétents et convenables, cela ne fût pas advenu. C'est pourquoi j'en appelle de vous devant Dieu. » Cela fait, je sortis hors et n'en entendis plus rien. »

De son côté, l'huissier Jean Massieu, envoyé également par l'évêque de Beauvais, raconte comment, Martin Ladvenu ayant confessé Jeanne, celle-ci lui demanda de recevoir « le Corps du Seigneur ». Le dominicain resta perplexe : allait-il donner la communion à une excommuniée ? Il envoya consulter l'évêque de Beauvais qui fit cette réponse surprenante : « Qu'on lui donne le sacrement de l'Eucharistie et tout ce qu'elle demandera... » Massieu alla alors chercher lui-même une étole et un cierge, ni l'un ni l'autre ayant été prévus, pour que le sacrement lui fût donné honorablement.

Jeanne est ensuite conduite sur la place du Vieux-Marché où, comme pour la scène du cimetière Saint-Ouen, plusieurs estrades ont été dressées, car elle va subir une dernière prédication, faite celle-là par Maître Nicolas Midy.

La cause de relapse, en effet, avait été vivement menée. Cauchon, ayant dûment constaté que Jeanne avait repris l'habit d'homme, convoqua aussitôt les assesseurs pour le lendemain 29 mai, afin de les mettre au courant de cette marque « d'insoumission à l'Église » et de délibérer sur ce qu'il convenait de faire. Il avait pu réunir ainsi 42 assesseurs à qui il posa la question : « Que faire de Jeanne étant donné la manière dont elle revenait aux erreurs qu'elle avait " révoquées " » ?

Au cours de cette séance finale, il dut être quelque peu dépité en entendant 39 d'entre eux déclarer qu'il convenait que la cédule soit à nouveau lue et expliquée à Jeanne « en lui proposant la Parole de Dieu ». Trois seulement étaient d'avis de l'abandonner sans plus à la justice séculière : Denis Gastinel, Nicolas de Venderès et un nommé Jean Pinchon, pourvu de canonicats à Paris et à Rouen tout en étant archidiacre de Jouy-en-Josas.

C'était là un obstacle imprévu, mais de pure forme puisque de toute façon les assesseurs n'avaient que voix consultative et qu'il était seul juge, avec le vice-inquisiteur Jean Lemaître, dont le nom n'apparaît pas en cette dernière séance. Il était donc simple de passer outre et d'activer les préparatifs : « Ce procès n'avait que trop duré. »

« Elle n'avait passé ses humbles dix-neuf ans. »

C'est avec la même hâte que, négligeant les règles de procédure ordinaire dans un procès d'Inquisition, il l'envoie au bûcher, d'ores et déjà préparé sur cette place du Vieux-Marché, sans solliciter la sentence d'un tribunal séculier. Irrégularité grave dont témoigna par la suite le lieutenant du bailli de Rouen, un nommé Laurent Guesdon :

> « La sentence fut prononcée comme quoi Jeanne était délaissée à la justice séculière. Aussitôt après cette sentence, elle fut remise aux mains du bailli et sans que le bailli ou moi-même à qui il appartenait de prononcer la sentence, en eussions prononcé une, le bourreau sans plus prit Jeanne et la conduisit à l'endroit où le bois était préparé et elle fut brûlée. »

Et de rappeler que dans un cas exactement similaire un malfaiteur condamné par la justice ecclésiastique avait été ensuite conduit à ce qu'il appelle « la cohue », c'est-à-dire l'auditoire du bailliage, pour que soit prononcée une sentence régulière.

Tout cela se passait en la présence d'un nombre imposant d'hommes d'armes : 800 hommes armés, déclare Jean Massieu. On a souvent jugé le chiffre exagéré, et Jean Massieu, reconnaissons-le, n'est pas toujours très exact dans ses estimations. Mais c'est oublier qu'en plus de la garnison habituelle du château, un grand nombre d'hommes d'armes avaient dû être rassemblés dans la perspective d'une attaque sur Louviers. L'huissier insiste sur cette atmosphère de hâte et aussi de soldatesque surveillant la scène et entourant l'échafaud, prête à contenir la foule :

> « Tandis que Jeanne faisait ses dévotions et pieuses lamentations, je fus fort pressé par les Anglais et mêmement par l'un de leurs capitaines de la leur laisser en mains pour plus tôt la faire mourir ; me disant, à moi qui, selon mon entendement, la réconfortait en l'échafaud : " Comment, prêtre, nous ferez-vous ainsi dîner ? " Et incontinent, sans aucune forme ou signe de jugement, l'envoyèrent au feu, en disant au maître de l'œuvre : " Fais ton office ". Et ainsi fut menée et attachée en continuant les louanges et lamentations dévotes envers Dieu et les saints, dont

le dernier mot en trépassant cria à haute voix : “ Jésus. ” »

La hâte, la bousculade, les hommes d'armes anglais, le bourreau — il se nommait Geoffroy Thérage — qui s'agitent, tout cela pour une jeune fille qui à haute voix se lamente et invoque les saints et les saintes. Un geste, pourtant, de pitié :

> « A grande dévotion Jeanne demanda à avoir la croix, et ce oyant [entendant] un Anglais qui était là présent en fit une petite en bois du bout d'un bâton, qu'il lui bailla, et dévotement elle la reçut et baisa en faisant pieuse lamentation à Dieu notre Rédempteur qui avait souffert en la croix de laquelle croix elle avait le signe de représentation, et mit cette croix en son sein entre sa chair et ses vêtements. »

Frère Isambart de La Pierre, à cette requête, s'en allait chercher dans l'église Saint-Laurent toute proche une croix « pour la tenir élevée droit devant ses yeux jusque au pas de la mort, afin que la croix où Dieu pendit fût dans sa vie continuellement devant sa vue ». Et il atteste que Jeanne,

> « étant dedans la flamme, jamais ne cessa jusqu'en la fin de clamer et confesser à haute voix le Saint Nom de Jésus en implorant et invoquant sans cesse l'aide des saints et saintes du paradis et encore, qui plus est, en rendant son esprit et inclinant la tête, proféra le nom de Jésus en signe qu'elle était fervente en la foi de Dieu ».

Ces cris sur la place du Vieux-Marché, poussés très haut, très fort au dire des assistants, au-dessus de la flamme qui crépite, avec le brouhaha de la foule, ont ému toute l'assistance y compris quelques-uns des Anglais. Plusieurs témoins ont évoqué les larmes de Louis de Luxembourg, l'évêque de Thérouanne, tout dévoué à la cause anglaise et qui devait mourir à Ely ! Celui qui avait été convoqué pour la torturer dans le donjon de Rouen, Maugier Leparmentier, témoigne aussi :

> « Une fois dans le feu, elle cria plus de six fois : " Jésus ! " et surtout en son dernier souffle, elle cria d'une voix forte : " Jésus ! " au point que tous les assistants purent l'entendre ; presque tous pleuraient de pitié. »

L'émotion est facile à comprendre ; elle a certainement touché les ennemis eux-mêmes. Isambart rapporte un fait qui déjà introduit Jeanne dans la Légende dorée :

> « L'un des Anglais, un soldat, qui la détestait extraordinairement et qui avait juré que de sa propre main il porterait un fagot au bûcher de Jeanne, au moment où il le faisait et entendait Jeanne criant le nom de Jésus à son dernier moment, demeura tout frappé de stupeur et comme en extase, et fut conduit à une taverne près du Vieux-Marché, pour que, la boisson aidant, les forces lui reviennent. Et après avoir déjeuné avec un frère de l'ordre des frères prêcheurs, cet Anglais confessa par la bouche de ce frère, qui était anglais, qu'il avait gravement péché, et qu'il se repentait de ce qu'il avait fait contre Jeanne, qu'il tenait pour une sainte femme ; car, à ce qu'il lui semblait, cet Anglais avait vu lui-même, au moment où Jeanne rendait l'esprit, une colombe blanche sortant du côté de France. Et le bourreau, après déjeuner, ce même jour, vint au couvent des frères prêcheurs et me dit, ainsi qu'à frère Martin Ladvenu, qu'il craignait beaucoup d'être damné car il avait brûlé une sainte femme. »

Et Pierre Cusquel, qui l'avait vue à plusieurs reprises, car il effectuait des travaux de maçonnerie au château, raconte de son côté, bien qu'il n'ait pas été présent (« parce que mon cœur n'aurait pu le supporter et souffrir par pitié pour Jeanne ») :

« J'ai entendu dire que maître Jean Tressart, secrétaire du roi d'Angleterre, revenant du supplice de Jeanne, affligé et gémissant, pleurait lamentablement sur ce qu'il avait vu en ce lieu et disait : " Nous sommes tous perdus, car c'est une bonne et sainte personne qui a été brûlée ", et qu'il pensait " que son âme était entre les mains de Dieu et que, quand elle était au milieu des flammes, elle avait toujours clamé le nom du Seigneur Jésus ". »

Même l'un des assesseurs, Maître Jean Alespée, chanoine de Rouen, qui était l'un des agents du roi d'Angleterre lors de la reddition de Rouen en 1419, pleurait en abondance et disait, aux dires des témoins : « Je voudrais que mon âme fut où je crois qu'est l'âme de cette femme. »

LE CŒUR DE JEANNE.

Ordre fut donné par Warwick de faire ramasser ses cendres et jeter dans la Seine : il ne s'agissait pas de laisser la foule en faire des reliques. Mais là encore des rumeurs sont répétées de bouche à oreille, que nous rapporte Jean Massieu :

« J'ai entendu dire par Jean Fleury, clerc du bailli et greffier, que le bourreau lui avait rapporté qu'une fois le corps brûlé au feu, et réduit en cendres, son cœur était demeuré intact et plein de sang. Et il lui fut dit de réunir les cendres et tout ce qui restait d'elle et de les jeter dans la Seine, ce qu'il fit. »

Frère Isambard ajoute que ce bourreau disait et affirmait :

« Malgré l'huile, le soufre et le charbon qu'il avait appliqués contre les entrailles et le cœur de Jeanne, toutefois il n'avait pu aucunement consumer, ni mettre en cendres les entrailles et le cœur, de quoi était autant étonné comme d'un miracle tout évident. »

Elle n'avait passé ses humbles dix-neuf ans
Que de cinq à six mois et sa cendre charnelle
Fut dispersée au vent.

CHAPITRE VIII

Charles le Victorieux

Dans les jours qui suivent le bûcher de Rouen, l'attitude de Cauchon trahit quelque anxiété. Parce que de véhémentes discussions ont eu lieu au couvent Saint-Jacques de la ville — celui de frère Isambard de La Pierre et de frère Martin Ladvenu —, il fait comparaître le responsable du trouble, frère Pierre Bosquier. Celui-ci a déclaré que ceux qui ont jugé Jeanne ont mal agi ; Cauchon le condamne donc à la prison au pain et à l'eau jusqu'à Pâques de l'année suivante : dix mois d'emprisonnement !

Puis, le 7 juin, l'évêque convoque quelques-uns des assesseurs, ses familiers et fidèles : Nicolas de Venderès (c'est lui qui a rédigé la cédule d'abjuration) ; Nicolas Loiseleur (celui qui a tenté d'arracher à Jeanne des confidences en se faisant passer pour un « pays » et n'a pas manqué une séance du procès au cours duquel il a voté pour qu'elle subisse la torture) ; Pierre Maurice, le jeune et brillant universitaire ; Thomas de Courcelles à qui va être confié le soin de faire traduire et mettre en ordre les minutes notariales rédigées au jour le jour pour en composer le texte authentique du procès * (il en profitera pour rayer son nom de ceux qui ont voté la torture) ; un universitaire nommé Jacques le Camus, chanoine de Reims, ayant quitté précipitamment cette ville, se verra octroyer par le roi d'Angleterre en dédommagement la cure de La Trinité de Falaise. Cauchon l'a fait venir pour la cause de relapse et il l'a accompagné à la prison le matin du supplice ; enfin frère

Martin Ladvenu et frère Jean Toutmouillé. Cauchon a aussi convoqué le notaire du procès, Guillaume Manchon, mais celui-ci a refusé : le procès étant terminé, sa tâche l'est également, tout ce qu'on peut ajouter sera illégal, et le personnage officiel et assermenté qu'est un notaire n'a pas le droit d'y participer. D'après les confidences qu'il a faites par la suite, Guillaume Manchon a été fortement ému par le supplice de Jeanne :

> « Jamais je ne pleurai tant pour chose qui m'advint et par un mois après ne m'en pouvais bonnement apaiser. D'une partie de l'argent que j'avais eu au procès, précise-t-il, j'achetai un petit missel, que j'ai encore, afin que j'eusse cause de prier pour Jeanne. »

Il s'agit pour Pierre Cauchon de faire dire aux assesseurs que Jeanne avait formellement renié ses voix. Inutile de dire que tous à qui mieux mieux déclarent qu'elle l'a fait expressément :

> « Eux comprenaient et savaient qu'elle avait été trompée par elles [...] Les voix et apparitions venant à elle dont il avait été fait mention dans le procès l'avaient trompée, car si ces voix lui avaient promis qu'elle serait délivrée et tirée de prison, elle s'apercevait bien du contraire [...] Il était vrai, qu'elle avait été trompée [...] puisqu'elles l'avaient ainsi trompée, elle croyait que ce n'était point de bonnes voix ou bonnes choses [...] Je ne veux plus ajouter foi à ces voix... »

Et Nicolas Loiseleur va jusqu'à dire qu'elle demandait « avec la plus grande contrition de cœur leur indulgence aux Anglais et aux Bourguignons parce que, à ce qu'elle avouait, elle les avait fait tuer, mis en fuite, et leur avait causé de multiples dommages » !

Ce n'est d'ailleurs vraisemblablement pas un hasard si ces informations ont été réunies le 7 juin, car le lendemain, le roi d'Angleterre adressait une lettre à l'empereur, aux rois, ducs et autres princes de toute la chrétienté. Ce texte est une manière de chef-d'œuvre. Après avoir « séduit les populations », Jeanne a enfin été, par un effet de la divine clémence, amenée « en nos mains et notre pouvoir [...] Nous n'avons cependant eu d'aucune manière l'intention de venger l'injure subie ou de livrer sur l'instant cette femme à la justice séculière pour en être punie » ; mais, livrée à l'autorité ecclésiastique à la prière du prélat sur le diocèse duquel elle avait été prise, elle a été reconnue coupable de nombreux crimes contre la foi et « ne reconnaissait aucun juge sur terre ». Enfin, elle abjura ses erreurs, mais « le feu de son orgueil se ranima en flammes pestilentielles », si bien qu'elle fut abandonnée à la puissance séculière. Mais la malheureuse, à ce moment-là, « confessa sans ambiguïté que ces esprits dont elle affirmait maintes fois qu'ils lui étaient apparus visiblement étaient mauvais et menteurs [...] Elle s'avouait jouée et trompée ». La comédie de la veille était donc nécessaire pour parvenir à un pareil compte rendu.

Ce sera à peu près dans les mêmes termes, le 28 du même mois, que le roi d'Angleterre enverra une lettre circulaire « aux prélats, ducs, comtes et autres nobles et aux cités de son royaume de France », les invitant à faire connaître « par prédications et serments publics et autrement » ce qu'il en était de Jeanne la Pucelle et comment elle avait enfin reconnu que ses esprits s'étaient moqués d'elle. Enfin l'université de Paris écrivit à peu près dans les mêmes termes au pape et au collège des cardinaux.

Sans attendre davantage Cauchon s'était fait donner dès le 12 juin par le roi d'Angleterre des « lettres de garantie » pour lui-même, pour Louis de Luxembourg et pour Jean de Mailly, l'évêque de Noyon :

> « En parole de roi, s'il advient que l'une quelconque des personnes qui ont besogné au procès soit mise en cause pour ce procès ou ses dépendances [...] nous aiderons et défendrons, ferons aider et défendre en jugement et au-dehors ces personnes à nos propres coûts et dépens. »

Dans toute la partie occupée du royaume, les prédications et processions que demandait le roi d'Angleterre eurent lieu, notamment à Paris où l'inquisiteur de France, le 4 juillet (fête de Saint-Martin-le-Bouillant), fit faire une solennelle prédication et procession générale à Saint-Martin-des-Champs. Le *Journal d'un bourgeois de Paris* — on sait qu'il fut rédigé par un clerc de l'Université dont les sentiments bourguignons n'étaient pas douteux — résume cette prédication qui évoquait la vie de Jeanne, « pleine de feu et de sang, de meurtre de chrétiens, jusqu'à ce qu'elle soit brûlée ». Ailleurs, il décrit le bûcher de Rouen sans cacher les commentaires divers qu'il a suscités :

> « Bien des gens disaient là et ailleurs que c'était une martyre et qu'elle s'était sacrifiée pour son vrai prince. D'autres disaient que non et que celui qui l'avait protégée si longtemps avait mal fait. Ainsi disait le peuple, mais, qu'elle ait bien ou mal fait, elle fut brûlée ce jour-là ! »

On retrouve aussi sur le registre de Clément de Fauquembergue l'inévitable mention que le consciencieux greffier du Parlement inscrivit :

> « Le trentième jour de mai 1431, par procès de l'Église, Jeanne qui se faisait appeler la Pucelle, qui avait été prise à une sortie de la ville de Compiègne par les gens de messire Jean de Luxembourg [...] a été arse et brûlée en la ville de Rouen [...] et prononça la sentence messire Pierre Cauchon évêque de Beauvais. »

Le procès allait être traduit et mis en forme durant les mois suivants sous la direction, nous l'avons dit, de Thomas de Courcelles. Pierre Cauchon devait attendre avec quelque nervosité encore sa nomination à l'archevêché de Rouen et sa déception dut être forte quand il se vit octroyer, au mois de janvier 1432, l'évêché de Lisieux ; ce fut Louis de Luxembourg qui finalement devait être pourvu en 1436 de l'archevêché convoité, en attendant de quitter le sol de France sans doute un peu plus rapidement qu'il ne l'eût souhaité pour se réfugier en Angleterre et être aussitôt pourvu de l'évêché d'Ely où il devait mourir en 1443.

Cependant, et significativement, l'offensive militaire reprenait aussitôt après la mort de Jeanne. On ne manqua pas dans le peuple d'y voir plus qu'une coïncidence : « Comme les Anglais sont généralement superstitieux, déclarait plus tard le prieur du couvent bénédictin de Saint-Michel près de Rouen, Thomas Marie, ils croyaient qu'il y avait chez Jeanne quelque chose de magique » ; et « incontinent après sa combustion ils sont allés planter le siège devant Louviers estimant que durant sa vie jamais ils n'auraient gloire ni prospérité en fait de guerre. »

Ce siège de Louviers, il en est question immédiatement après la mort de Jeanne. On voit le comte de Warwick faire porter du ravitaillement à son usage lorsqu'il s'y rend dans les tout premiers jours de juin, et le secrétaire du roi d'Angleterre, Laurent Calot — celui-là même qui avait tiré de sa manche la cédule d'abjuration qu'il obligeait Jeanne à signer en lui tenant la main — donne au trésorier l'ordre dès le 2 juin, de transférer les sommes nécessaires aux actions militaires devant la ville.

Une campagne avait été en effet déclenchée en Normandie au mois de décembre 1429 sous l'impulsion de La Hire, nommé capitaine général pour cette province. Le Bâtard d'Orléans était allé le rejoindre, précisément au moment du procès de Jeanne, en mars 1431. Pourtant l'effort n'avait pas suffi et, le 28 octobre suivant, Louviers capitulait. Il faut dire qu'entre-temps, le 30 juin, des troupes anglaises fraîches avaient débarqué à Calais et avaient été utilisées en Normandie.

Autre épreuve pour le roi Charles VII : le 2 juillet de cette même année 1431, le roi René d'Anjou, son gendre, qu'il espérait voir recueillir l'héritage du duc Charles de Lorraine (celui qui avait demandé à Jeanne de lui rendre visite et qui venait de mourir en janvier 1431) était vaincu et fait prisonnier lors de la sanglante bataille de Bulgnéville où mourut aussi Arnaud Guilhem de Barbazan, surnommé « Cœur d'argent fin, Fleur de chevalerie ». Enfin, autre défaite royale du côté de la Champagne — où, entre Beauvais et Savignies, était livrée une bataille pour laquelle Regnault de Chartres — dont on a vu l'attitude lors de la capture de Jeanne — avait mobilisé son fameux berger du Gévaudan, Guillaume dont il disait « qu'il n'en faisait ni plus ni moins que Jeanne la Pucelle » ! Il fut fait prisonnier par Warwick tandis que les Français se dispersaient sous le choc. Plus grave, Poton de Xaintrailles fut lui aussi capturé à ce qu'on appelle la bataille du Berger. A la fin de juillet 1431, le roi de France pouvait se dire qu'à nouveau la fortune de ses armes tournait...

Le « sacre » d'Henry VI.

Les Anglais, eux, sentaient la chance revenir, mais il fallait une opération de prestige pour assurer à nouveau leur puissance en France. Ce qui s'imposait après avoir en la personne de Jeanne déconsidéré les conditions dans lesquelles Charles avait été sacré à Reims, c'était de lui opposer un autre roi, bien et dûment consacré roi de France après avoir reçu la couronne d'Angleterre. Le jeune Henry VI, couronné à Westminster le 6 novembre 1429, allait donc être amené en France. Il ne pouvait être question de Reims, mais ce devait être l'occasion d'une grande cérémonie, à la fois royale et populaire, à Notre-Dame de Paris.

Le comte de Warwick et sa maisonnée amenèrent donc le petit roi âgé de neuf ans vers la capitale par la Seine. Le cortège qui s'ébranla depuis la porte Saint-Denis et le bourg de La Chapelle comptait évidemment les pairs ecclésiastiques qui allaient procéder à ce couronnement : Louis de Luxembourg, Pierre Cauchon, Jean de Mailly, le « cardinal d'Angleterre » Henri Beaufort, l'évêque de Norwich, William Alnwick, et aussi les évêques de Paris et d'Évreux. On y voyait aussi le régent de France, Bedford et son épouse, Anne de Bourgogne, ainsi que de nombreux seigneurs anglais installés en France comme Humphrey, comte de Stafford.

Le cortège fut conforme aux traditions : précédé de ménestrels, de hérauts et poursuivants d'armes, d'écuyers portant les attributs de la majesté royale — manteau d'hermine, épée de justice —, il comportait aussi, au milieu des archers, le malheureux petit berger Guillaume, capturé six mois auparavant et qu'on allait ensuite coudre dans un sac de cuir et jeter dans la Seine...

L'enfant-roi chevauchait une haquenée blanche ; à l'entrée du bourg de La Chapelle, les échevins et le prévôt des marchands prirent le dais d'azur brodé de fleurs de lys d'or pour le porter au-dessus de sa tête tout au long de cette Entrée solennelle qui le conduisit à travers la ville, par le Châtelet et le palais de la Cité, jusqu'à l'hôtel des Tournelles où demeurait le duc de Bedford et où il allait loger pendant son séjour. Suivant l'usage, les diverses maîtrises parisiennes s'étaient relayées, chacune réclamant l'honneur de porter le dais pendant un temps convenu : maîtres de la draperie, de l'épicerie, changeurs, orfèvres, pelletiers, fourreurs et enfin maîtres de la boucherie. Sur le passage, à divers intervalles, des tableaux vivants, des fragments de mystères étaient joués pour distraire le prince et le peuple, comme le voulait le déroulement traditionnel des Entrées royales. On vit même, au cimetière des Innocents, un simulacre de chasse à courre, tandis qu'au Châtelet le tableau vivant représentait un enfant de l'âge d'Henry VI assis sur un trône : deux couronnes astucieusement manœuvrées restaient suspendues au-dessus de sa tête.

Le moment le plus émouvant fut celui du passage du cortège devant l'hôtel Saint-Paul où demeurait la reine Isabeau de Bavière. Le *Journal d'un bourgeois de Paris* note que « quand elle vit le jeune Henry, fils de sa fille, à l'endroit d'elle il ôta tantôt son chaperon et la salua, et tantôt elle s'inclina vers lui moult humblement et se tourna d'autre part pleurant »... C'était son petit-fils qui passait là, l'enfant de sa fille Catherine.

C'est le dimanche 16 décembre 1431 qu'eut lieu la cérémonie du couronnement à Notre-Dame. Là encore, le rituel fut scrupuleusement observé, mais il ne pouvait être question de la Sainte-Ampoule, ce qui faisait dire aux plus attachés à la tradition que ce sacre ne pouvait être qu'une parodie. Le festin qui suivit, donné au Palais, à la « Table de Marbre » — la grande salle aujourd'hui en contrebas dans ce qu'on appelle toujours le Palais de l'île de la Cité — n'allait guère contribuer à la popularité du petit roi, témoin ce qu'en dit le Bourgeois de Paris, pourtant tout acquis à la cause anglaise : « Personne n'eut à se louer du repas. La plupart des viandes, surtout celles qu'on destinait au commun, avaient été cuites le jeudi précédent, ce qui semblait très étrange aux Français » ; en revanche les coupe-bourses et autres voleurs à la tire y trouvèrent leur profit et on y vola un grand nombre de fermoirs de ceinture. Même les malades de l'Hôtel-Dieu, à qui l'on réservait toujours une part du festin, ne le trouvèrent pas à leur goût. Plus réussie fut sans doute la musique de ce sacre ; le même Bourgeois juge qu'on y joua « très mélodieusement ». Le thème choisi était tiré des psaumes : *J'ai envoyé mon ange...* (les pages notées sont conservées aux Archives nationales).

Décevante fut la joute qui eut lieu au lendemain du sacre et de si pauvre tenue que le Bourgeois de Paris déclare que n'importe quel habitant de la cité eût engagé plus de frais pour marier sa fille que les Anglais n'en avaient fait pour couronner leur roi [1].

L'effet de prestige était manqué ; le petit roi repartit vers Rouen, toujours par la Seine, sous la garde de son précepteur le comte de Warwick qui allait avec toute sa maisonnée repartir sans tarder sur Calais pour repasser la Manche et retourner en Angleterre.

L'année suivante, 1432, n'allait guère que confirmer cette impression d'échec pour la domination anglaise. Dès le 3 février, un coup de main d'une audace étonnante permit à un routier nommé Ricarville de s'emparer avec cent

1. Voir pour les détails, E. Bourassin, *La France anglaise*, Paris, 1981, pp. 220 sq.

compagnons du château même de Rouen — ce château de Bouvreuil qui l'année précédente abritait simultanément Jeanne d'Arc, Bedford et le comte de Warwick ! Les Anglais avaient pourtant renforcé la garnison, mais seule une petite partie de celle-ci, dirigée par le comte d'Arundel, parvint à se retrancher dans une chambre forte dans l'une des tours donnant sur la ville. De là, au matin, Arundel haranguait la population saisie de stupeur, mais une flèche malencontreuse lancée par l'un des partisans tua un enfant dans cette foule, et il n'en fallut pas davantage pour que les gens massés devant la forteresse se rallient aux Anglais. Le comte d'Arundel se fit alors descendre dans une corbeille jusque dans les fossés et, rassemblant toutes ses forces disponibles, assiégea à son tour le château et dirigea contre lui le feu d'une bombarde. Ricarville dut se rendre au bout de quelques jours avec ses compagnons, et tous furent décapités sur la place du Vieux-Marché.

En revanche, un peu plus tard, le 20 février, Chartres était reprise par le Bâtard d'Orléans grâce à une ruse de guerre menée de bout en bout par un poissonnier orléanais qui, sous prétexte de livrer aux gens de la ville du sel et des aloses, parvint à bloquer le pont-levis avec ses charrettes, tandis que des Français « résistants » tuaient les hommes montant la garde aux autres portes de la ville. L'évêque Jean de Fétigny fut tué ; la population et une partie de la garnison écoutaient alors dans la cathédrale le prêche d'un frère jacobin qui était l'âme du complot : le soir même, Chartres était rendu aux Français.

Quelques mois plus tard, le duc de Bedford se vit contraint de lever le siège de Lagny, importante place-forte qui permettait d'arrêter les convois entre Paris et la Champagne. Il regagna la capitale pour la fête du 15 août « afin de se confesser », disaient les bonnes gens. Quelques mois encore et, le 14 novembre 1432, il perdait son épouse, c'est-à-dire son auxiliaire le plus précieux, Anne, sœur de Philippe le Bon duc de Bourgogne et qui tant de fois avait réussi à aplanir les difficultés qui ne manquaient pas de surgir dans l'alliance anglo-bourguignonne. Bedford manifesta beaucoup de chagrin mais ne devait pas moins se remarier au début de l'année 1434 avec la fille du comte de Saint-Pol, Jacqueline de Luxembourg, âgée de dix-sept ans !

Dans l'intervalle, quelque chose s'était passé à la Cour de France. Une vraie révolution de palais : La Trémoïlle, attaqué et maîtrisé, reçut dans le ventre un coup d'épée qui s'enfonça dans sa graisse et ne causa qu'une blessure légère. Les auteurs de l'attentat étaient trois jeunes gens, Jean de Bueil, Prigent de Coëtivy et Pierre de Brézé, qui agissaient de concert avec la reine Yolande de Sicile et sa fille la reine Marie d'Anjou ; cela se passait à Chinon dans ce même château du Couldray où Jeanne avait été reçue quatre ans auparavant. Jeté quelque temps en prison, La Trémoïlle se vit intimer l'ordre de quitter la Cour tandis qu'Arthur de Richemont retrouva sa faveur auprès du roi ; une phase active se préparait dans la conduite des affaires du royaume.

Il était temps : un an plus tard, une forte offensive anglaise était dirigée contre le Mont Saint-Michel. Messire de Scales, Thomas, disposait d'importantes forces d'artillerie et tentait, faute d'une portée suffisante pour atteindre le monastère, de faire au moins une brèche dans les murailles de la ville. Il parvint même à planter la bannière écartelée de lys et de léopards sur l'un des remparts, mais Louis d'Estouteville, le défenseur du Mont, l'arracha de ses propres mains et la jeta dans le fossé. Huit jours plus tard, nouvel assaut, si violent que les habitants durent s'enfermer dans l'abbaye elle-même ; les moines se joignirent à eux pour maintenir l'adversaire, qui bientôt abandonna le bourg. Les Anglais s'enfuirent en désordre et l'on montre encore aujourd'hui aux touristes qui chaque année livrent au Mont Saint-Michel un nouvel assaut, pacifique celui-là, les deux bombardes, les « michelettes », qu'ils durent abandonner. Quelque temps ils allaient fortifier l'îlot de Tombelaine et s'y maintenir jusqu'au moment où Louis d'Estouteville les délogea et reprit aussi Granville. Le Mont Saint-Michel était invincible.

Les Français reprennent l'initiative.

Cette même année 1434, le Bessin normand se révolta devant les exigences de Bedford, qui exigeait 344 000 livres en fait d'impôts à faire voter par les États de Normandie. La province était de plus en plus piétinée par les routiers, ceux qui ont légué à notre langue le nom de *brigand*, venu de la *brigandine* que portait le combattant. L'étymologie est ici bien significative : les troupes de moins en moins contrôlées, les capitaines de moins en moins surveillés, se muaient en pillards et écorcheurs sans vergogne. Le chroniqueur Thomas Basin fait une description terrifiante de cette période pendant laquelle l'insécurité était totale en Normandie ; ici et là des paysans se groupaient, tentaient d'échapper, soit aux Anglais, soit aux brigands. Le duc d'Alençon, avec l'aide de Jean de Bueil, entreprit sans succès le siège d'Avranches qu'il dut abandonner au bout de quelques jours. En revanche, une expédition du comte d'Arundel dans le Pays de Caux fut arrêtée par La Hire et Poton de Xaintrailles et taillée en pièces près de Gerberoy ; Arundel, blessé, allait mourir en captivité à Beauvais.

Il est extraordinaire pour nous de penser que dans le même temps la ville d'Orléans mettait en scène un Mystère mobilisant tous les bourgeois, avec des stations — des scènes de théâtre aménagées à chacune des portes de la ville. Un magnifique spectacle fut donné, le Mystère du Siège d'Orléans, dont le manuscrit est parvenu jusqu'à nous *. Et l'on retrouve sur les comptes de la ville mention de la participation que prit, à cette vaste entreprise théâtrale, l'un des compagnons de Jeanne : Gilles de Rais.

Cependant l'offensive diplomatique se poursuivait, René d'Anjou, prisonnier à Dijon, était bien placé pour travailler à la réconciliation avec Philippe le Bon que souhaitait sa mère Yolande. De son côté, le duc de Bourgogne n'avait jamais éprouvé une grande sympathie personnelle pour le régent Bedford et, comme l'écrit son chroniqueur

Olivier de La Marche, « le sang français lui bouillait dans l'estomac et à l'entour du cœur ». Le 16 janvier 1435, des pourparlers commençaient à Nevers et les délégués français et bourguignons se séparaient au bout de trois semaines en se donnant rendez-vous à Arras.

Le 5 août 1435, dans le cadre de l'abbaye Saint-Vaast de cette ville, une séance solennelle réunit aussi bien des Français que des Bourguignons et des Anglais. Mais ces derniers ne tardèrent pas à quitter la conférence ; de plus, on apprit bientôt la mort de Jean de Bedford en ce même château de Rouen qui avait été la prison de Jeanne d'Arc. Le mois de septembre 1435 vit après celle de Bedford le 12 se produire la mort d'Isabeau de Bavière le 24. Entretemps, le 21, avait été conclu le traité d'Arras entre France et Bourgogne : l'ambassadeur de Charles VII, Maître Jean Tudert, avait fait amende honorable, pliant le genou devant le duc de Bourgogne au nom de son roi. De son côté, le duc jurait de ne pas garder rancune pour le meurtre de son père à Montereau ; le traité devait être définitivement scellé le 28 octobre et ratifié à Tours par Charles VII le 10 décembre. La terrible coupure qui avait divisé la France n'existait plus, Armagnacs et Bourguignons se retrouvaient désormais. C'était la « bonne paix ferme qui dure longuement » voulue par Jeanne d'Arc.

« Plus grand gage... »

Un an encore et « les Anglais allaient perdre plus grand gage qu'ils aient en France », toujours suivant la prédiction de Jeanne. Le 17 avril 1436, le connétable de Richemont faisait son entrée dans Paris.

L'action avait commencé par la prise de Meulan, puis de Pontoise en février 1436 ; désormais les principaux cours d'eau étaient contrôlés par les Français avec Melun sur la Seine et Lagny sur la Marne. Paris, de plus en plus, subissait la famine, et le gouverneur désigné par Bedford avant sa mort et qui n'était autre que Louis de Luxembourg se faisait détester de la population par sa hauteur et sa dureté. Deux mille Anglais envoyés en renfort se firent tailler en pièces dans la plaine Saint-Denis le 6 avril 1436. Arthur de Richemont, avec l'aide du Bâtard d'Orléans et d'un capitaine bourguignon, Villiers de l'Isle-Adam, entreprit alors le siège que cette fois les résistants de l'intérieur purent soutenir : ils furent introduits par la porte Saint-Jacques. Tandis que les Anglais hurlaient à la trahison, on raconte que les bourgeois parisiens, du haut de leurs fenêtres, lançaient leurs meubles, coffres ou escabeaux sur les troupes qui passaient à leur portée. Au nom du roi, le connétable promit amnistie aux Français « reniés ». Les Anglais se réfugièrent dans la bastille Saint-Antoine, mais bientôt, pressés par la faim, demandèrent à négocier et furent autorisés par sauf-conduit à sortir de la ville et à s'embarquer sur la Seine pour gagner Rouen. Sur leur passage la foule criait : « Au renard », « A la queue ! » Le roi, pourtant, ne devait faire son entrée dans la ville reconquise qu'un an plus tard, le 12 novembre 1437, et n'y demeurer que trois semaines, à la grande déception des Parisiens.

Un autre épisode se rattache à l'histoire de Jeanne : le retour de Charles d'Orléans en 1440, après vingt-cinq années passées dans les prisons anglaises : « J'aurais pris assez d'Anglais pour le ravoir », disait-elle au tribunal ; car elle considérait ce retour du duc comme faisant partie de sa mission *.

Ce n'est probablement pas un hasard si, en cette même année 1440, au mois de juillet, arrive à Orléans la mère de Jeanne, Isabelle Romée. Il semble qu'après la mort de son époux et de son fils aîné, celle-ci se soit trouvée dans la misère ou tout au moins dans une situation difficile. A cette nouvelle, les bourgeois d'Orléans émus lui offrent de s'installer chez eux ; désormais figure sur les comptes le montant de la pension de 48 sous par mois qu'on lui verse, et la ville prend aussi à ses frais le médecin qui la visite quand elle est malade. Elle est installée non loin de la collégiale Saint-Pierre-le-Puellier qui devient sa paroisse — restaurée, cette collégiale existe toujours. Isabelle est rejointe à Orléans par son fils Pierre qui, longtemps emprisonné avec Jeanne, s'établit dans la ville avec sa femme et son fils nommé Jean. A la date de 1443 il reçoit une donation du duc d'Orléans, en l'espèce ce qu'on nomme l'Ile-aux-Bœufs sur la Loire.

Entre-temps, quelques-uns au moins des Orléanais auront été abusés par une aventurière, Claude, qui s'est fait passer pour Jeanne, échappée des prisons anglaises *. Comme l'écrit la Chronique du Doyen de Saint-Thiébault de Metz, elle jouait « tellement son personnage que plusieurs en furent abusés ». C'est d'abord dans la région de Meuse qu'elle s'était montrée ; elle avait été reçue, entre autres, par Élisabeth de Görlitz, une autre représentante de la famille de Luxembourg, et il semble bien que le troisième frère de Jeanne, celui qui se nommait Jean ou Petit-Jean, ait, volontairement ou non, profité de la situation pour se faire accorder par la ville d'Orléans des subsides — une somme de 12 francs — sous prétexte qu'il désirait « aller voir sa sœur ». La fausse Jeanne épousa un sire Robert des Armoises et trouva le moyen de se faire recevoir à Orléans même où, le 28 juillet 1439, les comptes mentionnent qu'on lui a offert un vin d'honneur. Le Bourgeois de Paris raconte dans son *Journal* comment elle a été publiquement démasquée au Palais. On signale deux autres aventurières qui surent, en ces temps troublés, exploiter la crédulité des bonnes gens et se faire passer pour celle dont on ne pouvait croire que les Anglais avaient réussi à l'emprisonner et à la faire mourir.

LE RECOUVREMENT DE LA NORMANDIE.

Ce n'est cependant qu'en 1449 qu'un épisode décisif va se produire concernant l'histoire de Jeanne d'Arc : le recouvrement de la Normandie. Le prétexte en fut la prise du château de Fougères par un routier aragonais au service des Anglais, François de Surienne *. C'était une rupture des trêves conclues entre la France et l'Angleterre — au soulagement général — cinq ans plus tôt quand, le 28 mai 1444, avaient été décidées les fiançailles du roi Henry VI et d'une fille de France, Marguerite d'Anjou, fille de René d'Anjou et nièce de la reine Marie. L'événement avait été salué dans toute l'Europe comme marquant un premier pas, dans la voie de l'apaisement entre les deux royaumes. Le mariage avait été célébré à Nancy au mois de février suivant, et le couronnement de la jeune reine avait eu lieu à Westminster, le 28 mai 1445, un an après l'accord.

Au moment où le coup de main sur Fougères remit en question la paix enfin rétablie, Charles VII disposait d'une armée réorganisée dotée d'une artillerie puissante. L'équilibre des forces était désormais rompu en sa faveur, alors que le roi d'Angleterre avait quelque mal à se faire obéir de ses propres vassaux.

Le 17 juillet 1449, commençait l'offensive sur la Normandie. Déjà les Français étaient entrés par ruse dans Pont-de-l'Arche. Un routier, Robert de Flocques *, allait s'emparer de Conches ; puis, grâce à la connivence d'un habitant de Verneuil (le meunier dont le moulin était adossé au rempart), Charles VII, dès le mois d'août, dirigea en personne les opérations et s'établit à Louviers. Averti d'une révolte des Rouennais, il se porta sur la ville et y fit son entrée solennelle le 10 novembre 1449. Le gouverneur anglais, Somerset, avait obtenu de partir sain et sauf moyennant livraison d'otages et aussi de plusieurs places comme Caudebec et Honfleur. Replié sur Caen, il tenta de rallier les forces anglaises qui ne constituaient plus que quelques îlots en Normandie.

L'annonce de l'arrivée d'une nouvelle armée anglaise qui, en un suprême effort, avait été réunie par Henry VI — il avait engagé pour cela les joyaux de la couronne — et qui devait débarquer à Cherbourg sous la conduite d'un capitaine, Thomas Kyriel, déclencha une offensive française. Celle-ci, sous la conduite du comte de Clermont, faillit être mise en déroute et se trouvait en mauvaise posture lorsqu'on vit arriver Arthur de Richemont avec quinze cents hommes d'armes. Ce fut une victoire éclatante — Formigny, le 15 avril 1450.

RÉOUVERTURE DU DOSSIER.

Mais entre-temps quelque chose s'était passé pour l'histoire de Jeanne. C'est peut-être le seul mouvement de reconnaissance à mettre à l'actif de Charles VII que la décision qu'il prit peu après son entrée à Rouen. Sur place, il avait dû entendre des Rouennais rappeler le supplice de Jeanne, et sans doute s'était-il fait apporter les pièces du procès conservées à l'archevêché. Le 15 février 1450, il avait dicté à son conseiller Guillaume Bouillé une lettre destinée à ouvrir un nouveau chapitre d'une importance décisive pour la connaissance de Jeanne d'Arc :

> « Comme jadis Jeanne la Pucelle a été prise et appréhendée par nos anciens ennemis et adversaires les Anglais, et amenée en cette ville de Rouen, contre laquelle ils ont fait faire tel procès par certaines personnes à ce commises et députées par eux ; dans lequel procès ils ont fait et commis plusieurs fautes et abus, tellement que moyennant ce procès et la grande haine que nos ennemis avaient contre elle, ils la firent mourir iniquement et contre raison, très cruellement : pour ce, nous voulons savoir la vérité dudit procès, et la manière selon laquelle il a été conduit et procédé. Vous mandons, commandons et expressément enjoignons que vous vous enquériez et informiez bien et diligemment sur ce qui en est dit ; et l'information par vous sur ce faite, l'apportiez close et scellée devant nous et les gens de notre Conseil [...], car de ce faire vous donnons pouvoir, commission et mandement spécial par ces présentes. [...] Donné à Rouen, le quinzième jour de février, l'an de grâce 1449... [selon l'ancien style, soit, pour nous, 1450]. »

Toujours est-il que Guillaume Bouillé allait rapidement entreprendre une enquête qui révélait déjà, à elle seule, « la vérité du dit procès » mené dix-neuf ans plus tôt : le notaire même du procès de condamnation, Guillaume Manchon, qui fut entendu pendant toute la journée du 4 mars, puis le lendemain six autres témoins : quatre frères dominicains du couvent Saint-Jacques, dont deux avaient accompagné Jeanne jusque sur le bûcher : Isambart de La Pierre et Martin Ladvenu, et deux autres, Guillaume Duval et Jean Toutmouillé, n'avaient eu qu'un rôle assez accessoire. On interrogea aussi l'huissier Jean Massieu et, par un heureux hasard, Maître Jean Beaupère, qui si souvent avait été le bras droit de Cauchon pour les interrogatoires. Il n'avait pas craint de venir à Rouen — pour réclamer les revenus de son canonicat ! —, alors qu'il vivait en général retiré à Besançon.

Ce qu'apprenait cette première enquête était déjà édifiant quant à la manière dont avait été mené ce procès ; elle suffisait à démontrer la partialité des juges qui avaient conduit le procès et la façon dont une prisonnière de guerre traitée comme telle avait été chargée du crime d'hérésie, puis condamnée comme relapse dans les conditions les plus douteuses.

Cependant, condamnée par un tribunal d'Inquisition, Jeanne ne pouvait être lavée du crime d'hérésie que par l'Église elle-même. Aussi bien est-il indispensable de brosser, au moins dans les grandes lignes, ce qui s'était passé pour la chrétienté dans l'intervalle, entre le temps où l'idéologie édifiée par les maîtres de l'Université de Paris inspirait le procès politique mené à Rouen et celui où s'écroulait la même idéologie, tandis qu'il apparaissait aux yeux du monde chrétien que décidément ce n'était pas l'Université de Paris qui détenait « la clef de la chrétienté ».

On sait qu'après avoir connu de graves divisions internes pendant tout le XIVe siècle avec le séjour des papes en Avignon, l'Église avait été secouée, pendant quelque quarante ans, par la crise profonde qu'on appelle le Grand Schisme. De 1378 à la date de 1417 où fut élu le pape Martin V, on avait vu deux, parfois trois, papes se disputer la tiare, les uns à Rome, les autres en Avignon soutenus par les universitaires parisiens dont la tendance générale était de considérer l'autorité dans l'Église comme devant être exercée par des conciles périodiques : une sorte d'assemblée parlementaire substituée à une personne, celle du Pape, successeur de Pierre. A ces contestations doctrinales et institutionnelles se mêlaient des revendications d'ordre financier, quant à la collation des bénéfices par exemple. Les vides créés par la peste et les guerres avaient provoqué des accaparements de bénéfices dont nous avons eu l'occasion de citer quelques exemples à propos des assesseurs au procès de Jeanne d'Arc.

Bon nombre de ces derniers se sont retrouvés réunis au concile de Bâle dès le mois de juillet 1431 et ont bientôt obtenu d'Eugène IV des décrets abolissant son rôle dans la collation des bénéfices et annulant quelques-uns des honoraires dont jouissait la Curie romaine. Mais devant les exigences de l'assemblée quant aux prérogatives pontificales, Eugène IV décida de la transférer à Ferrare, puis à Florence où, en 1439, une délégation de l'Empereur byzantin allait proclamer l'union des Églises grecque et romaine — union qui ne fut pas mieux acceptée et ratifiée en Orient que ne l'avait été celle qu'un autre concile avait déclarée deux siècle ou presque auparavant, en 1274.

Sur ces entrefaites, les Pères demeurés à Bâle, en pleine rébellion, déposèrent Eugène IV et élurent à sa place un laïc, Amédée VIII, duc de Savoie, qui, sous le nom de Félix V devait être le dernier antipape de l'Histoire. Thomas de Courcelles, qui avait été un agent actif de cette élection, s'empressa de se faire octroyer par lui le chapeau de cardinal...

L'antipape ne devait abdiquer que dix ans plus tard, en 1449 ; parmi les négociateurs qui parvinrent à l'en persuader se trouvait un personnage bien connu dans l'histoire de Jeanne : Jean, comte de Dunois. Entre temps le roi Charles VII avait unilatéralement pris une série de mesures décidées par l'assemblée du clergé de France qu'il avait réunie à Bourges en 1438 : c'est ce qu'on appelle la Pragmatique Sanction, tentative d'établissement d'une Église nationale. Entre autres étaient abolis les impôts levés par le pape sur les paroisses ou évêchés de France, les collations de bénéfices lui étaient retirées, tandis qu'était affirmée, comme supérieure à l'autorité du Pape, celle du Concile qui devait être réuni tous les dix ans. La Pragmatique Sanction ne fut jamais acceptée par la papauté et Louis XI devait l'abolir dès son avènement en 1461.

Cependant, malgré tant de désordres et de prétentions à régir la vie spirituelle du peuple chrétien, celle-ci devait se manifester avec une vigueur surprenante lors du Jubilé de 1450 qui vit accourir à Rome des foules de pèlerins dont la piété formait un étonnant contraste avec le tumulte des assemblées de prélats et d'universitaires réunis à Bâle ou ailleurs.

C'est alors que le pape Nicolas V — celui qui décida de faire rebâtir Saint-Pierre de Rome — envoya en France un légat pontifical, Guillaume d'Estouteville, qui avait été l'un des soutiens du pape Eugène IV pendant son pontificat si tourmenté. Or Guillaume était le frère de Louis d'Estouteville, l'énergique défenseur du Mont Saint-Michel ; c'était aussi un proche parent du roi Charles VII, sa grand-mère maternelle étant la sœur du « sage roi » Charles V. Nul n'était mieux désigné que lui pour comprendre qu'après la longue et exténuante série de guerres, de souffrances et de divisions qu'avait connue la population pour laquelle il représentait l'autorité pontificale, une question demeurait pendante, celle du procès de Jeanne, symbole de la division amenée par l'envahisseur et entretenue par l'idéologie du monde universitaire.

Après avoir été reçu par le roi à Tours au mois de février 1452 en tant que légat pontifical, Guillaume d'Estouteville se dirigea, deux mois plus tard, vers Rouen. La Normandie, à l'époque, était libérée, et la campagne de Guyenne déjà largement commencée par celui qu'on ne nommait plus le Bâtard d'Orléans mais le comte de Dunois, soutenu par l'artillerie qu'avaient réorganisée les frères Jean et Gaspard Bureau. L'inquisiteur de France était alors un Normand, Jean Bréhal, prieur du couvent Saint-Jacques de Paris.

L'ENQUÊTE.

C'est le 2 mai 1452 qu'eut lieu la première enquête officielle ouverte par Guillaume d'Estouteville et par Jean Bréhal dans cette ville de Rouen dont la population, d'après l'état des paroises, était passée de 14 992 à 5 976 habitants durant la sinistre période de l'occupation anglaise. Ils avaient dressé un modèle d'interrogatoire après étude du texte du procès de condamnation en se faisant assister de deux prélats italiens, Paul Pontanus et Théodore de Leliis, qui faisaient partie de la suite du légat. Le premier interrogatoire comportait douze articles correspondant aux douze articles sur lesquels Jeanne avait été condamnée. A l'audition des cinq témoins qui comparurent les 2 et 3 mai — il s'agissait de Guillaume Manchon le notaire, de Martin Ladvenu et d'Isambart de La Pierre, plus l'un des assesseurs du premier procès, Pierre Miget, et un bourgeois de Rouen, le maître de maçonnerie Pierre Cusquel — il apparut bien vite que les douze questions n'embrassaient pas complètement les conditions dans lesquelles s'était déroulé le procès de condamnation. L'interrogatoire fut donc développé dès le 4 mai en 27 articles qui par la suite allaient servir de base à l'ensemble des interrogatoires : ils portaient sur la partialité du procès, sur la haine que les Anglais avaient vouée à l'accusée, sur le manque de liberté des juges, voire des notaires, sur le défaut d'avocat en contradiction avec les usages des procès d'Inquisition, sur les conditions de la détention de Jeanne, sur ses sentiments réels — notamment en ce qui concernait la soumission au pape et à l'Église — et sur les discordances entre les textes latin et français (le notaire Guillaume Manchon avait remis les minutes en français que lui-même avait écrites). Le questionnaire abordait aussi le degré de compétence des juges, les conditions de l'exécution avec ses irrégularités, l'attitude de Jeanne à ses derniers moments, enfin la cause réelle de l'ensemble : le désir de discréditer le roi et la Maison de France.

L'enquête reprit le 8 mai. La plupart des témoins étaient des assesseurs du premier procès, mais les principaux protagonistes étaient morts : Cauchon le premier avait subitement disparu dix ans plus tôt, le 14 décembre 1442 ; Nicolas Midy, celui qui avait fait la prédication au Vieux-Marché le matin de la mort de Jeanne, était mort lépreux vers la même date après avoir eu l'honneur de prononcer une harangue au mois de décembre 1431 devant le petit roi Henry VI lors de son entrée à Paris. Le promoteur Jean d'Estivet avait été trouvé noyé dans un égoût le 20 octobre 1438. Quant au vice-inquisiteur Jean Lemaître, qui avait tenu si peu de place au procès, on ne sait au juste s'il vivait encore — les textes, en tout cas, ne le mentionnent plus à partir de cette année 1452.

A la suite de cette enquête, Jean Bréhal rédigea un résumé de l'affaire, qu'on nomme le *Summarium* et qui devait être présenté, selon la procédure habituelle aux tribunaux ecclésiastiques, à des spécialistes — juristes, docteurs en droit canon, théologiens — qui auraient à se prononcer sur le fond dc la cause. Il y eut ainsi toute une série de consultations, en France et aussi hors de France, puisque le *Summarium* fut communiqué à un théologien de l'Université de Vienne, Léonard de Brixenthal.

Guillaume d'Estouteville allait être nommé archevêque de Rouen en 1453 — une année fertile en événements. Talbot, le vieux Talbot (quatre vingt-un an), que jadis Jeanne d'Arc avait fait prisonnier à Patay, allait reparaître à Bordeaux et y rallier ceux qui n'avaient pas cessé de considérer les Anglais comme leurs seigneurs, dans cette Guyenne où effectivement ils jouissaient de droits domaniaux et ne s'était pas comportés en conquérants et en envahisseurs comme dans tout le reste de la France. Mais il fut tué à la bataille de Castillon qui, le 17 juillet 1453, décida du sort de cette province. Dans le même temps, on apprit en France comme à Rome la chute de Constantinople et comment l'invasion ottomane submergeait désormais le Proche-Orient avant de venir menacer l'Europe.

Cependant, Jean Bréhal reprenait le fil du procès en nullité. S'étant rendu à Rome il obtint que ce nouveau procès fût ouvert grâce à un rescrit du Pape Calixte III — qui succéda le 8 avril 1455 à Nicolas V. Trois commissaires furent désignés pour suivre l'affaire en son nom : l'archevêque de Reims Jean Juvénal des Ursins, l'évêque de Paris Guillaume Chartier, l'évêque de Coutances Richard Olivier.

Le 7 novembre 1455 se déroula à Notre-Dame de Paris une cérémonie extraordinairement émouvante : la mère de Jeanne, Isabelle Romée, entourée de tout un groupe d'habitants d'Orléans qui avaient tenu à l'accompagner, s'avança vers les trois prélats désignés par le Saint Siège :

> « J'avais une fille, née en légitime mariage, que j'avais munie dignement des sacrements de baptême et de confirmation et avais élevée dans la crainte de Dieu et le respect de la tradition de l'Église, autant que le permettaient son âge et la simplicité de sa condition, si bien qu'ayant grandi au milieu des champs et des pâturages elle fréquentait beaucoup l'église et recevait chaque mois après due confession le sacrement de l'Eucharistie malgré son jeune âge, et se livrait aux jeûnes et aux oraisons avec grande dévotion et ferveur, pour les nécessités alors si grandes où le peuple se trouvait et auxquelles elle compatissait de tout son cœur ; pourtant [...] certains ennemis [...] l'ont fait traduire en procès de foi et [...] sans qu'aucun secours ait été donné à son innocence, en un procès perfide, violent et inique, sans l'ombre de droit [...] l'ont condamnée de façon damnable et criminelle et l'ont fait mourir très cruellement par le feu. »

LE VRAI PROCÈS.

Le vrai procès de Jeanne allait commencer.

Sous la conduite des délégués pontificaux, les témoins des enquêtes précédentes, plus quelques autres requis à cette occasion — ils furent cent-quinze à être interrogés — allaient déposer, leur liberté garantie par les « lettres d'abolition » (c'est-à-dire d'amnistie) délivrées par le roi, quelle avait été la part prise par eux au procès de condamnation et aux événements qui l'avait accompagné. Le tribunal se transporta de Paris, où les premières audiences eurent lieu dès le 17 novembre et, à Rouen où ils furent entendus entre le 12 et le 20 décembre dans la grande salle du palais archiépiscopal. Ce fut ensuite l'enquête au pays même de Jeanne, qui se déroula à partir du 28 janvier 1456 ; enfin celle d'Orléans où, entre le 22 février et le 16 mars, défila une foule enthousiaste qui se souvenait de sa libération. La famille de Jeanne était représentée par son avocat, Pierre Maugier, et par divers procureurs, dont le principal fut Guillaume Prévosteau. Deux greffiers désignés pour enregistrer les procès-verbaux, Denis Lecomte et François Ferrebouc, ont apposé comme il se doit leur signature à chaque page de l'authentique du procès qui fut dressé en trois exemplaires (tous conservés jusqu'à notre temps).

Et c'est une autre image de Jeanne qui se dégage de l'ensemble de ces témoignages, qui ont tous leur nuance propre et comme leur accent de terroir, puisque, à côté des assesseurs du procès de condamnation — souvent atteints d'une amnésie remarquable —, on voit défiler les anciens compagnons d'armes ou les compagnons de jeunesse, les princes du sang, comme Dunois ou le duc d'Alençon, et les simples bourgeois d'Orléans. C'est le portrait de la Pucelle par ceux qui l'ont vu vivre. Or ce portrait correspond point pour point à celui qui se dégage des paroles de Jeanne répondant à ses juges. Deux images, une seule et même personne.

C'est le 7 juillet 1456 que fut solennellement prononcée, dans la grande salle du palais archiépiscopal de Rouen, la nullité du premier procès dont un exemplaire fut symboliquement lacéré devant la foule. Plusieurs cérémonies eurent ensuite lieu, d'abord sur la place du Vieux-Marché, puis dans plusieurs villes de France, entre autres à Orléans, où des fêtes furent célébrées le 27 juillet en présence de Guillaume Bouillé qui avait procédé à la première enquête et de Jean Bréhal qui avait mené l'affaire de bout en bout, rédigeant la *Recollectio* où les accusations se trouvaient réfutées point par point grâce aux dépositions des témoins.

Isabelle Romée était présente au milieu de la foule ; elle devait mourir deux ans plus tard, probablement dans le petit village de Sandillon, le 28 novembre 1458.

CHAPITRE IX

« Comme les autres »

Ce n'est qu'avec le procès en nullité que nous apparaît l'enfance de Jeanne la Pucelle.

Au matin du 28 janvier 1456, dans le presbytère de l'église de Domrémy, quatre personnages s'installaient tandis que sur la place s'assemblait la foule des habitants. Le dimanche précédent, du haut de la chaire, ils avaient été convoqués : tous ceux qui avaient connu Jeanne la Pucelle étaient invités à venir devant le tribunal d'Église déposer et raconter leurs souvenirs. Les responsables de l'enquête étaient Maître Simon Chapitault, promoteur de la cause de révision du procès d'Inquisition, venu tout exprès de Paris ; les autres avaient été délégués par les commissaires pontificaux, Maître Réginald Chichery, doyen de l'église Notre-Dame de Vaucouleurs, un chanoine de la cathédrale de Toul nommé Wautrin Thierry, enfin un jeune clerc de la même cathédrale qui devait faire office de greffier, Dominique Dominici.

En 1456, il y avait vingt-sept ans exactement que Jeanne avait quitté Domrémy. Elle aurait eu alors quarante-quatre ans ou environ. Ceux qu'on va interroger ont cet âge « ou environ » selon l'expression du temps : l'âge auquel commencent à compter réellement les souvenirs d'enfance ; c'est à ce moment, lorsque la cinquantaine approche, que ces souvenirs remontent à la mémoire et prennent de l'importance ; les témoins de Jeanne atteignent cet âge éminemment favorable où l'on se souvient ;

pour les jeunes gens l'enfance ne compte guère ; moins encore pour l'homme ou la femme en pleine activité, entre vingt et quarante ans : les premiers sont trop absorbés par leur jeunesse, les autres par l'action, les ambitions, les amours de l'âge mûr. L'enfance n'apparaît dans sa fraîcheur et sa couleur qu'avec le recul de la cinquantaine et peu à peu, elle supplante les autres souvenirs, plus proches, qui s'effacent le plus facilement de la mémoire du vieillard, ceux de la veille.

Les habitants de Domrémy, les voisins, les voisines de Jeanne peuvent parler d'elle. Ils sont bien placés pour cela, l'ayant vue vivre pendant seize à dix-sept ans, et on peut se fier à leurs souvenirs.

Le peuple de Domrémy.

C'est Jean Moreau, laboureur habitant le hameau de Greux, âgé de soixante-dix ans ou environ, qui fait l'une des dépositions les plus détaillées. Jeannette — c'est ainsi qu'il l'appelle —, il l'a vue grandir après l'avoir vue naître, il était là lorsqu'elle a été baptisée dans l'église dédiée à saint Remi, puisqu'il était l'un des parrains de l'enfant dont il nomme aussi les marraines : la femme d'Étienne Royer, Béatrice, veuve d'Estellin (ils demeurent l'un et l'autre à Domrémy) et Jeannette, veuve de Tiercelin de Viteau, qui loge, elle, à Neufchâteau. Il connaissait bien son père Jacques d'Arc et sa mère Isabellette, l'un et l'autre laboureurs comme lui, mais à Domrémy. De bons et fidèles catholiques, de bons laboureurs de bonne réputation. Jeannette, presque tous les habitants de Domrémy l'aimaient ; oui, elle était bien et convenablement élevée dans la foi et les bonnes mœurs : elle connaissait sa croyance comme peuvent le faire les petites filles de son âge ! Elle était « d'honnête conversation », répondant à ce qu'on peut souhaiter d'une fillette de son état, ses parents n'étant « pas bien riches ». On la voyait aller à la charrue et parfois garder les animaux aux champs, et elle faisait aussi « les ouvrages de femme, filer et tout le reste ». Ce qui était frappant chez elle, c'était son extrême piété : « Elle allait volontiers et souvent à l'église » ; quand elle entendait sonner la messe, si elle était aux champs elle s'en venait « à la ville et à l'église » pour entendre la messe. Cela, Jean Moreau atteste l'avoir vu. Il parle de cet ermitage Notre-Dame de Bermont où Jeannette se rendait volontiers — presque chaque samedi après-midi, précisera un nommé Colin, fils de Jean Colin, de Greux, qui était un des compagnons de Jeannette et qui souvent, avec ses camarades, la taquinait à cause de sa piété — ; un autre camarade, à présent cultivateur à Burey, Michel Lebuin, l'accompagnait souvent :

> « A plusieurs reprises quand j'étais jeune, je suis allé avec elle en pèlerinage à l'ermitage Notre-Dame de Bermont. Elle allait presque chaque samedi à cet ermitage avec sa sœur et y mettait des cierges. »

Celui-là a exactement l'âge de Jeanne — quarante-quatre ans — au moment de cet interrogatoire, et il déclare avec une pointe de fierté : « J'étais son compagnon. » Elle se confessait, au temps pascal et autres fêtes solennelles, au curé de la paroisse, Messire Guillaume Front. Il était mort, mais un de ses confrères, le curé de Roncessey, près de Neufchâteau, qui se nomme Étienne de Sionne, atteste que plusieurs fois messire Guillaume Front lui a dit :

> « Jeannette dite la Pucelle était une bonne et simple fille, pieuse, bien élevée, craignant Dieu, tant qu'elle n'avait pas sa pareille dans la ville ; souvent elle lui confessait ses péchés et il disait que si Jeanne avait eu de l'argent à elle, elle l'aurait donné à son curé pour faire dire des messes. Ce curé disait que chaque jour quand il célébrait, elle était à la messe. »

Il disait, selon Jean Colin, déjà nommé, qu'il « n'avait meilleure en sa paroisse ».

Si l'on passe aux confidences de ses amies les plus proches, Mengette et Hauviette, c'est le même écho : une vie toute simple, marquée seulement de cette extrême piété qui étonne, voire déconcerte son entourage. Hauviette — inséparable de Jeanne depuis Péguy ! —, devenue l'épouse d'un paysan de Domrémy, Gérard de Syonne, est visiblement heureuse d'évoquer le souvenir de son amie :

> « Depuis ma jeunesse j'ai connu Jeanne la Pucelle qui est née à Domrémy de Jacques d'Arc et Isabellette, époux, honnêtes laboureurs, et vrais catholiques de bonne renommée. Je le sais, parce que très souvent j'ai été en compagnie de Jeanne et qu'étant son amie j'allais à la maison de son père. »

Elle ajoute que Jeanne était un peu plus âgée qu'elle : « Trois ou quatre ans à ce que l'on disait ». Il y a là une contradiction, puisque elle a déclaré au clerc qu'elle même avait « quarante-cinq ans ou environ ».

Les tenants de la sotte hypothèse d'une Jeanne « bâtarde d'Orléans » * n'ont pas manqué à cette occasion de noter que Jeanne a donc pu naître plus tôt qu'elle n'est née et, négligeant la première partie du témoignage d'Hauviette, la font naître tout bonnement avant 1407, date de la mort de Louis d'Orléans. Celui-ci est en effet le père qu'ils prêtent en toute gratuité à Jeanne d'Arc, omettant le début de la déposition d'Hauviette qui, établit, comme toutes les autres, si clairement la filiation de Jeanne d'Arc.

Les souvenirs d'Hauviette sont tout simples :

> « Jeanne était bonne, humble et douce fille ; elle allait souvent et volontiers à l'église et aux lieux saints et souvent elle avait honte de ce que les gens disaient qu'elle allait si dévotement à l'église [...] Elle s'occupait comme le font les autres jeunes filles, elle faisait les travaux de la maison et filait, et quelquefois — je l'ai vue —, elle gardait les troupeaux de son père. »

« Comme les autres... » D'une déposition à l'autre, c'est le terme qui revient, presque irritant dans sa simplicité :

elle était comme les autres, elle faisait tout comme les autres, c'est à peine si elle se distingue de l'entourage par quelques traits. Par exemple elle aimait entendre sonner les cloches de l'église. « Quand je ne sonnais pas complies, Jeanne m'interpellait et me grondait, disant que je n'avais pas bien fait. » Ce Perrin Drappier, le marguillier de Domrémy — il tire alors sur la soixantaine — rappelle que Jeanne n'était pas contente quand il oubliait de sonner les cloches : elle lui promettait de menus cadeaux pour qu'il y soit plus fidèle. Ce que ses voisins ont noté aussi, c'est qu'elle était très charitable : « Elle faisait beaucoup d'aumônes », raconte le même Perrin Drappier. Mengette se le rappelle aussi, elle dont la maison était presque contiguë à celle du père de Jeannette et qui souvent filait en sa compagnie ou faisait avec elle les autres travaux de la maison. De même Michel Lebuin : « Elle donnait volontiers pour l'amour de Dieu tout ce qu'elle pouvait avoir » ; Isabellette, la femme de Gérard d'Épinal, va même plus loin : « Volontiers elle faisait l'aumône et faisait recueillir les pauvres ; elle voulait coucher sous le manteau de la cheminée et que les pauvres couchent dans son lit. » Plus délicat, plus émouvant encore ce souvenir d'un jeune garçon devenu laboureur et âgé de quarante-quatre ans lorsqu'il dépose, et qui a eu dans l'enfance une santé délicate, Simonin Musnier : « Elle soignait les malades et donnait l'aumône aux pauvres ; cela je l'ai vu, car quand j'étais enfant, j'étais moi-même malade, et Jeanne venait me consoler. »

« Volontiers. »

Mais il y a surtout cette piété exemplaire qui distingue Jeanne, et aussi ce mot qu'on retrouve dans chacun des témoignages : « Volontiers. »

« Elle allait souvent et *volontiers* à l'église et aux lieux saints [...], elle allait souvent et *volontiers* à l'église [...], elle s'occupait *volontiers* des animaux de la maison de son père [...], elle se confessait *volontiers* [...], elle travaillait *volontiers* et s'occupait à de multiples besognes, filait, faisait les travaux de la maison, allait aux moissons, et quand c'était le moment, quelquefois, elle gardait à son tour les animaux en filant [...] Elle travaillait *volontiers*, elle allait *volontiers* à l'église... »

Aucun terme ne revient plus souvent dans ces dépositions qui se ressemblent et composent un portrait de calme dans le travail quotidien, de joie aussi. Que cette fille porteuse d'un pareil destin ait pu être aussi disponible aux autres et leur ressembler au point que personne ne se doutait du secret de son existence, c'est peut-être ce que les souvenirs des gens de Domrémy nous apportent de plus étonnant.

Et quelle déception pour ceux qui imaginent la « religion populaire » comme un tissu de superstitions, de petites sottises rituelles, de mini-diableries que les malheureux ignorants auraient accomplies dans leur inconscience ! Cette religion populaire — que tant de savantes études, recherches et colloques en tous genres ont étudiée en notre temps, toujours avec un infini dédain, à peine nuancé ici ou là de quelque indulgence —, où en trouver meilleur reflet que dans ces dires de paysans, dans leur village, parlant de l'une d'entre eux ? Certes, pas plus qu'à Jeanne elle-même, il n'eût été possible de leur tirer une définition de l'Église militante, mais quelle droiture dans la façon de s'exprimer, de juger, de se souvenir ! Comme il est clair pour eux, l'essentiel de la « croyance » ! Et pour l'essentiel de la vie, comme il leur semble juste que l'eucharistie, la prière, le recours aux sacrements et notamment à la confession fréquente soient l'essentiel d'une existence de chrétien ! Et comme il leur semble naturel aussi que l'amour et le respect des autres, la volonté d'accueil, d'entr'aide, d'activité joyeuse dans la vie quotidienne, aillent de pair avec une piété authentique ! On ne peut que rappeler ici l'expression si heureuse de Francis Rapp : « Chez eux le christianisme coule de source. » L'Évangile y a donné ses fruits jusque dans les détails de l'existence, et il n'est guère étonnant qu'un jour, un fruit rare et parfait y ait mûri.

Le questionnaire préparé pour les interrogatoires de Domrémy portait évidemment sur ces points propres à faire sursauter des intellectuels pointilleux : « l'Arbre des fées », par exemple, ou bien les danses « près de la fontaine ». On se rappelle l'évocation pleine de poésie que Jeanne avait faite de ces moments ensoleillés où la jeunesse du pays se donnait rendez-vous sous l'arbre pour y chanter et danser : il est saisissant de voir que c'est une évocation toute semblable chez chacun de ces paysans, de ces paysannes qui évoquent sans la moindre gêne les légendes se rapportant à l'Arbre des fées et les réjouissances qui s'y perpétuent d'année en année chez les jeunes du pays ; ils puisent dans ce folklore ancien une culture qui leur est propre et qu'ils transmettent d'une génération à l'autre. Ainsi le parrain de Jeanne raconte-t-il avec plaisir ce qu'il a entendu dire sur cet « Arbre des dames » :

> « J'ai entendu dire parfois que des femmes et enchanteresses qu'on appelait fées allaient autrefois danser sous cet arbre, mais, à ce qu'on dit, depuis qu'on lit l'évangile de saint Jean, elles n'y vont plus. En notre temps, le dimanche où l'on chante à l'introït de la messe, *Laetare Jerusalem*, les jeunes filles et jeunes gens de Domrémy s'en vont sous cet arbre et parfois ils y mangent et en revenant ils vont à la fontaine aux Rains et en se promenant et en chantant, ils boivent de l'eau de cette fontaine et jouent alentour et cueillent des fleurs. »

Et la marraine de Jeanne, Béatrice, d'ajouter : « C'est un très bel arbre » ; un autre, Gérardin d'Épinal, dira : « Cet arbre, au printemps, il est beau comme les lys et très étendu ; ses feuilles et ses rameaux viennent jusqu'à terre. » Pas le moindre soupçon de diablerie ni de sorcellerie là-dedans pour aucun d'entre eux !

Qu'avait-on deviné de son étonnant secret ? Un laboureur de son âge ou à peine plus âgé qu'elle, Jean Waterin, raconte :

> « J'ai vu souvent Jeannette la Pucelle, et dans ma jeunesse j'ai conduit avec elle la charrue de son père et avec elle et les autres filles j'ai été aux champs et à la pâture. Souvent quand nous jouions ensemble, Jeanne se retirait à part et souvent parlait à Dieu, à ce qu'il me semblait. »

Mais c'est pour ajouter : « Moi et les autres nous nous moquions d'elle. » A un autre, Michel Lebuin, elle avait fait un début de confidence dont le garçon se souvenait très vivement, lui qui souvent l'accompagnait à Notre-Dame de Bermont et l'avait vue souvent aussi se confesser :

> « Une fois, Jeanne elle-même m'a dit, à la veille de la Saint-Jean-Baptiste, qu'il y avait une Pucelle, entre Coussey et Vaucouleurs, qui avant un an ferait sacrer le roi de France, et l'année qui vint le roi fut sacré à Reims. Et je ne sais rien d'autre. »

Cette confidence faite à la veille de la Saint-Jean, sans doute dans l'amusement des feux de joie de cette veillée-là, c'est un souvenir qui lui est resté. Et il y a aussi le « bourguignon » de Domrémy, ce terrible Gérardin d'Épinal dont Jeanne disait et certainement par plaisanterie : « J'eusse bien aimé qu'il eût la tête coupée ! » ajoutant aussitôt : « s'il eût plu à Dieu ! » Elle lui avait dit un jour : « " Compère, si vous n'étiez bourguignon je vous dirais quelque chose " ; moi, je croyais qu'il s'agissait de quelque compagnon qu'elle voulait épouser. » Tout bourguignon qu'il fût, il s'est tout de même rendu avec d'autres, dont Michel Lebuin, à la rencontre de Jeanne et du cortège royal au moment du sacre ; à Châlons les quatre paysans l'ont retrouvée.

TRANSPARENCE.

On peut lire et relire ces interrogatoires de Domrémy à Greux : l'impression qui s'en dégage est une sorte de transparence, cette même transparence que l'on retrouve dans les paroles, l'action, la personne même de « Jeannette ». Mais cette transparence de vie quotidienne qui forme son environnement devient chez elle transparence à l'action de Dieu. Parmi tous ces êtres limpides, elle est d'une limpidité particulière et comme un pur reflet de ce monde invisible avec lequel elle correspond.

Le prophète de l'Ancien Testament se considérait comme porteur d'une parole qui ne lui appartenait pas : il transmettait ce qui lui était dicté. En son temps, on a salué en Jeanne une héroïne biblique. Et c'est bien l'impression qui en effet se dégage d'elle ; son prophétisme vient de ce qu'elle transmet ce qu'elle appelle le message de ses voix sans y ajouter ni en retrancher. « Je ne vous dis rien que je prenne en ma tête », dit-elle à ses juges. On a constamment, au cours du procès, l'impression qu'elle craint surtout d'outrepasser ce que ses voix lui ont dicté. Elle redoute de n'être pas un instrument assez fidèle, et c'est avant tout par une extrême pureté, en se laissant agir par l'Esprit qu'elle transmet ce qui lui vient d'ailleurs. « Je demande qu'on me renvoie à Dieu d'où je suis venue », dit-elle certain jour. Mais l'on comprend mieux cette pureté native chez une fille élevée parmi ces gens qui certes ne dépassent pas le niveau de l'humanité moyenne, mais dont l'esprit est droit et sait apprécier la droiture : « Il n'y avait rien que de bon en elle. »

Cette religion populaire qui attire le mépris des gens de Sorbonne en leur temps et fait hausser les épaules au nôtre, en quoi consiste-t-elle ? On est frappé de l'importance que tous ces habitants de Domrémy accordent au baptême ;

pour eux ce n'est pas un simple rite, il suffit de voir combien ils tiennent à être le parrain, la marraine. L'un des témoins dit de Jeanne : « Elle était ma commère », ce qui veut dire qu'elles étaient ensemble marraines d'un garçon nommé Nicolas. Cela a compté dans leur vie. « Je suis bonne chrétienne et bien baptisée », proteste Jeanne elle-même. Et le seul fait qu'on ait regardé comme proprement miraculeux dans son action, c'est d'avoir fait revenir à la vie, pour lui administrer le baptême, un enfant qu'on croyait mort — l'épisode de Lagny. Être baptisé, c'est en effet être expressément « d'Église » : on fait partie de cette communion des êtres qui se reconnaissent rachetés par le sang du Christ. L'Église des Temps classiques apparaîtra comme une hiérarchie : le pape, les évêques, les prêtres, et une foule obscure qui les suivent. Au temps de Jeanne, au contraire, on est encore conscient d'appartenir à la société des baptisés, tous aimés de Dieu et admis grâce au baptême à une participation à la vie divine. C'est ce qu'expriment les textes de Vatican II : on retrouve aujourd'hui le sens de l'Église qui fut celui des temps médiévaux, celui des paysans de Domrémy pour qui le bon chrétien est celui qui demeure fidèle à son baptême, et c'est leur sens des exigences du baptême qui inspire leurs actes, leur respect du prochain, leur éthique journalière, leur recours aux sacrements de l'Église — sans pour autant négliger les joies que cette vie quotidienne leur offre, même aux temps les plus durs, quand ils s'en vont danser près de cet Arbre des fées sans la moindre nuance de superstition, mais parce que l'arbre est beau, qu'il a inspiré des légendes et qu'il fait partie de leur décor naturel, auquel ils tiennent.

C'est ce même sens chrétien qui leur fait rendre hommage à Jeanne, cette fille qui fut parmi eux comme les autres et qui faisait tout *volontiers,* avant de donner, face aux idéologues — ceux qui procèdent par définition ou par système — la preuve la plus éclatante de sa foi, criant : « Jésus » dans les flammes, devant la foule muette, au Vieux-Marché de Rouen.

DEUXIÈME PARTIE

Les acteurs

Les personnages dont nous donnons une courte biographie ont été retenus car leur rencontre avec la Pucelle à un moment ou à un autre de son existence, a joué un très grand rôle, ou bien encore parce que leur propre histoire éclaire l'histoire de France au temps de Jeanne d'Arc.

Tout d'abord, « son » roi, Charles VII héritier du royaume, auquel Jeanne d'Arc a redonné espoir. Vient ensuite le cousin de celui-ci, le prince-poète Charles d'Orléans, que Jeanne ne rencontra jamais, mais dont elle sauva le duché. Le personnage qui marque le départ de Jeanne d'Arc de Domrémy et de Vaucouleurs c'est Robert de Baudricourt. Viennent ensuite les compagnons d'armes. Nous avons évoqué la figure de Gaucourt car c'est lui le capitaine de la ville d'Orléans, puis La Hire, Étienne de Vignolles et Poton de Xaintrailles, les deux routiers devenus ses fidèles capitaines, un prince du sang, Jean d'Alençon, son « beau duc ». Enfin, comment ne pas évoquer la figure du célèbre Dunois, Bâtard d'Orléans, fils du prince Louis ?

Nous donnons aussi trois biographies d'Anglais. En effet, Salisbury, même si Jeanne d'Arc ne l'a pas rencontré physiquement, a mis le siège devant la ville d'Orléans ; John Talbot vient ensuite : c'est lui qui remit son épée à la Pucelle après la victoire de Patay et enfin Richard Beauchamp comte de Warwick, son geôlier à Rouen.

Une autre figure typique de la fin du XVe siècle est celle de Perrinet Gressart, le routier qui a fait échec à Jeanne d'Arc et qui fut une cheville ouvrière de la lutte anglo-bourguignonne. Un personnage qui commence à être connu, Jean de Luxembourg, mérite toute notre attention, puisque c'est lui qui garda la prison-

nière quatre mois et la livra aux Anglais. Comment enfin, oublier le juge, Pierre Cauchon, et ne pas mentionner les dernières découvertes faites à propos de la rédaction du procès de condamnation ?

Robert de Flocques est un de ces personnages de la fin du Moyen Age qui ont vécu la plus grande partie de leur vie en guerre ; il n'a pas été un compagnon de Jeanne d'Arc, mais nous pouvons suivre sa destinée lors de la reconquête du royaume que celle-ci a amorcée : elle est caractéristique de celle des propres compagnons de Jeanne. Enfin, Jacques Gélu et Jean Gerson évoquent la spiritualité de Jeanne d'Arc et l'attitude d'une partie de l'Église face à la jeune paysanne.

I

CHARLES VII

Les historiens l'ont souvent jugé très sévèrement. La faiblesse qu'il laisse transparaître lors des premières années de son règne, son « lâche abandon » de Jeanne d'Arc, son ingratitude envers Jacques Cœur, enfin les derniers moments de sa vie, consacrés aux plaisirs plutôt qu'aux devoirs de sa charge, font de lui un personnage peu sympathique. Mais cela ne doit pas faire perdre de vue tout ce qui a été entrepris pour restaurer le royaume.

Georges Chastellain, chroniqueur bourguignon, dépeint la France du début du XVe siècle : « Sens dessus dessous, scabeau des pieds des hommes, foulure des anglais et le torchepied des sacquemans (brigands) ! »

Tout autre sera l'héritage que Charles VII laissera en 1461 à son fils en mourant après trente-neuf années de règne : « Tellement qu'il laissa à son décès son royaume en aussi bonne paix, justice et tranquillité, qu'il fut depuis le roi Clovis premier chrétien [1]. »

Celui que ses ennemis tentaient de faire passer pour un bâtard de sa mère, la reine Isabeau, devint après le sacre de Reims, voulu et rendu possible par Jeanne d'Arc, « roi de France par la grâce de Dieu » et acquit ainsi une légitimité affirmée. Charles VII s'attaqua alors à la reconquête du royaume, qui passait par la réconciliation entre Armagnacs et Bourguignons, concrétisée par la paix d'Arras en 1435. Puis le roi se débarrassa des bandes d'écorcheurs en les envoyant combattre ailleurs, en Suisse et en Allemagne. Mais surtout, avec l'ordonnance d'Orléans en 1439, il institua les bases d'une armée permanente

1. *Chronique abrégée jusqu'à Louis XII*, B.N. Ms fr. 4954.

et créa les francs-archers qui deviendront nos gendarmes modernes.

Ses réformes militaires ne sont pas immédiatement comprises et acceptées par ses contemporains, car le cantonnement de l'armée et la nomination des chefs par le roi sont très éloignés de l'esprit médiéval. Elles vont provoquer une révolte des grands féodaux : ce sera la Praguerie en 1440. Charles VII s'attache aussi à la réforme du corps judiciaire par les grandes ordonnances données à Montils-lès-Tours en 1436. En 1454, il prescrit la rédaction des coutumes, retrouve les trois Chambres traditionnelles : la Grand-Chambre, la chambre des Enquêtes et la chambre des Requêtes. Par la Pragmatique sanction de Bourges en 1439, il réglemente les rapports entre l'Église de France et la Papauté en limitant les pouvoirs de cette dernière, puisque c'est le souverain lui-même qui nomme les évêques et les supérieurs des monastères. Enfin le procès de réhabilitation de Jeanne d'Arc, en 1450-1456, est une œuvre de justice personnelle et d'apaisement des Français entre eux.

Ce roi que les contemporains appellent le « Victorieux » est jugé par les habitants de Châlons en 1429 « doux, gracieux, piteux et miséricors, belle personne, de bel maintien et haut entendement [1] ». Piété et miséricorde à l'égard de ses sujets, voilà deux traits de caractère constamment relevés par ses biographes. Jeanne d'Arc elle-même, dans son Procès, dit : « Ne parlez pas de mon roi, il est bon chrétien. » Mais avec ses favoris, sa bonté confine assez souvent à la faiblesse. Georges de La Trémoïlle est l'un de ceux qui sont les plus habiles à se faire gratifier de pouvoirs et pensions diverses et variées.

Jean Juvénal des Ursins, l'un des grands évêques de son époque, a lui aussi laissé un portrait du roi : « Sa vie, son gouvernement est bel, honnête et plaisant à Dieu. » Charles VII était un homme cultivé ; très bon latiniste, il excellait en histoire et dans les sciences sacrées, il pouvait être charmeur et avait une voix d'un timbre agréable ; il aimait les arts, jouait souvent de la harpe, mais avait peu le goût de la chasse.

Le roi pouvait éprouver parfois d'effroyables terreurs se rapportant à des événements qui avaient marqué son enfance et sa prime jeunesse : il ne supportait pas d'avoir un plancher au-dessus de lui, se remémorant l'accident de La Rochelle ; il ne pouvait non plus passer à cheval sur un pont de bois — le meur-

1. Lettre aux habitants de Reims, citée par Quicherat, t. IV, p. 298.

tre perpétré à Montereau l'obséda toute sa vie. Il était aussi très décontenancé à la vue d'étrangers ; on rapporte que s'il voyait quelqu'un alors qu'il dînait, il le fixait pendant tout le repas et en oubliait de manger.

Au demeurant, son physique n'était pas des plus attrayants : « Moult était linge [grêle] et de corpulence maigre, avait faible fondation et estrange marche sans portion », précise Chastellain. Il était de taille moyenne, ses membres étaient mal proportionnés ; ses tuniques courtes laissant voir des genoux cagneux, il lui fallait porter la longue robe. Alors il paraissait majestueux.

Les portraits qui nous sont parvenus montrent un homme à l'air triste et inquiet, un visage, non dépourvu de charme mais empreint de souffrance et de lassitude. Ils illustrent à merveille les jugements des contemporains : « Solitaire estoit, il lui suffisait de passer le temps de vivre. »

Ajoutons qu'il fut le premier des rois de France à avoir une favorite en titre : Agnès Sorel.

Tout au long de sa vie Charles VII a su être le « bien servi ». Même ses ennemis savaient apprécier ses qualités ; ainsi le comte de Suffolk : « J'ai tant vu chez le roi de France de grand honneur et bien que je veux que chacun sache que je le servirai envers et contre tous sauf la personne de mon maître. » Cette phrase prononcée en 1445, au moment des efforts de réconciliation en France et en Angleterre, quoique empreinte d'une certaine flatterie, montre l'opinion positive que ses contemporains, adversaires ou non, se faisaient de « Charles le Bien servi ».

II

Charles d'Orléans, le prince-poète et prince des poètes

Au moment où Jeanne lève le siège d'Orléans, le duc Charles est prisonnier en Angleterre depuis la bataille d'Azincourt (25 octobre 1415) où il a été laissé pour mort. Il a alors vingt-quatre ans. Très courageux, il a combattu à l'avant-garde avec l'énergie du désespoir ; retrouvé blessé parmi les cadavres, il restera vingt-cinq ans aux mains des vainqueurs.

Henry V, roi d'Angleterre, était tout à fait conscient de l'importance de cette prise, puisque l'une des clauses de son testament précisait « qu'en aucun cas il ne faut rendre sa liberté au chef légitime du parti armagnac ». Charles d'Orléans rejoignit en Angleterre son frère le comte d'Angoulême, déjà prisonnier ; le benjamin de la famille, le comte de Vertus, devait mourir peu après. C'est donc son demi-frère, le futur comte de Dunois, Jean, Bâtard d'Orléans, qui devint chef de famille en France.

Le premier château où il est retenu prisonnier est celui de Windsor. En 1421, il est transporté de Pontefract au château de Fotheringay à Northampton, et au mois de mai 1422 on le retrouve à Bolingbroke. Enfin il est transféré à Londres en 1430.

Par lettre patente du 27 mai 1422 ses gardiens furent rétribués 20 sous par jour. Mais le gouvernement anglais trouva cette charge trop lourde pour les deniers publics et mit sa garde en adjudication : c'est le comte de Suffolk — celui-là même qui fut vaincu par Jeanne et l'armée royale à Orléans et à Patay — qui se porta garant et paya 15 sous 4 deniers par jour pour la garde du prisonnier. Bien évidemment, le duc payait lui-même sa pension. Charles d'Orléans devait terminer sa captivité au château de Wingfield de 1435 à 1440.

De ses résidences successives il continue à diriger tant bien que mal les affaires de son apanage. Ainsi fait-il vendre ses joyaux et pierreries pour payer la rançon de plusieurs de ses compagnons d'infortune. Il gère également ses revenus au mieux pour préparer son propre « élargissement » et recommande à ses officiers une parfaite régularité et d'importantes mesures d'économie. Pour ces tâches, il se repose principalement sur son chancelier et son trésorier général placés sous la direction du Bâtard. Ce dernier ne ménage pas sa peine, et les comptes de la ville d'Orléans témoignent de ses constants déplacements à travers le duché. Le chancelier, Raoul de Gaucourt, et le trésorier général, Jacques Boucher, se rendent parfois en Angleterre, mais c'est un écuyer qui assure régulièrement la liaison entre le prince-poète et sa ville.

Dès le début de sa captivité et donc dès le début de la reprise des hostilités entre la France et l'Angleterre, le duc d'Orléans s'efforce d'atténuer les dommages causés auprès de la population par les armées. Les troupes vivant sur le territoire, il donne des ordres pour que tout soit réglementé et s'efforce aussi d'obtenir en faveur des villes de son duché, et plus spécialement de sa capitale Orléans, que l'on s'abstienne de combattre. Cette dernière aurait dû être épargnée par les Anglais puisque son légitime seigneur était prisonnier, mais en cette fin du XVe siècle on était bien loin d'observer les règles de chevalerie des siècles antérieurs. De 1424 à 1426, les comptes de la ville évoquent fréquemment ces questions de trêves :

> « Autres recettes d'emprunt fait par ladite ville pour les affaires d'icelle. De mettre Pierre Framberge, naguère procureur de la ville par les mains de Guillaume Garbot, comme tuteur des enfants Oudin du Loich, la somme de cent écus d'or viez [...] de lui emprunter pour délivrer à Monseigneur de La Trémoïlle sur certaines sommes à lui accordées par les habitants de ladite ville d'Orléans, et des comtés de Blois et de Dunois pour poursuivre certaines abstinences de guerre devers le duc de Bourgogne pour lesdits pays »...

De nombreux autres emprunts sont mentionnés : « De mes seigneurs les doyens et chapitre de l'église Sainte-Croix [...] de Jacques Boucher [...] ainsi pour cause " d'abstinences " de guerre devers le duc de Bourgogne ou devers le roi d'Angleterre ». Un premier traité est signé le 17 juillet 1427 à Londres entre le duc, le Bâtard et Bourgogne, mais ce traité n'est pas ratifié par Bedford, et c'est ainsi que l'on voit reprendre les hostilités. La ville d'Orléans doit alors pouvoir se défendre. Une fois de plus, le duc suit les préparatifs de très près : il fait faire un inventaire dans ses châteaux, forteresses et villes pour y répertorier arbalètes, traits, poudre et canons. Le guet est réorganisé, les fortifications sont consolidées et les faubourgs rasés. L'ennemi peut donc attaquer : la ville est prête à se défendre, ce qu'elle va faire pendant sept mois.

Pour l'histoire de Jeanne d'Arc, nous avons un détail très émouvant : il s'agit du cadeau offert en récompense par le duc à la libératrice de sa ville (en revanche, Charles d'Orléans, habituellement très prolixe, ne parle jamais de Jeanne d'Arc dans les manuscrits que nous possédons). Mais revenons au cadeau : lorsqu'elle revint, le 20 juin 1429, après les victoires de Jargeau, Meung, Beaugency et Patay, on fit préparer pour la remercier de ses bons services des vêtements d'apparat aux couleurs des Orléans : c'était un usage courant au Moyen Age que d'offrir des vêtements ou des livrées à ses armes.

Les comptes de la ville d'Orléans sont éloquents sur ce point : « A Jaquet Compaing, pour une demi aulne de deux verts achetée pour faire les orties des robes à la Pucelle, trente-six sous parisis. » Ce mandement de dépenses est daté du 16 juin 1429 ; et à la date du 30 septembre 1429 :

> « Charles, duc d'Orléans et de Valois, comte de Blois et de Beaumont et seigneur de Coucy, à nos amez et féaulx les gens de nos comptes salut et dilection. Nous vous mandons que la somme de treize escuz d'or viez du poiz de soixante et quatre au marc, qui par notre amé et féal trésorier général Jacques Boucher a été païée et délivrée au mois de juin dernier passé à Jean Lhuillier marchant et Jean Bourgeois taillendier, demeurant à Orléans, pour une robe et une huque que les gens de notre conseil firent faire et délivrer à Jehanne la Pucelle estant en notre dite ville d'Orléans ; ayant considération aux bons et loyaux et agréables services que la Pucelle nous a faits à l'encontre des Anglais anciens ennemis de monseigneur le roi et de nous. »

Cette cédule est dont tout à fait explicite : le duc d'Orléans a fait faire une robe et une huque d'homme pour remercier Jeanne de la libération de la ville. La fin du texte donne d'autres explications :

> « C'est à savoir audit Jean Lhuillier, pour deux aulnes de fine bruxelle vermeille dont fut faite ladite robe, au prix de quatre escuz d'or l'aulne, huit escuz d'or, pour la doublure d'icelle deux écuz d'or : et pour une aulne de verts perdu pour faire ladite huque, deux escuz d'or et audit Jean Bourgeois pour la façon desdites robe et huque et pour satin blanc, sandal et autre étoffe pour tout un escu d'or... »

Ce mandement a été donné à Orléans le dernier jour de septembre, l'an de grâce 1429. La fine bruxelle est un très beau tissu de drap fait dans la ville du même nom, et le sandal est fait de soie. Ce sont là des étoffes de prix.

La reconstitution de ces vêtements a pu être faite par Adrien Harmand dans un ouvrage très bien documenté [1] évoquant les patrons qui auraient pu servir pour tailler la robe et la huque de Jeanne. En ces années-là, les vêtements masculins s'arrêtaient toujours au genou. Adrien Harmand conclut, au terme d'une

1. Adrien Harmand, *Jeanne d'Arc, ses costumes, son armure*, Paris, 1929.

longue étude donnant force détails sur le costume, la coiffure, les souliers et l'équipement militaire, que « Jeanne d'Arc, bien compassée de membres et forte, belle et bien formée, devait atteindre approximativement 1,58 m puisque la longueur de sa robe en fine bruxelle mesurait 80 cm ».

C'est là un détail de compte intéressant à relever. On peut aussi remarquer que la feuille d'ortie a été pendant un moment, justement ces années-là, l'un des emblèmes de la famille d'Orléans ; quant à la couleur vert foncé, certains auteurs donnent comme explication que les Orléans à ce moment-là faisaient faire les livrées en vert perdu ou vert foncé pour exprimer leur deuil de voir leur chef légitime prisonnier en Angleterre... Une seule précision nous manque pour la reconstitution des costumes de Jeanne d'Arc : la provenance de la fourrure qui devait nécessairement border la huque et la robe. Celles-ci ne devaient pas spécialement être portées ensemble : on passait la huque directement sur les vêtements de dessous ou sur l'armure pour être reconnu des soldats, de sa compagnie, et aussi pour atténuer les reflets éblouissants du soleil.

Le duc d'Orléans se montre généreux également envers son frère le Bâtard, lieutenant général du roi pour la guerre dans l'Orléanais ; une pension annuelle lui est versée, et on lui remet en 1439 successivement la charge de Romorantin et de Blois pour services rendus, on lui fait don du comté de Dunois, avec droit d'en porter le titre. C'est encore le Bâtard qui a les pleins pouvoirs aux États d'Orléans et de Tours ainsi qu'aux conférences d'Arras, de Calais et de Gravelines.

En 1435, l'espoir renaît pour le captif. Vingt ans après sa prise à Azincourt, les Anglais commencent à ressentir les effets de la défaite d'Orléans et à être boutés hors de France. Le traité d'Arras signé entre le roi de France et le duc de Bourgogne, la mort du régent Bedford, le mariage arrêté entre le comte de Charolais, fils de Philippe le Bon, et la fille de Charles VII, le siège de Calais entrepris par le duc Philippe de Bourgogne en personne, tout cela change les données du conflit et permet d'entrevoir la fin de la guerre de Cent Ans. De prisonnier Charles d'Orléans devient médiateur entre la France et l'Angleterre. Il accompagne la délégation anglaise aux conférences d'Arras, mais sa demande de libération — moyennant, bien sûr, une forte rançon — est, une fois de plus, repoussée et il doit retourner dans sa prison de Wingfield en mai 1436. La duchesse de Bourgogne, Isabelle de Portugal, a été très sensible au malheur de ce prince, et, secondée par le cardinal de Winchester, l'un des membres les plus influents du Conseil de Londres, elle prend à cœur la libération du poète.

Cinq longues années s'écoulent pourtant encore avant de voir celle-ci se réaliser. Pendant ce temps, bien des choses vont se passer : le connétable de Richemont met son épée au service du roi victorieux ; le Bâtard, Xaintrailles, Gaucourt continuent l'œuvre commencée par Jeanne et peu à peu villes et forteresses sont restituées au Domaine royal. Paris est libérée en 1437, les États généraux sont convoqués en 1439 à Orléans ; à cette occasion, on demande la paix définitive entre les deux royaumes. A la fin de 1439, des conférences ont lieu afin de la conclure.

Une heureuse nouvelle arrive à Orléans. Un messager annonce que le duc vient de débarquer à Calais. Des prières publiques sont dites dans toutes les paroisses de la ville, des processions sont prescrites sur le vœu des procureurs, pour demander à Dieu « qu'Il voulût accorder la paix et donner bonne délivrance à Monseigneur d'Orléans ». Une fois de plus, on fait appel à la générosité de la population orléanaise et on la force également « à verser 2 000 écus d'or pour bailler à Monseigneur le trésorier avec prière d'aller en personne et sans retard les porter au duc à Calais [1] ». La trêve si ardemment attendue n'est pas immédiatement réalisée, car des difficultés surviennent, et il faudra attendre encore quelques mois.

Au début de 1440, en février, les négociations sont reprises à Gravelines et la libération du duc est définitivement accordée. La rançon, fixée à 120 000 écus d'or, somme considérable pour l'époque, est alors versée. Fait incroyable, le duc de Bourgogne avait offert quelques années auparavant d'en payer un quart sur ses biens personnels ; le dauphin et quelques seigneurs se portent garants du surplus. Le prince est alors mis en liberté sur parole. Après vingt-cinq ans, Charles d'Orléans a la joie de rentrer en France ; le duc et la duchesse de Bourgogne sont présents pour le recevoir à Gravelines. Huit mois plus tard, le 16 novembre 1440, il épouse leur fille Marie de Clèves, et des fêtes resplendissantes sont données à l'occasion de cet événement. Le 24 janvier 1441, le duc fait son entrée solennelle dans la capitale de son duché accompagné de son épouse.

Les Orléanais fêtent avec dignité et joie le retour de leur duc. Le roi de France a autorisé le Conseil de la ville à lever une taille

1. Comptes de Commune de Gillet Morschoasne du 30 décembre 1439.

de 2 000 livres, puis une autre de 4 000 écus pour les dépenses de cette solennité [1]. La population a organisé la représentation de mystères, le principal étant celui de *David et Goliath*, alors très en vogue, ainsi qu'une autre pièce intitulée *Les vertus morales*. Des tables chargées de victuailles sont installées aux carrefours et de deux fontaines coulent du vin clairet et du lait. Des joueurs de luth se produisent dans les rues accompagnés de nombreux ménestriers. Un dais de drap d'or orné de six aulnes de sandal et frangé de soie est préparé pour recevoir le duc et la duchesse, les cloches des églises sonnent à toutes volées, les reliques des saints protecteurs de la ville, saint Aignan et saint Euverte, sont conduites en procession d'action de grâces à travers la ville. Celle-ci offre à Charles d'Orléans un bassin contenant 4 000 écus d'or ainsi que de la vaisselle d'argent (dont le poids dépasse la valeur de 211 marcs) lorsqu'il quitte Orléans pour se rendre à Blois. La vaisselle a été gravée à ses armes et à celles de la duchesse sur ordre de « Monseigneur le trésorier général », Jacques Boucher.

Le duc d'Orléans est donc libre, mais il lui faut trouver l'argent pour payer sa rançon. Une fois de plus, le trésorier général, assisté d'Étienne Le Fuselier, conseiller du duc, est requis et va s'employer à satisfaire son maître. On se souvient qu'une partie du duché a déjà été engagée, sur l'ordre exprès de Charles, alors prisonnier à Londres, par des lettres du 2 avril 1437. D'autre part, nous avons aussi vu que Philippe le Bon s'offrit à prendre une partie de la rançon à sa charge et que Charles VII à son tour fit des dons considérables sur les revenus du royaume. D'après des lettres patentes conservées à Orléans et datées du 20 avril 1440, le roi prend en considération

> « les grands frais et charges de son amé cousin le duc Charles duc d'Orléans, pour le fait de la guerre, à l'occasion de laquelle lui et le comte d'Angoulême son frère, ont été de longtemps prisonniers en Angleterre, voulant pour ce lui venir en aide, lui donne et octroie pour un an commençant au premier octobre 1440 et finissant au dernier jour de septembre 1441, tous les profits et émoluements des gabelles et grenier à sel établis au duché d'Orléans et de Valois, comtés de Blois et de Dunois et autres terres et seigneuries appartenant à lui et à son frère dans l'étendue du royaume ».

1. Comptes de Commune de Gillet Morchoasne 1438-1440 ; lettre de Charles VII du 21 décembre 1440.

Ainsi on donne ordre aux grainetiers des duchés, comtés et seigneuries de verser les deniers provenant des gabelles, aux mains de Jacques Boucher. La ville d'Orléans est autorisée par Charles VII à s'imposer une taille de 3 000 livres pour acquitter une partie de la rançon. Ces lettres sont inscrites dans les comptes de la ville en 1438 et en 1440. Le 24 août 1440, les procureurs font voter par voie d'emprunt une nouvelle somme de 6 000 livres pour « subvenir à la rançon de Monseigneur le duc ». Enfin, le roi, par une lettre datée du 6 décembre 1441 de Saumur, après avoir rappelé les sacrifices des Orléanais, les autorise à répartir entre eux une taille de 4 000 livres, pour aider leur duc « tant sur le fait de sa rançon, comme à soutenir son état », qui seront versées à Jacques Boucher.

Charles d'Orléans va terminer sa vie à Blois, d'où il achèvera de réconcilier Charles VII et Philippe le Bon ; il servira aussi bien d'intermédiaire entre le duc de Bourgogne et Charles de Bourbon qu'entre Charles VII et son fils le dauphin Louis.

Dans son château il reçoit tout ce que la France comporte de princes, à commencer, bien sûr, par le Bâtard d'Orléans, le duc de Bourbon et le duc de Savoie. N'ayant pas d'enfant, il a quasiment adopté Pierre de Beaujeu, fils du duc Charles de Bourbon et qui est élevé à Blois.

Charles reste aussi en correspondance et en relation avec son frère le comte d'Angoulême. Après seize ans de mariage, une fille va naître, que celui-ci prénomme Marie, puis ce sera le tour d'un fils, Louis, destiné à monter sur le trône de France sous le nom de Louis XII et dont le parrain sera Louis XI ; enfin une troisième fille, Anne, sera abbesse de Fontevraud.

Charles d'Orléans mourut dans la nuit du 4 au 5 janvier 1465, âgé de soixante-neuf ans. Il se trouvait à Amboise puisqu'il revenait de l'assemblée de Tours réunie par Louis XI. Son corps, transporté à Blois, fut inhumé en l'église du Saint-Sauveur. Le deuil était conduit par le fiancé de la petite Marie d'Orléans, le fameux seigneur de Beaujeu, Pierre de Bourbon ; venait ensuite la Maison du défunt — composée de quarante-trois gentilshommes, de cinq prêtres, de treize chantres et de l'organiste —, puis le chancelier général des finances accompagné des trésoriers argentiers, les valets, les apothicaires, les barbiers. Marie de Clèves, sa veuve, portait une robe longue de fin drap d'or noir, chaperon et manteau long fourré de chat d'Espagne et d'agneau blanc à bordure de menu vair et passe-poil d'hermine blanche. Les nourrices accompagnaient les enfants ; la petite Marie, fiancée de sept ans, avait revêtu un manteau et une robe de drap noir de Rouen ; Louis de Valois, âgé de deux ans et demi, accompagné de deux pages, était vêtu de drap noir doublé d'agneau noir. Enfin on portait la petite Anne, âgée de quelques mois. La Maison de la duchesse, ses femmes d'honneurs, ses lavandières et femmes de chambre suivaient. Marie de Clèves fonda à Orléans une messe anniversaire à la mémoire de son mari et fit différents dons en son nom.

Louis XII, par la suite, se montra fort respectueux envers sa mère et à la mort de celle-ci réunit la dépouille de ses parents aux couvents des Célestins de Paris.

III

Robert de Baudricourt, capitaine de Vaucouleurs

Robert de Baudricourt succéda en 1415 à ses oncles Guillaume, bâtard de Poitiers, et Jean Daunois, comme bailli de Chaumont et capitaine de Vaucouleurs. Il était aussi le conseiller de René d'Anjou.

René, second fils de Louis d'Anjou et de Yolande d'Aragon, a été adopté par le duc de Bar et fiancé à la fille de Charles II, duc de Lorraine. Il rencontrera de nombreuses difficultés : obligé de prêter serment à Henry VI pour la partie de son duché relevant de la couronne de France, il fut plusieurs fois requis de s'acquitter de ses devoirs de vassal et son refus le mit en position difficile, en révolte ouverte contre Louis, cardinal de Bar, son grand-oncle, d'obédience anglaise, et contre Charles II, son beau-père qui, lui, éprouvait une vive sympathie pour le duc de Bourgogne. René prêta serment, le 29 avril 1429, par l'intermédiaire de son oncle le cardinal auprès de Bedford. Mais peu après le sacre, il reviendra sur l'engagement de sa foi.

Robert de Baudricourt et le jeune René d'Anjou sont très liés, et l'on peut penser que lorsque Jeanne s'est rendue à Nancy auprès du duc Charles, son voyage a été organisé et concerté entre le capitaine et le duc de Bar. René ne se rend-il pas, au cours des derniers jours de janvier 1429, auprès de son beau-père à

Nancy [1] ? On sait aussi que, le 29 janvier, il a adressé un message à Robert de Baudricourt, et l'on peut légitimement se demander si entre ces deux personnages cet échange de lettres ne procédait pas d'un désir de mettre Jeanne à l'épreuve. Avant de l'envoyer auprès du dauphin Charles, ils veulent tous deux voir de quoi elle est capable.

Robert de Baudricourt resta très attaché au duc de Bar ; on sait qu'il était à ses côtés le 2 juillet 1431 lors de la bataille, si mal engagée, de Bulgnéville, qui fut un désastre, tous voulant combattre mais sous l'autorité du duc qui ne savait pas commander. Barbazan avait lui-même jugé au premier coup d'œil combien il serait difficile de donner l'assaut, mais les plus jeunes et les plus fougueux des capitaines avaient voulu se battre en disant : « Qui a peur des feuilles n'aille pas aux bois. » Guilhem de Barbazan fut tué, et Robert de Baudricourt ne trouva son salut que dans la fuite, en quoi il fut bien inspiré. Nous ne pensons pas qu'il mérite le qualificatif de « fuyard de Bulgnéville » qu'on lui a parfois donné [2].

En tout cas, il fut tout de même l'un de ceux qui ont, dès les premiers temps, cru en Jeanne. Il était bien normal qu'il n'accédât pas immédiatement à sa première demande et qu'il prît la précaution de recueillir autour de lui des avis autorisés et surtout d'envoyer un messager à Chinon pour demander si l'on pouvait la recevoir.

IV

Raoul de Gaucourt, gouverneur d'Orléans

Raoul de Gaucourt, entré au service de Charles VI comme écuyer tranchant, fit ses premières armes en 1396. Nommé chambellan du duc d'Orléans, il prit part au siège d'Harfleur où il

1. Siméon Luce, *Jeanne d'Arc à Domrémy*, Paris, 1886.
2. Henri Bataille « Qui était Baudricourt ? » *Revue lorraine populaire*, 1983, a. 9, n° 51, pp. 140-2 ; n° 52, pp. 184-8.

fut fait prisonnier et resta dix ans en Angleterre. Son père, bailli de Rouen, fut assassiné par les habitants de la ville révoltés. Ruiné par la rançon qu'il devait payer à Henry V, Raoul de Gaucourt ne possédait en France que les biens de sa femme, Jehanne de Preuilly, qui se trouvaient en Touraine et dans le Berry.

Il participe ensuite à un certain nombre de combats : il sera auprès de La Hire au moment de la prise de Montargis, ce qui lui coûtera cher, car il sera obligé d'engager une couronne d'or sertie de pierreries qu'il porte sur son casque au moment des tournois. Le roi le récompensera en lui donnant la capitainerie de Chinon. En 1428, il le nomme bailli d'Orléans. Il sera plus tard gouverneur du Dauphiné, assisté par son lieutenant Jean Juvénal des Ursins. En 1449, il se trouve auprès de Charles VII, lorsque ce dernier entre à Rouen, car il fait partie du Conseil du roi. C'est encore à Raoul de Gaucourt que Charles VII demandera de se rendre auprès du pape Calixte III pour la révision du procès de Jeanne d'Arc.

Il avait quatre-vingts ans au moment du Procès en nullité et sa déposition est l'une des plus complètes.

V

Étienne de Vignolles, dit La Hire

Étienne de Vignolles, plus connu sous le surnom de La Hire, est resté dans l'imagerie populaire française : c'est le valet de cœur des jeux de cartes. On interprète souvent ce surnom comme étant un trait de son caractère, hire signifiant colère. C'était donc un personnage violent, prompt à s'enflammer ; les Anglais, par dérision, le nommaient « Saint Ire de Dieu » ou « gent Hire de Dieu », mais de loin, sans oser l'approcher !

Né à Préchacq-les-Bains [1], ce Gascon garde de son enfance perturbée par les luttes anglaises un besoin d'indépendance, le goût des armes, se préoccupant peu de vie intellectuelle, spirituelle ou affective.

1. Francis Rousseau, *La Hire de Gascogne, Étienne de Vignolles, 1380-1443*. Mont-de-Marsan, 1968.

Il fit ses premières armes avec le connétable d'Armagnac. Était-il à Azincourt ? Aucun texte ne permet de l'affirmer. Mais, dès 1418, avec son fidèle compagnon Poton de Xaintrailles, il s'est rallié au dauphin Charles. Son premier haut fait d'armes fut de reprendre Coucy et d'adopter pour devise : « Roi ne suis ni prince, ni duc, ni comte aussi : je suis sire de Coucy. » L'année suivante, il est trahi par une chambrière qui libéra les prisonniers bourguignons, et ceux-ci ne tardèrent pas à redevenir maîtres du château. Cette perte n'entama pas pour autant son prestige. Et Charles VII employa ce « vaillant capitaine » à d'autres expéditions.

La Hire et Poton guerroient alors dans le Vermandois et le Laonnois, puis en Lorraine, où ils combattent à la solde du cardinal de Bar. On retrouve ensuite Étienne de Vignolles en 1421 à Beaugé. C'est au cours de la même année, qu'il se casse une jambe, mais non au combat : alors qu'il dormait dans une auberge, la cheminée lui est tombée dessus ! Cela va le handicaper à vie, et il restera boiteux, ce qui ne l'empêche pas de poursuivre sa vie d'aventurier et de routier.

Le lundi 25 octobre 1428, « arrivèrent dedans Orléans, pour la soutenir, secourir et aider, plusieurs nobles seigneurs, chevaliers, capitaines [...] et Étienne de Vignolles, dit La Hire, qui était de moult grand renom et vaillant gens de guerre étant en sa compagnie [1] ». On va pouvoir le suivre à travers tous ses déplacements en ces années 1428-1429 par le *Journal du siège d'Orléans.* C'est le capitaine du Vermandois qui est chargé d'aller annoncer au roi la perte du fort des Tourelles et de lui demander des renforts et des subsides de guerre importants. Les mandements du trésorier de Chinon, Pierre de Fontenil, sont là pour attester de l'attention que lui porte Charles VII.

> « A Étienne de Vignolles [...] cent écus d'or et 825 l. t. qui du commandement et ordonnance du roi a été baié et délivré [...] à plusieurs fois et en divers lieux [...]. A Xaintrailles, et Étienne de Vignolles dit La Hire tant sur leurs états que sur le paiement de 59 pages de la somme de 512 l. t. [2]. »

A Orléans, La Hire se montre très actif ; c'est ainsi que le 3 février, avec Jacques de Chabannes, il poursuit les Anglais

1. *Journal du siège d'Orléans.*
2. Chambre des comptes, Ms fr. 2342, fol.42, cité par Vallet de Viriville.

jusqu'au boulevard Saint-Laurent. Mais, lors de la « journée des Harengs », le samedi 12 février, La Hire est « dolent à merveille ». En effet, il n'a pas compris les ordres du comte de Clermont, lui demandant que l'on attende son arrivée pour attaquer, ce qui a laissé aux Anglais le temps de se ressaisir et d'organiser leur défense. Poton et La Hire ne pourront que protéger la retraite...

La Hire, infatigable, continua alors à faire les trajets entre Orléans et Chinon pour réclamer des fonds. Était-il à Chinon au moment où Jeanne arriva ? En tout cas, il fut l'un des premiers qui « se boutèrent en foi de la croire » et devint l'un des compagnons les plus fidèles de Jeanne d'Arc. Elle avait sur lui un ascendant certain. Ainsi le força-t-elle à se confesser : « Je constatai qu'à son instigation et à sa requête, La Hire s'était confessé et plusieurs autres de sa compagnie [1]. » C'est aussi au contact de Jeanne que La Hire ne jura plus que sur son « bâton ».

Le vaillant capitaine participe à toutes les opérations pour libérer Orléans et la Loire. Pour le remercier, Charles VII le fait capitaine général de Normandie. Alors que Jeanne d'Arc périt sur le bûcher, La Hire est captif à Dourdan. Charles VII va prendre en charge une partie du paiement de sa rançon aux Bourguignons, ce qui lui permet de reprendre sa vie de routier à la solde du roi.

Après avoir résisté au froid, aux épidémies et à plusieurs blessures, il tombe malade à Montauban lors de la reconquête du Sud-Ouest et meurt le 11 janvier 1442.

Il nous reste sa prière : « Que tu fasses pour La Hire ce que tu aimerais que La Hire fît pour Toi si tu étais La Hire et que La Hire fût Dieu. »

1. Procès en Nullité, déposition de Maître Pierre Compaing.

VI

Jean II d'Alençon, le « Beau duc »

« Je me rends, je suis Alençon [1]. » Il était trop tard, le duc Jean Ier d'Alençon venait de périr sur le champ de bataille d'Azincourt ; il voulait se rendre à Henry V mais déjà vingt bras s'étaient levés pour le frapper à mort.

Son fils Jean II, âgé de huit ans en 1415 devient duc d'Alençon quand son frère aîné, Pierre, fils de Marie de Bretagne, meurt la même année. La duchesse d'Alençon, apprenant la disparition de son mari, est obligée de quitter le duché — qui est donné à Bedford —, et confie son fils Jean au dauphin Charles. Elle n'est, en effet, pas écoutée par le duc de Bretagne auquel elle a demandé d'intervenir auprès de Jean Sans Peur, alors maître de Paris, pour négocier la prise de ses biens.

Dès lors, le duc d'Alençon va vivre près du dauphin qui le nommera en 1420, à treize ans, lieutenant-général pour le duché d'Alençon [2] ; c'est une réponse à l'attribution du duché par Henry V à son frère Bedford.

Jean d'Alençon fera ses premières armes au combat de La Broussinière ; à Verneuil le 6 août 1424, on le retrouve parmi les blessés et il est fait prisonnier. Entre-temps, Charles VII lui a fait parrainer son jeune fils, le futur Louis XI.

Tombé aux mains du duc de Clarence, Jean d'Alençon doit régler une forte rançon dont le paiement va assombrir toute sa vie et sera à l'origine d'une bonne part de ses ennuis. Cette dette s'élevant à 80 000 saluts d'or, elle ne sera soldée que le 21 février 1429. En attendant, le duc doit trouver de quoi payer ; sa femme Jeanne, fille du duc d'Orléans, déjà prisonnier, met en gage ses bijoux, et lui-même doit concéder sa baronnie de Fougères au

1. Monstrelet, *Chroniques*.
2. Lettre de Charles VII, 23 juin 1420 ; Arch. de la Manche, H. 15344, publiée par Siméon Luce, *Chroniques du Mont-Saint-Michel*.

duc de Bretagne, son oncle, ainsi que sa seigneurie de Saint-Christophe, en Touraine, à Ardouin du Bueil, évêque d'Angers. Il est libéré de son serment en mai 1429 après la bataille d'Orléans [1].

Au procès en Nullité en 1456, Jean d'Alençon se souvient bien de sa première entrevue avec Jeanne :

> « Quand Jeanne arriva devers le roi, le roi était à Chinon et moi à Saint-Florent ; comme j'étais à la chasse aux cailles, un de mes porteurs vint me trouver et m'apprit qu'une Pucelle était arrivée devers le roi, assurant qu'elle était envoyée de par Dieu pour chasser les Anglais et lever le siège qu'ils avaient mis devant Orléans [2]. »

Le duc d'Alençon se précipite donc à Chinon où il voit Jeanne le lendemain. Il se souvient que celle-ci a été intriguée quand elle l'a vu et qu'elle a demandé au dauphin Charles qui il était, et l'exclamation de Jeanne est restée célèbre : « Vous, soyez le très bienvenu, plus il y en aura ensemble du sang royal et mieux cela vaudra. » Elle ne cache pas sa joie de voir auprès du dauphin celui qu'elle n'appellera plus désormais que son « beau duc ».

Jeanne et le duc d'Alençon s'entraînent à jouter ensemble ; le duc, surpris et charmé par l'habileté de Jeanne au maniement des armes, lui offre un cheval. Le duc était aussi présent lorsque Jeanne dit au dauphin Charles de ne pas craindre, qu'il retrouverait son royaume et qu'il faudrait « qu'il fasse don du royaume au Roi du ciel ». C'est lui aussi qui dirigera l'armée lors de la campagne de Loire, à la prise de Jargeau. A Patay, c'est encore avec lui que Jeanne remporte la victoire. On sait aussi que Jeanne a rencontré sa mère et sa femme, aussi prénommée Jeanne, pendant quelques jours à Saint-Florent, près de Saumur ; on peut situer cet épisode entre le 22 mai et le 2 juin [3]. C'est à

1. Quittance de Bedford du 15 mai 1429, B.N., ms fr. 18945, citée par Pierre Gourdin, « Monseigneur d'Alençon le beau duc de Jeanne en Touraine. » *Bulletin de la Société archéologique de Touraine,* 1980.

2. Déposition du duc d'Alençon, éd. Raymond Oursel, *Procès de Réhabilitation,* p. 329.

3. Pierre Gourdin, *Le commandement de Jean II d'Alençon et la date du voyage de Jeanne d'Arc en Anjou,* Actes du 5e congrès national des Sociétés savantes, Caen, 1980.

cette occasion que la Pucelle a promis à Jeanne d'Orléans qu'elle lui renverra son mari sain et sauf et même en « meilleure forme qu'il était à présent » !

Jean d'Alençon se souvient toujours, au Procès de réhabilitation, d'une scène entre lui et Jeanne. Nous sommes à Jargeau :

> « Les hérauts crient : à l'assaut ! Et Jeanne elle-même me dit : " Avant, gentil duc, à l'assaut ! " Moi il me semblait que ce fût prématuré ! Jeanne répliqua : " N'ayez pas peur, c'est l'heure quand il plaît à Dieu ; et quand Dieu le veut c'est le moment de besogner ! Aide-toi, le Ciel t'aidera ! " Elle ajoutait : " Gentil duc, as-tu peur ? Ne sais-tu donc pas que j'ai promis à ton épouse de te ramener sain et sauf ? " »

Le compagnon de Jeanne se souvient aussi qu'elle lui a sauvé la vie. Alors qu'il se trouvait à une certaine place, celle-ci lui dit de s'écarter, ce qu'il fit. Il ajoute : « Sinon, dit-elle en me montrant une machine braquée dans la ville, cet engin te tuera. » Quelques secondes après, en effet, Monseigneur de Lude fut tué. Le Beau duc se souvient encore : « J'en eus rétrospectivement grand espoir, et m'émerveillai fort des paroles de Jeanne. »

Jean d'Alençon participe à la chevauchée du sacre et est fait chevalier le jour du couronnement à Reims, le 17 juillet 1429, par Charles VII. Il voudrait, ainsi que Jeanne, continuer à guerroyer contre les Anglais, et tous deux mettent le siège devant Paris à la porte Saint-Honoré, mais un ordre arrive de Charles VII : il faut abandonner le combat et retourner près de Gien, où l'armée est dispersée le 21 septembre.

Le duc continue à mener la guerre dans le Maine, en Anjou et en Normandie. Ses relations sont tendues avec Charles VII. Jeanne aurait aimé se porter avec lui au secours du Mont Saint-Michel assiégé, mais on l'enverra de préférence sur le cours de la Loire, à La Charité.

Pendant près de vingt ans, jusqu'en 1444, Jean d'Alençon continue de se battre, et on le retrouve s'opposant au roi lors de ce que l'on appelle la Praguerie. Ce n'est qu'en 1449 qu'il pourra rentrer dans sa bonne ville acclamé par le peuple. Mais il n'en est pas moins ruiné. Depuis quelque temps déjà il voulait marier au fils aîné du duc d'York sa fille, Catherine, qu'il a eue de Marie d'Armagnac, épousée après la mort de Jeanne d'Orléans en 1435. Ce projet n'était pas du goût de Charles VII qui allait même le faire arrêter au moment du procès de réhabilitation de Jeanne d'Arc. C'est Dunois qui fut chargé de cette pénible mission, et devait dire : « Monseigneur, il me déplaît durement d'une commission que le roi m'a donnée sur votre personne ; il convient que je vous fasse son prisonnier et partant je mets mains à vous de par lui [1]. » Jean d'Alençon fut conduit au roi, qui le fit enfermer à la forteresse d'Aigues-Mortes.

En 1458, il put être jugé par ses pairs réunis en parlement à Vendôme. Une fois condamné, il fut conduit à Loches, où sa garde fut confiée à Guillaume de Ricarville qui reçut des consignes très dures pour la garde du prisonnier « qui ne devra jamais rester seul, ne parlera à personne d'autre qu'à ses gardiens et ne recevra ni n'écrira aucune lettre ; il pourra toutefois lire et jouer aux échecs avec ses gardes, mais n'aura jamais d'argent sur lui ».

A la mort de Charles VII en 1461, Louis XI libérera son parrain, le restituant dans ses droits, mais celui-ci devra promettre de lui laisser trois places fortes ainsi que la garde de ses enfants René et Catherine jusqu'à ce que le roi décide de les marier suivant son bon plaisir.

Ce ne fut pas du tout de l'avis du duc, qui nc put souscrire à ces conditions. Une nouvelle fois, il fut arrêté et conduit au château de Rochecorbon puis à Loches, enfin à Paris. Un nouveau procès fut instruit devant le Parlement et il fut condamné à mort le 18 juillet 1474. Mais il ne fut pas exécuté : gardé prisonnier au Louvre, il y mourut en 1476. Louis XI, de son côté, s'était empressé de réunir le duché d'Alençon à la couronne, de faire son entrée dans la ville d'Alençon et d'en chasser Marie d'Armagnac qui se réfugia à Mortagne où elle mourut en 1473.

VII

Poton de Xaintrailles

Poton de Xaintrailles (ou Saintrailles), est également de ces aventuriers qui font du métier des armes leur vie. Lui et son

1. Georges Chastellain, *Chroniques,* éd. Kervyn de Lettenhove, 1864, t. III, p. 100.

compagnon La Hire sont faits capitaines par Charles VII, « pour leur vaillance », précise Martial d'Auvergne.

En 1424, il participe sous bannière bourguignonne à la lutte en Hainaut contre les Anglais, puis on le retrouve du côté des Armagnacs ; on sait la part qu'il prit aux côtés de Jeanne d'Arc pour la lutte contre les ennemis du royaume. Ce que l'on sait moins c'est qu'il se retrouvera prisonnier des Anglais et qu'il fut emmené comme elle à Rouen après sa capture à la bataille du Berger, le 11 août 1431. Il est nommé, dès le lendemain, parmi ceux qui prennent leur repas à la table de Warwick, au château du Bouvreuil.

Les comptes de l'hôtel de Richard Beauchamp, comte de Warwick, pour les années 1431-1432 [1] sont parvenus jusqu'à nous. Chaque jour, le maître de l'hôtel note le nom des personnages qui prennent les repas au château soit pour le déjeuner, soit pour le dîner. On trouve la mention : « *Poton prisoner cum 1 scutifero* », ce que l'on peut traduire par : Poton prisonnier avec un écuyer. Ce Poton c'est Poton de Xaintrailles. A.J. Pollard, dans sa thèse [2], a bien démontré que Richard Beauchamp avait pensé, dans un premier temps, rendre le sire de Barbazan afin de récupérer son gendre Talbot. Mais lorsque La Hire libéra son compagnon à Château-Gaillard, Warwick décida d'échanger Xaintrailles contre le même Talbot. Il est évident que le capitaine serait mieux gardé à l'abri des fortes murailles du château de Rouen que dans une autre ville où il aurait pu être délivré. Cette mention est intéressante aussi pour l'histoire de Jeanne, car on voit toute la différence entre Jeanne qui est une roturière et Poton de Xaintrailles qui, lui, est reçu comme Jean de Luxembourg, avec les grands d'Angleterre et le petit roi Henry VI dans la grande salle à manger du château sous la présidence de la femme de Talbot, la propre fille de Warwick, Margaret.

On peut suivre l'histoire de la captivité de Poton. On sait que le 15 novembre il est emmené à Dieppe ; quelques jours plus tard toute la famille de Richard Beauchamp part pour Paris afin d'assister au couronnement d'Henry VI. Ils le retrouveront à Dieppe le 14 janvier. On peut lire à cette date : « *Item in 4 equis*

1. *Le registre de comptes de Richard Beauchamp, comte de Warwick, 14 mars 1431-15 mars 1432,* mémoire de diplôme présenté à l'école des Hautes Études en Sciences Sociales par Marie-Véronique Clin-Meyer.

2. A.J. Pollard, *The family of Talbot, Lords Talbot and earls of Shrewsbury in the fifteenth century,* Londres, 1956.

emptis pro Poton prisoner cum 1 scutifero 2 valletis cum illo de Depe ad Abville... ». On a donc acheté quatre chevaux supplémentaires : pour Poton, pour son écuyer et pour deux valets, alors que toute la famille va se rendre à Abbeville, où elle arrive le 17 janvier en soirée. Puis, le 21, Warwick et sa suite sont à Montreuil, et parviennent à Calais le 23 pour déjeuner. L'embarquement a lieu le 9 février, mais on perd dans nos comptes la trace de Poton à partir de cette date. On peut supposer qu'il fut emmené lui aussi en l'Angleterre...

On le retrouve en 1435 à la tête d'une bande d'Écorcheurs donner un coup de main aux paysans révoltés au cours de ce qu'on appellera « l'insurrection de Normandie ». Il est ensuite fait bailli de Bourges par Charles VII, ce qui ne l'empêche pas de continuer à rançonner avec ses amis Robert de Flocques ou La Hire ou Pierre de Brézé. C'est ainsi, nous rapporte Jean Chartier, qu'il gagne « grande foison bestial tant beste à cornes que à laigne avec grande quantité de prisonniers de divers estatz ».

Poton de Xaintrailles est nommément cité par le roi lorsque celui-ci enjoint aux Écorcheurs d'arrêter leurs méfaits.

Le dauphin, futur Louis XI, a reconnu en lui un compagnon et un homme capable de commander et de le servir, puisqu'il le nomme écuyer et qu'à ce titre il en fait son compagnon en Allemagne en 1444. Ce n'est pas pour autant que Poton arrête de violer, piller ou voler : il fait partie des troupes qui encerclent Metz. Mais il changera de genre de vie après cette expédition et participera au recouvrement de la Normandie. N'est-il pas auprès du roi lors de son Entrée solennelle le 10 novembre 1449, portant la grande épée ?

VIII

Jean, comte de Dunois, Bâtard d'Orléans

Son nom est indissolublement lié à l'histoire de Jeanne et plus généralement à l'histoire du règne de Charles VII. Il est né la même année que le roi, c'est-à-dire en 1403 ; c'est le fils adultérin de Louis d'Orléans et de Mariette d'Enghien. Ses premiers pas ont été guidés par sa gouvernante, Jeanne du Mesnil, au château de Beauté-sur-Marne. Pendant ses dix premières années, il est élevé avec le dauphin Charles, et cette camaraderie a duré tout au long des dures années de la guerre. Longtemps après être sorti de l'enfance, au moment de la « reconstruction du royaume de France », Charles VII s'en souvient encore :

> « Pour considération des services que notre cher et amé cousin Jean, Bastard d'Orléans, comte de Dunois et grand chambellan de France, nous a fait tout son temps, tant autour de nous où longuement il a été nourri, comme au fait de nos guerres à l'encontre de nos anciens ennemis et adversaires en plusieurs armées et batailles, esquelles dès son jeune âge et que premièrement il s'est pu armer et porter harnois, il s'est toujours grandement et en grande cure, soin et diligence, employé de tout pouvoir au recouvrement de notre seigneurie. »

La carrière de Dunois est tout entière contenue dans ce texte. Il a été « nourri » [élevé] avec Charles, et c'est à seize ans qu'il a pris les armes pour se porter au secours du royaume. Très jeune, le petit Bâtard a été amené à prendre des décisions et à combattre. On se souvient que son père a été tué en 1407 par les hommes de main du duc de Bourgogne. Valentine Visconti a pris en charge l'éducation de cet enfant qui pourtant n'est pas le sien ; elle trouve en lui un garçon très précoce et qui, selon elle, vengera son père — mais elle meurt un an après son mari. En 1415, son frère le duc Charles étant prisonnier des Anglais, Jean est investi d'une nouvelle mission : tout faire pour trouver la rançon à payer pour la libération du duc. Il prend aussi les armes le 21 septembre 1417 face aux forces de Jean Sans Peur, duc de Bourgogne.

Autre épisode, le Bâtard est fait prisonnier par les Bourguignons et restera deux ans sous leur surveillance étroite. Pendant ce temps-là, la révolution cabochienne met Paris à feu et à sang ; les Parisiens sont entièrement sous la domination du duc de Bourgogne. Enfin, Jean est libéré du château de Saint-Germain et rejoint sa famille à Blois, mais sa joie est de courte durée : son demi-frère Philippe de Vertus meurt, lui laissant la charge de la Maison d'Orléans. D'autre part, les hostilités ont repris avec Henry V. A Beaugé, le Bâtard d'Orléans va participer à sa première bataille rangée où il se comporte fort bien ; c'est à cette occasion qu'il va être fait chevalier, avant même d'avoir atteint l'âge requis de vingt et un ans ; il peut désormais commander une compagnie, manger à la table du roi, porter l'épée attachée à la ceinture militaire ; lorsqu'il gagnera un procès il recevra un double dédommagement (mais s'il le perd, il devra payer deux fois). De plus, il pourra porter la cotte d'armes armoriée de son blason sur l'armure. Après Beaugé, il continue à combattre dans les armées du dauphin Charles qui s'est réfugié à Bourges en 1422, où il va prendre pour épouse la fille du président Louvet.

Durant de longues années, le Bâtard d'Orléans sera aux prises avec des problèmes financiers. La rançon de Charles d'Orléans est très lourde, le pays dévasté par la guerre ne rend pas ce qu'il devrait et les soldes des capitaines grèvent fortement le budget.

Nouvelle péripétie : il est exilé en Provence sur ordre du futur Charles VII. L'héritier du trône a eu des démêlés avec le président Louvet, et toute la famille est en disgrâce. Le roi est alors sous l'emprise d'autres conseillers, comme le sire de Giac. Mais bientôt une nouvelle offensive anglaise va faire rappeler Jean. L'exil a duré environ un an.

En 1427, les Anglais approchent du duché d'Orléans et investissent Montargis. Le Bâtard d'Orléans, alors âgé de vingt ans, chevalier accompli et capitaine courageux, va avoir la charge de défendre et d'empêcher les Anglais de prendre la ville. Le 5 septembre, Montargis et son château sont libérés : la route du Berry est préservée. Puis les Anglais assiègent Orléans, et l'on connaît l'épisode célèbre de la venue de Jeanne à Chécy et de son altercation avec Dunois, lui qui, au moment du Procès en Nullité, devait donner une bonne narration des faits et gestes de Jeanne à Orléans et exprimer son admiration pour elle. La ville d'Orléans associera toujours les noms de Jeanne et du Bâtard.

Après la mort de Jeanne, le Bâtard continue à batailler pour le recouvrement du royaume. Pour le récompenser de ses hauts faits, Charles VII le nomme grand chambellan, c'est-à-dire premier officier de la Chambre du roi à la place de Georges de La Trémoïlle !

Jean, « un des plus beaux parleurs français qui soit en langue de France », comme l'appelle Jean Chartier, prépare le traité d'Arras, entre la France, l'Angleterre et la Bourgogne. C'est encore lui que Charles VII charge de faire cesser le Grand Schisme, en obligeant Amédée VIII de Savoie, l'antipape Félix V, à se démettre et en faisant nommer Nicolas V le 11 octobre 1447.

Veuf de sa première épouse, le Bâtard d'Orléans se remarie en 1440 à la cathédrale d'Orléans avec Marie d'Harcourt, comtesse de Tancarville. Le couple s'installe à Beaugency, car il n'est pas question de vivre dans la rude forteresse de Châteaudun, et Marie d'Harcourt fera comme Valentine Visconti, c'est-à-dire qu'elle accueillera à son foyer le fils naturel que Dunois eu d'Isabelle de Dreux. Elle-même lui donnera en novembre 1440 une fille prénommée Marie.

Les préparatifs commencent à Blois pour y recevoir le prince-poète enfin libéré par les Anglais. Dunois, infatigable, va aussi servir d'intermédiaire entre le dauphin Louis, dont il est le mentor, et le roi Charles VII. Ainsi, participe-t-il à la première expédition de Louis sur Dieppe, et sauve-t-il la ville le 11 août 1443, ce qui va entraîner la réduction de toute la Normandie et, en 1449, la prise de Rouen. Dunois est alors père d'un fils qui n'atteindra pas sa majorité.

Mais pour le moment, il est encore en pourparlers avec Charles d'Orléans pour négocier la rançon de son frère Jean d'Angoulême qui, lui, est toujours prisonnier des Anglais.

Dunois a été fait comte de Longueville et s'intéresse à la reconstruction de sa capitale, Châteaudun ; il voudrait s'installer dans le château, mais les travaux sont trop importants.

Ayant dépassé la cinquantaine, le Bâtard est pourtant, une fois de plus, obligé de reprendre l'épée et se porte vers la Guyenne.

A la mort de Charles VII, le 22 juillet 1461, Dunois a maille à partir avec le nouveau roi, qui le traite comme quantité négligeable et l'éloigne de la Cour. Sa femme tombe malade alors qu'il est parti pour la Bretagne afin de régler certains démêlés entre Jean d'Angoulême, Charles d'Orléans et Louis XI ; il doit revenir rapidement, car elle est mourante — elle est bientôt enterrée à Cléry. Dunois, lui, meurt le 23 novembre 1468, réconcilié avec Louis XI, qui va assurer définitivement la position de la Maison d'Orléans-Longueville. Suivant son vœu, Dunois retrouve sa chère épouse dans le caveau qui a été installé dans la collégiale de Notre-Dame de Cléry.

IX

Thomas de Montaigu, comte de Salisbury

Le chroniqueur bourguignon Monstrelet relate ainsi la mort du comte de Salisbury alors qu'il surveillait la ville d'Orléans du haut du fort des Tourelles :

« Regardant fort attentivement les marches autour de celles-ci pour voir et imaginer comment et de quelle manière il pourrait prendre et subjuguer cette cité. Et alors, étant en ladite fenêtre, vint soudainement de ladite cité, à volant, la pierre d'un veuglaire qui frappa la fenêtre où était le comte, lequel déjà pour le bruit du coup se retirait ; néanmoins il fut atteint très grièvement et mortellement et eut grand partie de son visage emporté [1]. »

Cette mort survint trois jours à peine après le début du siège mis par les Anglais devant la capitale du duché dont le prince était prisonnier Outre-Manche. Aussi bien apparaît-elle comme un jugement de Dieu. Le comte aurait, en effet, dû épargner la ville dépourvue de son chef légitime pour la défendre ; n'a-t-il pas, d'autre part, laissé ses soldats piller le sanctuaire de Notre-Dame de Cléry ? La *Chronique de Normandie* rapporte que lorsque Salisbury, en 1428, avait assemblé ses troupes à Chartres et qu'il leur avait fait part de son intention de mettre le siège devant Orléans, « un magicien », Maître Jean de Meung, lui avait dit « qu'il gardât sa tête ». Ainsi donc il était prévenu !

Thomas de Montaigu, l'un des capitaines anglais les plus estimés et aimés, passe pour « le plus subtil et expert et heureux de tous les capitaines d'Angleterre ». Il participe de bonne heure à la guerre de Cent Ans. Il a été fait chevalier de l'Ordre de la Jarretière en 1414 et, dès l'année suivante, a combattu en France auprès d'Henry V à Azincourt, puis aux sièges de Caen, d'Harfleur et de Rouen. En 1419, il est nommé lieutenant-général du roi en Normandie. C'est ainsi qu'il reçoit de nombreuses possessions comme la terre et le domaine de Neubourg (qui appartenaient à Yves de Vieux-Port), le comté du Perche, la terre de Longwy ; Bedford lui donne ensuite au nom d'Henry VI toutes les possessions de Jean V situées en dehors du duché de Bretagne [2].

1. Enguerrand de Monstrelet, *Chroniques*, Paris, 1835.

2. Henry V, et par la suite le duc de Bedford pour Henry VI, ont ainsi redistribué les terres appartenant aux Armagnacs à leurs capitaines anglais. En Normandie, de nombreux domaines sont octroyés par Henry V lui-même : c'est ainsi qu'il donnera à son « cher cousin » William de La Poole, comte de Suffolk, les domaines de Bricquebec et d'Hambye — ces domaines qui avaient appartenu à « feu Foulques Paynel » — en lésant Jeanne, sa femme. Un autre compa-

Salisbury participe à l'élaboration du traité de Troyes, puis on le retrouve au siège de Melun et à Paris en 1420, sur le champ de bataille de Baugé où il remplace le duc de Clarence qui a été tué. Il devient ensuite gourverneur de Champagne et de Brie, remporte la bataille de Cravant en 1423 et, l'année suivante, participe, sous les ordres de Bedford, à la bataille de Verneuil, puis rentre en Angleterre afin de chercher des renforts « en moult grand pompes, garnies de grandes richesses ». On a dit que s'il avait pris part à un complot avec Gloucester et Bedford contre Philippe le Bon, c'est parce que ce dernier courtisait sa femme, la belle Éléonor de Quent. Il s'occupait d'agrandir ses possessions sur le continent mais n'oubliait pas ses domaines anglais, et sa femme était fort riche...

En 1428, Salisbury repasse la Manche à la tête d'un corps d'armée. Il vient de signer une *endenture* [1] le 24 mars 1428 à Westminster avec les membres du Conseil royal. Quand il revient en France, il a tout son corps d'armée organisé pour six mois à compter du 30 juin 1428 et a en principe droit à 6 che-

gnon d'Henry V, Lancelot de L'Isle, reçoit la seigneurie de Nohant, Henri FitzHugh reçoit du roi le château de L'Aigle et le donjon de Chambois. On sait aussi que le duché d'Alençon sera l'apanage de Bedford. De nombreux autres fiefs sont distribués, aussi bien en Normandie, en Picardie, en Beauce, à Paris-même où les hôtels du Marais sont redistribués entre Bedford, Warwick, Stafford, etc.

1. L'*endenture* est une particularité de l'armée anglaise, — en quelque sorte un contrat de service militaire — dont le nom vient d'une disposition matérielle analogue à celle des pièces à talon : le texte est écrit deux fois sur une même feuille de parchemin dont les deux parties sont ensuite séparées suivant une ligne dentelée pour être remise chacune à l'un des contractants ; il suffit alors de rapprocher les deux morceaux pour garantir l'authenticité des pièces, chaque contractant ayant signé la partie qui est remise à l'autre. Ces pièces sont très détaillées, elles indiquent les effectifs, l'équipement des soldats, le paiement des gens de guerre, elles fixent le nombre et le type de combattants, la destination de leur service, la solde, diverses obligations ; elles signalent aussi les récompenses auxquelles les soldats pouvaient prétendre, enfin la durée des engagements. Ceux-ci pouvaient durer quarante jours, parfois un trimestre, parfois un an, parfois deux, ou « tant comme plaira le roi », les gages étaient payés d'avance, le plus souvent pour un trimestre. Du côté français, à l'*endenture* correspondait la « lettre de retenue », beaucoup moins précise et différente d'un contrat dans la mesure où elle ne fixait pas la durée du service.

valiers bannerets — qui portent bannières —, de 34 chevaliers bacheliers, de 559 hommes d'armes, de 1800 archers avec la facilité de remplacer un homme d'arme par trois archers. La liquidation de l'*endenture* montre qu'il a en réalité reçu un seul chevalier banneret, 8 chevaliers bacheliers, 440 hommes d'armes, 2 250 archers ; parmi les hommes d'armes, on compte 4 canonniers qui ont une solde un peu plus importante et parmi les archers 10 mineurs et 80 charpentiers, maçons, faiseurs d'arcs et flèches, etc.

Il y a une condition un peu particulière au recrutement dans l'*endenture* de Salisbury :

> « Pourvu toutefois que ledit comte ne praigne, ne fasse prendre aucun, en ses gages comme un de ces hommes d'armes ou archers, qui de présent soit en le royaume de France, ni nul d'iceux qui sans le congé de Johan, duc de Bedford, oncle du roi notre dit souverain seigneur, et régent de son royaume de France, sont venus du royaume d'Angleterre et qui ont terres, rentes, cens ou revenus, ou autres possessions en ledit royaume de France lesquels ils sont tenus de faire service de guerre au roi, notre dit seigneur. »

Ainsi ne faut-il pas pour ainsi dire payer deux fois les hommes. A partir du moment où ils ont déjà un revenu assuré sur le continent, ils ne peuvent pas être rémunérés une seconde fois, puisqu'ils doivent le service obligatoire à leur roi. La suite de l'*endenture* énonce les peines encourues par les hommes qui s'engageraient à nouveau avec Salisbury. Ce texte mentionne encore certaines dispositions particulières relatives à la solde des morts ou des malades :

> « En outre, s'il avait et aucun souldours mourent ou soit tué en service du roi, notre dit seigneur, dedans le demi an dessus dit, il ne sera pour ce, fait quelque défalquement pour abat des gages. »

Un commissaire devra aller sur le terrain et certifier que le soldat était bien malade.

Revenu en France avec ce nouveau corps d'armée, Salisbury, s'empare de Rambouillet, de Meung, de Beaugency, de Jargeau et, le 12 octobre met le siège devant Orléans.

Le *Journal du siège* nous rapporte qu'à la date du 27 octobre « trespassa de nuit le comte de Salebris en la ville de Meung-sur-Loire [...] de la mort duquel furent fort esbahis et doulans les Angloys tenant le siège ». Mortellement blessé, le capitaine anglais avait été transporté dans la ville de Meung où il mourut le 3 novembre. Son corps fut ramené en Angleterre et inhumé dans son prieuré de Bisham à côté de son père. Il n'avait pas de descendance mâle, et c'est son gendre, Robert Nevill, qui prit le titre de comte de Salisbury.

X

John Talbot

John Talbot, comte de Shrewsbury, est connu dans la littérature anglaise sous le nom d' « Achille ». Le roi d'Angleterre lui donne le titre de « cousin », et c'est l'un des hauts chefs de l'armée.

Né en 1373 à Blechmore en Angleterre, il va servir le roi pendant plus de soixante ans et mourra les armes à la main à quatre-vingts ans ! Sa famille serait originaire du Pays de Caux et serait venue en Angleterre au moment de la conquête normande. John Talbot avait acquis une position financière très importante grâce à son mariage avec Maud Neville, sa première épouse, qui lui donna trois enfants, dont deux fils qui allaient périr en 1450 à la bataille de Northampton pendant la guerre des Deux-Roses. De Margaret Beauchamp, sa seconde femme, il eut encore deux filles et trois fils dont l'aîné, John, fut tué près de lui à Castillon en 1453.

Très jeune, il commence sa carrière guerrière, recevant de 1404 à 1407 d'Henry IV de Lancastre la mission de combattre les Gallois. Au moment de l'avènement d'Henry V, on le trouve emprisonné à la Tour de Londres, mais il va très vite en sortir et être envoyé par le roi comme lieutenant en Irlande — on sait qu'à cette époque la couronne d'Angleterre avait de nombreuses difficultés dans cette île. Il suit plus tard son maître en France, prend part aux sièges de Caen, de Rouen, puis rentre ensuite en Angleterre pour revenir sur le continent sous Henry VI. Il participe alors à la bataille de Verneuil, ce qui lui vaut de recevoir l'Ordre de la Jarretière. Une seconde fois, on le retrouve lieutenant du roi en Irlande. A nouveau, Bedford le fait revenir. C'est alors qu'il va acquérir ses plus beaux titres de gloire.

Il participe à la bataille de Montargis perdue par Warwick, puis à la prise de Laval, à la reprise du Mans, en 1428, au siège d'Orléans, et à Patay où il est fait prisonnier. Il sera remis en liberté en 1433. Bedford, à son tour, le comble d'honneurs : lieutenant général du roi et du régent sur le fait de la guerre en Ile-de-France et aux pays d'entre Seine, Oise et Somme, il reçoit en récompense le comté de Clermont-en-Beauvaisis ; il est aussi nommé capitaine de Saint-Germain-en-Laye et de Poissy, et le régent lui fait une rente de 300 saluts d'or.

Après la mort de Bedford, survenue le 14 septembre 1435, et le traité d'Arras conclu entre Charles VII et Philippe le Bon, Talbot n'aura de cesse d'empêcher la défaite de l'Angleterre. Il défend la Normandie, aide le comte de Willoughby à prendre Ivry et Pontoise, mais ne peut arrêter l'avance des armées françaises. Il essaie vainement de sauver Meaux et se rend maître d'Harfleur, mais Pontoise est perdue l'année suivante, en 1441. Il subit un nouvel échec au moment du siège de Dieppe et doit encore une fois s'embarquer pour l'Irlande dont il a été à nouveau nommé gouverneur. Il repassera la Manche au moment de la capitulation de Rouen en 1449 pour être laissé en otage à Charles VII qui lui rendra la liberté l'année suivante. C'est alors que, nommé lieutenant général d'Henry VI en Guyenne, il réduisit promptement cette province ; mais sa carrière militaire allait s'achever à la bataille de Castillon en 1453 où il fut tué avec son fils John. Estimé chez les Anglais, Talbot l'était aussi du côté français « pour ce qu'il faisait honorablement la guerre ».

Son nom est sans cesse cité au moment du siège d'Orléans. C'est lui qui amène des renforts le 1er décembre, qui, le 30 du même mois, s'établit à la bastille Saint-Laurent et qui plus tard réorganisera celle de Saint-Loup. Après la levée du siège, il défend Meung et Beaugency. A Patay il aurait voulu faire front au lieu d'écouter Falstolf. On a conservé sa « retenue » pour le siège d'Orléans, signée du 29 janvier 1429 et qui était de 58 hommes et 100 archers.

Si Talbot eut de nombreuses possessions en France, il en avait aussi en Angleterre, où il s'efforça sa vie durant d'arrondir ses héritages, en particulier celui des Berkeley dont il spolia les héritiers directs. Comme chez d'autres grands d'Angleterre, son envie d'accéder à la baronnie était manifeste. La principale obsession des Talbot était de se rapprocher du roi et d'étendre leur influence...

XI

Richard Beauchamp, comte de Warwick

Parmi les grands seigneurs anglais que Jeanne d'Arc a rencontrés, il en est un qui a une particulière importance : son geôlier, Richard Beauchamp, comte de Warwick.

Issu d'une vieille famille anglaise, Richard Beauchamp mène sa carrière militaire auprès d'Henry V, et c'est l'un de ses conseillers dans ses efforts pour asseoir sa légitimité, l'un de ses meilleurs amis. Ainsi, sentant la mort venir, Henry V le nomme précepteur de son fils.

Le 23 décembre 1430, lorsque Jeanne arrive à Rouen, elle se trouve face à l'imposante forteresse construite par Philippe Auguste, le château du Bouvreuil ; elle est la prisonnière du capitaine du château et de la ville de Rouen [1]. Warwick occupe cette fonction depuis l'année 1427.

Richard Beauchamp est né en 1380 ; à seize ans il a été fait chevalier de l'Ordre du Bain et à la mort de son père, en 1401, a reçu l'Ordre de la Jarretière. Il partit visiter les Lieux Saints en 1408 ; à cette occasion il passa par Paris et fut reçu par Charles VI ; un banquet fut donné en son honneur au mois de novembre de la même année. Il s'embarque ensuite à Venise pour Jaffa, muni d'un laisser-passer de quinze jours pour effectuer son pèlerinage à Jérusalem. Rentré en Angleterre via Malte, il trouve à Londres un nouveau roi, Henry V. Leurs destinées sont désormais liées. Warwick met son épée ainsi que son habileté au service du roi des Léopards ; ainsi il est de ceux qui font conclure le

1. Lorsqu'en 1419 la ville s'est rendue à Henry V après un siège épouvantable où périt près d'un tiers de la population, le vainqueur a exigé, en plus d'une énorme rançon, que l'on construise un nouveau château, qui sera le « nouveau palais ». Le chantier est immédiatement ouvert, mais la construction durera de nombreuses années et le roi anglais ne verra jamais l'œuvre achevée. C'est donc au Bouvreuil, dans « la tour devers les champs » que Jeanne est enfermée — la tour actuellement à Rouen appelée tour Jeanne d'Arc est, on l'a vu, en réalité le donjon du château.

mariage du souverain avec la belle Catherine de France. S'il s'occupe efficacement des affaires de son maître, il ne s'oublie pas pour autant et épouse l'une des plus riches héritières d'Angleterre Elizabeth Berkeley, dont il aura trois filles ; l'une d'elles, Margaret, épousera le célèbre Talbot. Après la mort d'Elizabeth Berkeley il se remarie en 1423 avec une autre héritière, Isabel Despenser, qui lui donnera un fils et une fille.

En France, Richard Beauchamp mène la guerre pour le jeune Henry VI ; c'est lui qui, en 1427, commande les troupes à Montargis, ville où l'on conservera d'ailleurs longtemps la « bannière de Warwick ». Il effectue également pendant toutes ces années de fréquentes traversées entre l'Angleterre et le Continent pour demander des subsides, préparer la guerre et aussi pour régler ses propres problèmes de succession.

Les rapports entre la Pucelle et son geôlier ne nous sont pas connus, mais Jeanne est bien prisonnière dans ce château où elle a subi ses interrogatoires, donc sous le haut commandement de Warwick ; c'est Bedford mais aussi, bien sûr, Warwick qui paie les juges de Rouen. On voit encore Beauchamp intervenir au moment où Jeanne sera agressée dans sa prison par les soldats de basse extraction qui la gardaient. Il intervient aussi lorsqu'elle est souffrante afin qu'elle ne meure pas de maladie mais bien sur le bûcher.

On sait aussi, par un document tout à fait impartial — puisqu'il s'agit des Comptes de l'hôtel, *the Beauchamp household book* —, que Jeanne n'apparaît jamais à la table de Warwick alors que ses juges, dont Cauchon, sont invités. Ainsi, il y eut le 13 mai un grand banquet présidé par le précepteur d'Henry VI et auquel avaient été conviés Cauchon, l'évêque de Thérouanne, le chevalier bourguignon Haimond de Macy, Stafford, le chancelier d'Angleterre, etc. Ce document est aussi très émouvant lorsque l'on voit apparaître Xaintrailles, deux mois après la mort de Jeanne, à son tour prisonnier de Warwick. Mais toute la différence entre la jeune bergère et le capitaine de guerre se trouve là : Xaintrailles, lui, est reçu à la table seigneuriale.

Richard Beauchamp mourut à Rouen en 1439 et ses restes furent transférés en Angleterre et inhumés dans la chapelle de la petite ville de Warwick. Son nom allait demeurer dans l'Histoire grâce à son gendre, Richard Neville, qui prit le nom de Warwick à la mort du dernier héritier direct du précepteur d'Henry VI : c'est lui que l'on appellera « le faiseur de rois ».

XII

Perrinet Gressart

Perrinet Gressart est un aventurier à la solde de l'Angleterre dont la vie est assez représentative d'un type d'homme : le routier.

Qu'ils se louent au roi de France, au roi d'Angleterre ou au duc de Bourgogne ou bien encore qu'ils passent de l'un à l'autre ou même agissent pour leur propre compte, un Perrinet Gressart, un La Hire, un François de Surienne ou un Robert de Flocques ont tous le même but : la guerre. La guerre avec ses pillages, ses mises à rançon, ses exactions sur la population. Que par moments les uns et les autres fassent preuve d'un idéal plus élevé c'est certain, mais avant tout passent à leurs yeux l'aventure et le métier des armes.

C'est Perrinet Gressart qui est capitaine de La Charité-sur-Loire, lorsque Jeanne d'Arc arrive en vue de la place forte. A la fin de septembre 1429, Jeanne d'Arc commence les préparatifs pour une nouvelle campagne, la saison d'automne s'y prêtant d'ailleurs bien puisque la Loire, gonflée par les pluies, permet de transporter les équipements de l'armée royale et le ravitaillement des troupes dans les meilleures conditions. C'est ainsi qu'a navigué une des bombardes qui avait servi au siège d'Orléans, « la bergère », acheminée depuis Jargeau où elle avait fait tomber trois grosses tours de la ville. Cette bombarde arrive avec l'armée de Jeanne et d'Albret et sera prise par Perrinet Gressart qui la prêtera ensuite au duc de Bourgogne. (Les troupes de ravitaillement et d'équipement formaient un très important convoi. Ainsi, quoique démontable en deux parties — la volée et la chambre — la « bergère » avait dû être tirée par 29 chevaux conduits par 12 charretiers pour la volée et 7 chevaux pour la chambre. Il avait aussi fallu consolider les ponts et refaire les chemins ; on imagine, par ce simple exemple, la somme d'efforts déployés pour mettre le siège devant une ville...)

A La Charité, le commandement de l'armée était assuré par Charles d'Albret, demi-frère de Georges de La Trémoïlle, nommé par le roi lieutenant général. A côté de lui, Louis de Bourbon, comte de Montpensier et Jeanne. La Pucelle arriva à la fin d'octobre à Saint-Pierre-le-Moûtier, dont le siège fut assez pénible. C'est pourquoi Jeanne et Charles d'Albret décidèrent de se rendre immédiatement devant La Charité, réclamant au passage des renforts au duché de Bourbon, lors de leur présence à Moulins. L'armée se mit en route par le nord, et elle fut rejointe par les hommes du maréchal de Boussac. Le siège, mis peu avant le 24 novembre 1429, allait être un échec. On a invoqué les rigueurs du temps, le manque de troupes. Perceval de Cagny précise : « Le siège ne fut pas levé parce que le roi n'envoya ni vivres, ni argent. » On a aussi accusé La Trémoïlle d'avoir gardé par devers lui des sommes destinées à l'armée, mais il faut bien se rendre à l'évidence : la ville était fort bien défendue par Perrinet Gressart. Ce dernier, à la solde de l'Angleterre, dépendait du duc de Bourgogne et comme des trêves avaient été signées avec la Bourgogne et concernaient aussi le Nivernais, Gressart n'a pas reçu davantage de secours que Jeanne et Charles d'Albret.

Qui était donc Perrinet Gressart ? Ses origines sont très mal connues [1]. Venu du petit peuple, il s'intitule tout à coup en 1417 « noble homme » et scelle ses actes d'un sceau à ses armes — une fasce acculée de trois quintes feuilles — ; il est devenu « noble par les armes ». Ne dit-on pas que « les armes anoblissent l'homme tel qu'il soit [2] » ?

La carrière de Perrinet Gressart commence en Picardie. Il est encouragé par l'attitude équivoque du duc de Bourgogne, Jean Sans Peur, qui laisse les aventuriers bourguignons se répandre dans les campagnes du Sancerrois. Perrinet va alors devenir chef de bande, se louant au plus offrant, rançonnant et amassant sa fortune au détriment des paysans. On le retrouve ainsi dans le Nivernais où il se spécialise dans la rançon. Mais ses préférences vont au duc de Bourgogne dont il va servir les intérêts. En 1420, au moment où les attaques des Armagnacs se font de plus en plus pressantes contre le duché, Perrinet va leur faire barrage, s'installant à Paray-le-Monial à la tête d'une compagnie soldée par le duc. Avec un autre de ses compagnons, il défend le Charolais. Peu à peu notre routier s'élève dans l'échelle sociale, il achète en

1. Voir la très belle thèse d'André Bossuet : *Perrinet Gressart et François de Surienne, agents de l'Angleterre ; contribution à l'étude des relations de l'Angleterre et de la Bourgogne avec la France, sous le règne de Charles VII*, Paris, 1936.
2. Jean de Bueil, *Le Jouvencel*, Paris, 1887, t. II, p. 80.

1426 une petite forteresse, La Motte-Josserand et prend le titre de seigneur de La Motte-Josserand. C'est un homme qui sait imposer sa discipline et se faire respecter par les brigands qui l'entourent. S'il est dur avec ceux qu'il commande, il sait aussi les protéger et veiller à ce qu'ils soient pourvus de lettres de rémission lorsqu'ils sont obligés de quitter une région. Il s'occupe également de sa famille : il se marie avec une certaine Huguette de Corvol, qui paraît avoir du bien, et son second, François de Surienne, épouse une de ses nièces.

En 1426, Gressart s'installe à La Charité-sur-Loire pour défendre les gens de cette ville et s'assurer aussi d'une position de repli lorsqu'il fait ses incursions aux alentours dans le Nivernais. La Charité-sur-Loire est une place forte importante sur une position stratégique : c'est un des seuls passages possibles sur la Loire dans cette région où les rives sont à pic. Perrinet Gressart d'aventurier va se faire seigneur, dépendant du duc de Bourgogne, et n'admet de traiter directement qu'avec lui ou avec son chancelier, Nicolas Rollin.

Les soldes du duc de Bourgogne étant assez irrégulières, Perrinet Gressart ne se contente plus de la charge de panetier de Philippe le Bon et devient agent du régent d'Angleterre. Bedford va jouer de cette arme vis-à-vis de la Bourgogne. Celle-ci a intérêt à ce que Gressart garde la place de La Charité en son nom et ne veut pas que les Anglais soient trop puissants, si bien qu'elle signe des accords avec Perrinet et s'efforce de lui payer ce qu'elle lui doit, c'est-à-dire l'entretien de la garnison soit 2 400 livres par mois.

Mais si Perrinet Gressart a affaire aux Bourguignons, il a aussi affaire aux Armagnacs et en premier lieu à Richemont, l'instigateur des trêves, puis, bien sûr, à La Trémoïlle. En 1427, des trêves sont signées, dûment paraphées devant deux notaires, scellées du sceau même de Perrinet qui s'engage à ne pas rançonner le pays. Mais pour lui ce traité est un chiffon de papier, et bientôt des plaintes recommencent à s'élever de toutes parts : il pille le Berry, les habitants du Nivernais eux-mêmes ne sont pas épargnés, et il va jusqu'à séquestrer La Trémoïlle, chef d'une délégation armagnac, alors qu'il traversait La Charité, bien évidemment muni d'un sauf-conduit et accompagné du maréchal de Bourgogne ainsi que de nombreux officiers de la Maison ducale. François de Surienne et lui, le jour même de sa capture, le 30 décembre 1425, lui font signer une quittance pour une rançon de 14 000 écus de « bon poids ». La Trémoïlle signe, car il veut être libre au plus tôt, redoutant d'être livré directement aux Anglais. De La Charité, il écrit à son frère, à Jean de Vecel et au maréchal de France pour les supplier de faire hâter sa délivrance et d'obéir à la lettre à Gressart. Il en devient aveugle, témoignant de sa reconnaissance pour la façon dont il est traité et n'oublie pas les cadeaux : il en comble la femme de Perrinet, Huguette de Corvol.

En arrêtant La Trémoïlle, Perrinet Gressart savait qu'il ne se ferait pas bien voir du duc de Bourgogne, mais, pensant à tout, exigea que La Trémoïlle signe en personne des lettres de décharge. La captivité du duc ne fut pas bien longue, puisqu'on le vit bientôt à Tournai auprès de Philippe le Bon qui venait de vaincre Jacqueline de Bavière et s'apprêtait à rentrer dans ses États. On le retrouve en juillet 1426 auprès de Charles VII, qui l'autorisa à percevoir tous les impôts, aides et tailles sur toutes les terres qu'il possédait en Poitou, Limousin, Anjou, Berry et duché d'Orléans, afin de se faire indemniser largement de ses dépenses et de récupérer la somme de sa rançon en se consolant des affres et des peurs qu'il avait subies.

Perrinet, de son côté, continue à mener sa vie de grand bandit, allant un jour vers l'Angleterre, le lendemain vers la Bourgogne ; c'est ainsi qu'au moment où La Hire a fait lâcher prise aux Anglais devant Montargis et que les Français se sont regroupés à Gien, Bedford lui promet un renfort de 400 à 500 « Anglais d'Angleterre [1] ». Mais Perrinet Gressart n'ose accepter ce renfort, craignant de mécontenter le duc de Bourgogne, ce qui ne l'empêche pas d'accepter les biens offerts par les Anglais. Le bandit se trouve ainsi lié à Henry VI d'Angleterre par le lien féodal et lui rend hommage comme son vassal.

Au moment du siège d'Orléans, Perrinet Gressart et ses troupes occupent une partie du Nivernais pour le compte des Anglais : ils tiennent Saint-Pierre-le-Moûtier et de nombreux châteaux-forts comme Rosemont — passage sur la Loire entre Decize et Nevers — ; Passy, sur la route de La Charité à Versy ; Dompierre-sur-Nièvre ; La Motte-Josserand sur la vallée du Nohain, d'où Perrinet peut menacer Gien. C'est dire combien est forte sa position.

La situation va changer du tout au tout lorsque les armées françaises remporteront leurs premiers succès. Mais pour pouvoir profiter de ces victoires contre les Anglais, il faut que la Bourgogne reste neutre. Alors, les conseillers de Charles VII s'emploient à faire signer les trêves ; c'est ainsi qu'au moment de la marche vers Reims on ne prend pas Auxerre d'assaut, mais on

1. Archives de Côte d'Or, B 11916.

traite. De leur côté, les Bourguignons adoptent une position analogue. Beaucoup plus conciliants, ils n'entravent en rien la troupe qui se rend au sacre. Au lendemain de celui-ci, les trêves sont signées, qui doivent durer jusqu'à Noël. Cet accord avec le roi de France n'implique pas pour autant la rupture des bonnes relations qui existent entre la Bourgogne et l'Angleterre. Les Bourguignons sont inquiets : ils ont vu les armées royales défiler à la frontière de leur duché, prendre les places, si importantes, de la ligne de l'Oise : Compiègne et Creil, qui commandent la Picardie et pour un peu Paris aurait changé de camp ; la Normandie elle-même n'est plus vraiment une forteresse sûre pour les Anglais.

Perrinet Gressart n'a pas pardonné au duc de Bourgogne la mésaventure qui lui est arrivée lorsqu'il a été convoqué à l'hôtel d'Artois et escorté jusqu'à Paris par le conseiller du duc, Jean de Mazilles, écuyer. Il raconte l'épisode dans une lettre à Guillaume de Vienne :

> « Auquel lieu j'allais [l'hôtel d'Artois] on me mit en une chambre et on me dit que je ne lui parlerai point [au duc], ce dont je fus effrayé et non sans cause, vu qu'il m'avait mandé, et me tint en celle-ci [la chambre] comme prisonnier, tant qu'il fut parti de ladite ville de Paris [1]. »

Maltraité et mal considéré par les Bourguignons, Gressart était au contraire comblé d'égards par Bedford qui le couvrait de dons et de cadeaux.

Gressart craignit un moment de perdre La Charité, lorsque Jeanne d'Arc y mit le siège. Il savait très bien d'où venait l'action : « Cette ville fut assiégiée à la requête de mon dit seigneur de La Trémoïlle », dit-il [2]. Celui-ci, c'est évident, ne lui a pas pardonné sa capture et sa mise à rançon. De plus, le roi devait protéger le Berry, toujours menacé par les incursions du routier et de ses troupes. Le Bourbonnais du comte de Clermont était tout autant menacé, et l'on comprend que La Trémoïlle et Clermont aient eu intérêt à voir Gressart disparaître. Enfin, La Charité était une place importante de la Loire et le commerce ligérien demeurait actif quoique entravé par les attaques des routiers.

Après l'impulsion donnée par Jeanne d'Arc aux Armagnacs pour la reconquête du territoire, lorsque Charles VII sera assez

1. Arch. Côte-d'Or, B 11916.
2. Perrinet Gressart, *Lettres*, Arch. Côte-d'Or, B 11918.

fort pour abandonner la politique des trêves et exploiter ses victoires, la position de la Bourgogne va terriblement s'affaiblir. Son épouse ne doit-elle pas mettre en gage ses bijoux à Genève auprès d'un banquier et le trésorier du duc, Jean Abonnel, partir en mission pour collecter des fonds dans tout le duché ? La paix sera directement conclue le 22 novembre 1435, entre Perrinet et Charles VII qui lui rend les places qu'il tenait et le nomme à vie capitaine de La Charité avec une solde de 400 livres par an à prendre sur les revenus des greniers de La Charité et de Cosne. Une somme de 2 000 saluts d'or doit en outre lui être remise dans les trois mois ; 8 000 seront payés par la Bourgogne, dont le duc s'engage même à en verser 1 000 qui étaient dus par le roi d'Angleterre à Perrinet Gressart. Ce dernier a vu le vent tourner à temps, mais n'en laissera pas pour autant de délais de paiement à la Bourgogne et aux Armagnacs : il ira même jusqu'à protéger contre les Anglais les convois de cuveaux et tonnelets de pièces d'argent qui lui étaient destinés [1] !

Gressart ne traite plus, désormais, avec le duc de Bourgogne mais directement avec le roi de France. Il est fait officier du comte de Nevers et débarrasse le pays de bandes de pillards — il en est pourtant un — et appellera Charles VII à l'aider contre eux ! Les dernières mentions de Gressart apparaissent en septembre 1438 ; sans doute est-il mort à ce moment-là.

Il est étonnant que ni les Anglais ni le duc de Bourgogne n'aient su profiter de Perrinet Gressart et de son intelligence au combat. Jean de Wavrin, chroniqueur bourguignon, en fait un portrait très flatteur :

> « Perrinet tant comme il vécut mena forte guerre au roi Charles plus que nul autre en son état ; car il était sage, prudent et de grandes entreprises, bien se sachant conduire en tout état. Et moi-même, auteur de cette présente œuvre, fus avec lui en plusieurs courses et entreprises dans son honneur [2]. »

On peut lui reconnaître un certain talent, puisqu'il a su résister pendant douze ans à la fois aux Anglais, aux Bourguignons et même aux Armagnacs en dépit des efforts de Jeanne d'Arc, et

1. Arch. Côte-d'Or, B 1660.
2. Jean de Wavrin, Éd. de la Société Histoire de France, t. I, p. 264, cité par Bossuat, p. 250.

qu'il est parvenu à conserver une certaine fortune ainsi qu'une certaine gloire.

Un autre aventurier qui ne sut pas saisir sa chance à temps fut Surienne, l'Aragonais. C'est pour ainsi dire lui qui remplaça le fils que Gressart n'eut pas. Il lui avait tout appris, il l'avait fait son héritier au moment du mariage avec sa propre nièce, mais François ne suivit pas jusqu'au bout l'exemple avisé de son oncle qui, en 1435, s'était totalement détaché des Anglais. Au contraire il s'engagea plus fermement encore à leurs côtés. Gressart lui-même lui retira sa confiance et, dès 1432, changea ses dispositions testamentaires en faveur d'une autre de ses nièces — qui de toute façon ne devait pas en profiter puisque les biens de Gressart revinrent à Jean Juvénal des Ursins, familier de Charles VII.

On retrouve l'Aragonais, à Montargis, toujours fidèle aux Anglais. De là il fit de nombreuses incursions audacieuses. Se rappelant le temps où il combattait aux côtés de Gressart, les Orléanais en eurent une grande peur. De Montargis, position de repli assez commode, il allait aussi en expédition de pillage dans l'Ile-de-France. Mais, en 1437, Xaintrailles muni d'un sauf-conduit, alla lui rendre visite et conclut un accord au terme duquel il serait nommé bailli de Saint-Pierre-le-Moûtier au nom de Charles VII et toucherait une solde de 12 000 réaux d'or. En attendant le premier versement, Surienne garderait le château de Montargis avec ses troupes, la ville deviendrait neutre et les Français pourraient s'y établir. Mais tout en acceptant — en faisant semblant d'accepter — les offres du roi, il essaya de négocier du côté anglais : en 1438 c'est Henry VI qui lui renouvela pour un an le titre de capitaine de la ville et du château de Montargis. De son côté, le Bâtard d'Orléans lui apporta la somme prévue au nom des Armagnacs et l'Aragonais quitta le château, mais reprit immédiatement sa vie de routier et d'aventurier en continuant à servir Talbot et le duc d'York.

Les Anglais lui ayant confié la garde de Verneuil, il tente ensuite de s'établir en Normandie comme son oncle l'a fait dans le Nivernais. Il marie ses filles à des descendants de grandes familles normandes, et l'un de ses fils vit en Angleterre dans l'entourage du duc de Gloucester. Il ignore toujours les trêves signées entre la France et l'Angleterre et continue sa vie de pillard, rançonne Dreux. Pour lui manifester leur bienveillance, les Anglais n'hésitent pas à le nommer chevalier de l'Ordre de la Jarretière et conseiller du roi Henry VI avec des gages de 1 000 livres par an, à lui attribuer de nombreuses pensions et le château de la capitainerie de Porchester dans le Hampshire. Il est lui aussi devenu un vassal du roi d'Angleterre.

Malgré les trêves, et en toute connaissance de cause — car il sait que sa famille sera deshonorée —, il va même s'attaquer à Fougères, dont la prise est un véritable massacre. Les pillards n'épargnent personne, le butin s'élève à la somme énorme de près de 2 000 000 livres, dont une partie est envoyée en Angleterre. Pourtant, la ville sera bientôt reprise, l'Aragonais n'ayant pas de troupes suffisantes et la population lui étant hostile.

L'étau se resserre lorsque les armées de Charles VII renouent avec la victoire et reprennent Verneuil : l'Aragonais capitule moyennant 10 000 écus d'or ; en novembre 1449, les troupes bretonnes rentrent dans Fougères. Enfin, avec la capitulation des Anglais en Normandie, Surienne perd les biens qu'il y possédait. Il est reçu par Charles VII, mais, n'arrivant pas à en obtenir quoi que ce soit, il décide de se rendre avec ses enfants et sa femme (qui est tombée malade) en Aragon, sa terre natale, et Charles VII lui accorde un sauf-conduit de six mois. Avant de partir, voulant justifier la prise de Fougères, il certifie qu'il a agi sur ordre et renvoie aux Anglais cet Ordre de la Jarretière dont il a été si fier.

Alphonse V d'Aragon ayant écrit à Charles VII pour lui demander de rendre la totalité de ses biens à François de Surienne, ce dernier revient en France et achète Pisy, dans l'Auxerrois, au seigneur d'Arguel et devient ainsi vassal de Charles VII [1]. Mais il n'est reçu ni par les Français ni par les Anglais et il ne lui reste qu'à se tourner vers la Bourgogne et à offrir ses services au duc : il combat les Gantois aux côtés du Bâtard de Bourgogne qu'il empêche de commettre des faux-pas. Nommé capitaine de Gâvre, en Flandres, il le restera jusqu'en 1457. Conseiller, chambellan du duc de Bourgogne, en 1452 seigneur de Châtelgérard, il réside toutefois à Pisy. Ainsi a-t-il rétabli sa situation, recevant les rentes et les honneurs qu'autrefois les Anglais lui prodiguaient.

1. A.N. PP. 110 f., acte du 7 septembre 1461.

XIII

Jean de Luxembourg

Jeanne d'Arc a été prise à Compiègne par le Bâtard de Wamdonne. Vassal de Jean de Luxembourg et celui-ci la lui a remise. On peut se demander si oui ou non ce dernier avait la possibilité de ne pas la vendre aux Anglais. Pouvait-il la rendre à Charles VII contre le paiement d'une rançon ?

Jean de Luxembourg est tout dévoué au duc de Bourgogne, mais il est aussi à la solde du roi d'Angleterre, recevant chaque année la somme de 500 livres comme conseiller d'Henry VI, et son frère Louis, cardinal d'Angleterre, siège au Conseil du roi. Le soir-même de la capture de la Pucelle, il en avise son frère, qui reçoit sa lettre le 25 mai à Paris. Jeanne restera prisonnière quatre mois. Il semble bien que Jean de Luxembourg n'ait pu faire autrement que d'aviser le roi d'Angleterre dont il était le vassal. Il aurait même dû livrer sa prisonnière immédiatement.

A Beaurevoir, Jeanne est bien accueillie par la tante du comte, Jeanne de Luxembourg, et par sa femme, Jeanne de Béthune. On a dit que Jeanne de Luxembourg, marraine de Charles VII, avait expressément demandé à son neveu de ne pas vendre Jeanne aux Anglais, mais que Luxembourg n'avait pas hésité une seconde à renier la promesse faite à sa tante dès son départ pour Avignon, ne sachant pas qu'elle allait y mourir le 18 septembre 1430.

Pierre Cauchon, de son côté, ne perdait pas de temps. Dès le 26 mai 1430, une lettre envoyée par l'Université de Paris demandant de livrer Jeanne à l'Inquisition arrive à Beaurevoir ; il est probable que l'évêque de Beauvais a été l'instigateur de ce courrier. Le 14 juillet, est envoyée une nouvelle sommation pour que soit livrée la prisonnière. Le 4 août 1430, les États de Normandie votent un impôt de 120 000 livres tournois pour la continuation de la guerre et 10 000 sont affectées à l'achat de Jeanne. L'évêque de Beauvais vient par deux fois voir la prisonnière et tenter de fléchir Jean de Luxembourg. Il montre au geôlier qu'il ne fait pas son devoir de chrétien s'il ne livre pas la Pucelle qui doit être jugée par l'Université pour des motifs religieux. L'achat de

Jeanne est réglé par les Anglais eux-mêmes. Celle-ci ne se trompe pas lorsqu'elle dit à Cauchon : « Évêque je meurs par vous ! » S'il agit au nom de l'Université, Cauchon agit aussi pour le compte du roi Henry VI.

Mais le terme de rançon peut prêter à confusion : cette somme d'argent est plutôt une garantie donnée par les Anglais à ceux qui ont pris Jeanne. La « rançon » n'avait-elle pas pour objet au Moyen Age de garantir la liberté d'un prisonnier ?

Il semble donc que Jean de Luxembourg n'ait pas eu d'autre choix que de remettre Jeanne d'Arc à l'évêque Cauchon. On peut aussi remarquer qu'il semble avoir hésité pendant quatre mois à livrer la prisonnière. Laissons-lui le bénéfice du doute.

XIV

Pierre Cauchon

Il semblerait qu'il soit né à Reims vers 1371. Était-il issu d'une famille de vignerons comme l'avance Jean Juvénal des Ursins, ou était-il descendant d'une famille noble venue s'installer à Reims après l'affaire des Templiers ? La question ne peut être tranchée avec certitude. On peut toutefois établir les liens familiaux qui unissaient Pierre Cauchon à Jean de Rinel, futur secrétaire d'Henry VI. Époux de sa nièce Guillemette Bidault, il était son petit-neveu. Leur vie durant, ils œuvrèrent ensemble pour la gloire du roi d'Angleterre.

Pierre Cauchon devient recteur de l'Université de Paris, après de brillantes études. Grâce à ses capacités juridiques et oratoires ce licencié en droit canon est désigné comme ambassadeur en 1407 pour mettre fin au Grand Schisme, puis il est nommé chanoine à Reims et à Beauvais alors qu'il n'aurait pas dû cumuler les deux fonctions [1]. Vidame (seigneur temporel), de l'église de Reims, Pierre Cauchon s'attache au duc de Bourgogne Philippe le Bon. A Paris où il est un des familiers de la Cour ducale, il

1. Le cumul des bénéfices ecclésiastiques est l'une des plaies de l'Église de ce temps : les vides créés par la Peste Noire ont laissé vacants des bénéfices que des clercs habiles se font attribuer sans en exercer les fonctions.

devient l'un des meneurs de la révolte cabochienne. Haranguée par lui, la populace parisienne tente de s'emparer de la Bastille, dévaste les hôtels de Guyenne et d'Artois et pénètre jusque dans la chambre du Dauphin et se saisit de ses officiers. Par la suite, l'opinion se retournera, et la Grande Boucherie de Paris sera rasée. Le 27 septembre 1413, le comte d' Armagnac fait son entrée dans la capitale, et Cauchon en est banni. Le duc de Bourgogne l'envoie alors au concile de Constance où il défend les thèses de Jean Petit, qui s'est fait le champion du tyranicide depuis la mort du duc d'Orléans.

Nommé maître des requêtes, Cauchon remplit ensuite plusieurs missions au nom de l'Université de Paris ; c'est à ce titre qu'on le retrouve avec son neveu Jean de Rinel à Troyes où il élabore le fameux traité déshéritant le dauphin Charles. A la faveur de la crise et des discordes entre les Armagnacs et les Bourguignons, Henry V s'immisce de plus en plus dans la politique française. Les Bourguignons reprennent Paris, et l'on ne peut éviter le carnage ; Tanguy du Châtel sauve le Dauphin en l'emmenant en pleine nuit à Vincennes. Pierre Cauchon est alors nommé évêque-comte de Beauvais sous la protection du duc de Bourgogne qu'il va servir de tout son pouvoir en faisant échec au chapitre de Paris : à l'instigation de Bedford, il fait ainsi éloigner à Genève l'évêque de Paris, Courtecuisse — pourtant nommé par le pape —. Il obtient également la confiance du régent. Pleinement soutenu par l'Université de Paris, Cauchon la représente auprès du pape Martin V tout en étant aussi l'envoyé du roi d'Angleterre. Il sera évêque de Beauvais pendant neuf ans.

En 1429, après la libération d'Orléans, Jeanne d'Arc conduisait le roi vers Reims. Quelques jours avant le sacre, Cauchon était lui-même à Reims où il portait le Saint-Sacrement lors de la Fête-Dieu du 26 mai. Fuyant la ville pour son évêché, il dut trouver refuge à Rouen quand la population de Beauvais expulsa les Anglais et les Bourguignons. Conseiller du roi d'Angleterre, Henri VI, l'évêque reçut alors une pension de 100 livres tournois par an [1]. Dès ce moment, Bedford essaya de le faire nommer évêque de Rouen, mais en vain : il n'obtint que l'évêché de Lisieux. Le clergé rouennais s'y était opposé, et Bedford, voulant se ménager les deux partis, avait laissé faire.

Au nom d'Henry VI Cauchon s'emploie à racheter Jeanne pour la faire juger par un tribunal d'Inquisition dans la capitale

1. Paris, B.N. ms. fr. 20882, fol. 61 (Comptes de Pierre Surreau).

de la « France anglaise », invoquant sa qualité et son droit d'évêque de Beauvais, territoire où Jeanne a été prise. Il se rend à Compiègne puis à Beaurevoir auprès de Jean de Luxembourg. Après plusieurs mois de démarches, il parviendra, on le sait, à lui intenter un procès d'hérésie.

Après la mort de Jeanne d'Arc, Cauchon assiste au couronnement d'Henry VI à Paris le 16 décembre 1431, comme l'atteste le chroniqueur Monstrelet :

> « Étaient avec lui de la nation d'Angleterre, son oncle le cardinal de Winchester et le cardinal d'York, son oncle le duc de Bedford et le riche duc d' York, les comtes de Warwick, Salisbury, de Suffolk et autres nobles chevaliers et écuyers de la Maison de France, y étaient les évêques de Thérouanne nommé Messire Louis de Luxembourg ; de Beauvais, Maître Pierre Cauchon ; de Noyon, Maître Jean de Mailly [1]. »

Bedford avait obtenu que les Pairs de France favorables à son roi assistent au sacre, et l'évêque prit part au repas solennel qui suivit la messe et la cérémonie :

> « Et aux côtés de la chambre de Parlement à cette table, ledit cardinal de Winchester et Maître Pierre Cauchon, évêque de Beauvais, et Maître Jean de Mailly, évêque de Noyon, comme pairs de France étaient en suivant [2]. »

En tant qu'évêque de Lisieux, Cauchon reçoit à Rouen le manoir de l'hôtel Saint-Cande ou hôtel de Lisieux, ce qui n'est guère du goût du clergé rouennais. Il n'en poursuit pas moins sa mission d'ambassadeur d'Henri VI, et se rend à Calais en 1433 au moment des négociations pour la libération du duc d' Orléans puis au concile de Bâle en 1435. Il y est en bonne compagnie puisqu'il retrouve Thomas de Courcelles, Jean Beaupère, Nicolas Loiseleur , qui avaient été ses assesseurs et complices au procès de Jeanne. A la mort de Bedford, suivie de peu par la mort de l'archevêque de Rouen, Louis de Luxembourg est nommé à son tour au siège de la capitale de Normandie, où il est très bien secondé par le juge de Jeanne. On retrouve les deux compères à Paris lorsque la ville est prise par les troupes de Charles VII et qu'ils doivent se réfugier en Angleterre et à Rouen.

1. Monstrelet, *Chronique, I,* chap. 109.
2. Monstrelet, *ibidem.*

Cauchon va mourir à Rouen, le 18 décembre 1442, avant même l'effondrement définitif des positions anglaises. Il ne sera plus là lors de la réhabilitation de Jeanne, mais sa famille aura à répondre de ses actes : ses arrière-petits-neveux, alors qu'ils négociaient son héritage, ne voulurent pas entrer dans la polémique et écrivirent aux juges de la réhabilitation, par l'intermédiaire du procureur Jean de Gouvis, pour rejeter toute la responsabilité sur les ennemis :

> « Nous avons entendu dire que Jeanne la Pucelle, malgré sa vie chrétienne, pure et sans tache, avait été victime de la haine des Anglais qui ne lui pardonnaient pas de leur avoir causé en guerre de grands dommages et d'avoir bien servi le roi de France.
> « Les héritiers veulent continuer à vivre tranquillement dans la grande maison de la rue de la Cayne. Le procès ne les concerne en rien, disent-ils « car, nous étions tout petits enfants ou nous n'étions pas encore nés ». Sa propre famille ne voulait surtout pas avoir d'ennuis avec le nouveau gouvernement du royaume et le rejeta résolument. »

XV

Robert de Flocques

Il signe Floquet, se prénomme Robinet et se nomme Robert de Flocques, c'est un des écorcheurs les plus célèbres. Ce mot d'*écorcheur* vient de ce que « toutes gens qui estoient rencontrées d'eux, tant de leur parti comme d'autres étaient dévêtues de leur habillement, tout au net jusqu'à la chemise ». Ces hommes d'armes firent des années 1435-1444 l'une des périodes des plus noires de notre histoire. Les bandes d'écorcheurs étaient composées d'hommes très différents : des descendants de grandes familles de France comme Chabannes, de petits nobles écartés de leurs fiefs comme Robert de Flocques, des paysans poussés par la misère ; des prêtres défroqués et des ribaudes venaient compléter cette armée. Ils rançonnent, violent, tuent, pillent à tour de bras en Hainaut, en Touraine, dans l'Auxois ou encore en Champagne. Ils exercent ce que nous appellerions aujourd'hui du « racket » en demandant à un village, à une ville ou à un particulier des versements négociés afin d'échapper au pillage ; si les fonds ne rentrent pas assez vite, ils exercent les prélèvements nécessaires.

Mais Robert de Flocques, comme ses compagnons La Hire, Chabannes et Xaintrailles, sont restés fidèles à Charles VII. « Piller, rançonner leur paraissait d'autant moins répréhensible que les biens ainsi acquis leur permettaient de se maintenir sur le pied de guerre à la disposition du roi [1]. »

On sait bien peu de choses des premières années d'activité de Robert de Flocques. Était-il à Orléans ? A-t-il participé à la campagne de Loire à côté de Jeanne ? Était-il à Compiègne ? La question reste posée. La première fois que son nom apparaît, c'est en 1432, dans le Beauvaisis : il rançonne un poète bourguignon qui devait être exécuté sur ordre de Charles VII. Pour mener sa besogne à bien et récolter les 1 000 saluts d'or de la rançon, il a La Hire et Poton de Xaintrailles avec lui.

On le retrouve en 1437 à Tancarville, où il s'oppose aux Anglais — il fera d'ailleurs, sa vie durant, la guerre à l'occupant. Mais pour trouver des ressources, il est obligé de se rabattre également sur les terres du duc de Bourgogne ; ce n'est pas du goût de celui-ci, qui se plaint à Charles VII que les engagements pris à Arras ne soient pas tenus. La réaction du roi ne se fait pas attendre, et il désavoue nommément ses capitaines dans une lettre leur demandant d'arrêter le pillage : Poton de Xaintrailles, Gauthier de Brussac, le Bâtard de Bourbon, Antoine de Chabannes, Robert de Flocques, etc.

Les États de Bourgogne vont, de leur côté, verser plus de 6 000 saluts d'or pour faire partir les troupes des écorcheurs. Ces derniers vont alors s'abattre sur la Lorraine puis sur l'Alsace, où ils atteindront l'inimaginable et l'indicible dans l'horreur. Ne pouvant pas attaquer les villes, bien défendues, de Strasbourg et de Bâle, ils se vengent sur le plat-pays, brûlant plus de cent villages. Ils repassent ensuite en Bourgogne. Cette fois la réaction de Charles VII sera l'ordonnance du 2 novembre 1439 : « Les capitaines et gens d'armes seront mis establés en garnison es place des frontières. » Il n'y aura plus désormais que des capitaines choisis et nommés par le roi qui les paiera. C'était le début de l'armée permanente, mais cette idée « révolutionnaire » ne fut pas com-

1. André Plaise, *Un chef de guerre au XVe siècle, Robert de Flocques, bailli royal d'Évreux*, Évreux, 1984.

prise ni admise par tous, car jusque-là, la guerre était l'affaire des nobles et des princes. Contre les écorcheurs, Charles VII fit un exemple sur la personne d'Alexandre de Bourbon, l'ancien chanoine compagnon de Rodrigue de Villandrando, arrêté en 1441 puis jeté dans la rivière, enfermé dans un sac, du pont de Bar-sur-Aube à l'issue d'un procès sommaire. Huit de ses compagnons furent pendus et douze eurent la tête tranchée. Sur le moment, l'impact de ces condamnations fut grand, mais les écorcheurs reprirent bien vite leur vie de sac et de corde.

Charles VII avait-il vraiment les moyens de se priver de ces hommes ? Si la Praguerie échoua en définitive, c'est en partie parce que les écorcheurs s'étaient ralliés à lui, suivant en cela l'exemple de Rodrigue de Villandrando. Xaintrailles, Pierre de Brézé et Robert de Flocques s'engagèrent également dans les premières expéditions, puisqu'ils poursuivirent les rebelles jusqu'en Auvergne. Mais un problème allait se poser quand des trêves seraient signées pour vingt-deux mois du 1er juin 1444 au 1er avril 1446. Que faire des écorcheurs ? Charles VII allait faire en sorte de les envoyer au loin en prenant prétexte des difficultés de Ferdinand III d'Autriche avec les comtés suisses et de René d'Anjou avec les Messins. Leur apportant le secours et mettant le dauphin Louis à la tête de ceux-ci, il allait en même temps considérablement gêner le duc de Bourgogne, lequel en fut très mécontent.

On sait les terribles massacres qui s'ensuivront. Leur retour en France sera tout aussi sanglant : après l'Alsace, ils vont mettre à sac et rançonner les terres de Bourgogne. Mais afin d'opérer le recouvrement de la Normandie, une armée royale va être enfin constituée et le roi parviendra à leur faire accepter de rester dans des garnisons : payés, ils n'auront pas à subvenir eux-mêmes à leurs besoins par le pillage. Le recouvrement de la Normandie, même s'il donne lieu à certains excès, « est accompli de main de maître ».

Robert de Flocques, participe à toutes les reprises de villes qui sont, si l'on se place du côté anglais, prises « par trahison » ou avec « subtilité » si c'est un Français qui en relate la « reddition ». Robert de Flocques, et ses amis avaient en effet dans chaque ville, des espions et des gens sur lesquels ils pouvaient compter. Flocques fut très bien récompensé par Charles VII, recevant entre autres l'hôtel que possédait Talbot à Honfleur. Il ne participa pas à l'Entrée royale de Rouen puisqu'à ce moment-là il avait la jambe cassée ; détail piquant : les chanoines de la cathédrale, pour lui faire oublier ses souffrances, lui avaient envoyé les enfants de chœur lui chanter des cantiques.

Jusqu'à la fin de sa vie, il devait garder sa charge et figurer parmi les grands capitaines de Charles VII. Il avait une centaine d'hommes d'armes et 200 archers sous ses ordres et apparaissait à ce titre dans les « montres » organisées régulièrement tous les trois ans.

Avec la vie de Robert de Flocques, on peut suivre une histoire typique de ces écorcheurs qui au départ ne sont que de simples brigands pour devenir à la fin de leur vie les égaux d'un Dunois ou d'un Pierre de Brézé.

XVI

Jacques Gélu

Tout comme Gerson, Jacques Gélu écrivit un Traité sur le fait de la Pucelle. L'archevêque d'Embrun avait une grande renommée. Jean Girard, président du Parlement de Grenoble, et Pierre Lhermite, conseiller intime de Charles VII, lui avaient écrit pour lui demander son avis sur l'arrivée « merveilleuse » de Jeanne à Chinon. Ils exposaient qu'elle avait déjà été examinée à Poitiers par des docteurs de l'Église. Gélu engagea le Dauphin à prendre garde de ne pas se laisser tromper par une intrigante, précisant

> « qu'il ne faut pas aisément s'arrêter au discours d'une fille, d'une paysanne, nourrie dans la solitude, d'un sexe fragile, tant susceptible d'illusions ; l'on ne doit pas se rendre ridicule aux nations étrangères ; les Français sont déjà assez diffamés par la facilité de leur naturel à être dupés. »

Par l'intermédiaire de Lhermite, Gélu recommande des exercices de piété au roi afin d'être éclairé et demande que l'on sonde bien cette fille. Trois choses la rendent suspecte, ajoute-t-il : 1° elle vient du pays de Lorraine, frontière des ennemis bourguignon et lorrain ; 2° c'est une bergère « aisée à être séduite » ; 3° elle est fille et « il lui appartient aussi peu de manier les armes, et de conduire les capitaines, que de prêcher, de rendre la justice, d'avocasser ». Il recommande cependant de ne pas la renvoyer et de la traiter avec égards.

Gélu était un homme d'une grande culture, dont l'opinion était recherchée par ses contemporains. Il était né au duché du Luxembourg, avait fait ses études à Paris et se destinait au barreau. C'est là qu'il fut remarqué par le duc d' Orléans qui le prit en amitié. A la mort de son frère, Charles VI le nomma président de la province du Dauphiné, mais Gélu avait décidé d'embrasser l'état ecclésiastique et lui demanda le canonicat d'Embrun. Charles VI le rappela pourtant à la Cour et le chargea des finances avant de l'envoyer au concile de Constance où il eut la très délicate tâche d'essayer de faire revenir Benoît XIII sur sa décision — sans succès. Il alla ensuite le voir à Perpignan et traita une alliance entre le roi de France et la Castille. De retour à Constance au moment de l'élection du nouveau pape, il recueillit quelques voix, mais c'est Martin V qui fut élu. Revenu à Paris, Gélu allait de toutes ses forces s'opposer au traité de Troyes : il écrivit au roi d'Angleterre et aux seigneurs bretons qui avaient pris fait et cause pour l'Angleterre. Mais, voyant que son action avait échoué, il repartit pour Rome et là fut nommé archevêque d'Embrun.

Ayant constaté que la Pucelle avait « fait merveille » il allait prendre fermement position en sa faveur et composa un traité dédié à Charles VII qui commence ainsi : « Les merveilles qui viennent de s'opérer pour l'éternelle gloire de Votre Altesse et de la Maison de France retentissent à toutes les oreilles, une toute jeune fille en est l'instrument. » Et l'archevêque reprenait toute la polémique autour de Jeanne d'Arc pour montrer à Charles VII où était sa voie. Rappelant que lui-même avait eu des doutes, il insistait sur les faits qu'on ne pouvait réfuter : il décelait à travers l'œuvre de Jeanne la main de Dieu. Il résumait les calamités de la France et la terreur exercée sur le peuple par les Anglais, comment ceux-ci se partageaient le royaume et comment le roi était réduit à une détresse telle qu'il manquait du nécessaire pour lui et pour sa Maison. Il ne pouvait plus compter sur un secours humain, c'étaient cette détresse et cette misère qui avaient poussé Dieu à envoyer cette jeune fille en « costume viril » — car il admettait le costume adopté par Jeanne. Il insistait ensuite sur la légitimité de Charles VII : ses parents ne pouvaient pas l'écarter du trône, cela allait à l'encontre du droit naturel, divin et humain. Il évoquait aussi les glorieux mérites des prédécesseurs du roi. Malgré tous les bouleversements entraînés par la guerre, écrivait-il, le peuple n'avait jamais désespéré de la bonté et de la miséricorde de Dieu.

Gélu rapporte enfin, pour les réfuter, les rumeurs selon lesquelles Jeanne serait l'envoyée du démon : « La preuve, c'est que Dieu agit d'un seul coup, d'une manière instantanée [...]. La Pucelle a commencé depuis longtemps son œuvre sans l'avoir encore conduite à son terme. »

Pour conclure, il demande au roi de faire appel à elle chaque fois qu'il aura un problème à résoudre, puisqu'elle est l'envoyée de Dieu — sans pour autant négliger les moyens humains —, et lui recommande de « chaque jour faire une œuvre particulièrement agréable à Dieu et qu'il en conférât avec la Pucelle ».

Jacques Gelu mourra quelques mois après Jeanne d'Arc.

XVII

Jean le Charlier de Gerson

Communément nommé Gerson — de son lieu de naissance, Jean le Charlier — est l'un des plus grands théologiens de son siècle. Jean Gerson, puisqu'il se faisait appeler ainsi, est né le 14 décembre 1363 dans les Ardennes et est mort en 1429, peu avant Jeanne. Mais il aura eu le temps de prendre position pour juger son action.

Très tôt remarqué par le curé de son village comme un enfant doué et studieux, il put faire de brillantes études bien que venu d'un milieu humble. Entré au célèbre collège de Navarre à Paris, il y fut reçu docteur en théologie en 1388, à vingt-cinq ans. Il devint alors professeur dans ce même collège, avant d'en être nommé le chancelier à l'âge de trente-deux ans.

Il a écrit de nombreux traités fustigeant l'idolâtrie, la magie, l'astrologie et la superstition. Prônant une réforme de l'enseignement populaire, il compose aussi, en français afin d'être compris de tous, plusieurs études sur cette question. C'est au concile de Constance qu'il joua son plus grand rôle en étant de ceux qui mirent fin aux désordres de la papauté. Il écrivit à ce sujet un opuscule, *De la suppression du Pape par l'Église,* montrant qu'un pape, même régulièrement élu, peut être soumis au jugement d'un concile. C'est grâce à son action que Jean XXIII, successeur d'Alexandre V, fut déposé le 29 mai 1415, que Grégoire XII abdiqua et que Benoît XIII fut déposé après maintes péripéties en juillet 1417. Le collège électoral élut Martin V, ce qui mit fin à un schisme qui durait depuis trente-six ans.

A Constance, Gerson obtint aussi confirmation de la condamnation du célèbre apologiste du meurtre du duc d'Orléans, Jean Petit — soutenu par le duc de Bourgogne —, à qui il s'était toujours opposé. Cela lui avait valu d'être poursuivi pendant les émeutes cabochiennes de Paris et de n'échapper à la populace qu'en trouvant refuge dans les tours de Notre-Dame. Sans attendre la conclusion du Concile sur Petit, il crut bon, par peur du duc de Bourgogne, de regagner Lyon plutôt que Paris, ville où l'évêque Cauchon et quelques uns de ses partisans étaient prêts à le faire disparaître.

Mais l'œuvre qui nous intéresse ici, c'est une apologie de Jeanne. A Lyon, il avait reçu une demande concernant son opinion sur elle : parmi les examinateurs du « procès de Poitiers », s'était trouvé Gérard Machet, confesseur du roi, qui était son ami et disciple. L'opuscule de Gerson devait être très lu et diffusé dans tout le pays et même en Italie, puisque le marchand Morosini en envoya un exemplaire à sa famille et au doge de Venise. Il s'intitulait *De mirabili victoria cuiusdam Puellae de postfoetantes receptae in ducem belli exercitus regis Francorum contra Anglicos* [1] (Du triomphe admirable d'une certaine Pucelle, qui a passé de la garde des brebis à la tête des armées du roi de France en guerre contre les Anglais [2]). Gerson expose les faits et montre que « le Pucelle » n'use ni de sortilège défendu, ni de superstition, ni d'habileté frauduleuse et qu'elle ne poursuit pas un intérêt personnel. Bien au contraire, elle expose sa vie pour preuve de sa foi ; on peut, en toute sûreté et piété, la soutenir conclut-il. Il demande aussi que l'on voie dans quelle position se trouve le royaume de France : il faut absolument parvenir à en chasser les Anglais.

En conclusion, le théologien énonce trois principes pour justifier « le port du vêtement masculin ». Il est très intéressant de constater qu'avant même le procès de Jeanne, le bruit devait déjà courir qu'« elle ne devait pas porter d'autres vêtements que ceux de sa condition de femme ». Qu'un universitaire ait pu la soutenir et justifier le port de l'habit d'homme montre que si elle avait comparu devant un véritable tribunal ecclésiastique et non

1. Bibliothèque nationale, ms. lat. 14904 (Vict. 516) : 14905 (Vict. 699), suivi par Dupin ; ms. lat. 5970, suivi par Quicherat.

2. Dom. J.-B. Monnoyeur, *Traité de Jean Gerson sur la Pucelle*, Paris 1930.

devant un tribunal politique elle aurait sans doute été sauvée ou au moins que cette question aurait été résolue autrement. Il n'est pas défendu de porter cet habit, précise-t-il, puisque Jeanne s'expose en tant que guerrière et en tant qu'homme d'armes : elle a bien fait de se faire couper les cheveux pour l'occasion afin de porter son casque guerrier.

Gerson devait mourir deux mois après cette profession de foi pour la Pucelle qu'il avait datée « à Lyon, 1429, le 14 mai veille de la Pentecôte après la victoire d'Orléans et la cessation du siège des Anglais, cet opuscule a été fait par le chancelier Gerson. »

A sa mort, le 12 juillet suivant, dans les rues de Lyon se répandait un bruit : « Le Saint est mort ! »

TROISIÈME PARTIE

Débats

I

Le nom de Jeanne d'Arc

« Dans mon pays on m'appelait Jeannette, mais on m'appela Jeanne quand je vins en France », répond Jeanne lors de la première séance du Procès de Condamnation lorsqu'on lui demande ses nom et prénom *(nomen et cognomen)*.

A son époque Jeanne n'a jamais été appelée *Jeanne d'Arc*. En règle générale, au XVe siècle, on ne porte qu'un prénom en y ajoutant le nom de lieu, de résidence ou d'origine, parfois aussi le prénom suivi d'un surnom. La mère de Jeanne, Isabelle, est nommée dans les textes Isabelle Romée, surnom qui lui vient d'un pèlerinage qu'elle aurait effectué. Jeanne précise aussi que dans son pays les filles portent le nom de leur mère. Mais, elle se fait appeler « Jeanne la Pucelle ». Ce surnom, elle s'en fait une gloire, le signe même de sa mission.

Dans la lettre aux Anglais dictée le 22 mars 1429 de Poitiers, elle s'adresse ainsi au Régent et à ses lieutenants : « Rendez à la Pucelle qui est ici envoyée de par Dieu [...] et croyez fermement que le Roi du Ciel enverra plus de force à la Pucelle. » Le 5 mai 1429, dans une sommation aux Anglais, son scribe écrit sous la dictée : « Le Roi des Cieux vous avertit et mande par moi, Jeanne la Pucelle. » Aux habitants de Tournai le 22 juin 1429, à ceux de Troyes le 4 juillet de la même année ou encore à Philippe le Bon, duc de Bourgogne, le 17 juillet 1429, elle se nomme toujours « Jeanne la Pucelle ».

Les habitants de Reims, en août 1429, et le comte d'Armagnac, le 22 du même mois, la connaissent aussi sous ce vocable. Sur les trois lettres signées de sa main que nous avons conservées, elle signe : « Jehanne ». Pour les gens du parti armagnac, pour les bourgeois d'Orléans, pour ses compagnons d'armes elle est

« Jeanne la Pucelle ». Pour ses ennemis elle l'est aussi, ainsi pour Jean duc de Bedford : *« called the Pucelle »*. Pour le duc de Bourgogne, « celle qu'on nomme la Pucelle », pour son pire adversaire, Cauchon : « Jehanne que l'on dit la Pucelle », enfin pour l'Université de Paris : *« mulier quae Johannam se nominebat »*.

Favorables aux Armagnacs ou aux Bourguignons, les chroniqueurs ne connaissent pas non plus « Jeanne d'Arc », que ce soit Jean Chartier ou William Caxton, l'auteur du *Journal du Siège d'Orléans,* Antonio Morosini ou Georges Chastellain. Pour les poètes, Christine de Pisan ou Villon, c'est « La Pucelle », « Jehanne la bonne Lorraine », « La Pucelle de France » ou « la Pucelle de Dieu ».

L'historien découvre le nom « Jeanne d'Arc » avec l'ouverture du Procès en Nullité de la Condamnation. En 1455, Calixte III dans le rescrit nomme ses frères : « Pierre et Jean Darc, et leur sœur *quondam Johanna Darc* » ; l'archevêque de Reims, à son tour, mentionne la famille Darc : « Isabelle Darc, Pierre et Jean Darc, mère et frères *defunctae quondam Jeannae Darc, vulgariter dictae* la Pucelle. » Alors que dans la supplique de la famille on peut lire : *« Ysabellis Darc, mater quondam Johannae vulgariter dictae la Pucelle »*. L'expression « Pucelle d'Orléans » fait son apparition au XVIe siècle... La première grande biographie de Jeanne, celle d'Edmond Richer, paraîtra en 1630 sous le titre *Histoire de Jeanne, la Pucelle d'Orléans.*

Quelle était donc la graphie du nom patronymique de son père et de ses frères ? Les grands historiens Quicherat, Siméon Luce, Ayroles, Champion, écrivent d'Arc. A leur suite, Pierre Tisset, dans la traduction du Procès de Condamnation, adopte la graphie d'Arc. Pierre Duparc dans celle du Procès en Nullité de la Condamnation adopte aussi cette orthographe conventionelle.

En revanche, si l'on a recours aux textes originaux on trouve une extrême variété : Darc ou d'Arc, mais aussi Dars, Day, Dai, Darx, Dare, les Tarc, Tard ou Dart : à l'époque de Jeanne il n'y avait donc pas d'orthographe fixée. Jamais, au XVe siècle, l'apostrophe n'était indiquée : Dalebret, Dalençon ou Dolon s'écrivaient en un seul mot ; c'est l'orthographe moderne qui a introduit une connotation d'origine de lieu ou d'appartenance nobiliaire. On entend donc : le duc d' Alençon, le duc d' Armagnac, mais Jean d'Aulon, Jean d'Auvergne, Guillaume d'Estivet indiquent une origine locale.

Pour la famille de la Pucelle les recherches se sont orientées dans ces deux directions. Selon leurs conclusions, on a donné à Jeanne une origine populaire ou une origine aristocratique.

Dans son *Traité sommaire tant du nom et des armes que la naissance et parenté de la Pucelle d'Orléans et de ses frères, fait en octobre 1612 et revu en 1628,* Charles du Lys écrit au chapitre II : « Par les armoiries mesmes des parents et autres descendans dudit Jacques Darc, qui portaient un arc bandé de trois flèches. » Les descendants de Jeanne ne mettent pas donc l'apostrophe et emploient bien : Darc. Charles du Lys, « homme éclairé, en instance auprès de Louis XIII afin d'obtenir la permission de joindre les armes de la branche aînée aux siennes ne néglige jamais dans son *Traité* — destiné à justifier sa demande — de séparer la particule de son nom propre du Lys ; s'il n'a pas mis une seule fois l'apostrophe au Darc c'est qu'il ne devait pas légitimement la mettre [1] ».

En attribuant au père de la Pucelle des armoiries « d'azur à l'arc d'or, mis en fasce [2] » on veut donner une origine noble à la famille. La question que l'on doit alors se poser est de savoir pourquoi Charles VII aurait anobli cette famille en lui donnant d'autres armes que les siennes ? Ces armes parlantes n'existaient pas avant l'anoblissement et ont été imaginées à une époque postérieure.

Le Père Doncœur conclut : « Nous estimons que, sauf preuves, la graphie Darc n'a aucune raison d'être décomposée en d'Arc. Les textes latins dans lesquels se trouvent ce mot sont une contre-indication formelle. Si le patronyme indiquait un lieu d'origine, il eût, dans le latin, fait précéder le nom de lieu par la particule *de*. C'est ainsi que Guillaume Destouteville s'écrira en latin *Estoutevilla,* que Guillaume Destivet s'écrira *de Estiveto,* que Georges d'Amboise s'écrira *de Ambasia* ou *Ambasianus.* Jacques d'Arc eût été écrit en latin *de Arco* comme en 1343 un Pierre Darc, chanoine de Troyes, sera dénommé *Petrus de Arco* [3]. » Enfin il n'est nulle part question de cette orthographe.

Quant à l'apostrophe elle a pour certains une connotation aristocratique. Reportons-nous *a contrario* à la conclusion du *Moniteur du soir* en 1866 au sujet de la polémique sur l'orthographe du nom du père de Jeanne d'Arc : « Il résulte donc de tout ceci que la

1. Bouquet, « Faut-il écrire J. Darc ou J. d'Arc ? » Travaux de l'Académie de Rouen, 1865.
2. Baron de Coston, « Origines éthymologiques et signification des noms propres et des armoiries ».
3. Père Doncœur, « Nouvelles littéraires », n° 1198, 1950.

forme Darc est préférable à toutes les autres, comme étant plus conforme aux règles étymologiques et à l'origine populaire de la jeune fille qui se rendit illustre par son courage et son patriotisme ! »

Pour conclure, un document intéressant à consulter est la *Minute française* conservée à Orléans, qui donne la forme Tart suivant la prononciation dure de Lorraine.

II

Orléans au moment du siège

Lorsque les troupes anglaises arrivent en vue d'Orléans le 12 octobre 1428, elles se trouvent face à l'une des plus belles villes du royaume, une ville forte entourée de remparts, eux-mêmes renforcés par des tours construites à intervalles réguliers.

Constituée de l'ancienne cité gallo-romaine à laquelle est venue au XIVe siècle s'ajouter le vieux bourg « d'Avenum », Orléans est, en 1345, la capitale du duché constitué en apanage par Philippe VI de Valois pour son second fils Philippe. A la mort de celui-ci en 1375, le duché est à nouveau réuni au Domaine royal, puis est en 1392, pour la seconde fois, donné en apanage à Louis, frère de Charles VI. Cette fois des heurts se produisirent car les Orléanais étaient bien décidés à faire valoir leurs droits. Ainsi avaient-ils réussi à obtenir une charte de franchise en vertu de laquelle ils pouvaient élire leurs douze procureurs par un scrutin à deux tours.

Louis d'Orléans, cependant avec beaucoup de diplomatie, sut vite se faire accepter par la population. En 1393, donnant une brillante fête au « grand jour » il invita les procureurs de sa capitale à y assister ; flattés, les magistrats s'y rendirent, apportant de la part des habitants « plusieurs oies et quatorze mines de navets mis en une botte [1] ». Cette fête était donnée pour la naissance du fils du duc, et c'est à cette occasion que Louis d'Orléans créa

1. Comptes de la ville d'Orléans, cités par Lemaire dans l'*Histoire d'Orléans.*

l'Ordre du Porc-Épic dont il décora plusieurs des hauts magistrats de la ville.

Les entrées du duc dans sa bonne ville étaient des jours de fête pour les Orléanais. On parait les fenêtres de rideaux et de tapis, de guirlandes de fleurs ; des fontaines de vin, de lait et d'eau parfumée, étaient dressées aux carrefours.

Orléans comptait sur son duc pour la protéger. Dès le milieu du XIVe siècle la situation était devenue difficile, et l'on se souvenait des raids commandés en 1358 par Robert de Knowles autour de la ville et qui avaient provoqué une peur panique. En 1367, les troupes du prince de Galles avaient terrorisé les populations ; on avait abattu collégiales et chapelles des faubourgs situées hors les murs ; de nombreux édifices eurent à souffrir de ces difficultés, comme l'église Saint-Euverte, déjà détruite par les Normands au IXe siècle puis reconstruite et à nouveau démolie en 1358. Rendue au culte quelques années plus tard, elle devait encore être dévastée en 1428 au moment où les Anglais mirent le siège devant la ville.

Les troubles s'accentuèrent en 1380 avec la chevauchée du duc de Buckingham. On comprend alors que les Orléanais se soient tournés vers leur protecteur naturel, Louis, et qu'ils aient accordé beaucoup d'attention à leur défense. Les Comptes de forteresse et de commune en témoignent.

Les remparts percés de cinq portes qui entourent la ville sont régulièrement entretenus. Les portes, elles aussi, font l'objet de soins constants : la porte de Bourgogne, qui ouvre sur la route de Gien ; la porte Parisis, située près de l'Hôtel-Dieu, sera murée au moment du siège et servira uniquement au passage des piétons ; la porte Bernier ouvre sur la route de Paris alors que la porte Renard, près de laquelle est situé l'hôtel de Jacques Boucher où Jeanne sera hébergée, donne sur la route de Blois ; enfin la porte Sainte-Catherine, sur le quai, correspond à l'entrée du pont. Chaque porte est flanquée de deux tours munies d'une herse et communique par un pont-levis avec un boulevard servant de défense avancée, lui aussi fortifié et protégé par un parapet de terre ainsi que par des palissades.

Le pont sur la Loire était gardé du côté de la ville par la tour du Châtelet et sur la rive gauche par un ouvrage fortifié : les Tourelles, composées de deux tours, l'une à pans coupés, l'autre ronde construite dans le fleuve même. Le pont commençait aux rues des Hostelleries et de la porte Sainte-Catherine ; il possédait dix-neuf arches irrégulières et enjambait à l'époque une île divisée en deux : la Motte aux Poissonniers et de l'autre côté la Chapelle et l'Aumône Saint-Antoine-du-Pont.

La préoccupation constante des Orléanais apparaît dans les mandements de dépenses des Comptes de forteresse, qui mentionnent les paiements des travaux effectués pour l'entretien des remparts et du pont :

> « Au dit Gillet pour deux jours de charpentiers qui ont vacqué à redresser deux eschiffres, l'une pour la tour du Champ Hégron, l'autre près de la Tour Saint-Flo [...] à cinq sous quatre deniers pour homme pour jour, valent dix sous huit deniers p. »

(Pour accéder à quelques-unes des tours de l'enceinte, on ne pouvait passer que par une échelle ou *eschiffre* située à l'extérieur de la tour). On veille également à la sécurité du pont : « Une serrure à la herse du pont dont Jehan Mahy a la clef, quinze sous. »

Ce qui inquiète aussi les Orléanais en cette période de troubles, c'est le guet : « A Bernard Josselin, guet de Saint-Pair-Empont pour le mois d'avril. »

> « A Jacquet le Prestre, pour dépense faite le vendredi vingt-septième jour d'avril pour la visite et la sûreté de la ville pour voir les greniers et quantités de blé, ou sur les personnes qui s'ensuivent : c'est à savoir huit procureurs, huit bourgeois, huit notaires et huit sergents. »

Comme on le voit, rien n'est négligé, on va même penser à installer confortablement les guetteurs :

> « A Jacquet Champon, le vingt-quatrième jour de mai, pour l'achat d'un lit garni de couette, de coussin, de courte-pointe [...] pour coucher deux bourgeois en la tour Neuve [1]. »

Bien évidemment, plus on avance dans le temps, plus ces interventions sont fréquentes ; au moment du siège même, l'entretien des remparts est un souci de chaque jour :

> « A Jean Boudeau, pour cent huit livres et demi de fer baillé pour la forge de la ville [...] A Humbert François, maçon,

1. Ces mandements de dépenses sont tirés du Compte de Jacques Deloynes CC 549, années 1425-1427.

pour quatre journées de son métier qu'il a vacqué à sceller les fers de la planche de la porte Bernier [...] A Jean Chomart, le dit seizième jour d'avril, pour argent baillé pour l'achat d'une toise de bois [...] et des clous pour le plancher de la tour du Heaume [...] A André Godet, serrurier, pour une serrure, un corrot mis à la barrière du boulevard de la porte Bernier [...] A Jean Coust charpentier, pour deux journées de lui et deux autres charpentiers qui ont vacqué au boulevard de la porte Parisis à faire les affûts des canons [1]. »

En plus de ce que l'on pourrait appeler l'armement défensif, c'est-à-dire l'entretien des tours, des remparts et du pont, les procureurs d'Orléans s'occupent aussi de l'armement offensif ; ce sont encore les Comptes de forteresse de la ville qui nous renseignent précisément sur les achats de bombardes et de canons et sur leur mise en place :

« A Jean Chomart [...] pour dix-sept journées de charpentiers qui ont mis à point les affûts des canons, et pour avoir changé les canons de place [...] A Jean Volant pour argent par lui baillé pour onze journées de charpentiers et quatre journées de maçons qui ont été besogner à mettre le canon de Montargis à la tour des vergers de Saint-Sanson, etc. »

On s'emploie à acheter du plomb et à préparer la poudre à canon :

« A Jehan Savore [...] pour avoir vacqué par huit jours à battre la poudre à canon [...] A Jacques Boucher, trésorier de Monseigneur d'Orléans, pour l'achat de deux cents livres de poudre à canon achetées de lui pour le fait de la ville, chacun cent vingt et un écus d'or [2]. »

Et l'on se préoccupe aussi de l'achat de traits d'arbalète ; un artilleur est commis à la défense de la ville : il s'agit de Colin le Lorrain. L'étude des documents permet d'établir qu'une garnison d'environ deux cents hommes étaient réunie à Orléans [3].

1. Compte de forteresse CC 550.
2. Compte CC 550 de Jean Hilaire.
3. Françoise Michaud-Fréjaville, Colloque d'Histoire médiévale, Orléans, octobre 1979 : « Une cité face aux crises : les remparts de la fidélité de Louis d'Orléans à Charles VII d'après les comptes de forteresse de la ville d'Orléans, 1391-1427. »

Au-dessus de la salle de réunion des procureurs se trouve un local où sont entreposés les traits d'arbalètes et la poudre. Chacun apporte son aide à la défense de la ville, tous les corps de métiers s'emploient à renforcer les digues et les palissades, mais un problème se pose : les membres de l'Université, une fois de plus, se prétendent exonérés et ne veulent pas participer à ces frais. Charles VII doit envoyer des lettres patentes rappelant que tous les habitants sans exception sont tenus au service de guet et de garde et aux impôts de fortification.

Pour mieux défendre encore leur ville, les Orléanais ne vont pas hésiter, on l'a vu, à détruire les faubourgs. Les Anglais, pour leur part, vont édifier des bastides donnant accès aux principales routes et les appelleront Londres, Rouen et Paris — des noms des villes qui sont en leur possession. Ces bastides sont reliées entre elles par des palissades et des boulevards fortifiés : la ville se trouve donc isolée. En tout cas, trois de ses portes sont bloquées : la porte Parisis, la porte Bernier et la porte Renard ; seule reste ouverte la porte Bourgogne.

Le choix d'Orléans par les Anglais pour y mettre le siège était tout à fait justifié ; c'était en effet, à la fin du Moyen Age, une très belle cité, siège d'une Université de Droit renommée et centre commercial important avec le marché de grains de la Beauce. C'était aussi un des grands ports de la Loire. Enfin, c'était une ville bien peuplée pour l'époque, puisqu'elle comptait environ 30 000 habitants.

III

La journée des Harengs (12 février 1428)

Depuis le moment où les Anglais ont mis le siège devant Orléans au mois d'octobre 1428 et jusqu'à l'arrivée de Jeanne d'Arc le 29 avril 1429, toute activité militaire semble avoir cessé, et pourtant plusieurs faits sont rapportés dans le *Journal du siège d'Orléans* [1].

1. *Journal du siège d'Orléans,* éd. Charpentier et Cuissard, Orléans, 1896.

Cet ouvrage est en fait la récollection, faite par un Orléanais, peut-être un ecclésiastique, des événements qui se sont déroulés durant cette période ; la relation commence au moment même de l'arrivée des Anglais pour se terminer lorsque Jeanne a libéré la ville. Ce texte nous donne donc un certain nombre de détails sur les forces en présence, les allées et venues des différents hérauts du roi ou des seigneurs qui ont la charge de la cité. Il nous donne aussi une idée des fortifications, du travail fait par les habitants et surtout de l'état d'esprit des assiégés : l'importance accordée à l'arrivée des convois de pourceaux ou de moutons dans la cité affamée montre à quel point les détails quotidiens comptent.

Le *Journal du siège* est riche aussi en menus faits révélateurs sur la guerre à la fin du Moyen Age, sur les trêves qui sont respectées — comme celle de Noël où les ménestriers donnent une aubade, et pendant laquelle aucun fait de guerre n'est relevé. Il indique encore comment les grands d'Angleterre et les capitaines commis à la défense de la ville par le Dauphin s'invitent à dîner, échangent des cadeaux, etc.

On y apprend encore des nouvelles comme la mort du comte de Salisbury, le 27 octobre, au tout début du siège, puis l'arrivée de son remplaçant à la tête de l'armée anglaise, John Talbot, le 1er décembre suivant. Celui-ci est accompagné de plus de trois cents combattants bien équipés en vivres et en munitions ; ils apportent en particulier plusieurs bombardes, qui entrent immédiatement en action et atteignent leur but puisqu'à la fin du mois plusieurs maisons sont endommagées :

> « Jetèrent contre les murs et dedans Orléans plus continuellement et plus fort qu'avant n'avaient fait du vivant du comte de Salisbury, car ils jetaient de telles pierres qui pesaient huit cent vingt-quatre livres qui firent plusieurs maux et dommages contre la cité en plusieurs maisons et beaux édifices de celle-ci. [Personne ne fut tué, ajoute le rédacteur, à la surprise générale, car] en la rue aux Petits souliers [chût une pierre] en l'hostel et sur la table d'un homme qui dînait. »

L'un des défenseurs de la ville, Jacques de Chabannes, tentant une sortie, est blessé au pied ; un autre jour, le 2 janvier, les Anglais essaient d'« écheller » le boulevard au niveau de la porte Renard, mais l'alerte est immédiatement donnée par le guet, et les Anglais sont si vaillamment repoussés qu'ils doivent rebrousser chemin et « ils ne gagnèrent qu'être mouillés, car à cette heure il pleuvait très fort ». Le 6 janvier, c'est une sortie des Orléanais qui est notée ; cinq jours après Maître Jean, le couleuvrinier d'Orléans, a su viser juste, car une partie du toit des Tourelles s'effondre, tuant six ennemis. A la fin du même mois, le guet aperçoit du haut des remparts les Anglais en train d'arracher les échalas des vignes de Saint-Ladre et de Saint-Jean-de-la-Ruelle pour se chauffer avec ce bois ; les Orléanais sortent alors et font quelques prisonniers. Ce même 30 janvier, le Bâtard d'Orléans part pour Blois afin d'y rencontrer Charles, comte de Clermont, le fils du duc de Bourbon.

Quelques jours plus tard, Jacques de Chabannes et La Hire sortent de la ville et se postent face aux Anglais, mais ceux-ci n'engagent pas le combat, et chacun rentre à l'intérieur de ses murailles . Les troupes anglaises seront bientôt renforcées par Falstolf qui arrive avec 1 200 combattants ; de leur côté, les Orléanais ont la joie d'accueillir le connétable d'Écosse, Jean Stuart, à la tête de 1 000 hommes ; quant à Messire d'Albret et à La Hire, ils reviennent aussi avec des renforts.

C'est alors que les Orléanais apprennent qu'un convoi de vivres est parti de Paris, destiné à l'armée anglaise et composé d'environ 300 chariots et charettes remplis de traits pour la guerre, de canons, d'arcs, mais aussi de barils de harengs — on entre dans le Carême et les combattants sont tenus de respecter les principes de l'Église prescrivant que l'on se nourrisse exclusivement de poisson pendant cette période. Parti de Paris le samedi 12 février avec Messire « John Fascot » et Messire « Simon Maurier », prévôt de Paris, et plusieurs chevaliers et écuyers anglais, le convoi est escorté par plus de 1 500 Anglais, Picards et Normands.

Les défenseurs d'Orléans font alors une sortie sous le commandement du maréchal de Sainte-Sévère et de Dunois, tandis que de son côté, le comte de Clermont amène 4 000 combattants ; mais les deux corps d'armée ne parviendront pas à opérer leur jonction... Clermont se rend à Rouvray-Saint-Denis alors que La Hire et Poton décident de couper la route aux ennemis et d'attaquer. L'avant-garde des Anglais ayant surpris les mouvements de troupes, ceux-ci arrêtent leur convoi et font « un parc de leur charroi en manière de barrières » et plantent tout autour des pieux aiguisés pour empêcher la cavalerie française de charger. Tous attendent à cheval, excepté les archers et les gens de traits prêts à tirer. Ce que voyant, le comte de Clermont envoie message sur message interdisant toute attaque avant l'arrivée de ses renforts. Mais le connétable d'Écosse, impatient, suivi par le

Bâtard d'Orléans, Guillaume Stuart, Messire de Mailhac et environ 400 combattants, charge

> « moult vaillamment, mais peu leur valut, car quand les Anglais virent que la grande bataille qui était assez loin venait lâchement et ne se joignait avec le connétable et les autres de pieds, ils saillirent hâtivement de leur parc [l'enclos fait avec les chariots] et frappèrent devant les Français étant à pied, et les mirent en désarroi et en fuite ».

Les Français ont immédiatement le dessous et perdent 400 hommes. Les Anglais poursuivent les fantassins dans le plus grand désordre puisque, rapporte le *Journal du siège*, « ils étaient tellement loin les uns des autres que l'on pouvait voir leur étendard à moins d'un trait d'arbalète de l'endroit où les Français avaient attaqué ». La Hire et Poton ne se veulent pas en reste, « qui moult envis s'en aller ainsi honteusement » s'assemblent à nouveau avec une soixantaine de combattants et poursuivent les Anglais épars avec tant de fougue qu'ils en « tuèrent plusieurs ». Mais si les deux vaillants Gascons ont réussi à rassembler quelques hommes, le comte de Clermont, lui, n'a pas attaqué et il s'en va. « Nombreux sont les nobles et vaillants capitaines et chefs de guerre, raconte le *Journal*, qui sont morts ; entre autres Messire Guillaume d'Albret, Messire Jean Stuart, connétable d'Écosse, Jean Chabot, le seigneur de Verduran, etc. « Leurs corps sont ramenés à Orléans et enterrés dans l'église Sainte-Croix où un beau service leur est fait. Il y eut de nombreux blessés, parmi lesquels le Bâtard d'Orléans, qui eut le pied transpercé par un trait d'arbalète et que deux archers eurent du mal à « tirer à très grande peine hors de la presse ». Quant au comte de Clermont, fait chevalier le jour-même, son attitude fut très mal perçue par les Orléanais : « Ils se mirent à chemin vers Orléans : en quoi ne firent pas honnêtement mais honteusement. »

Les Anglais ne poursuivirent pas la troupe et les chariots repartirent vers leurs bastides. Le retour dans la ville fut très pénible pour tous après la « desconfiture » de l'armée. Ce furent La Hire, Poton et Jamet du Tillet qui pénétrèrent les derniers dans la ville, car ils voulaient surveiller que « ceux des bastides », c'est-à-dire les Anglais, n'en sortent pas et ne mettent l'armée en pièces.

Ce devait-être le fait d'armes le plus marquant et le plus important des sept mois de siège. S'ils furent déçus de leurs défenseurs, les Orléanais devaient l'être plus encore quelques jours plus tard, le 18 février :

« Se partit d'Orléans le comte de Clermont, disant qu'il voulait aller à Chinon devers le roi, qui lors y était ; et emmena avec lui le seigneur de La Tour, Messire Louis de Culan, amiral, Messire Regnault de Chartres, archevêque de Reims et chancelier de France, Messire Jean de Saint-Michel, évêque d'Orléans, natif d'Écosse, La Hire et plusieurs chevaliers et écuyers d'Auvergne, de Bourbonnais et d'Écosse et 2 000 combattants. Dont ceux d'Orléans, les voyant partir, ne furent pas bien contents. »

Pour les apaiser, on dit aux habitants que l'on reviendrait les secourir en leur apportant des vivres et en ramenant des gens. Il ne restait plus dans la ville que le Bâtard et le maréchal de Sainte-Sévère ; c'est alors que les habitants prirent peur, envoyant Poton de Xaintrailles auprès du duc de Bourgogne Philippe le Bon et de Jean de Luxembourg pour leur demander d'intervenir en leur faveur et de les prendre sous leur protection puisque leur duc était prisonnier. Bedford rejeta cette solution, et Philippe le Bon retira ses troupes, ce qui rendit le Régent de fort méchante humeur.

Un personnage de la cité que l'on voit peu intervenir au cours du siège, c'est son évêque, l'Écossais Jean de Kirk-Michael (ou de Saint-Michel), qui a fui la ville au moment de l'encerclement par les Anglais et a trouvé refuge à Blois. Il avait été nommé par le dauphin Charles pour honorer les Écossais toujours prêts à se porter à son secours. Ainsi, en 1420, plus de 6 000 Écossais ont débarqué, commandés par John Stuart, connétable d'Écosse, et Guillaume Stuart, le comte de Buchan. Le premier est le fils du duc d'Albanie, régent du royaume d'Écosse et oncle de Jacques Stuart, prisonnier en Angleterre. C'est par Charles VII qu'il a été nommé connétable. Le second est le fils d'Alexandre, duc de Darnley ; le roi, pour le remercier, lui a donné la terre d'Aubigny en Berry en 1423 et le comté d'Évreux par lettres patentes du 26 janvier 1426. Ces deux seigneurs sont toujours très bien reçus lorsqu'ils passent par Orléans : en 1420, par exemple, les procureurs leur font des dons de boissons, le comte de Buchan touche deux « traversins » de vin et le connétable d'Écosse un. En 1421, ce dernier fonde à la cathédrale Sainte-Croix une messe qui sera chantée journellement par les enfants de chœur. Le 24 septembre 1425, ce sont trente-sept pintes de vin et quatre chapons de haute graisse qui sont offerts au connétable. Nombreux sont les Écossais qui devaient s'établir dans la région ; jusqu'au XIXᵉ siècle il y en eut une communauté près d'Henrichemont dans la forêt de Saint-Palais.

Les troupes écossaises eurent beaucoup à souffrir des affrontements avec les Anglais : une partie d'entre elles périrent à la bataille de Cravant en 1423, et à Verneuil en 1424, on comptait parmi les troupes fidèles à Charles VII entre 500 et 600 Écossais.

Le *Journal du siège* évoque leur arrivée : « Entrèrent dans Orléans plusieurs très vaillants hommes de guerre bien habillés et entre les autres Guillaume Stuart, frère du connétable d'Écosse. » Jean et Guillaume Stuart devaient tous deux mourir à la bataille des Harengs quelques jours plus tard.

Les Écossais vont aussi accompagner Jeanne tout au long de son épopée. On sait qu'ils participent au convoi de ravitaillement qui quitte Blois le 27 avril et où se trouvent une centaine d'hommes d'armes et 400 archers écossais commandés par Patrick Ogilvy, connétable de l'armée écossaise en France [1]. L'évêquc Jean de Saint-Michel, venu avec l'armée de renfort écossaisc, sera auprès de Jeanne le 8 mai lors de la procession d'actions de grâces faite d'église en église dans la ville libérée.

Les Écossais demeureront fidèles à Charles VII, et cette alliance sera renforcée par le mariage du dauphin Louis avec Marguerite d'Écosse célébré à Tours au printemps 1436. Mais la petite dauphine devait mourir en août 1444, en prononçant ces mots résumant ce qu'avait été sa vie en France : « Fi de la vie ! Que l'on m'en parle plus [2] ! » Elle fut d'abord enterrée à Châlons-sur-Marne, puis ses restes furent transférés à Saint-Denis.

1. B.N., fond français Ms 7858, fol. 50 v°.

2. *Liber pluscardensis*, éd. Félix J.H. Skene, Édimbourg, 1870-1880, t. II, p. 288 (cité par Élie de Comminges, *Charles VII et les Écossais*, « Cahier d'archéologie et d'histoire de Berry », n° 43, décembre 1975).

IV

L'armement à l'époque de Jeanne d'Arc

Après l'enquête de Poitiers, Charles VII fit, on l'a vu, faire une armure à Jeanne au moment où il lui constituait une maison militaire. Les comptes de son trésorier Hémon Raguier indiquent explicitement l'achat de cet armement au mois d'avril 1429 : « A été payé et baillé, par ledit trésorier, c'est à savoir au maître armurier pour un harnois complet pour ladite Pucelle, 100 livres tournois. » Avec ce « harnois », Jeanne était donc équipée comme les gens d'armes de son époque. Jean Chartier précise qu'elle était « armée de tout harnois, armée aussitôt de chevalier qui fût en l'armée née en la Cour du roi ». Elle était équipée comme les chevaliers d'un certain rang : 100 livres tournois représentaient une forte somme. On estimait que l'achat de l'équipement correspondait pour un homme d'armes à environ un ou deux ans de gages.

Cette armure ou ce harnois de Jeanne d'Arc est-il parvenu jusqu'à nous ? Jean-Pierre Reverseau, conservateur au Musée de l'Armée, ne faisait-il pas remarquer que « tous les vingt ans on redécouvre une armure de Jeanne d'Arc [1] » ? On trouve dans le catalogue de la collection d'armes anciennes rassemblées au château d'Amboise en 1499 la mention, sous la cote 31, d'un « harnois de la Pucelle, garni de garde-drap, d'une paire de mitons, d'un habillement de tête où il y a un gorgeret de mailles, le bord doré, le dedans garni de satin cramoisi doublé de même ». S'agissait-il réellement du harnois porté par Jeanne, rien n'est moins sûr, mais on peut se représenter ainsi son armement. D'autre part, les chroniqueurs et les témoignages du Procès de Nullité s'accordent. Louis de Coutes, son page, le duc Jean d'Alençon ou encore Jean d'Aulon lors de leur déposition affirment tous trois que « pour la sûreté de son corps ledit seigneur fit faire à ladite

1. J.-P. Reverseau, *Armement au temps de Jeanne d'Arc,* Conférence, Orléans, novembre 1984.

Pucelle harnois tout propre pour son dit corps ». De son côté, le greffier de l'hôtel-de-ville d'Albi, qui l'a vue, précise : « Jeanne allait armada de fer blanc tota de cap a pe. » Témoignages émouvants tout comme ceux de Gui et André de Laval qui la virent à cheval près de Romorantin, « armée tout en blanc, sauf la tête, une petite hache à la main sur un grand coursier noir ».

Une pièce d'armure ayant peut-être appartenu à Jeanne est le « bacinet » — aujourd'hui conservé au New York Metropolitan Museum of Art et provenant de la collection Dino-Talleyrand-Périgord — qui aurait été déposé en ex-voto en l'église Saint-Pierre-du-Martroi à Orléans. Le bacinet, à l'époque, était considéré comme une « défense », c'est-à-dire une protection indépendante du reste de l'armure — le terme *harnois* désignait les différents habillements de guerre, et on parlait d'armure « de tête » ou « de bras ». Chaque pièce était donc indépendante, comme l'attestent les comptes des armuriers à qui l'on commandait les pièces séparément : un harnois de jambe, un harnois de bras ou un gantelet.

Dans la notice de l'inventaire d'Amboise, la défense de tête était un habillement de tête ou plus exactement un gorgeret de mailles, avec un « bord doré ». Cette description s'applique, d'après M. Reverseau, à un bacinet : selon lui, la mention « bord doré » peut correspondre soit à la garniture entourant le bacinet de Jeanne, soit aux rangées d'anneaux de laiton qui bordaient le gorgeret ; l'opposition chromatique entre la couleur du laiton et le bleu du gorgeret — on bleuissait en effet ce genre de pièces — était fréquente. La salade, autre protection de tête, était l'habillement le plus courant ; elle était complétée d'une petite visière mobile, d'un couvre-nuque un peu accentué et, sur le haut, d'une crête saillante. Jeanne se servait aussi d'une capeline pourvue de larges bords, très utilisée lors de l'escalade des places-fortes. Mais les contemporains ont aussi remarqué que souvent elle allait tête nue, ce qui n'est guère étonnant puisque les chefs de guerre de haut rang portaient souvent un simple chaperon ou un chapeau.

Jeanne portait aussi un vêtement de guerre d'origine orientale, fait de lames de métal rectangulaires (en général d'acier), le jaseran, qui était très utilisé au XIVe siècle, et encore une brigandine — gilet armé à l'intérieur d'une multitude de petites lames de métal jointes par des rivets dont les têtes formaient un décor géométrique. Le bras droit était protégé de façon plus légère que l'autre afin que l'on puisse manier l'épée ou la lance ; le gauche, au contraire, était replié pour que l'on puisse tenir les rênes du cheval. Les armures étaient agrémentées de décorations d'un style « élancé et nerveux » répondant « à l'idéal esthétique du temps [faisant] abstraction des considérations fonctionnelles et [reflétant] l'esprit exacerbé du gothique finissant [1] ».

Au XVe siècle, les grands armuriers étaient milanais et, d'un bout à l'autre de l'Europe on retrouvait le même type de défense de corps. Christine de Pisan évoque à maintes reprises les harnois que le roi Charles V avait fait faire dans cette ville — parmi les archives de Datini se trouvent toutes sortes de détails concernant les fabrications de ces armures.

Les « coustilleux » et « archers » et plus généralement les gens de pied portaient sur le torse une jaque — un vêtement de toile piqué sur du cuir et lacé sur le devant — ou une brigandine, et se protégeaient les jambes par des harnois et la tête par une salade. Ils se battaient avec le vouge ou l'épieu, ou encore marteau d'armes pour traverser et briser le harnois.

V

Les épées de Jeanne d'Arc

On sait par les textes du Procès que Baudricourt remit à Jeanne une épée au moment où elle quitta Vaucouleurs.

> « Item, elle confessa qu'au départ de la susdite ville de Vaucouleurs, elle était en habit d'homme, portant une épée que lui avait donnée Robert de Baudricourt, sans autre arme, accompagnée d'un chevalier, d'un écuyer et de quatre serviteurs [2]. »

Elle envoya ensuite quérir une seconde épée qui se trouvait derrière l'autel de Sainte-Catherine-de-Fierbois :

> « Elle dit encore, tandis qu'elle était à Tours ou à Chinon, elle envoya chercher une épée se trouvant dans l'église de

1. J.-P. Reverseau, *Les armes et la vie*, Paris, Dargaud, 1982.
2. Tisset, *op. cit.*, t. II, p. 52.

Sainte-Catherine-de-Fierbois, derrière l'autel ; et aussitôt après on la trouva toute rouillée. »

Interrogée sur la question de savoir comment elle avait su que cette épée se trouvait là, elle répondit :

« Cette épée était dans la terre, rouillée, portant cinq croix gravées ; elle sut que l'épée était là par ses voix et elle n'avait jamais vu l'homme qui alla chercher ladite épée et elle écrivit aux gens d'Église de ce lieu qu'ils leur plût qu'elle ait cette épée et ils la lui envoyèrent. [...] Cette épée n'était pas enterrée profondément dans la terre et les gens d'Église, la frottant sur-le-champ, firent tomber la rouille. [...] Ce fut donc un armurier de Tours qui alla la chercher pour elle ; [...] d'une part les gens d'Église de Sainte-Catherine-de-Fierbois lui donnèrent un fourreau, de même que les gens de Tours ; elle eut donc deux fourreaux, l'un en velours vermeil, et l'autre de drap d'or, et elle-même s'en fit faire en gros cuir, bien fort. [...] Quand elle fut prise, ce n'est pas cette épée qu'elle portait, mais l'épée qu'elle avait prise à un Bourguignon. »

« Elle avait une épée qui avait été prise sur un Bourguignon » [1]. Il s'agit ici de la troisième épée possédée par Jeanne. On sait, d'autre part, qu'elle en posséda une quatrième qu'elle avait conquise sur un Bourguignon en même temps que l'armement qu'elle offrit à Saint-Denis. Interrogée pour savoir où était resté l'objet, elle répondit « qu'elle [avait] offert en l'abbaye de Saint-Denis une épée et des armes ». Pressée de questions, elle expliqua aussi « que il ne faut pas chercher à savoir ce qu'elle a fait de l'épée trouvée à Sainte-Catherine-de-Fierbois et que cela n'a pas trait au Procès et qu'elle ne répondra pas à cela pour l'instant ». D'autre part le duc de Bourgogne lui avait envoyé une dague après la libération d'Orléans et « la ville de Clermont lui fit don de deux épées et d'une dague ».

Certains témoins au Procès en Réhabilitation prétendirent qu'elle avait un jour cassé son épée sur le dos d'une fille à Auxerre ou à Saint-Denis, mais Louis de Coutes les contredit formellement dans sa déposition en affirmant :

« [Elle] ne voulait pas qu'il y ait des femmes dans l'armée et qu'une fois près de Château-Thierry, ayant remarqué une

1. Tisset, *ibid.*, p. 76.

> ribaude elle la pourchassa, l'épée dégainée, mais elle ne la frappa pas se bornant à lui conseiller avec douceur et charité de ne plus se trouver en compagnie des hommes d'armes, sinon elle, Jeanne, prendrait des mesures contre elle. »

Mais nous reste-il vraiment une relique de Jeanne d'Arc ? On cite souvent une épée conservée à Dijon où sont gravés les noms de Charles VII, de Vaucouleurs avec les armes de France et celles d'Orléans. Après étude, il semble que cette épée ait été gravée au XVIe siècle par les Ligueurs, qui avaient un véritable culte pour Jeanne [1].

VI

La langue de Jeanne d'Arc et de ses contemporains

On se souvient de la réponse de Jeanne à Seguin Seguin, un des juges de Poitiers, lorsque celui-ci lui avait demandé : « Quel langage parle votre voix ? — Meilleur que le vôtre », dit-elle. Seguin Seguin précise que lui parlait le limousin avec un accent prononcé.

On connaît aussi, par les témoignages du Procès en Nullité, certaines expressions employées par la Pucelle. Jean Pasquerel, son confesseur, rapporte son apostrophe à l'adresse de Glasdale : « Glasidas, rends-ti, rends-ti, au roi du ciel ! » On sait aussi, par la lettre aux Rémois du 16 mars 1430, qu'elle prononçait « ch » les « j » ou « y ». Ainsi, le clerc, ayant mal entendu le mot « joyeux », avait écrit « choyeux » ; puis, tenant compte de la pointe d'accent de Jeanne, il barra le mot et l'écrivit correctement. Quant à la formule reprise par Haimond de Macy et par Colette, femme de Millet, « en nom Dé », c'est là une locution typiquement lorraine ; Dunois dit aussi : « fille Dé », c'est-à-dire « fille de Dieu ».

Jeanne parlait donc le français, c'est-à-dire la langue romane, mais avec un accent lorrain (qui s'est perpétué jusqu'à nos jours). Dans le parler lorrain, on ajoute souvent un « i » à la fin des mots

1. Doncœur, Collection Centre Jeanne d'Arc, 1.227.

et les « é » sont prononcés fermés. A Domrémy, « cette marche de la Haute-Meuse, qu'elle relevât du royaume ou d'Empire, était française de mœurs et de langue, son parler roman était marqué par des influences champenoises comme le furent ses institutions et son art [1] ».

Dès le XIVe siècle, précise Philippe Contamine [2], un dialecte prévaut dans les couches supérieures de la société, c'est celui des Français, c'est-à-dire des habitants de Paris et de l'Ile-de-France. Ce langage est bientôt étendu à toute l'administration royale. Dans le nord on parle la langue d'oil, et dans le sud la langue d'oc. Certaines régions ont conservé leurs propres idiomes comme la Bretagne, la Gascogne, le Pays Basque ; le flamand se parle en Flandres, en Boulonnais et en Calésie. Dans le Midi c'est la langue romane ou langue vulgaire, par opposition au latin, qui est parlée ; en Limousin c'est le « lemosi » et en Provence le « prouensal » par opposition à la langue du roi, c'est-à-dire au français. Le latin continue à dominer dans le Midi au XIVe et au XVe siècle dans les actes administratifs et juridiques.

En Angleterre, l'unification de la langue se fait à partir du dialecte de Londres. De la conquête normande au XIVe siècle on y parle un français déformé, l'anglo-normand, avec une prééminence sociale et culturelle du français, mais cela change au XIVe siècle. Dans les années 1300-1324 l'auteur anonyme du *Cursor mundi* proclame : « Ce livre je l'ai rédigé pour qu'on le lise en langue anglaise et par amour du peuple anglais, du peuple anglais d'Angleterre [...]. Laissons à chacun sa langue, c'est ne faire tort à personne [3]. » Le tournant a lieu sous les Lancastre qui ne parlent plus qu'anglais. Déjà Édouard III avait demandé que les procès se déroulent en anglais puis soient enregistrés en latin : en 1363, pour la première fois, un parlement sera ouvert à Westminster en langue anglaise. Le roi suivant, Richard II, parle l'anglais, mais comprend encore très bien le français. Ceux qui tarderont le plus à utiliser l'anglais pour leurs affaires seront les brasseurs de Londres qui, pour les actes administratifs, ne s'en serviront qu'à partir de 1422.

Ainsi, les deux pays ont chacun sa propre langue et veulent se définir par rapport à elle. Par exemple, Henry V donne l'ordre de

1. Pierre Marot, *Jeanne la bonne Lorraine à Domrémy*, Nancy, 1980.

2. *La vie quotidienne pendant la guerre de Cent Ans en France et en Angleterre*, Paris, 1976.

3. Cité par Philippe Contamine, *op. cit.*.

traduire le traité de Troyes en anglais pour qu'il soit connu en Angleterre ; Salisbury et lui s'adressent aux bourgeois de Londres en anglais pour leur annoncer les victoires et demander des subsides. Bedford, dans une lettre à Henry VI, emploie cette langue mâtinée de mots français pour expliquer que ses défaites sont dues à l'intervention de la Pucelle :

> « And Alle thing there prospered for you, til the tyme of the siege of Orleans taken in hand, God knoweth by what advis. At the whiche tyme, after the adventure fallen to the persone of my cousin of Salisbury, whom God assoille, there felle, by the hand of God, as it seemeth, a greet strook upon your peuple that was assembled there in grete nombre, caused in grete partie, as y trowe, of lakke of sadde beleve, and of unlevefulle doubte that thei hadde of a disciple and lyme of the Feende, called the Pucelle, that used fals enchauntements and sorcerie. The which strooke and discomfiture nought oonly lessed in grete partie the nombre of youre people. [...] »

Dans les documents militaires comme les endentures [1], les formules varient suivant qu'elles sont écrites en Angleterre par un scribe anglais ou en France par un secrétaire français qui transcrit ce qu'il entend. Le respect de la langue nationale n'est pas expressément défini dans le traité de Troyes, mais est sous-entendu, car il facilite « les rapports des conquérants avec les populations vaincues dont il ménageait l'amour-propre. Il permettait de trouver facilement sur le pays sans les faire venir d'Outre-Mer les fonctionnaires et les scribes [2]. » C'est ainsi que l'on trouve un certain nombre de noms de scribes français dans les armées anglaises. En France, dans les documents militaires les Anglais essaient malgré tout peu à peu d'adopter le français, et francisent leur nom : John of Pothe devient Jehan Avothe, puis John Abote. Les descendants des compagnons de Guillaume le Conquérant ont aussi leur nom traduit ; c'est le cas de William, Alexandre, John Pole qui devient La Poule, de la Poule.

Un autre exemple de mélange du français, de l'anglais et de l'anglo-normand est celui du langage employé par le maître de l'hôtel de Warwick à Rouen en 1431-1432. Ses comptes donnent

1. Voir plus haut, p. 284.
2. *La langue employée dans les documents anglais de la guerre de France au moment du siège d'Orléans,* Bulletin S.H.A.O., 1982.

pour chaque jour de précieuses indications sur les personnes reçues à la table de Richard Beauchamp. On y trouve des phrases comme celles-ci : « Venerunt Madame Talbot cum 1 damicella, 1 scutifero ; 2 marchaunts ville » ou encore : « Item expense : un panyer makerelles, 4 sole empta [...] 50 creveys [1] »

L'hypothèse, couramment émise selon laquelle, sans l'action de Jeanne, « le français avait les meilleures chances d'étouffer l'anglais naissant » ne semble guère fondée. Comme le fait remarquer François de Coudenberg [2], le français était en outre la langue de l'héraldique et elle devint celle de la diplomatie ; c'est pour cette raison qu'on la parlait surtout dans les Cours, dans la noblesse et la haute bourgeoisie.

VII

La capture de Jeanne d'Arc devant Compiègne

Jeanne d'Arc a-t-elle été trahie devant Compiègne le 23 mai 1430 ? Autrement dit Guillaume de Flavy a-t-il fait lever le pont-levis intentionnellement afin qu'elle ne trouve pas refuge ? On peut aussi se demander si la ville de Compiègne était réellement en danger et si Flavy devait absolument fermer cette porte devant Jeanne. En 1889, selon Alexandre Sorel dans son ouvrage *La prise de Jeanne d'Arc devant Compiègne et l'histoire des sièges de la même ville* [3], Guillaume de Flavy était un traître ; mais en 1934, J.-B. Mestre affirmait : *Guillaume de Flavy n'a pas trahi Jeanne d'Arc* [4]. Qu'en est-il vraiment ?

En 1430, les perspectives sont sombres pour Compiègne ; les habitants se souviennent qu'ils ont eu à subir huit assauts entre 1415 et 1430. La ville sera encore reprise par les Armagnacs, puis

1. Marie-Véronique Clin-Meyer, *Le registre de comptes de Richard Beauchamp comte de Warwick 14 mars 1431-15 mars 1432*, Mémoire de diplôme École des Hautes Études en Sciences Sociales, mai 1981.
2. F. de Coudenberg, *Jeanne d'Arc. Faut-il la brûler de nouveau ?* Intermédiaire des chercheurs et des curieux, octobre 1981.
3. Paris, 1889.
4. Paris, 1934.

par les Bourguignons et par les Anglais. Les Compiégnois, pour leur part, ont décidé après délibération de « servir le roi bien et loyallement ». On comprendra aisément l'attachement que Jeanne leur garde durant sa captivité et qu'elle souhaitera les protéger pour leur fidélité au roi Charles.

Quand ils apprirent les victoires d'Orléans et de Patay, puis la marche vers Reims, les habitants de Compiègne chassèrent la garnison anglaise et envoyèrent les clés à Charles VII et à la Pucelle, et remplacèrent Jean Dacier, abbé de Saint-Corneille et Bourguignon déterminé, par Philippe de Gamaches, abbé de Saint-Faron de Meaux ; un notable, Boudon de La Fontaine, lui aussi accusé de connivences avec les Bourguignons, fut chassé sans ménagement par les habitants eux-mêmes.

En ce mois de mai 1430, les Bourguignons ont décidé de reprendre le combat conjointement avec les Anglais et le petit roi Henry VI a débarqué à Calais le 23 avril avec une flotte de 47 vaisseaux chargés de plus de 2 000 hommes. Il est accompagné du cardinal de Winchester, du duc de Norfolk, de Huntington, de Warwick, de Stafford, d'Arundel, etc. L'évêque Pierre Cauchon a été envoyé spécialement au-devant de lui à Calais. En même temps, les hostilités reprennent entre les Anglais et les Bourguignons ; Charles VII ne s'y trompe pas lorsqu'il écrit au duc de Savoie pour lui faire part de la paix séparée qu'il veut offrir à son cousin Philippe de Bourgogne : désabusé, il propose une nouvelle rencontre à Auxerre, le 1er juin. Il a vite pris conscience que les Anglais ne sont pas venus pour conclure la paix puisqu'ils n'ont pas, comme convenu, renvoyé en France les ducs d'Orléans et de Bourbon et le comte d'Eu. Compiègne et Creil n'ont pas non plus été remises à Jean de Luxembourg.

Alors que l'armée anglaise est occupée au siège de Pont-à-Choisy, Jeanne entre le 13 mai à Compiègne où elle est reçue par les échevins de la ville avec tous les honneurs. Elle dispose de près de 2 000 hommes et se propose, comme d'habitude, de surprendre les Anglais. L'attaque a lieu le 15, au point du jour, et l'effet de surprise joue ; pourtant, la troupe armée doit battre en retraite et se replier sur Compiègne. Jeanne envisage alors de monter une nouvelle opération pour séparer les différentes armées en coupant la ligne de communications Ourscamp-Sempigny-Noyon. Elle se rend à Soissons dans cette intention, mais le capitaine de la ville, Guichard Bournel, n'autorise pas ses troupes à y pénétrer, et celles-ci doivent bivouaquer dans les champs. Il avait négocié quelque temps auparavant avec Jean de Luxembourg et gagné l'évêque de la ville, Regnault de Fontaine, à sa cause. Après la venue de Jeanne, il livrera Soissons à Jean de Luxembourg contre 4 000 saluts d'or.

Jeanne, ne pouvant franchir l'Aisne par le pont de pierre de Soissons, doit alors retourner à Compiègne, furieuse d'avoir été jouée par Bournel, et se rendre à Crépy-en-Valois. De son côté, Philippe le Bon n'est pas resté inactif et a fait jeter un pont de fortune sur l'Oise. Son armée vient camper en face de Compiègne sur la rive nord et c'est alors que commence le siège.

Alertée, Jeanne se met en marche le 22 mai au soir et traverse la forêt. Le lendemain matin, elle est devant Compiègne. Elle sera prise en tentant une sortie en direction de Margny. Pour comprendre comment sa capture a été possible, il faut examiner la configuration du terrain et le plan de la ville au XVe siècle [1].

Elle sort donc le 23 mai pour escarmoucher avec les Anglais, mais se trouve en face d'une armée beaucoup plus nombreuse que prévu. L'ordre est alors donné de se replier et de trouver refuge à l'intérieur des remparts. Les portes sont closes, mais lesquelles ?

Ce n'est, en effet, pas la porte de la ville que Jeanne a trouvé fermée, mais celle du pont ou, plus exactement, celle du boulevard : c'est la porte de la palissade de la contrescarpe entourant le pont qui était fermée. Il ne s'agissait donc pas pour Guillaume de Flavy d'une question fondamentale pour sauver sa ville.

Compiègne était très bien protégée, l'artillerie disposée sur ses murailles, la grosse tour fortifiée, ainsi que la porte Notre-Dame, le pont qui traverse l'Oise, long de 150 m, était commandé par un ouvrage lui aussi très bien défendu. On trouvait ensuite un boulevard, des fossés remplis d'eau, la fameuse palissade de contrescarpe. C'est donc derrière cette dernière fortification que Jeanne n'a pu trouver refuge. On peut noter que le boulevard interdisant l'accès au pont était un ouvrage en madriers, en terre et en paille et constituait une protection assez efficace puisque les boulets y ricochaient ou s'y enfonçaient sans dommage.

Trois témoignages incitent à penser que Guillaume de Flavy a trahi.

La Chronique de Flandres [2] fait remarquer :

« Et depuis dirent et affirmèrent plusieurs que, par l'envie

1. Colonel de Liocourt, *la Mission de Jeanne d'Arc*, Nouvelles éditions latines, t. I et II.

2. *La Chronique de Flandres*, XIX, 1882, p. 62.

des capitaines de France, avec la faveur que aulcuns du Conseil du roi avaient à Philippe de Bourgogne, et messire Jehan de Luxembourg, on trouva couleur de faire mourir ladite Pucelle par feu. »

Le *Diarium* ou *la Chronique de Heinrich Token* :

« Par la trahison des capitaines qui supportaient avec peine qu'une jeune fille les menât et que la gloire de la victoire revendiquée par eux lui fût attribuée, elle fut finalement vendue aux Anglais par le bâtard de Lorraine [*sic*] qui la fit prisonnière par trahison [1]. »

Le troisième témoignage est celui de l'avocat Rapioux qui, en plein Parlement, lança :

« N'est à croire que en refusant 30 000 escus veu qu'il ferma les portes à Jehanne la Pucelle par quoy fut prise et dit on que pour fermer lesdites portes, il ot plusieurs lingotz d'or [2]. »

Cet avocat, qui ne fut pas poursuivi, faisait là allusion aux sommes offertes par le duc de Bourgogne pour obtenir de Guillaume de Flavy la livraison de la ville de Compiègne.

Un argument très fort de la thèse de J.-B. Mestre est celui qui fait du capitaine de Compiègne l'homme « qui a gardé » sa ville contre les Bourguignons. Il voit donc dans l'impératif de la défense de la ville un point en faveur de Flavy. C'est faire entre le patriotisme et le dévouement à Jeanne un amalgame inconcevable. Guillaume de Flavy n'avait, en effet, d'autre règle que son intérêt personnel. Et son intérêt, depuis qu'il s'était débarrassé de la Pucelle, était de défendre la place qu'il avait adoptée comme capitale de sa maigre principauté.

De plus, d'après Jean Chartier [3] la défense héroïque de Compiègne contre les Anglo-Bourguignons revient à Philippe de Gamaches. Il semble évident que J.-B. Mestre n'a pas bien étudié la défense de la ville. En effet — et nous pensons que c'est là un

1. *Un nouveau témoignage contemporain de Jeanne d'Arc*, BEC, 1928, pp. 455-456.
2. Archives nationales X2 A24, Registre du Parlement ; cité par Ayroles, *La vraie Jeanne d'Arc*, t. IV, p. 93.
3. J. Chartier, *Chronique de Charles VII*.

argument de poids —, il n'y avait pas de danger même si la première porte-palissade était restée ouverte, ce qui eût permis à Jeanne d'Arc de trouver refuge. Dans le pire des cas, même si cette porte avait été prise, la défense de la ville restait toujours assurée.

VIII

Jeanne d'Arc bâtarde royale ?

Chaque année un ou deux ouvrages paraissent en librairie annonçant à grand renfort de publicité que l'on a « enfin » découvert des documents nouveaux permettant d'affirmer soit que Jeanne d'Arc n'a pas été brûlée soit qu'elle était une bâtarde, fille d'Isabeau de Bavière et de Louis d'Orléans, par conséquent la sœur de Charles VII. Le rocambolesque n'ayant pas de limites, on affirme aussi qu'elle s'est évadée, que Cauchon, Bedford, Warwick ont tout fait pour qu'elle ne soit pas brûlée, que l'on a mis quelqu'un d'autre à sa place sur le bûcher, etc., etc.

Qu'il s'agisse de *Moi, Jeanne obéissance* ou de *Jeanne d'Arc et la Mandragore* ou encore du *Secret de Jeanne d'Arc, la Pucelle d'Orléans*, tous ces livres n'offrent aucune originalité et ne font que se répéter les uns les autres. Les uns reprennent les pseudo-démonstrations des XVIIe et XVIIIe siècles, les autres — les « bâtardisants », comme on les appelle aujourd'hui — reprennent les allégations d'un nommé Pierre Caze, sous-préfet de Bergerac, qui, certainement pour tromper son ennui, fit paraître en 1805 le premier ouvrage faisant de Jeanne d'Arc la fille adultérine d'Isabeau de Bavière.

Mais revenons à la thèse de l'évasion. On sait qu'une nommée Claude des Armoises se fit passer pour Jeanne et qu'elle abusa un certain nombre de personnes pour quelque temps. En 1436, les Orléanais qui ont entendu parler de cette femme envoient à Arlon un messager, Cœur de Lys, qui part le 31 juillet et revient le 2 septembre. Entre-temps, Petit-Jean, frère de Jeanne, présent à Orléans le 5 août, dit apporter des nouvelles de la part de sa sœur ; on lui offre un repas, après quoi il s'en va trouver le roi à Loches. Il est de retour à Orléans le 21 août, se plaignant que les officiers ne lui ont pas remis les 100 francs qu'ils devaient lui verser sur ordre du roi mais seulement 20 francs. Les Orléanais, eux, lui donnent la modique somme de 12 francs. On reçoit aussi à Orléans un autre envoyé, directement envoyé par « Jeanne ». Il s'agit du messager Fleur-de-Lys, qui est à Orléans le 9 août puis le 25 août. La chronique dite du *Doyen de Saint-Thibault-de-Metz* nous raconte l'extraordinaire aventure de cette Claude :

> « L'an 1436, sire Philippin Marcoult fut maître échevin de Metz ; la même année le vingtième jour de mai, la Pucelle Jeanne qui avait été en France, vint à la Grange aux Ormes près de Saint-Privas ; elle y fut amenée pour parler à quelques-uns des seigneurs de Metz, elle se faisait appeler Claude et le même jour y vinrent la voir ses deux frères dont l'un était chevalier et s'appelait messire Pierre et l'autre Petit-Jean, écuyer. Et ils croyaient qu'elle avait été brûlée ; mais lorsqu'ils la virent ils la reconnurent et elle aussi les reconnut. [Par la suite], Claude des Armoises rencontra le sire Pierre Louve, conseiller du duc de Bourgogne, qui lui donna un cheval, [et] son équipement guerrier masculin fut complété par un seigneur de Boulay et un certain Nicole Gronart qui lui remit une épée. »

Le chroniqueur stipule encore que cette « Jeanne » parlait à l'aide de paraboles, qu'elle s'en vint de Metz à Arlon à côté de la dame de Luxembourg, puis qu'elle séjourna à Metz où elle avait épousé un chevalier, Robert des Armoises.

Certains auteurs n'ont pas hésité à identifier cette duchesse de Luxembourg comme étant celle qui avait été auprès de Jeanne pendant sa captivité à Beaurevoir. Or cette « dame de Luxembourg » était Élisabeth, fille de Jean de Luxembourg, duc de Görlitz. C'était donc la nièce par alliance du duc de Bourgogne ; elle ne peut être confondue avec Jeanne de Luxembourg morte célibataire, avant Jeanne d'Arc, en 1430. On peut aussi souligner que la Chronique du Doyen de Saint-Thibault-de-Metz a été récrite ; son propre auteur donne une seconde version :

> « En cette année vint une jeune fille laquelle se disait la Pucelle de France et jouant tellement son personnage que plusieurs en furent abusés, et par espécial tous les plus grands. »

Cette prétendue Jeanne à la vie aventureuse réapparaît à Trèves et donne son avis sur les deux hommes qui se disputent le siège épiscopal. A l'instigation du comte de Würtemberg, elle se rend aussi à Cologne — on a ces détails par l'inquisiteur Jean Nider, prieur des Dominicains de Nuremberg et plus tard de Bâle, docteur de l'Université de Vienne et auteur d'un manuel d'inquisition : *le Formicarium*. Nider raconte comment deux de ses collègues se disputaient le siège archiépiscopal de Trèves. La fausse Pucelle,

> « se glorifiant de pouvoir et de vouloir, comme la vierge Jeanne l'avait fait auparavant pour le roi Charles de France, introduire l'un des deux. Bien plus, cette même Jeanne se disait suscitée par Dieu. »

Mais cette « Jeanne » eut maille à partir avec l'inquisiteur de Cologne, Henri Kalt Eysen, qui la cita à comparaître. Jean Nider précise que, lorsqu'elle vint devant les assistants émerveillés, elle aurait effectué quelques tours de passe-passe comme de briser un verre — et le verre redevenait intact — ou encore de déchirer une nappe en deux — et la nappe réapparaissait entière. Le comte qui la protégeait ne la laissa pas très longtemps à Cologne où l'inquisiteur ne trouvait pas ces farces de son goût. Toujours selon Nider, la fausse Pucelle épousa le chevalier Robert des Armoises. Il raconte aussi une autre fable disant qu'elle vécut en concubinage avec un prêtre, mais cela semble tout à fait improbable. Ce qui est sûr, c'est qu'elle épousa Robert des Armoises, seigneur de Tichemont après septembre 1436. On connaît peu de chose sur ce personnage dont la famille était originaire de Champagne et dépendait de Lorraine. Robert des Armoises habitait, lui, Metz et le Luxembourg certainement parce qu'il était proscrit. Il avait fait passer son fief de Norroy en des mains étrangères sans l'accord de René d'Anjou, duc de Bar. Ses biens avaient donc été confisqués en 1435, et il n'était plus seigneur de Tichemont bien qu'il continuât à en porter le titre ; le château avait été donné à Geoffroy d'Apremont.

Il semble très probable que Robert des Armoises ait cherché refuge dans deux endroits hostiles au duc René. On situe le mariage de Robert et de Claude vers le 7 novembre 1436 [1]. Claude se faisait maintenant appeler Jeanne. On n'entend plus parler d'elle pendant deux ans, puis on la retrouve à Orléans en 1439. Elle y est reçue le 18 juillet, on lui offre un banquet et du

1. Acte publié par dom Calmet, *Histoire de Lorraine*. t. III.

vin. Le 1er août, on lui remet une somme d'argent pour « le bien qu'elle a fait à la ville durant le siège ». Elle devait ensuite disparaître brusquement alors que l'on avait préparé un dîner en son honneur. Est-ce l'arrivée du roi, annoncée pour ce même jour, qui la fit fuir ? Toujours est-il qu'elle se précipita alors auprès de Gilles de Laval, seigneur de Rais, qui l'engagea à mener la guerre avec lui. On sait comment Gilles de Rais devait finir un an plus tard, en 1440. Arrêté et jugé, il fut pendu et brûlé.

La dame des Armoises se dirige alors vers Paris, d'après le *Journal d'un Bourgeois de Paris*. Certains commencent à croire fermement qu'elle est la Pucelle, mais elle avoue son imposture devant l'Université de Paris. Qu'elle ait été confondue par l'Université de Paris, par le roi ou par le Parlement, il est certain qu'à partir de 1440 on n'entend plus parler de Claude-Jeanne des Armoises.

La question que tout le monde se pose est de savoir pourquoi ses frères ou tout du moins l'un d'entre eux, Petit-Jean, l'a immédiatement reconnue et suivie du 20 mai au début du mois de septembre 1436 — à partir de ce moment-là on ne voit plus aucun membre de la famille de Jeanne auprès de Claude des Armoises. On peut penser que Petit-Jean un moment a cru tirer parti de cette aventurière pour demander des subsides au roi et tenter de s'enrichir à ses dépens.

Son autre frère, Pierre, a suivi la Pucelle tout au long de sa glorieuse carrière ; il a été pris en même temps qu'elle devant Compiègne et, resté très longtemps prisonnier des Anglais, se ruina en payant sa rançon. Seule la Chronique dite du Doyen de Saint-Thibault-de-Metz, lui attribue d'avoir reconnu sa prétendue sœur. Il viendra par la suite s'établir à Orléans, dont le duc lui donnera l'Ile-aux-Bœufs située en face de Chécy, en amont de la ville, pour le dédommager d'avoir été prisonnier et d'avoir été contraint de vendre l'héritage de sa femme pour payer sa rançon. Pierre du Lys réside au château de Bagueneaux, en 1450 il reçoit du duc d'Orléans un nouveau secours en argent et, en 1452, se fait bâtir une maison à Orléans, rue des Africains. En 1454 enfin, il reçoit une pension annuelle de 61 livres qui est versée régulièrement ; à sa mort, son fils Jean en bénéficiera. Pierre était auprès de sa mère pour ouvrir le Procès de réhabilitation.

Quant au frère aîné, Petit-Jean, qui avait reconnu sa prétendue sœur, après avoir tenté d'obtenir des subsides du roi, il retourna rapidement dans son pays, à Domrémy ou à Ceffonds ; il épousa sa propre nièce, la fille de son frère aîné, Jacquemin d'Arc, qui habitait Vouthon. En 1452, Jean du Lys, comme il se faisait appeler, fut nommé bailli du Vermandois et capitaine de Chartres, une charge importante. Il devait être remplacé en 1457, mais on lui donna en échange la capitainerie de Vaucouleurs, plus proche de Domrémy. Il occupa cette charge pendant plus de dix ans, et lorsqu'on donna la capitainerie de Vaucouleurs à Jean, Bâtard de Calane, fils du duc de Lorraine, il avait largement dépassé la soixantaine et se retira moyennant une récompense de 25 livres. On ne peut pas voir dans la carrière de cet homme celle d'une pauvre dupe. Certes il a été pendant quelque trois mois complice de Claude des Armoises, mais il s'est, semble-t-il, employé par la suite à faire avancer la cause de la réhabilitation de sa sœur et à rassembler aussi bien à Paris qu'à Rouen les preuves de son innocence. Une fois la réhabilitation acquise, il se fit d'ailleurs remettre une copie de la sentence.

D'autres aventurières encore ont tenté de se faire passer pour Jeanne d'Arc. Nous savons par une lettre de rémission (publiée par Lecoy de La Marche), datée de février 1457 et accordée à une certaine Jeanne de Sermaize mariée à un Angevin nommé Jean Douillet, qu'elle était détenue dans les prisons de Saumur depuis plus de trois mois, pour s'être fait passer abusivement pour Jeanne la Pucelle. La lettre de rémission est accordée par le roi René [1]. Encore un document qui montre qu'à l'époque de Jeanne pas plus qu'à la nôtre les gens n'étaient dupes et qu'ils savaient démêler le vrai du faux.

Mais les « survivantistes » ne sont pas à une contradiction près. Certains, comme Jean Grimod, écrivent que le chroniqueur Monstrelet « passe tout simplement sous silence la captivité et la mort de Jeanne ». Il veut ainsi démontrer que, du côté bourguignon tout au moins, on n'était pas dupe. Il n'en est rien ; bien au contraire le chroniqueur relate sa capture :

> « Si fut menée par ladite justice liée au viel marché dedans Rouen ; et la publiquement fut arse à la vue de tout le peuple [...] Laquelle chose ainsi faite le dessusdit le roi d'Angleterre signifia par les lettres, comme dit est, au-dessus dit duc de Bourgogne, afin qu'icelle exécution de justice tant par lui comme les autres princes, fût publiée en plusieurs lieux, et que leurs gens et sujets doresnavant fussent plus sûrs et mieux avertis de non avoir créance en telle ou semblables

1. Archives nationales, p. 734, cote 10, fol. 199.

erreurs qui avoient régné pour l'occasion de la dicte Pucelle [1]. »

Tout le monde fut informé de la mort de Jeanne, ainsi le Bourgeois de Paris :

« Le jour de la Saint-Martin-le-Boullant fut faite procession générale à Saint-Martin-les-Champs et fist-on une prédication et la fist ung frère de l'ordre de Saint Dominique qui estait inquisiteur de la foi [...] et prononça de rechef tous les faits de Jehanne la Pucelle jusqu'à tant qu'elle fut arse [...] si fut livrée à la justice laie pour mourir [2]. »

Enfin, peut-on ignorer l'acte officiel de Cauchon et du vice-inquisiteur Lemaître condamnant le dominicain Pierre Bosquier pour avoir déclaré que les juges avaient mal agi en condamnant Jeanne comme hérétique et en la livrant à la justice séculière ? Peut-on passer sous silence l'acte officiel de l'Université de Paris s'adressant au Pape et faisant part de la condamnation et du supplice de Jeanne ? D'autre part, Henry VI a envoyé des lettres, huit jours après le supplice, à l'Empereur, aux rois, aux ducs et aux autres princes de la chrétienté les informant de la condamnation et de la mort de Jeanne. Le 28 juin 1431, il le notifie également « aux prélats, ducs, comtes et autres nobles, et aux cités de son royaume de France ». Ne voit-on pas aussi Cauchon, pour se protéger contre la rumeur publique, demander des lettres officielles signées de la chancellerie royale d'Angleterre, pour prendre « sous sa protection royale tous ceux qui ont pris part au Procès condamnant Jehanne et la délaissant à la justice séculière ? » Peut-on ignorer les paroles des témoins au Procès de réhabilitation qui ont déposé sous serment et disent avoir assisté au supplice : Pierre Cusquel, L. Guesdon, J. Riquier, Guillaume de La Chambre, l'évêque de Noyon, Jean de Mailly et aussi les notaires Guillaume Manchon, Guillaume Colles, Nicolas Taquel ? Peut-on ignorer les témoignages du frère Martin Ladvenu, de frère Isambart de La Pierre ou de Jean Massieu ? Comment ne voir dans le Procès en nullité qu'une vaste mascarade organisée par la mère éplorée de Jeanne, Isabelle Romée, demandant la réhabilitation de sa fille brûlée par les Anglais ? L'Église

1. Monstrelet, *Chronique*, éd. Douet d'Arcq 1862, t. 4, pp. 442-448.
2. Éd. de Tuetey, p. 270.

qui la réhabilite par la voix du pape Calixte III, pouvait-elle commettre un parjure en déclarant que Jeanne avait été brûlée ?

Mais ces auteurs ne s'arrêtent pas à de tels documents. Pour eux Jeanne s'est évadée, et c'est une autre femme qui a été suppliciée sur la place du Vieux-Marché à Rouen au matin du 30 mai 1431. D'ailleurs, disent-ils, elle avait le visage couvert. C'est là méconnaître les usages du temps ; les textes disent qu'elle avait une mitre et qu'elle était placée suffisamment haut pour que tous puissent voir qu'elle était bien femme et qu'elle était bien morte. Alors, prétend-on aussi, Jeanne, Bedford — et Warwick pour faire bon poids — se sont sauvés par un souterrain. Malheureusement, les fouilles du château de Rouen n'ont pas permis de trouver ce fameux souterrain. Mais l'on n'est pas à cela près et on invente un souterrain en se servant de l'une des phrases du Procès en nullité : « *Quod dux Bedfordiae erat in quodam loco secreto ubi videbat eamdem Johannam visitari* ; « *loco secreto* » devient alors : souterrain. La phrase qui veut dire en réalité : « Le duc de Bedford avait une cachette d'où il pouvait voir Jeanne recevoir des visites » devient : « Un souterrain allant de la geôle à l'habitation du régent. »

La thèse de la bâtardise fait aussi recette depuis le XIXe siècle au moins, bien qu'elle soit sans cesse reprise et réfutée. Pourtant, comme le monstre du Loch Ness, elle réapparaît régulièrement. Pour certains, Isabeau de Bavière aurait été la maîtresse de Louis d'Orléans, son beau-frère, dont elle aurait eu une fille cachée à Domrémy dans la famille d'Arc dès sa naissance. Le problème est que le duc d'Orléans a été assassiné le 7 novembre 1407. Qu'à cela ne tienne ! On place la naissance de la petite Jeanne à cette époque ; au moment du Procès, elle aurait eu environ vingt-quatre ans et non dix-neuf comme elle l'affirme elle-même. Il aurait fallu aussi que cette enfant eût été conçue avant le 23 novembre 1407, date de la mort de Louis d'Orléans. Or Isabeau accoucha le 10 novembre 1407 d'un fils prénommé Philippe qui mourut rapidement. Un chroniqueur, le Religieux de Saint-Denis, note : « La veille de la Saint-Martin d'hiver, vers deux heures après minuit, l'auguste reine de France accoucha d'un fils [...]. Cet enfant vécut à peine, et les familiers du roi n'eurent que le temps de lui donner le nom de Philippe et de l'ondoyer. » Voilà encore un texte que les « bâtardisants » ignorent.

Mais surtout, en affirmant la bâtardise de Jeanne, on incrimine la jeune fille de parjure. Lors du Procès de condamnation, elle jure sur les Évangiles, lorsqu'on l'interroge spécialement sur le lieu de sa naissance, le nom de ses père et mère et répond « que son père était nommé Jacques d'Arc et sa mère Isabellette ». Elle rappelle aussi qu'elle est née à Domrémy. Si l'on accuse Jeanne de parjure, on accuse aussi Isabelle Romée, et l'on tourne en dérision le Procés en nullité. C'est en effet sous la foi du serment solennel qu'Isabelle Romée demande la cassation de la sentence de Rouen en faveur de « sa fille née en légitime mariage ».

Peut-on oublier aussi tous les témoignages de ce même procès, ceux des parrains et marraines, des voisins : tous viennent déposer que Jeanne est bien née à Domrémy de Jacques d'Arc et d'Isabelle Romée. Les mêmes pseudo-historiens affirment que tout le monde était dans la confidence, sans même parler de Charles VII, ni du duc d'Alençon ou de Dunois, ou encore de Bertrand de Poulengy qui accompagna Jeanne de Vaucouleurs à Chinon. Personne n'en a rien dit et à l'époque nul ne s'en est douté. N'a-t-on pas vu, disent-ils, que les armes concédées à Jeanne portent une barre de bâtardise, alors que l'épée n'est jamais considérée comme une brisure ? Mais alors si l'on concède des armes à Jeanne, pourquoi aussi en donner à ses « pseudo-frères » ? Seraient-ils eux aussi de sang royal ?

Toutes ces thèses ne valent pas qu'on s'y attarde. Tant que nous n'aurons pas de documents nouveaux pour les étayer, nous ne pourrons en faire cas.

IX

L'exemption d'impôts pour les habitants de Domrémy et de Greux

Jeanne d'Arc prie le roi Charles VII d'exempter d'impôts les habitants de sa paroisse natale, c'est-à-dire de Domrémy et de Greux, demande exaucée le 31 juillet 1429. L'acte officiel ne nous est pas parvenu, mais d'après Charles du Lys, avocat général à la Cour des Aides sous Louis XIII, les villageois lorrains ont dû se battre pour conserver leur privilège. A la date du 6 février 1459 :

« Dans le registre de la Cour des Comptes, ces deux villages sont tirés à néant avec cette mention : “ pour cause de la Pucelle ”, et sur les registres des tailles pour Domrémy et Greux on lit : “ néant, la Pucelle [1] ”. »

Une copie de l'acte original [2] datée de 1769 est conservée aux Archives nationales :

Lettres patentes de Charles VII qui exemptent d'impôts les habitants de Domrémy et de Greux. 31 juillet 1429

« Charles, par la grâce de Dieu, roi de France. Au bailly de Chaumont, aux eslus et commissaires commis et à commettre à mettre sus et imposer les aides, tailles, subsides et subventions audit baillage, et à tous nos autres justiciers et officiers, ou à leurs lieutenants, Salut et dilection. Savoir vous faisons que, en faveur et à la requeste de nostre bien aimée Jehanne la Pucelle, et pour les grands, haults, notables et profitables services qu'elle nous a fait et fait chaque jour au recouvrement de notre seigneurie, Nous avons octroyé et octroyons de grâce spéciale, par ces présentes, aux manans et habitants des villes, et villaiges de Greux et Domrémy, audit bailliaige de Chaumont-en-Bassigny, dont ladicte Jehanne est native, qu'ils soient dorénavant francs, quittes et exemps de toutes tailles, aides, subsisdes et subventions mises et à mettre audit baillage. Sy vous mandons et enjoignons à chacun de vous, si comme à l'un qu'il appartiendra, que, de notre présente grâce, affranchissement, quittance et exemption vous faittes, souffrez, et laissez lesdits manans et habitants jouir et user pleinement, sans leur mettre ou donner, ne souffrir être mis ou donnés, aucun détourbier ou empeschemens au contraire, lors ne pour le temps advenir ; et en cas que lesdits manans soient ou seraient assis et imposés ès dictes tailles et aides, nous voulons que chascun de vous les en droit soi les en faites tenir quittes et paisibles. Car ainsi nous plaist et voulons estre faict, nonobstant quelconques ordonnances, restrictions ou défenses et mandemens à ce contraires.

1. *Traité sommaire du nom des armes... de la Pucelle*, Paris, 1633.
2. A.N., section domaniale H, 15352.

« Donnez à Chinon, le dernier jour de juillet l'an de grâce mil quatre cens vingt-neuf et de notre règne le septième.
« Par le roi en son conseil,

« Bude. »

Bien que cette pièce mentionne Chinon, il semble bien qu'à ce moment le roi se trouvait à Château-Thierry. Dans la liasse conservée aux Archives nationales, une mention signée par le notaire royal Vivenot a été rajoutée après la copie de cet acte. Du 8 novembre 1769, elle indique que la note a été collationnée pour les habitants de Greux et Domrémy. Ceux de Domrémy avaient protesté car si leurs voisins de Greux étaient toujours exemptés, eux-mêmes ne bénéficiaient plus de cet avantage depuis près de deux siècles. L'Intendant général de Lorraine devait par la suite expliquer que « le village de Domrémy était passé sous la domination des ducs de Lorraine en leur qualité de ducs de Bar et avait donc été démembré de la province de Champagne ». En 1771, les habitants de Domrémy furent renvoyés à des édits de 1614 et 1634 :

« [...] Que les descendants des frères de la Pucelle d'Orléans qui vivent à présent noblement jouiront à l'avenir des privilèges de noblesse et leur postérité de mâle en mâle, vivant noblement, même ceux qui pour cet effet ont obtenu nos lettres patentes et arrêt de cours souveraines ; mais ceux qui n'ont pas vécu et ne vivent pas à présent noblement ne jouiront plus à l'avenir d'aucun privilège. Les filles et femmes aussi descendant des frères de la Pucelle d'Orléans n'anobliront plus leur mari à l'avenir. »

L'article VII de l'édit de 1634 stipulait

« que les descendants des frères de la Pucelle d'Orléans insérés au pas de la noblesse et vivant à présent noblement jouiront des privilèges de la noblesse, et leur postérité de mâle en mâle vivant noblement. Mais ceux qui n'ont vécu et ne vivront à présent noblement ne jouiront plus à l'avenir d'aucun privilège ; comme aussi les filles et femmes descendant des frères de la Pucelle d'Orléans n'anobliront plus leur mari à l'avenir. »

Reprenant ces deux arguments, on décida en 1771 que les exonérations avaient bien été révoquées par les édits de 1614 et

1634... Deux ans après l'avènement de Louis XVI, une seconde décision fut prise le 18 février 1776 :

> « La demande des habitants de Domrémy a déjà été rejetée en 1771, les édits de 1614 et 1634 ayant éteint les privilèges accordés à la famille même de la Pucelle, on n'a pas cru que les habitants du village dans lequel elle était née dussent être traités avec plus de faveur. C'est par ces mêmes motifs, Monsieur, que, tout récemment le Conseil a refusé d'accueillir la demande en confirmation de privilège que renouvelaient les habitants de Greux à l'avènement de Sa Majesté à la couronne. Ainsi les habitants de Domrémy ne verront plus avec envie cette différence qui ne faisait que multiplier leur vaine prétention sans leur donner plus de solidité. »

Au même moment que ceux de Domrémy, les habitants de Greux demandèrent aussi confirmation de leur privilège. L'intendant de Champagne, Bouillé d'Orfeuil répondit à Paris lc 15 septembre 1775, en reprenant les mêmes textes : les privilèges ont été confirmés aux avènements de Louis XI, de Charles VIII et de François Ier, puis par des lettres patentes d'Henri II (9 avril 1551), de François II (15 octobre 1559), d'Henri III (25 janvier 1584), d'Henri IV (24 mars 1596), de Louis XIII (juin 1610), de Louis XIV (mars 1656), dc Louis XV (19 août 1723). Les édits de 1614 et de 1634, remarquait-il n'avaient absolument rien à voir avec ces privilèges et en tout cas ne concernaient pas les habitants de Greux, car Charles IX avait cédé Domrémy à Charles III, duc de Lorraine, en 1571 ; depuis, ce village dépendait de cette province. En 1767, ajoutait-il, il était revenu sous la domination française et faisait partie de la généralité de Lorraine. Il demandait que les habitants de Greux obtiennent confirmation de leur privilège.

Mais la requête fut rejetée.

X

Jeanne d'Arc après Jeanne d'Arc

La levée du siège par Jeanne d'Arc demeure très fortement ancrée dans le cœur et la mémoire des Orléanais. Dès la deuxième moitié du XVᵉ siècle, vers 1461, le *Journal du siège*, écrit à l'aide de chroniques et de témoignages, atteste ce désir d'en transmettre le récit à la postérité.

Cent ans plus tard, une nouvelle version, en latin cette fois, de la levée du siège vit le jour sous la plume de J.-L. Micqueau principal du collège d'Orléans. A son tour, le conseiller Léon Tripault publie en 1583, en latin et en français, *Les faicts, pourtraict et jugement de Jeanne Darc dicte la Pucelle d'Orléans* (chez Éloi Gibier à Orléans). Cette édition sera reprise de nombreuses fois, aux frais des échevins de la ville.

Au XVIIᵉ siècle les historiens d'Orléans ont soin de réserver une large place à l'épopée johannique, tel Symphorien Guyon en 1647 dans *L'histoire de l'Église et diocèse de la ville et l'université d'Orléans.*

Les historiographes de Charles VII, d'Henry VI d'Angleterre ou du duc de Bourgogne eux aussi évoquent l'histoire de Jeanne. Pour les uns la Pucelle est l'instrument de Dieu ou bien du diable ; pour les autres, c'est un phénomène suscité par l'entourage du roi. Après l'éclatante réhabilitation de 1456, les textes des procès sont recopiés ; on en dénombre une trentaine d'exemplaires de la fin du XVᵉ siècle au milieu du XVIᵉ siècle. Parmi ceux-ci, on peut citer la copie conservée dans le Fonds de la Reine Christine de Suède à la Bibliothèque Vaticane et celle faite pour Diane de Poitiers, dit Manuscrit d'Armagnac, conservé au Victoria and Albert Museum de Londres.

Jeanne d'Arc figure également parmi les héroïnes de nombreux ouvrages consacrés aux femmes vertueuses, comme celui d'Alain Bouchard, le *Mirouer des femmes vertueuses* (1546), ou de Guillaume Postel, *La merveilleuse histoire des femmes du nouveau monde* (1553), ou encore *Le fort inexpugnable de l'honneur du sexe féminin*, de François de Billom.

En 1570, Girard du Haillan écrit *De l'estat et mercy des affaires de France* qui est, d'après l'historien Pierre Marot, la première histoire nationale publiée en France. Du Haillan prend d'ailleurs parti, puisqu'il met en doute l'aspect miraculeux de la mission de Jeanne d'Arc et se fait l'écho de rumeurs venues d'Outre-Manche selon lesquelles Jeanne aurait été la maîtresse soit de Dunois, soit de Baudricourt soit encore de Poton. Ces affirmations, ou plutôt ces insinuations, amènent François de Belleforest à réagir ; dans les années 1570, celui-ci s'efforce de montrer le vrai visage de la Pucelle en analysant ses deux procès. C'est aussi à cette époque, en pleines guerres de Religion, que Jeanne d'Arc devient pour la première fois un porte-drapeau : c'est la patronne des catholiques en lutte contre les Réformés.

On ne peut clore l'histoire littéraire du XVIe siècle sans évoquer la grande figure d'Étienne Pasquier qui, dans ses *Recherches de la France* (1580), prend à son tour la défense de Jeanne et lui attribue le mérite d'avoir sauvé la France. Au tournant du siècle elle devient aussi, on le verra plus loin une héroïne très en vogue au théâtre.

Au début du XVIIe siècle, il est de bon ton d'être descendant de la Pucelle. Jean Hordal et Charles du Lys établissent leur généalogie et célèbrent leur glorieuse ancêtre. L'ouvrage d'Hordal *Heroïnae nobilissimae Ioannae Darc* est intéressant surtout par son illustration, car il recèle une gravure de L. Gaultier qui donne lieu à toute une représentation iconographique de Jeanne guerrière. Parmi les auteurs du XVIIe siècle, il faut encore citer Jean-Baptiste Masson qui, dans *L'histoire mémorable de la vie de Jeanne d'Arc appelée la Pucelle d'Orléans. Extrait des interrogatoires et réponses à iceux au Procès de sa condamnation et des dépositions de 112 témoins ouys pour sa justification en vertu des bulles du pape Calixte III en l'an 1455,* publié en 1610, il fait preuve d'une démarche très « scientifique » pour son temps : « Ami lecteur, je désire t'avertir que ce petit ouvrage n'est pas compilé de ce que tu peux remarquer dans divers livres touchant à ce qu'a fait Jeanne, dite la Pucelle d'Orléans. » On constate un même recours aux textes authentiques chez le célèbre théologien Edmond Richer, auteur de l'*Histoire de la Pucelle d'Orléans*, mais l'ouvrage devait rester à l'état de manuscrit pendant près de deux siècles. Dans son introduction, il demandait déjà que l'on publie le texte des procès qui risquait de se perdre par « injure du temps ».

Toujours au XVIIe siècle, Jeanne d'Arc est aussi donnée en exemple aux femmes de la Cour par Nicolas Caussin, confesseur du roi, et par les jésuites Porré et Latrier dans leurs ouvrages. Pierre Lemoyne, dans sa *Galerie des femmes fortes*, et Vulson de La Colombière, dans *Portraits des hommes illustres*, la montrent également sous un jour favorable. En 1656, Chapelain évoque l'histoire de Jeanne sous la forme d'une épopée mythologique en douze chants, *La Pucelle ou la France délivrée*. L'ouvrage vaut surtout pour l'illustration due à Claude Vignon, qui fit toute une série de cartons pour des tapisseries d'Aubusson. Si Jeanne d'Arc intéressait les esprits sérieux et si l'épithète sainte était prononcée à son sujet dans les diocèses de Langres et d'Orléans, elle ne laissait pas les libertins indifférents, lesquels émettaient diverses hypothèses sur le caractère divin de sa mission. A la fin du Grand Siècle, les auteurs, peut-être lassés par Chapelain, ne s'intéressent plus guère à Jeanne, même si la littérature historique lui laisse une petite place avec l'ouvrage — fondamental — de Denis Godefroy et celui de Baudot de Jully *Histoire de Charles VII* (1697).

Au siècle des Lumières, l'histoire johannique est essentiellement marquée par l'œuvre très hostile de Voltaire intitulée *La Pucelle d'Orléans*. Pendant près de dix ans elle circula plus ou moins clandestinement parmi les beaux esprits avant de connaître une édition officielle et définitive en 1762. Il y en eut ensuite plus de soixante, attestant la popularité d'un texte présentant le Moyen Age sous les traits d'une civilisation corrompue, barbare et ignorante. D'autres grands auteurs du siècle comme Beaumarchais et Montesquieu ont écrit sur Jeanne mais sans la comprendre, ne voyant en elle qu'une simulatrice réduite au rang d'enjeu politique ; Daniel Polluche eut le plus grand mal à porter la contradiction à ces ouvrages. Vilipendée par les « philosophes », la Pucelle était pourtant fréquemment l'héroïne de pièces de théâtre. Il ne faudrait pas croire pour autant qu'elle soit oubliée des Français : des villes comme Orléans continuent à célébrer sa mémoire, et la gravure lui rend tous les honneurs ; elle incarne sous Louis XV l'opposition à l'Anglais. En 1754, alors qu'on se demandait si Jeanne avait bien été brûlée, Gaspard de Toustain-Richebourg répondit dans *Les affiches de Haute-Normandie*.

L'historiographie ne peut passer sous silence le nom de l'abbé Nicolas Langlet Dufresnoy, qui remit les textes authentiques à l'honneur en pillant, il faut bien le dire, l'œuvre de Richer. Mais surtout, Clément de L'Averdy, en 1790, fit preuve de véritable érudition en publiant *Notices et extraits des manuscrits de la Bibliothèque du roi* où il étudiait les deux procès de Jeanne d'Arc. Quicherat reconnaîtra : « L'honneur lui restera néanmoins d'avoir composé sur la Pucelle le premier répertoire exact, le premier ouvrage digne de la science moderne. » L'Averdy meurt sur l'échafaud en 1793, condamné par le tribunal révolutionnaire. (Jeanne d'Arc gênait d'ailleurs la Révolution puisque les fêtes en son honneur furent supprimées en 1793, des statues fondues, son chapeau brûlé.)

En 1795, Jeanne d'Arc est remise à l'honneur par l'Anglais Robert Southey, qui en fait une héroïne républicaine et la compare à Mme Roland. Mais la véritable réponse à *la Pucelle* de Voltaire vint d'Allemagne en 1801 avec la tragédie de Schiller *Die Jungfrau von Orléans.* A la même époque, Bonaparte autorisa à nouveau les fêtes de Jeanne d'Arc à Orléans le 8 mai. « L'illustre Jeanne d'Arc, dit-il, lors de la promulgation du décret, a prouvé qu'il n'est pas de miracle que le génie français ne puisse opérer lorsque l'indépendance est menacée. »

Le début du XIXe siècle cherche à comprendre et à expliquer l'étonnante aventure de Jeanne d'Arc. Chaussard, refusant de voir en elle une inspirée, exalte la patriote. C'est aussi à cette époque que Pierre Caze lance la thèse appelée à un grand succès : celle de la bâtardise de Jeanne d'Arc, fille d'Isabeau de Bavière. A la suite de l'occupation alliée en Lorraine en 1815, un regain d'enthousiasme va se créer autour de la Pucelle. Le conseil municipal d'Orléans offre une médaille en or à ceux qui ont conservé la maison où elle naquit, Louis XVIII accorde les crédits nécessaires à l'érection d'un monument à Domrémy. De leur côté, Berriat Saint-Prix et Le Brun des Charmettes, suivant la voie tracée par L'Averdy au siècle précédent, écrivent l'histoire de l'héroïne d'après les textes. Le Brun des Charmettes, lui, donne à son œuvre une portée plus politique : Jeanne d'Arc est annexée par les restaurateurs de la monarchie.

Avec les romantiques et la vogue du Moyen Age apparaissent des séries de collections de documents servant à mieux cerner les problèmes historiques. Ainsi Petitot, en 1819, publie les *Mémoires concernant la Pucelle d'Orléans,* Bûchon, en 1827, édite les *Chroniques et Procès de la Pucelle d'Orléans* et Michaud et Poujoulat donnent en 1837, les *Mémoires sur Jeanne d'Arc et Charles VII.* Ces éditions ne sont pas toujours très exactes, mais fournissent au moins un aperçu de textes jusque-là réservés aux spécialistes ou à des gens capables de déchiffrer les manuscrits.

C'est un porte-drapeau que le patriotisme du XIXe siècle voit en Jeanne d'Arc, un emblème que tous les courants de pensée et tous les partis revendiquent désormais. L'un des premiers romantiques, Casimir Delavigne, compose en 1819 deux poésies,

La Vie et *La mort de Jeanne d'Arc*, incluses dans son recueil *Les Messéniennes* et qui connaissent un très grand succès. Avec Michelet, qui publie les six premiers volumes de son *Histoire de France* de 1833 à 1844, elle est l'incarnation du peuple de France et le support de son patriotisme : « Elle aima tant la France ! Et la France, touchée, se mit à s'aimer elle-même. » Il en est de son *Histoire de France* comme de celle d'Henri Martin (1833-1836). Leurs chapitres consacrés à l'épopée johannique eurent un tel succès que ces deux historiens furent amenés à les rééditer en extraits. Le mouvement romantique approuve cette redécouverte qui exhale le génie populaire : « L'égérie de Numa, le génie familier de Socrate n'étaient que l'inspiration écoutée à la place des dieux dans leur âme. Comment une pauvre bergère d'un village hanté par les fées, nourrie de ces révélations populaires par sa mère et par ses compagnes aurait-elle douté de ce que Socrate et Platon consentaient à croire ? » écrivait Lamartine pour qui elle devient un modèle. Écrivains et musiciens, directement ou indirectement, s'intéressent à elle, ainsi Franz Lizt par l'intermédiaire de sa maîtresse Marie d'Agoult qui, en 1857, sous son pseudonyme habituel de Daniel Stern, publie un drame historique en cinq actes intitulé *Jeanne d'Arc.*

Avec l'avènement de la IIIe République le thème johannique allait se développer dans deux directions bien différentes sinon opposées. A l'inspiration républicaine et laïque répondait chez les catholiques un enthousiasme qui devait déboucher sur la canonisation. Autant d'auteurs, autant de nuances, aussi bien sur le plan de l'idéal que sur celui des sentiments. Chez Marie-Edmée Pau, c'est l'esprit de la revanche qui apparaît dans son ouvrage *Histoire de notre petite sœur Jeanne d'Arc* ; quant à Henri Wallon (1812-1904) c'est la conviction religieuse qui le guide (*Jeanne d'Arc*, en 1860, 2 vol.) ; pour lui il ne fait aucun doute que les révélations de la Pucelle venaient bien de Dieu ; l'ouvrage, réimprimé cinq fois entre 1860 et 1882, vaudra en 1875 à son auteur un bref du pape Pie IX. L'historien Marius Sepet publie lui aussi, en 1868, une *Jeanne d'Arc* appelée à grand succès, puisqu'il en fit plusieurs nouvelles éditions remaniées (vingt-cinq rééditions en tout). De son côté, le chartiste Siméon Luce (1833-1892), auteur de *Jeanne d'Arc à Domrémy*, voit dans l'épopée johannique le fruit d'un déterminisme historique. Quant au Père Ayroles, il cherche à réfuter dans ses cinq volumes les thèses des libres-penseurs et c'est *Jeanne d'Arc sur les autels* (1885), qui va introduire le procès en béatification ; d'autres prêtres publient aussi de nombreux ouvrages, ainsi les chanoines Debout et

Dunand, l'un en 1889 et l'autre en 1890, qui s'efforcent de répondre aux contradicteurs : « Oui l'Église veut reprendre Jeanne d'Arc ! Après l'avoir emprisonnée, accusée, torturée, souillée, condamnée, brûlée vive, elle prétend la canoniser. » (*L'Estafette*, 1er juin 1886). La lutte est d'autant plus vive que la politique s'en mêle, les conservateurs et les monarchistes soutiennent la cause du clergé. Le comte de Chambord et Mgr Dupanloup (évêque d'Orléans de 1849 à 1878) s'opposent ainsi au Comité républicain de la fête civile de Jeanne d'Arc dont l'un des membres, Joseph Fabre, johanniste convaincu, demande en 1884 que la République célèbre annuellement la fête de Jeanne d'Arc, fête du patriotisme.

Pendant que le républicain Fabre travaille à l'instauration d'une fête nationale en l'honneur de Jeanne d'Arc, Rome étudie le dossier des enquêtes, communiqué par Mgr Touchet, évêque d'Orléans, pour la canonisation. Celle-ci aura lieu en 1920 après que la béatification eut été prononcée en 1909. C'est dans ce climat passionné que paraît en 1908 *La vie de Jeanne d'Arc* d'Anatole France. Les « laïques » accueillent avec enthousiasme cette œuvre du romancier devenu pour un temps historien. Chose curieuse, c'est un Écossais, Andrew Lang, qui lui répond avec *La Pucelle de France*. Mais la Première Guerre mondiale va réaliser l'union des Français : la reconquête des provinces perdues sera placée sous les auspices de la Bonne Lorraine. L'année même du déclenchement du conflit, l'écrivain catholique Léon Bloy publiait *Jeanne d'Arc et l'Allemagne...*

On doit distinguer dans l'historiographie johannique deux périodes : avant et après Quicherat (1814-1882), directeur de l'École des Chartes de 1871 à 1882, à qui l'on doit la magnifique publication quasi *in-extenso* en cinq volumes des Procès, Chroniques, Lettres et Comptes, concernant Jeanne d'Arc et son épopée de 1842 à 1849. Elle a marqué jusqu'à nos jours toutes les études sur Jeanne d'Arc, et tous les travaux sérieux s'y réfèrent.

La fin du XIXe siècle est aussi la grande époque des statues de Jeanne d'Arc, de Frémiet à Paul Dubois en passant par la duchesse d'Uzès (sous le nom de Manuella). Chaque ville voulut avoir la sienne : en 1875, place des Pyramides à Paris, est inaugurée celle de Frémiet ; en 1882 à Compiègne celle de Leroux. Domrémy en commande une en 1891 à Mercié. Les peintres ne sont pas en reste : chaque Salon a aussi sa Jeanne : *Jeanne écoutant ses voix, Jeanne la Martyre, Jeanne exprimant la sainteté* ou encore *Jeanne tourmentée, Jeanne au combat, Jeanne au bûcher.*

L'armée, de son côté fait d'elle sa patronne. En 1914, Maurice Barrès, reprenant les initiatives de Fabre, dépose une première proposition pour faire de la fête de Jeanne d'Arc une fête nationale. Les choses vont s'accélérer après la guerre. Le 8 mai 1920, le maréchal Foch assiste en personne aux fêtes de Jeanne d'Arc d'Orléans ; le 16 mai suivant, la canonisation est prononcée par Benoît XV à Rome. Le 24 juin de la même année, suivant la proposition de Barrès, il est décidé que le dimanche suivant le 8 mai « la République française célébrera annuellement la fête de Jeanne d'Arc, fête du patriotisme ». C'est au même moment, en 1921, que Pierre Champion traduit et rend accessible à un large public le procès de condamnation.

Depuis, les œuvres littéraires, plastiques et musicales se multiplient. De leur côté, les historiens s'attachent avec des exigences scientifiques toujours plus grandes, à mieux éclairer l'histoire de Jeanne d'Arc et son contexte.

Jeanne d'Arc au théâtre et à l'opéra.

Jeanne d'Arc a eu, si l'on peut dire, une très belle carrière théâtrale. Elle « monte sur les planches » pour la première fois en 1435 dans *Le Mystère du siège d'Orléans*, qui comporte 20 529 vers. Sous sa forme actuelle, c'est peut-être une œuvre de Jacques Millet composée à l'époque de la réhabilitation. Plusieurs fois à Orléans, le mystère met en scène plus de cent personnages et de très nombreux figurants. Jeanne d'Arc, Dieu, la Vierge, Saint Michel, mais aussi saint Euverte et saint Aignan, patrons de la ville, ont chacun leur rôle.

Il faut attendre, la fin du siècle suivant pour voir paraître une nouvelle pièce, *Histoire tragique de la Pucelle d'Orléans*, sous la plume d'un jésuite, Fronton du Duc. Composée en l'honneur de la reine Louise de Vaudémont, épouse d'Henri III — qui était venue en Lorraine prendre les eaux à Plombières comme remède à sa stérilité —, l'œuvre fut jouée le 7 septembre 1580 devant le duc Charles III le Grand de Lorraine. C'est l'un des secrétaires du prince, Jean Barnet, qui publie la tragédie en 1584 sans citer le nom de l'auteur ; elle sera réimprimée en 1859 à Pont-à-Mousson.

Quelques années après, c'est en Angleterre que l'on voit la Pucelle dans la première partie d'*Henry VI*, drame de Shakespeare, écrit entre 1592 et 1594, où elle est présentée comme une sorcière et comme une fille de joie, maudite par son propre père et condamnée au feu par les Anglais.

Si au XVIe siècle, on n'écrivit guère que deux pièces sur Jeanne d'Arc, elles seront un peu plus nombreuses au XVIIe siècle — trois —, mais surtout les représentations seront plus nombreuses : *La tragédie de Jeanne d'Arcques* de Virey des Graviers est donnée à Rouen en 1600 puis au théâtre du Marais en 1603, à l'hôtel de Bourgogne en 1611 ; le texte a été réédité à Rouen et à Troyes à huit reprises au moins. Il s'agit d'une tragédie en vers en cinq actes, une œuvre sans vérité, pleine de longs monologues poussant à outrance le goût mythologique, et où l'héroïne naît au village d'Épernay ! A la même époque, dans *Les intermèdes du Pastoral* et dans *Les amantes* de Nicolas Chrétien, on voit Jeanne d'Arc à côté de Clovis et de Godefroy de Bouillon.

En 1629, le Luxembourgeois Nicolas Vernulz augmente son recueil de tragédies d'une pièce inspirée par l'histoire de la Pucelle, *Joanna darcia vulgo puella aurelianensis,* écrite en vers dans un style qui nous paraît aujourd'hui pompeux. Quelques années plus tard, en 1642, on joue au théâtre du Marais *Une Pucelle d'Orléans*, tragédie de La Ménardière, médecin de Monsieur frère de Louis XIII — il sera membre de l'Académie française en 1655 — ; il s'agit en fait de la mise en alexandrins d'une pièce de l'abbé d'Aubignac, *La Pucelle d'Orléans*. La Ménardière suit la règle des trois unités ; l'action se passe le jour de la mort de Jeanne. L'amour que porte à Warwick Jeanne fait de l'épouse de celui-ci une rivale impitoyable ; alors que la comtesse s'efforce, avec la complicité de l'évêque de Beauvais — ici appelé « Canchon » — de hâter la mort de la prisonnière, Warwick prépare une évasion, mais elle refuse. Jeanne morte, la colère divine frappe la comtesse qui perd la raison ; Canchon, pour sa part, meurt en scène en s'écriant :

Ah ! je suis traversé par un trait invisible
Et qui donne à mon cœur une atteinte sensible
Je ne puis résister à ce dernier effort
Et je meurs...

La pièce n'eut aucun succès, mais fut l'occasion d'un petit scandale. C'est Melle de Scudéry, l'auteur de *L'Astrée*, qui défendit l'honneur de la Pucelle en réagissant aux propos du pasteur calviniste réfugié à Leyde André Rivet : elle organisa une sorte de tournoi littéraire, où l'on célébra la sainte guerrière.

Le siècle des Lumières fut plus généreux envers la mémoire de Jeanne d'Arc puisqu'il lui consacra huit œuvres dramatiques. Au XVIIe siècle la *Pucelle* de Chapelain avait été « aussi funeste à la mémoire de Jeanne qu'un second procès en condamnation », écrit Quicherat. Au XVIIIe siècle la *Pucelle* de Voltaire provoqua l'indignation de nombreux écrivains et stimula les efforts de plusieurs auteurs. C'est l'époque où Bernardin de Saint-Pierre écrivait : « Étude de la nature : la mort de Jeanne d'Arc produirait encore de plus grands effets si un homme de génie osait effacer le ridicule dont on a couvert parmi nous cette fille respectable et infortunée, à qui la Grèce eût élevé des autels. »

Jeanne d'Arc devint aussi une héroïne de pantomime chez Rognard de Pleinchène avec *Programme du fameux siège* : elle défie un général anglais en combat singulier ; blessée d'une flèche au bras, elle revient peu après pansée et dans la mêlée décide la victoire. A Orléans aussi on écrit et on joue des pantomimes, ainsi *Jeanne d'Arc ou la Pucelle d'Orléans*, pièce en trois actes jouée le 24 juin 1795, ou encore le mélodrame de Plancher-Valcourt représenté en 1786. Citons encore *Dorothée*, pantomime en trois actes. Roussin, en 1790, écrit une pièce acceptée par la Comédie-Française, *Jeanne d'Arc* ; mais cette pièce fut-elle jamais montée ? En tout cas, l'auteur devait mourir guillotiné.

En Angleterre, Southey rend un éclatant hommage à la Pucelle en 1795, et la même année une pantomime intitulée *Jeanne d'Arc* est jouée à Covent-Garden. Dans une première version, la Pucelle était plongée en enfer par le diable mais les cris indignés des spectateurs obligèrent les acteurs à substituer au diable des anges qui enlevaient l'héroïne pour l'emmener au ciel, le tout en musique. A la même époque, l'Irlandais Burke faisait représenter à New York *Female Patriotism or the Death of Joan d'Arc*, qui eut un très grand succès.

Au tournant du siècle en 1801, l'Allemand Schiller, donne une *romantische Tragoedie* consacrée à la Pucelle, *Die Jungfrau von Orléans*, et explique lui-même, dans un poème paru la même année qu'il s'agissait de répondre à Voltaire : « Ô vierge [...], la raillerie t'a traînée dans la fange [...], mais sois sans crainte. Il est encore de belles âmes qui s'enflamment de ce qui est grand... » Schiller ne s'est pas embarrassé de précision historique et rend Jeanne amoureuse d'un soldat anglais et favorisant l'amour d'Agnès Sorel pour le roi — Agnès était âgée de sept ans en 1429 ! Jeanne est une vierge qui reçoit directement d'un Dieu tout-puissant et guerrier le pouvoir des armes et un casque enchanté à la condition expresse de ne jamais fauter, et qui perd son pouvoir dès qu'elle tombe amoureuse ! Il n'y a ensuite ni procès, ni bûcher ; Jeanne, faite prisonnière, se libère miraculeusement de ses chaînes et revient pour mourir triomphalement devant le roi et toute la Cour qui la couvre de drapeaux.

On compte au moins trente-quatre pièces sur Jeanne d'Arc entre le début du XIXe siècle et 1870 et quarante-huit de cette date à 1900. Schiller donna l'idée à plusieurs auteurs d'écrire sur le même personnage. C'est ainsi qu'un certain Avril en fit un plagiat, *Le triomphe des lis — Jeanne d'Arc ou la Pucelle d'Orléans*, pièce publiée à Paris en octobre 1814 ; le déroulement en est assez original puisque Jeanne est emmenée sur un nuage après le sacre de Reims à grand renfort de chœur.

La mort de Jeanne d'Arc, tragédie de Dumolard dédiée aux citoyens d'Orléans, fut créée le 18 floréal an XIII (8 mai 1805) dans cette ville. Pour sauver Jeanne d'Arc, Talbot et le duc Bourgogne, lui proposent d'épouser un Anglais et de passer en Angleterre mais Jeanne est livrée au bras séculier par Isabeau de Bavière ! Un autre drame, de Cartier — *Jeanne d'Arc* —, est dédié à Marie-Louise. *Jeanne d'Arc à Rouen*, pièce écrite par Avrigny, est présentée pour la première fois par les comédiens ordinaires du roi à Paris le 4 mai 1819. L'action se déroule à Rouen, et Bedford offre en vain à Jeanne de partir pour l'Angleterre ; Dunois veut combattre pour elle. La duchesse de Bedford et Talbot tentent de la sauver, mais elle est brûlée par surprise. Le rôle de Jeanne sera repris à la Comédie-Française par Mademoiselle Duchesnois, qui eut un gros succès. Une pantomime, *Le Crébillon du mélodrame*, jouée en 1813 au Cirque olympique, sera plusieurs fois reprise, entre autres au Théâtre de la Gaîté.

Dans l'art lyrique, le drame de Jules Barbier, mis en musique par Gounod en 1873, connut une telle faveur que pendant trois mois le Théâtre de la Gaîté ne désemplit pas. Mais Offenbach, pressé de donner son *Orphée aux Enfers*, en fit interrompre les représentations. Il y eut ensuite l'opéra de Mermet donné à l'Opéra en 1876, mais qui n'eut aucun succès. La pièce de Barbier fut reprise quelques années plus tard, en 1890, par le théâtre de la Porte-Saint-Martin ; le rôle de Jeanne d'Arc fut confié à Sarah Bernhardt. Les spectateurs, enthousiastes, voyaient en cette pièce « morale » une œuvre répondant tout à fait à leurs aspirations patriotiques. Plusieurs fois reprise elle était encore donnée en 1906.

Les pièces se succèdent sur un rythme très rapide, les chansonniers s'emparent de cette veine : à chaque pièce grave répond, la même année un spectacle parodique. A la tragédie de Soumet répond *La tulipe à Jeanne d'Arc*, pot-pourri en cinq actes de Ricard. Le 11 juin 1819, au Théâtre du Vaudeville, est donnée *Le Procès de Jeanne d'Arc ou le jury littéraire*, qui est de Dupin d'Artois, et *Carmouche*, qui est une réponse au drame d'Avrigny, le 4 mai de la même année au Théâtre-Français. De même, pendant tout le XIXe siècle la pantomime continue à être cultivée.

Jeanne d'Arc ne laisse pas non plus le peuple indifférent. En 1895, un curé de village lorrain, le curé de Mesnil-en-Xaintois, fait jouer à ses paroissiens un Mystère qui connut un vif succès auprès des curistes de Contrexéville et Vittel. En 1904, Maurice Pottecher créateur du Théâtre du Peuple de Bussang, monte une *Passion de Jeanne d'Arc*. En 1909, le curé de Saint-Joseph de Nancy fait également représenter une *Vie de Jeanne d'Arc* comparable à la Passion du Christ. Le théâtre fait son profit des publications érudites du milieu du XIXe siècle. C'est ainsi que l'on décide de remettre en honneur l'ancien *Mystère du Siège d'Orléans* et qu'Émile Eude écrit le *Nouveau Mystère du siège d'Orléans* présenté aux fêtes de la ville en 1894.

Au moment des procès de béatification puis de canonisation, l'intérêt des auteurs dramatiques pour l'héroïne de Domrémy redouble : en 1909, on ne recense pas moins de dix-sept pièces. Entre les deux guerres, après la canonisation, ce seront vingt-neuf pièces qui seront écrites — et dix-neuf depuis 1945. Certaines, plus ou moins hagiographiques et écrites par des ecclésiastiques, sont destinées à des maisons d'éducation pour jeunes gens ou jeunes filles ou encore à des patronnages. Mais il existe parallèlement un courant nationaliste pour qui Jeanne d'Arc est une patriote et seulement une patriote. Pour Joseph Fabre, auteur de *La délivrance d'Orléans, Mystère en trois actes* présenté à Orléans au Théâtre municipal en 1913, c'est la fête du patriotisme que l'on célèbre alors.

Comment évoquer le théâtre johannique sans parler de Péguy, né à Orléans, qui pendant toute son enfance a entendu parler de l'histoire de la Pucelle ? En 1894, à vingt et un ans, alors qu'il a déjà rompu avec le catholicisme, il entreprend sur Jeanne une étude en vue de laquelle il consulte les documents réunis par Quicherat. Cette période coïncide d'ailleurs avec son engouement pour le théâtre. C'est en 1895 qu'il effectue un voyage à Domrémy et qu'à son retour à Orléans, retiré chez sa mère, il commence à écrire son drame en trois pièces. La première, *Domrémy*, est achevée en juin 1896, et le drame sera totalement achevé en juin 1897 et paraîtra la même année sous le pseudonyme de « Marcel et Pierre Baudouin ». La publication fut un insuccès total. La première représentation de *Jeanne d'Arc* n'eut lieu qu'en juin 1924, au profit des mutilés et écrivains combattants, à la Comédie-Française avec Paulette Pax.

Pas une seule fois pendant les douze années qui suivirent cette publication Péguy ne mentionna le nom de Jeanne. Cependant, lentement et secrètement, il revenait au christianisme et demeurait fidèle à l'héroïne. Lieutenant, il prit part au défilé d'Orléans le 8 mai 1909. C'est à ce moment qu'il revient à son œuvre et lui donne un nouveau titre, *Le Mystère de Jeanne d'Arc*, qui deviendra *le Mystère de la vocation de Jeanne d'Arc* puis le *Mystère de la charité de Jeanne d'Arc*. Il reprend la première partie de *Domrémy* en introduisant de longs développements entre les « blancs » qu'il avait ménagés dans son texte de 1897. La première représentation de ce Mystère a été donnée par la Comédie d'Orléans dans une mise en scène d'Olivier Katian en novembre 1965.

Les dramaturges étrangers se sont intéressés à Jeanne d'Arc ; George Bernard Shaw, Irlandais non-conformiste, fait de *Saint Joan* une héroïne en lutte avec l'Église et l'État en se prévalant de sa mission et de son jugement personnel. La pièce est présentée à New York en 1923, puis est créée à Paris par les Pitoëff en 1925.

Une autre Jeanne d'Arc eut un grand succès à Paris la *Jeanne au bûcher* oratorio dramatique écrit par Claudel avec la collaboration d'Arthur Honegger à la demande d'Ida Rubinstein ; il a fait le tour des plus grandes scènes depuis sa création : Bâle (en 1938), puis Orléans et Paris. Partout le spectacle fut accueilli avec enthousiasme. L'intention de Claudel était de montrer à la fois l'humilité, la simplicité paysanne ainsi que la haute spiritualité du personnage. Naïveté et authenticité, telles sont les caractéristiques de son œuvre que la musique d'Honegger accompagne avec fraîcheur et sérénité. L'une des plus grandes qualités de cet oratorio est d'être une peinture réaliste, populaire, s'adressant indifféremment à la foule et aux initiés. La *Saint Joan* de Bernard Shaw entraîna la création d'autres Jeanne qui, suivant le mot de Mme Dussane, sont de plus en plus vouées à traduire les méditations personnelles de leurs auteurs. *Jeanne avec nous* de Vermorel, en 1942, souligne le caractère « existentialiste » de la mission de Jeanne d'Arc — la pièce est d'ailleurs interdite en ces temps d'occupation. Audiberti (*La Pucelle*, 1950) et Thierry Maulnier écrivent aussi une Jeanne d'Arc, sans oublier Anouilh

(*L'Alouette,* 1953, faisant partie des *Pièces costumées*), où le caractère de Jeanne n'est pas sans rappeler celui de l'héroïne d'*Antigone.*

Ces dernières années, la pièce de Péguy et la merveilleuse *Fenêtre* d'André Obey ont eu un grand succès tant à Paris qu'en province. Citons aussi *Jeanne et Thérèse* de Geneviève Baïlac, qui a fait découvrir le théâtre à de nombreux acteurs bénévoles et a triomphé à Compiègne et à Paris. Le théâtre de marionnettes du Père Brandicourt à Nancy montre depuis 1955 la *Chronique de sainte Jeanne d'Arc* et remporte toujours le même succès auprès des enfants et des adultes.

Les musiciens auront aussi trouvé leur inspiration chez Jeanne d'Arc ; Honegger et Jolivet ont eu un nombre de prédécesseurs : plus de 400 pièces, cantates, symphonies ou autres, avaient déjà été recensées par Émile Huet en 1894, *Jeanne d'Arc et la musique.* Citons entre autres l'opéra de Gounod, *Jeanne d'Arc,* en 1873, d'après la pièce de Barbier. Verdi avait exalté la libératrice dans *Giovanna d'Arco,* en 1845 ; et, en 1879, Tchaïkovski lui a consacré son premier opéra, *La Pucelle d'Orléans,* dont des extraits ont été repris lors des Fêtes d'Orléans en 1979, par une interprète de talent, Vera Kousmitchova.

ANNEXES

I

Pour une iconographie de Jeanne d'Arc

« Ô Jeanne, sans sépulcre et sans portrait ! » On s'est pourtant efforcé de reproduire ses traits, et la première effigie a été faite deux jours après la libération d'Orléans, le 10 mai 1429 exactement, sous l'humble plume d'un notaire. (Les notaires auront joué un grand rôle dans l'historiographie de Jeanne d'Arc. Que connaîtrions-nous de Jeanne sans eux ?)

C'est donc un notaire ou plus précisément un greffier qui nous livre la première image de Jeanne d'Arc, image qui n'a été connue et appréciée qu'à l'époque contemporaine quand on s'est penché sur les documents authentiques. Il s'appelait Clément de Fauquembergue ; appointé par le Parlement de Paris — autant dire par le duc de Bedford —, il inscrivait au jour le jour sur son registre les causes débattues devant la cour de Justice, les arrêts de l'autorité souveraine et mentionnait les événements : une sorte de Journal Officiel.

Ce mardi 10, la nouvelle qui circulait dans Paris était de taille : les Français, le dimanche passé, avaient repris les « bastides que tenaient Guillaume Glasdal et autres capitaines et gens d'armes anglais » sur le pont d'Orléans. Fauquembergue ajoute que « les ennemis avaient en leur compagnie une Pucelle seule ayant bannière ». Et comme il n'est pas interdit aux notaires de rêver, il a poursuivi sa réflexion en traçant dans la marge la silhouette de cette Pucelle imprévue ; il l'a dotée d'une robe et de cheveux longs, ne sachant pas que Jeanne avait le sens du vêtement fonctionnel. Mais il a retenu les deux détails que tout le monde mentionnait : l'épée, dont elle ne s'est jamais servi pour tuer, et l'étendard.

D'autres encore, plus tard, tenteront de portraiturer l'héroïne. Ainsi cet Écossais qui l'a peinte à Reims (le notaire a dû entendre et transcrire « Ras », ce qui a fait croire aux premiers éditeurs du Procès qu'il s'agissait d'Arras). Lors du sacre, Jeanne, qui aimait les beaux vêtements, devait être superbement vêtue, au point que l'archevêque Regnault de Chartes en avait été agacé — « elle s'était constituée en orgueil pour les riches habits qu'elle avait pris. » Opinion qui nous aide à nous la figurer : non une virago du genre « garçon manqué », mais une femme soucieuse de sa parure quand les circonstances s'y prêtaient. Quand elle chevauche, des « chausses bien serrées et liées » et pour le sacre des vêtements somptueux. Lorsqu'elle sera faite prisonnière, l'archer qui réussira à la jeter « toute plate à terre » la tirera de côté « par sa huque de drap d'or ». Le goût pour les beaux vêtements ne l'a pas abandonnée.

Mais rien ne nous reste, ni de la huque, ni du portrait de Reims. Le destin de Jeanne, dans sa déconcertante rapidité — un an de vie publique, un an de prison, puis le feu qui consume tout et ce qui reste jeté dans la Seine —, explique largement cette carence.

La miniature certainement la plus anciennement datée a été faite vingt ans après sa mort et illustre un ouvrage dû à Martin Lefranc, *Le Champion des dames*. Déjà Jeanne est happée par sa propre légende, car elle figure aux côtés de Judith et de la tente d'Holopherne ; et porte les cheveux longs sous un « chapel » à larges bords et, sous son armure, une robe, longue aussi. Elle est figurée de la même façon par la *Chronique de Charles VII* de Jean Chartier — qui date de la fin du XVe siècle — au Conseil du roi aux côtés de ceux qui ont libéré le royaume à diverses époques de la guerre de Cent Ans comme Dunois, Richemont ou encore les Frères Bureau. C'est aussi avec une longue robe et les cheveux longs que le Manuscrit français 4811 de la Bibliothèque nationale, qui est un abrégé de Chronique, la montre. La Pucelle est également représentée, une cinquantaine d'années après sa mort, en 1484, dans les *Vigiles du roi Charles VII*, une chronique rimée illustrée de quelque quatre cents miniatures.

Une miniature qui pourrait être contemporaine de Jeanne d'Arc nous la montre d'une façon satisfaisante pour l'esprit, mais non pour l'Histoire. Elle est en effet détachée du texte qu'elle devait illustrer d'un manuscrit que l'on n'est pas parvenu à identifier. C'est la miniature dite « Jeanne à l'étendard » que conservent les Archives nationales au Musée de l'histoire de France — don de deux amateurs éclairés, les docteurs Henri et Jeanne Bon. Jeanne y apparaît telle que l'on souhaiterait la voir : droite dans son armure, tenant en mains l'étendard et l'épée. Le regard clair, elle rappelle bien celle que nous décrit un tout jeune homme, Guy de Laval, dans une lettre à sa mère où il raconte comment il a vu la Pucelle « armée de toutes pièces, sauf la tête, et tenant la lance en mains [...]. Cela semble chose toute divine de son fait, et de la voir et de l'ouïr ».

L'iconographie de Jeanne d'Arc accompagne ensuite l'histoire littéraire et l'histoire du théâtre. Puisqu'elle n'a pas de représentations faites de son vivant et qu'il ne nous reste rien de son portrait, les dessinateurs ont pu laisser libre cours à leur imagination dans trois grandes traditions : Jeanne, bergère à laquelle les saints apparaissent ; Jeanne, femme-soldat portant une armure, l'épée et l'étendard ; enfin Jeanne la sainte au bûcher de Rouen. C'est principalement autour de ces trois thèmes que s'articulent les diverses représentations : l'inspirée, la guerrière ou la martyre. Au sein de ces trois genres, Jeanne se conforme aux canons de la beauté féminine de l'époque considérée et aura des rondeurs chez Rubens ou la silhouette élancée à la garçonne dans les années 20...

Jusqu'à tout récemment, Jeanne ne devait en rien « choquer » : bien qu'elle portât le costume masculin et plus souvent l'armure ; cette dernière était recouverte d'une robe ; quant à la coiffure, une femme devait porter les cheveux longs et Jeanne d'Arc était ainsi montrée.

Un monument fut élevé à Orléans en 1502, sur le pont à l'emplacement où était érigée une croix. Il représentait la Pucelle agenouillée face au Christ auquel, de l'autre côté, faisait face, Charles VII.

Le premier portrait proprement dit qui nous reste est celui dit des Échevins commandé par ceux-ci lors de leur installation à la mairie en 1557 ; il fut ensuite installé à l'Hôtel Groslot. Jeanne est représentée comme une bourgeoise : n'importe quelle femme de riche marchand aurait pu poser pour ce tableau et porter la robe aux manches à crevés ; seules l'épée et le cartouche permettent d'identifier Jeanne d'Arc. Le panache — symbole de victoire — souligne l'ambiguïté entre la femme et la guerrière : il est toujours porté avec un costume masculin. La mode était lancée ; c'est la femme empanachée qui sera représentée jusqu'au XIXe siècle. Le Portrait des Échevins devient portrait authentique : ainsi est-il repris par le graveur Léonard Gaultier pour illustrer en 1606 l'ouvrage de Léon Tripault *Histoire et le discours au vray du siège qui fut mis devant la ville d'Orléans*. Il est également reproduit dans l'ouvrage d'Hordal. Ce sont ces deux gravures qui seront reprises tout au long des XVIIe et XVIIIe siècles. Richelieu avait ainsi commandé à Philippe de Champaigne un portrait de Jeanne d'Arc pour sa « Galerie des hommes illustres ». Le tableau a disparu, mais il nous reste la gravure que Vignon en fit pour illustrer l'ouvrage de Vulson de La Colombière : Jeanne ressemble à une grosse femme du peuple déguisée en soldat, portant sur une jupe longue un plastron moulant sa poitrine ; l'épée qu'elle semble traîner derrière elle ne corrige en rien l'effet peu flatteur de ce portrait. Toujours du XVIIe siècle, Jeanne d'Arc est présente sur toute une série de tapisseries d'Aubusson : les cartons ont été dessinés par l'illustrateur du livre de Chapelain, Claude Vignon. Quant à Rubens, il aimait tant la peinture portrait qu'il avait faite de la Pucelle qu'il la garda jusqu'à la fin de ses jours dans sa chambre.

Dans la seconde moitié du XVIIIe siècle, on trouve un certain nombre de portraits gravés, ainsi celui de Lemire en 1774 et de nombreuses représentations en taille-douce. A la Révolution, le traditionnel panache se transforme en bonnet phrygien, puis sous Napoléon « Jeanne devient le symbole heureux de la force et de la durée de l'Empire ». C'est à cette époque que le sculpteur Gois la représente, à

Orléans, moulée dans une robe sous les traits d'une héroïne mélodramatique. Avec la Restauration l'engouement pour Jeanne s'accroît. De même que le Portrait des Échevins avait été le modèle des siècles précédents, l'iconographie allait désormais se référer à la statue de Marie d'Orléans. A la virago s'opposait maintenant l'humble servante de Dieu : « Jeanne d'Arc, la tête inclinée dans la modestie et dans la douceur sûre de son épée, sûre de sa foi qui pour être bardée n'en n'exprime pas moins la pitié » conclut fort bien Pierre Marot dans son article « De la réhabilitation à la glorification de Jeanne d'Arc ».

De nombreux peintres et sculpteurs retiendront, sous la Monarchie de Juillet, le thème de Jeanne d'Arc pour leurs œuvres exposées aux grands Salons parisiens. De nombreux ouvrages illustrés paraissent, parmi lesquels ceux d'Alexandre Guillemin et de Barante sur les ducs de Bourgogne qui connaissent le succès. Quand, après la défaite de 1870, Jeanne d'Arc incarne l'esprit revanchard, les cartes postales et les affiches patriotiques font appel à son aspect guerrier pour restaurer la France.

Lors des deux guerres mondiales la propagande fait aussi appel à elle : c'est l'ange du réconfort ou alors le général qui entraîne les troupes à la victoire.

A l'époque de la béatification et de la canonisation, les statues vont pulluler ; chaque ville, chaque village, chaque église veut sa Jeanne d'Arc : les uns veulent la sainte, les autres la patriote. La publicité elle-même va s'en emparer. Jeanne est portraiturée sur les boîtes de fromage, sur les boîtes de haricots, sur les poulets, les paquets de café.

De nos jours, la Pucelle ne laisse pas les artistes insensibles. Comme elle n'est plus le porte-drapeau des uns ou des autres, elle n'a plus de cause à défendre, elle apparaît alors plus simple et plus humaine ; en un mot : plus vraie. Albert Decaris, dans la gravure, nous donne une Jeanne d'Arc jeune, dépouillée, intériorisée. Rouault montre une guerrière tout auréolée de grâce divine, et Bernard Buffet représente une femme chef de guerre à la tête de ses troupes. Entre les deux guerres, Maxime Real del Sarte a su exprimer mieux que quiconque une Jeanne souffrante, martyre au bûcher. Quant à Georges Mathieu, avec *La Libération d'Orléans*, il ne lui donne pas de visage mais suggère dans un halo de victoire la force et l'espoir qu'elle a su éveiller auprès des troupes.

II

Filmographie

1898 Georges Hatot, *Jeanne d'Arc.* Pathé (français). Une copie existe au Centre Jeanne-d'Arc.

1900 Georges Méliès, *Jeanne d'Arc.* Star Films (français). Reconstitution historique en 12 tableaux. Interprète : Louis d'Aley.

1908 Albert Capellani, *Jeanne d'Arc.* Pathé (français).

1909 Mario Caserini, *Vie de Jeanne d'Arc.* Cinès (italien). Interprète : Maria Gasperini. D'après *Die Jungfrau von Orléans* de Schiller.

1913 Nino Oxilia, *Gionanna d'Arco.* Pasquali (italien). Interprète : Maria Jacobini.

1917 Cecil B. de Mille, *Joan the woman.* Paramount (États-Unis). D'après *Die Jungfrau von Orléans* de Schiller. Interprète : Geraldine Farrar (Photo CJA, nº 2).

1928 Carl Dreyer, *La Passion de Jeanne d'Arc.* Société générale de Films (français). Conseiller historique : Pierre Champion. Interprète : Renée Falconetti.

1928 Marc de Gastyne, *La merveilleuse vie de Jeanne d'Arc.* Auliert-Natan (français). Interprète : Simone Genevoix.

1935 Gustav Ucicky, *Des mädchen Johanna.* UFA (Allemagne). Interprète : Angela Salloker.

1948 Victor Fleming, *Joan of Arc.* Production RKO (États-Unis). Conseiller religieux : R.P. Doncœur. D'après la pièce *Joan of Lorraine* de Maxwell Anderson. Interprète : Ingrid Bergman.

1952 Carl Dreyer, *La Passion de Jeanne d'Arc.* Version sonorisée par Lo Duca du film de 1928 par Gaumont. Musique : Bach, Vivaldi, Albinoni.

1954 Roberto Rossellini, *Giovanna d'Arco al Rojo*. Coproduction Franco-London-Film et PCA (franco-italien). D'après le texte de Paul Claudel et l'oratorio de Paul Claudel et Arthur Honegger. Interprète : Ingrid Bergman.

1954 Jean Delannoy, *Destinées* (Jeanne). Ce film est l'un des 3 sketches d'un long métrage intitulé *Destinées* et consacré à *La femme et la guerre*. Interprète : Michèle Morgan. Coproduction Franco-London-Film et Continental Produzione.

1956 Robert Enrico, *Jehanne*. Production SINPRI-Guy Perol (français). Court-métrage relatant la vie de Jeanne d'Arc d'après les miniatures d'un manuscrit du XVe siècle. Texte dit par Alain Cuny. Musique reconstituée par une spécialiste du XVe siècle, Madeleine Bourlat.

1957 Otto Preminger, *Saint Joan*. Wherel Productions (États-Unis). Scénario de Graham Greene d'après la pièce de Bernard Shaw. Sous-titres français de Jean Anouilh. Interprète : Jean Seberg.

1961 Claude Antoine, *Jeanne au vitrail*. Films Claude Antoine (français). Ce court-métrage relate la vie de Jeanne d'Arc d'après des vitraux des principaux moments de sa vie : Domrémy, Vaucouleurs, Chinon, Orléans, Reims, Rouen.

1962 Robert Bresson, *Le Procès de Jeanne d'Arc*. Agnès Delahaie (français). Film réalisé d'après les minutes des procès de condamnation et de réhabilitation. Interprète : Florence Canez.

1962 Francis Lacassin, *Histoire de Jeanne*. Lux-CCF (français). Court-métrage réalisé d'après des documents et gravures du XVe siècle de la Bibliothèque nationale et de la Bibliothèque municipale de Lyon.

1970 Gleb Panfilov, *Le début*. Studio-Len Film (soviétique). Noir et blanc. Comédie satirique. Interprète : Inna Tchourikova.

III

Les fêtes de Jeanne d'Arc à Orléans

Lorsque, le 8 mai 1429, les Anglais lèvent le siège et se retirent de devant Orléans, les habitants organisent d'eux-mêmes de très belles et très solennelles processions pour remercier Dieu et les saints-patrons de la ville, Aignan et Euverte. Cette action de grâces spontanée deviendra une procession qui se déroule encore aujourd'hui chaque 8 mai. Si l'on excepte les périodes de guerre — intérieure ou extérieure —, Orléans est restée fidèle depuis plus de 555 ans à celle qui a su lui redonner espoir. Le rituel s'est formé peu à peu, et les comptes de la ville sont très prolixes à ce sujet. Amplifié et modifié au cours des ans, il n'en est pas moins resté immuable dans ses grandes lignes.

Au XVe et au XVIe siècle, les cloches sonnent dès le 7 mai au soir et les hérauts s'en vont par la ville annoncer la procession. Des estrades sont dressées aux principaux carrefours et aux points où se déroula la bataille. Les fêtes les plus grandioses furent celles de 1435 : c'est à cette date que l'on joua le *Mystère du siège d'Orléans* qui évoquait les faits avec exactitude. L'un des compagnons de Jeanne d'Arc, Gilles de Rais, y a participé financièrement.

C'est la ville qui prenait en charge les frais des cérémonies. Le cortège se composait des autorités civiles et religieuses, les douze procureurs de la cité tenant en main un cierge de trois livres de cire neuve, décoré d'un écusson aux armes de la ville. Puis venaient ensuite les chanoines de la cathédrale, les ecclésiastiques de la région, les chantres, les enfants de chœur de Sainte-Croix, de Sainte-Aignan, de Saint-Pierre-Empont. Les sergents du duc d'Orléans veillaient au bon ordre de la procession afin d'éviter que les laïcs ne se mêlent aux gens d'Église. Au moment de la réhabilitation de Jeanne d'Arc, le cardinal d'Estouteville accorda un an et cent jours d'Indulgences à ceux qui s'associaient à la fête. La municipalité d'Orléans prenait aussi à sa charge les salaires du prédicateur qui devait parler ce jour-là, des sonneurs de cloches, réglait les offrandes pour la messe et habillait de neuf les enfants de chœur et le porteur de la bannière. Un grand dîner réunissait, le soir, le prédicateur et les échevins. La bannière de Jeanne d'Arc — plus exactement sa reconstitution — était portée par un jeune garçon. A la fin du XVe siècle, apparut en outre un étendard porté par des citoyens privilégiés.

Les fêtes furent interrompues au moment des guerres de Religion, mais la procession reprit aussitôt après « forte, dévote et solennelle ». Le cérémonial resta à peu près immuable ; tout au plus peut-on noter que le festin donné à l'hôtel-de-ville fut supprimé en raison de « la misère du temps ».

Au XVIIIe siècle, deux personnages font leur apparition dans le cortège : en 1725, figure dans la procession un garçonnet que l'on nomme le Puceau, portant un vêtement de l'époque d'Henri III aux couleurs rouge et or de la ville et coiffé d'une toque d'écarlate garnie de deux plumes blanches ; choisi par le maire et les échevins, ce jeune garçon participera à tous les cortèges jusqu'à la Révolution. C'est aussi au XVIIIe siècle, en 1771, que le Pont-Royal est construit à la place du pont des Tourelles et que l'on inaugure à la gloire de Jeanne un nouveau monument, rue Royale ; il sera fondu en 1792 et transformé en un canon appelé « Jeanne d'Arc ». En 1786, le Puceau est bientôt rejoint à la cérémonie par une Rosière. C'est là une institution du duc et de la duchesse d'Orléans qui veulent célébrer la fête du 8 mai par « le mariage d'une fille pauvre et vertueuse, née dans l'enceinte des murs de la ville qui serait dotée d'une somme de 1 200 livres dont Leurs Altesses donneraient la moitié ».

La fête a encore lieu en 1792, où sont présents le Puceau et la Rosière, mais à partir de cette date, la délivrance de la ville n'est plus célébrée. Il faut attendre le Consulat pour qu'elle soit restaurée en 1803. En 1802, le maire d'Orléans, Grignon-Désormeaux, a demandé que l'on restaure un monument en l'honneur de Jeanne d'Arc. Une commission a examiné le projet qui sera confié à Gois. L'accord du gouvernement étant nécessaire, on écrit à Bonaparte, qui rétablira les fêtes et répondra :

> « L'illustre Jeanne d'Arc a prouvé qu'il n'est pas de miracle que le génie français ne puisse produire dans les circonstances où l'indépendance nationale est menacée. Unie, la nation française n'a jamais été vaincue, mais nos voisins, plus calculateurs et plus adroits, abusant de la franchise et de la loyauté de notre caractère, semèrent constamment parmi nous cette dissension d'où naquirent les calamités de cette époque et de tous les désastres que rappelle notre histoire. » (Paris, le 16 pluviôse, an XI, document conservé au Centre Jeanne-d'Arc.)

De son côté, l'évêque d'Orléans a également demandé le rétablissement des cérémonies religieuses, ce que le Premier consul approuve entièrement.

En 1817, le maire, le comte de Rocheplatte, veut rétablir la fête dans toutes ses anciennes splendeurs. C'est à cette occasion qu'on choisit de nouveau un Puceau et qu'une croix est érigée rue Croix-de-la-Pucelle sur l'emplacement du boulevard des Tourelles. Pendant le règne de Louis-Philippe, les fêtes connaissent un sort curieux, puisque le 8 mai est devenu le jour de la fête nationale donc une fête essentiellement laïque. Le buste de Jeanne d'Arc entouré par la

Garde nationale et les autorités civiles et militaires est porté en triomphe sur les lieux témoins de sa gloire. En 1848, la fête reprend sa forme traditionnelle. La remise de l'étendard le 7 mai par le maire à l'évêque d'Orléans remonte à 1855 et c'est en cette même année que Mgr Dupanloup, prononce un panégyrique demeuré célèbre pour demander la béatification de la Pucelle et qu'est inaugurée sur la place du Martroi une statue due à Foyatier. En 1869, Mgr Dupanloup annonce publiquement son intention d'introduire la cause de la canonisation en Cour de Rome.

C'est en 1920 que sont établies la fête religieuse et la fête nationale de Jeanne d'Arc qui réunissent dans une même ferveur l'Église et l'État. Mais les Orléanais avaient précédé de plusieurs siècles cette reconnaissance unanime, attestant sans faillir au fil des temps l'hommage rendu à celle qui les avait libérés. Les fêtes se déroulent sur le même mode depuis le début du XXe siècle. Notons que ce n'est que depuis 1912 qu'une jeune fille est chargée d'incarner Jeanne d'Arc.

IV

La date de la rédaction latine du Procès de condamnation

Le Procès de la condamnation de Jeanne nous est parvenu à travers trois manuscrits authentiques. Le premier (ms. 119) est conservé à la Bibliothèque de l'Assemblée nationale, les deux autres sont conservés à la Bibliothèque nationale sous les cotes ms. latin 5965 [1] et ms. latin 5966.

Lors du procès, trois notaires — Guillaume Manchon, Guillaume Colles dit Boisguillaume et Nicolas Taquel — notaient les questions et les réponses, puis collationnaient leurs textes pour rédiger la minute française. C'est à partir de ce dernier texte que la traduction a été faite en latin par Thomas de Courcelles et Guillaume Manchon ; ce premier registre ne nous et pas parvenu, mais il en avait été fait cinq copies.

A la suite de Vallet de Viriville [2], Jean Fraikin [3] parvient à la conclusion que la rédaction latine a été faite après la mort de Jeanne

1. C'est celui dont se sont servis Quicherat, Champion et Yvonne Lanhers pour leurs traductions.

2. Vallet de Viriville, *Notes pour servir l'histoire du papier* dans *la Gazette des Beaux-Arts*, Paris, 1859.

3. Jean Fraikin, « La date de la rédaction latine du procès de Jeanne d'Arc », *Bulletin de l'Association des Amis du Centre Jeanne d'Arc*, n° 8, 1985.

d'Arc, c'est-à-dire après le 30 mai 1431, mais avant le 8 août 1432. Depuis la fin du siècle dernier, d'accord avec Denifle et Châtelain — éditeurs du cartulaire de l'Université de Paris —, les historiens pensaient que la rédaction latine avait été faite au plus tôt en 1435. Or, les trois copies authentiques qui nous sont parvenues du Procès de condamnation portent le sceau de Pierre Cauchon, évêque et comte de Beauvais ; or on sait que Cauchon a été nommé évêque de Lisieux par une bulle du 29 janvier 1432 et qu'il a pris possession de son évêché le 8 août 1432, et le sceau accompagne toujours le titulaire de la fonction. Jean Juvénal des Ursins succéda à Beauvais à Cauchon. Ce dernier n'aurait donc pas pu sceller de son sceau d'évêque de Beauvais un texte rédigé en 1435, puisque depuis trois ans déjà, il ne présidait plus aux destinées de l'évêché. De plus, Thomas de Courcelles, rédacteur du texte latin, partit pour Rome aux environs du 15 octobre 1431 et ne rentra à Paris qu'en 1435. Mais allait-il à ce moment-là se mettre à la rédaction du texte alors qu'il avait entretemps pris le parti de Charles VII ?

Le Procès en Nullité apporte très peu d'indices pour conclure sur ce sujet. Les trois personnes qui s'y expriment — Simon Chapiteau, Guillaume Manchon et Nicolas Taquel — donnent des précisions assez vagues sur la date de la rédaction latine. Ils disent tous que la rédaction a été faite « longtemps après la mort de Jeanne » (*longo tempore, longe post mortem permanum temporis*). Ce mot *longe* employé par Manchon est très approximatif, car il emploie aussi *longe antequam* pour une période de trois jours et aussi le même *longe* pour qualifier la durée des interrogatoires soit trente-cinq jours. Il ne faut donc pas trop se fonder sur ces témoignages.

Trois pièces comptables font foi des sommes reçues par Cauchon au titre du service du roi Henry VI. Pour le procès, la première est datée du 31 janvier 1431 ; c'est une quittance de 73 livres tournois pour la période de mai à octobre 1430 ; la deuxième est une lettre du roi autorisant son trésorier et gouverneur des finances de Normandie Jean Stanlawe à faire payer par Pierre Baille, receveur général de Normandie, 770 livres tournois au conseiller « Pierre, évêque de Lisieux, naguère évêque de Beauvais », « pour le fait du Procès en hérésie de feu Jeanne naguère appelée la Pucelle ». Cette lettre est datée du 29 juillet 1437, mais se rapporte à des quittances de 1431 et de 1432. Un troisième mandement donné à Rouen le 14 août 1437 fait état de 7 070 livres tournois versées par le roi d'Angleterre à « notre dit seigneur » pour une période allant de mai 1430 jusqu'au 30 novembre 1431. Pendant le temps consacré aux tractations pour l'achat de Jeanne, Cauchon a reçu 775 livres (du 1er mai au 30 septembre 1430) ; dans une deuxième période où il s'occupe de la préparation et du déroulement du procès, du 30 septembre au 30 juin 1431, il reçoit 1 407 livres 10 sous, plus une prime. Enfin, pour la mise en forme des documents du procès, c'est-à-dire du 1er juillet au 30 novembre 1431, il reçoit encore 770 livres. Les difficultés financières du royaume d'Angleterre expliquent ces délais, et le dernier règlement n'interviendra qu'en 1437.

Pendant six mois, Pierre Cauchon et Thomas de Courcelles se sont donc attelés à la rédaction latine du procès, et la date du 30 novembre 1431 marque bien la date ultime à laquelle ils ont vaqué aux affaires du roi d'Angleterre.

APPENDICES

Les lettres de Jeanne d'Arc

Trois témoignages émouvants nous sont parvenus, les lettres sur lesquelles Jeanne d'Arc a apposé sa signature : la première adressée aux habitants de Riom le 9 novembre 1429, celle aux habitants de Reims datée du 16 mars 1430 ; enfin, la signature la plus belle et la mieux faite est celle qui figure au bas de la lettre aux habitants de Reims du 28 mars 1430.

On peut légitimement penser que la Pucelle a appris non seulement à signer son nom, mais aussi à lire, puisque lors de son procès de condamnation elle demande qu'un certain nombre de documents lui soient remis pour qu'elle puisse les lire tout à loisir dans sa prison.

Nous conservons également, en original six lettres dictées par Jeanne d'Arc, d'autres en copie — comme la lettre aux habitants de Tournai ou encore la lettre aux Anglais qui figure dans le procès. On a aussi un certain nombre de mentions de lettres données dans divers comptes. Il est bien évident qu'il en a existé beaucoup plus. On sait en effet que Jeanne d'Arc usait d'un code, comme elle le dit lors de son procès de condamnation : quand elle voulait que les ordres qu'elle envoyait ne fussent pas suivis, elle l'indiquait par une croix dans un rond. Elle avait donc des échanges épistolaires avec les autres capitaines ou avec la chancellerie royale.

Nous nous référons ici simplement aux mentions connues ; nous indiquons comment la lettre nous est parvenue (en original ou par une mention), lorsque cela a été possible, si elle est datée ou non et le lieu où elle a été écrite. Nous donnons ensuite quelques indications et tous les textes en notre possession.

1.
Mention d'une lettre de Jeanne à ses parents

Envoyée de Sainte-Catherine-de-Fierbois ou de Chinon, fin février 1429. Quicherat, t. I, p. 129. Tisset, t. I, p. 123, t. II, p. 113.

Interrogée si elle croyait bien faire en partant sans la permission de ses père et mère, alors qu'on doit honorer père et mère.

Elle répondit que dans toutes les autres choses elle a bien obéi à ses père et mère, excepté pour ce départ ; mais depuis leur en a écrit et ils lui ont pardonné.

Séance du lundi 12 mars.

2.
Mention d'une lettre de Jeanne à Charles VII lui annonçant qu'elle vient à son aide

Envoyée de Sainte-Catherine-de-Fierbois, fin février, début mars 1429 (?) Quicherat, t. I, pp. 77, 222, 248. Tisset, t. I, p. 76, t. II, pp. 75, 191, 228.

Item elle dit qu'elle envoya des lettres *à son roi dans lesquelles il était indiqué qu'elle les envoyait pour savoir si elle entrerait dans la ville où était son dit roi et qu'elle avait bien parcouru cent cinquante lieues pour venir vers lui, à son aide et qu'elle savait beaucoup de bonnes choses pour lui. Et il lui semble que dans les mêmes lettres il était indiqué qu'elle reconnaîtrait bien son dit roi entre tous les autres.*

Séance du mardi 27 février 1431.

3.
Mention d'une lettre de Jeanne au clergé de Saint-Catherine-de-Fierbois

Envoyée de Chinon vers le 6 mars 1429. Connue par Jean Chartier, éd. Vallet de Viriville, p. 70, le *Journal du siège*, éd. Charpentier, p. 49. *Chronique de la Pucelle,* éd. Vallet de Viriville, chap. 42, p. 277. Quicherat, t. I, p. 76. Tisset, t. I, p. 77, t. II, pp. 75-76.

Elle a dit encore (que) tandis qu'elle était à Tours ou à Chinon, elle envoya chercher une épée se trouvant dans l'église de Ste Catherine de Fierbois, derrière l'autel ; et aussitôt après on la trouva toute rouillée...

Et elle écrivit aux gens d'Église de ce lieu.

4.
La lettre aux Anglais

Dictée vers le 22 mars 1429 de Poitiers, envoyée de Blois entre le 24-27 avril 1429, non signée. Quicherat, t. I, p. 240, t. II, p. 24, 27, 74, 107, 126, t. III, pp. 139, 215, 306, t. V, pp. 95. Tisset, t. I, p. 82, t. II, pp. 82-83. Texte t. I, pp. 120-122, t. II, pp. 185-186. Le texte est cité par : article 22, d'Estivet, Tisset, t. II, p. 185, *Chroniques* de Flandre d'Angleterre ; la *Geste des Nobles français,* édition Vallet de Viriville, p. 280 ; la chronique de la Pucelle, édition Vallet de Viriville, p. 281 ; le registre delphinal de Mathieu Thomassin ; *Journal du siège d'Orléans,* édition Charpentier, pp. 62-63 ; la *Chronique de Windecken,* édition G. Lefèvre-Pontalis, p. 52, pp. 55-63.

Jésus Marie

Roi d'Angleterre et vous, duc de Bedford, qui vous dites régent du royaume de France ; vous, Guillaume Pole, comte de Suffolk, Jean, sire de Talbot, et vous Thomas, sire de Scales, qui vous dites lieutenants dudit duc de Bedford, faites raison au Roi du ciel, rendez à la Pucelle qui est ici envoyée de par Dieu, le Roi du ciel, les clefs de toutes les bonnes villes que vous avez prises et violées en France. Elle est ici venue de par Dieu pour réclamer le sang royal. Elle est toute prête à faire la paix, si vous voulez lui faire raison en abandonnant la France et payant pour ce que vous l'avez tenue. Et vous tous, archers, compagnons de guerre, gentilshommes et autres qui êtes devant la ville d'Orléans, allez-vous-en en votre pays, de par Dieu ; et si vous ne le faites ainsi, attendez les nouvelles de la Pucelle qui ira vous voir sous peu, à vos bien grands dommages. Roi d'Angleterre, si vous ne le faites ainsi, je suis chef de guerre et en quelque lieu que j'attendrai vos gens en France, je les en ferai aller, qu'ils veuillent ou non. Et, s'ils ne veulent obéir, je les ferai tous occire ; je suis ici envoyée de par Dieu, le Roi du ciel, corps pour corps, pour vous chasser hors de toute la France. Et s'ils veulent obéir, je les prendrai en miséricorde. Et n'ayez point une autre opinion, car vous ne tiendrez point le royaume de France de Dieu, le Roi du ciel, fils de sainte Marie, mais le tiendra le roi Charles, vrai héritier ; car Dieu, le Roi du ciel, le veut, et cela est révélé par la Pucelle [au roi Charles], lequel entrera à Paris en bonne compagnie. Si vous ne voulez croire ces nouvelles de par Dieu et la Pucelle, en quelque lieu que nous vous trouverons, nous frapperons dedans et y ferons un si grand « hahay » qu'il y a bien mille ans qu'en

France il n'y en eut un si grand, si vous ne [nous] faites raison. Et croyez fermement que le Roi du ciel enverra plus de force à la Pucelle que vous ne sauriez lui mener de tous [vos] assauts, à elle et à ses bonnes gens d'armes ; et aux horizons on verra qui aura meilleur droit de Dieu du ciel. Vous, duc de Bedford, la Pucelle vous prie et vous requiert que vous ne vous fassiez pas détruire. Si vous lui faites raison, vous pourrez encore venir en sa compagnie là où les Français feront le plus beau fait qui jamais fut fait pour la chrétienté. Et faites réponse si vous voulez faire la paix en la cité d'Orléans ; et si vous ne le faites ainsi, de vos bien grands dommages qu'il vous souvienne sous peu. Écrit ce mardi, semaine sainte.

[Traduction en français moderne]

5.
Mention d'une sommation aux Anglais

Envoyée le 5 mai 1429 d'Orléans. Citée par Jean Pasquerel, *Procès en Nullité,* le 4 mai 1456. Quicherat, t. III, p. 107. Duparc, t. I, p. 393.

Le jour de la fête de l'Ascension-Notre-Seigneur, elle écrivit aux assiégeants la lettre que voici : « Vous, hommes d'Angleterre, qui, n'avez aucun droit en ce royaume de France, le Roi des Cieux vous avertit et mande par moi, Jeanne la Pucelle, que vous abandonniez vos bastilles et vous retiriez chez vous, ou bien je vous ferai un tel " hahu " qu'on en aura mémoire à jamais. C'est pour la troisième et dernière fois que je vous écris, et je ne vous écrirai plus. Signé : Jésus-Maria Jehanne la Pucelle. Et en plus : j'aurais pu vous envoyer plus honnêtement ma lettre, mais vous détenez captifs mes hérauts ; vous avez en effet gardé mon héraut Guyenne. Veuillez donc me les renvoyer, et je vous rendrai certains de vos gens pris à Saint-Loup, vu qu'ils ne sont pas tous morts. »

Puis elle prit une flèche, et demanda à un archer d'envoyer la flèche aux anglais, en criant : « Lisez, ce sont des nouvelles ! »

Les Anglais reçurent la flèche et la lettre, et se mirent à lire. Après lecture, on les entendit pousser de grandes clameurs : « Voici des nouvelles de la putain des Armagnacs ! »

[Traduction en français moderne]

6.
Mention d'une lettre à Philippe le Bon

Fac-similé, Musée des A.D., Reims n. 123. Juin 1429. Connue par la mention :

Et à trois semaines que je vous envoye escript et envoie bonnes lectres par ung herault que feussiez au sacre qui aujourd'hui dimenche XVIIeme jour de ce present mois de juillet ce fait en la cite de Rains dont je nay eu point reponse ne nouy oncques puis nouvelles dudit herault.

7.
Lettre aux habitants de Tournai

Envoyée le 25 juin 1429. Apportée à Tournai le 6 juillet 1429. Contenue dans les registres de la Ville. Publiée par F. Hennebert : *Une lettre de Jeanne d'Arc aux Tournaisiens 1429*, « Archives Historiques et Littéraires du Nord de la France et du Midi de la Belgique », Nouvelle série I, 1837. Quicherat, t. V, pp. 125-126. La lettre fut copiée et transmise aux « 36 bannières » ou au 36 sections de la ville.

Et pource que nous savons vous estre tousiours desirans de oyr et savoir bonnes nouvelles de lestat et prospérité du roy nostre sire nous avons fait copier les lectres que la Pucelle qui de present est devers le roy nostre sire nous a envoies qui contiennent de la fourme qui s'ensuit...

Dans le même registre, on trouve la mention :
A Thery de Maubray qui le VIème jour de julet raporta nouvelles de Roy nostre sire et de ses victoires et recouvrement de son roiaume, avoecq lettres de la Pucelle et du confesseur d'icelle, pour ce, par don 60 s.

Jhesus Maria
Gentilz loiaux Franchois de la ville de Tournay, la Pucelle vous fait savoir des nouvelles de par decha que en VIII jours elle a cachie les Angloix hors de toutez les places quilz tenoient sur le revire de Loire par assaut et autrement ou il en eu mains mors et prins et lez a desconfis en bataille, et croies que le conte de Suffort, La Poulle son frere, le sire de Tallebort, le sire de Scallez et messire Jehan Falstof et

plusieurs chevaliers et capitainez ont este prins, et le frere du conte de Suffort et Glasias mors. Maintenes vous bien, loiaux Franchois, je vous en pry.

Et vous pry et vous requier que vous soies tous prestz de venir au sacre du gentil roy Charles a Rains ou nous serons briefment ; et venes audevant de nous quant vous saures que nous aprocherons. A Dieu vous commans, Dieu soit garde de vous et vous doinst grace que vous puissies maintenir la bonne querelle du royaume de France. Escript a Gien le XXVe jour de juing.

Aux loiaux Franchois de
la ville de Tournay

8.
Lettre aux seigneurs bourgeois de la cité de Troyes

Écrite de Saint-Phal, le 4 juillet 1429. Original disparu. Conservée par le Registre de Jean Rogier (1637) : *Recueil fait par moi Jean Rogier l'aisnel des Chartes, tiltres, arretz et anciens mémoires quy se trouvent en la maison et Hostel de ville comme aussy en la chambre de l'Eschevinage de la ville de Reims.* Une copie du recueil est conservée : R.N. ms. fr. 8334. Quicherat, t. IV, pp. 284-288.

Jésus Maria

Très-chers et bons amys, s'il ne tient à vous, seigneurs, bourgeois et habitants de la ville de Troyes, Jehanne la Pucelle vous mande et faict savoir de par le roy du ciel son droitturier et souverain Seigneur, duquel elle est chacun jour en son service royal, que vous fassies vraye obeissance et recognoissance au gentil roy de France, quy sera bien bref à Reims et à Paris, quy que vienne contre, et en ses bonnes villes du sainct royaume à l'ayde du roy Jésus. Loyaulx François, venes au-devant du roy Charles et qu'il n'y ait poinct de faulte et ne vous doubtes de vos corps ne de vos biens, sy ainsy les faictes ; et, sy ainsy ne le faictes, je vous promectz et certifie sur vos vies que nous entrerons, à l'ayde de Dieu, en toultes les villes quy doibvent estre du sainct royaume, et y ferons bonne paix fermes, quy que vyenne contre. A Dieu vous commant ; Dieu soit garde de vous, s'il luy plaist. Responce brief. Devant la cité de Troyes ; escrit à Saint-Fale, le mardy quatrième juillet.

9.
Lettre de Jeanne au duc de Bourgogne, Philippe le Bon

17 juillet 1429, de Reims, non signée. Original conservé aux Archives du Nord à Lille, B. 300/23612 a. Quicherat, t. V, pp. 126-127. Tisset, t. I, pp. 215-216, t. II, p. 180, la cite dans le libellé d'Estivet : « A cet article Jeanne répond que quant au duc de Bourgogne, elle l'a requis par lettres et par ses ambassadeurs qu'il y eût la paix entre son roi et le duc. »

Jhesus Maria

Hault et redoubté prince, duc de Bourgoingne, Jehanne la Pucelle vous requiert de par le Roy du ciel, mon droicturier et souverain seigneur, que le roy de France et vous, faciez bonne paix ferme, qui dure longuement, pardonnez l'un à l'autre de bon cuer, entièrement, ainsi que doivent faire loyaulx christians ; et s'il vous plaist à guerroier, si alez sur les Sarazins. Prince de Bourgoingne je vous prie, supplie et requiers, tant humblement que requerir vous puis que ne guerroiez plus ou saint Royaume de France, et faictez retraire incontinent et briefment vos gens qui sont en aucunes places et forteresses du dit saint Royaume ; et de la part du gentil Roy de France, il est prest de faire paix à vous, sauve son honneur, s'il ne tient en vous, et vous faiz à savoir de par le Roy du ciel, mon droicturier et souverain seigneur, pour vostre bien et pour vostre honneur et sur voz vie, que vous n'y gaignerez point bataille à l'encontre des loyaulx François, et que tous ceulx qui guerroient ou dit saint Royaume de France, guerroient contre le roy Jhesus, Roy du ciel et de tout le monde, mon droicturier et souverain seigneur. Et vous prie et requiers à jointes mains, que ne faictes nulle bataille ne ne guerroiez contre nous, vous, voz gens ou subgiez ; et croiez seurement que, quelque nombre de gens que vous amenez contre nous, qu'iz n'y gaigneront mie, et sera grant pitié de la grant bataille et du sang qui y sera respendu de ceux qui y vendront contre nous. Et à trois sepmaines que je vous avoye escript et envoié bonnes lettres par ung hérault, que feussiez au sacre du roy qui, aujourd'hui dimanche XVIIe *jour de ce présent mois de juillet, ce fait en la cité de Reims : dont je n'ay eu point de response, ne n'ouy oncques puis nouvelles dudit hérault. A Dieu vous commens et soit garde de vous, s'il lui plaist ; et prie Dieu qu'il y mecte bonne pais. Escript audit lieu de Reims, ledit XVII*[e] *jour de juillet.*

10.
Lettre aux habitants de Reims

Envoyée de Provins, 5 août 1429. Non signée. Original conservé à Reims, Archives Municipales. Quicherat, t. V, p. 139-140. Reproduite en fac-similé, *Les lettres de Jeanne d'Arc,* Maleissye-Melun, 1911.

Mes chiers et bons amis les bons et loiaulx Franczois de la cite de Rains, Jehanne la Pucelle vous fait assavoir de ses nouvelles et vous prie et vous requiert que vous ne faictes nulle doubte en la bonne querelle que elle mayne pour le sang roial ; et je vous promeit et certiffi que je ne vous abandonneray point tant que je vivroy ; et est vroy que le Roy a fait trêves au duc de Bourgoigne quinze jours durant par ainsi qu'il li doit rendre la cité de Paris paisiblement au chieff de quinze jours. Pourtant ne vois donner nulle mervoille si je ne y entre si brieffvement ; combien que des trêves qui ainsi sont faictes je ne suy point conteinte, et ne scey si je les tendroy ; maiz si je les tiens ce sera seulement pour garder lonneur du Roy, combien aussi que ilz ne cabuseront point le sang roial, car je tendroy et maintendroy esemble l'armée du roy pour estre toute prestre au chieff desdis quinze jours si ilz ne font la paix. Pour ce, mes tres chiers et parfaiz amis, je vous prie que vous ne vous en donner malaise tant comme je vivroy, maiz vous requiers que vous faictes bon guet et gardés la bonne cite du roy et me faictes savoir se il y a nulz triteurs qui vous veullent grever et au plus brieff que je pourray je les en osteray et me faictes savoir de voz nouvelles.

A Dieu vous commans qui soit garde de vous. Escript ce vendredi V^e^ jour daoust empres Provins, un logeiz sur champs ou chemin de Paris.

11.
Lettre de Jeanne au comte d'Armagnac

22 août 1429, de Compiègne. Non signée. Reproduite dans le Procès. Quicherat, t. I, p. 246. Tisset, t. I, p. 81, 225-226. t. II, p. 81, 188-190.

Jhesus Maria

Conte d'Armignac, mon très chier et bon ami, Jehanne la Pucelle vous fait savoir que vostre message est venu pardevers moy, lequel m'a dit que l'aviés envoié pardeça pour savoir de moy auquel des trois papes, que mandez par mémoire, vous devriés croire. De laquelle chose ne vous puis bonnement faire savoir au vray pour le présent, jusques à ce que je soye à Paris ou ailleurs, à requoy ; car je suis pour le présent trop empeschiée au fait de la guerre ; mes quant vous sarez que je seray à Paris, envoiez ung message pardevers moy, et je vous feray savoir tout au vray auquel vous devrez croire, et que en aray sceu par le conseil de mon droiturier et souverain Seigneur, le Roy de tout le monde, et que en aurez à faire, à tout mon pouvoir. A Dieu vous commans ; Dieu soit garde de vous. Escript à Compiengne, le XXIIe jour d'aoust.

12.
Mention d'une lettre envoyée par Jeanne et par le connétable d'Albret aux habitants [de Clermont]

7 novembre 1429. Quicherat, t. V, p. 146. Tirée du *Livre des mémoires et diligence de la ville de Clermont* ou *papier du chien,* fol. 47 v.

Memoyre soit que la pucelle Jehanne, message de Dieu, ei monseigneur de Lebret, envoyèrent à la ville de Clermont le VIIe jour de novembre l'an mil quatre cens et vint et neuf, unes lettres faysant mencion que la ville leur voulsist ayder de poudre de canon et de traict et d'artillerie pour le sciege de La Charité.

13.
Lettre aux gens d'église, bourgeois et habitants de la ville de Riom

Envoyée de Moulins, 9 novembre 1429. Original, sur papier, conservé à Riom, A. Com. de Riom AA. 33. [Jules Quicherat, avait pu voir le sceau et un cheveu noir pris dans la cire, aujourd'hui disparu.] Signée, première signature connue de Jeanne. Fac-similé, Maleissye-Melun, *Les lettres de Jeanne d'Arc.* Quicherat, t. V, p. 147-148.

Chers et bon amis, vous savez bien comment la ville de Saint Pere le Moustier a esté prinse d'assault, et à laide de Dieu ay entencion de faire vuider les autres places qui sont contraires au Roy ; mais pour ce que grant despense de pouldres, trait et autres habillemens de guerre a este faicte devant la dicte ville et moy en sommes pourveuz pour aler mectre le siege devant La Charité, où nous alons prestement. Je vous prie, sur tant que vous aymez le bien et honneur du Roy, et aussi de tous les autres de par deçà, que vueillez incontinant envoyer et aider pour le dit siege de pouldres, salepestre, souffre, trait, arbelestres fortes et d'autres habillemens de guerre ; et en ce faictes tant que par faulte desdites pouldres et autres habillemens de guerre la chose ne soit longue et que on ne vous puisse dire en ce estre négligens ou refusans. Chiers et bons amis, nostre Sire soit garde de vous. Escript a Molins le neufiesme jour de novembre.

Jehanne

14.
Mention d'une lettre de Jeanne à Charles VII au sujet de Catherine de La Rochelle

Envoyée de Montfaucon, en Berry, (20) novembre 1429. Quicherat, t. I, p. 107. Tisset, t. I, p. 104, t. II, p. 200. *« Et elle écrivit au roi qu'elle lui diroit ce qu'il en devait faire. Séance du 3 mars 1431. »* Et article 56 de Jean d'Estivet. Tisset, t. II, p. 223.

15.
Lettre aux gens d'Église, bourgeois et autres habitants de la ville de Reims

Écrite à Sully, le 16 mars 1430. Signée (deuxième signature). Original conservé. Fac-similé dans *Lettres de Jeanne d'Arc,* C. de Maleissye-Melun. Quicherat, t. V, p. 160, donne la transcription de la lettre qui avait été copiée par Nogier au XVIIe siècle ; un certain nombre d'erreurs s'étaient glissées dans cette copie.

Très chiers et bien aimes et bien désiries a veoir, Jehenne la Pucelle ey receu vous letres faisent mancion que vous vous doptiés davoir le siècge. Vulliés savoir que vous nares point, si je les puis rencontryer bien bref, et si ainsi fut que je ne les recontrasse ne eux venissent devant vous, si fermes vous pourtes car je serey bien brief vers vous, et ci eux y sont je leur ferey chousier leurs esperons si a aste que ne savent par ho les prandre, et lever cil y et se brief que ce cera bien tost. Autre chouse ne vous escri pour le present, mès que soyez toutiours bons et loyals. Je pri à Dieu que vous ait en sa guarde. Escrit a Sully le XVIe jour de Mars. Je vous mandesse anquores auqunes nouvelles de quoy vous series bien joyeux mes je doubte que les letres ne feussent prises en chemin et que l'on ne vît les dites nouvelles.

Jehanne

16.
Lettre aux Hussites

Écrite à Sully-sur-Loire, 23 mars 1430. Signée Pasquerel. En latin, traduite en allemand. Conservée dans un registre : Vienne, *Reichsregister* D. f. 236 r. 237. Quicherat, t. V, p. 156, ne connaissait que la traduction allemande. Jean Nider mentionne cette lettre. Quicherat, t. IV, p. 503. Cette lettre n'a pas été dictée par Jeanne, elle est l'œuvre du Frère Pasquerel, son confesseur.

Jesus-Maria [en marge : *Puella de Anglia*]

Depuis quelques temps, à moi Jeanne la Pucelle, la rumeur et la voix publique ont rapporté que de vrais chrétiens devenus hérétiques et semblables aux sarrasins vous avez ruiné la vraie religion et le culte, et embrassé une superstition honteuse et criminelle, et voulant la protéger et la propager il n'est honteuse chose ni crédulité que vous n'osiez. Vous ruinez les sacrements de l'Église, vous déchirez les articles de la Foi, vous détruisez les temples, vous brisez et brûlez les statues qui ont été érigées comme monuments du souvenir, vous massacrez les chrétiens parce qu'ils gardent la vraie Foi. Quelle est cette fureur ? Ou quelle rage ou folie vous transporte ? Cette foi, que le Dieu tout puissant, que le Fils, que l'Esprit Saint ont révélée, instituée, fait régner et ont glorifié de mille façons par des miracles, cette Foi, vous, vous la persécutez, vous voulez la renverser et l'anéantir. Vous, vous êtes aveugles, non pas qu'il vous manque les yeux ni la clairvoyance. Croyez-vous que vous en serez impunis ? Ou ignorez-vous que Dieu empêche vos efforts criminels ? et permettre que vous demeuriez dans les ténèbres et l'erreur ? En sorte que plus vous vous livrerez au crime et au sacrilège, plus il vous prépare de grandes punitions et supplices.

Quant à moi, à vous l'avouer franchement, si je n'étais pas occupée aux guerres anglaises je serai venue vous voir depuis longtemps mais si je n'apprends que vous vous êtes corrigés je quitterai peut-être les anglais et partirai contre vous, afin que par le fer si je ne puis autrement, j'anéantisse votre folle et obscène superstition et que je vous arrache votre hérésie ou votre vie, mais si vous préférez revenir à la foi catholique et à la lumière première envoyez moi vos ambassadeurs et je leur dirai ce qu'il faut que vous fassiez, si vous ne le voulez pas et si vous vous regimbez obstinément contre l'éperon rappelez-vous quels dommages et quels crimes vous avez perpétués et attendez-moi qui vous rendrai un pareil sort avec les puissantes forces divines et humaines.

Donné à Sully le 23 mars
aux hérétiques de Bohême

Pasquerel

[Traduction]

17.

Lettre à mes très chiers et bons amis,
gens d'Église, échevins, bourgeois et habitants
et manants de la bonne ville de Reyns (Reims)

Envoyée de Sully, le 28 mars 1430. Original conservé par la famille de Maleissye-Melun. Troisième et plus belle signature de Jeanne. Fac-similé, Comte de Maleissye-Melun, *Les lettres de Jeanne d'Arc,* 1911. Quicherat, t. V p. 161.

Très chiers et bons amis, plese vous savoir que je ay rechu vous lectres, lesquelles font mencion comment on ha raporte au roy que dedens la bonne cite de Rains il avoit mult de mauvais. Si veulez sovoir que c'est bien vray que on luy a raporté voirement quil y en voit beaucop qui estoient dune aliance et qui devoient trair la ville et metre les Bourguignons dedens. Et depuis le roy a bien seu le contraire pour ce que vous luy en avez envoie la certaineté dont il est très content de vous. Et croiez que vous estes bien en sa grasce et se vous aviez à besongnier, il vous secouroit quant au regard du siege. Et congnoist bien que vous avez moult à souffrir pour la durté que vous font ces traitrez bourguignons adversaires ; si vous en delivrera au plesir Dieu bien bref, c'est a savoir le plus tost que fere se pourra, si vous prie, requier, tres chiers aimiz, que vous guardes bien la dite bonne cite pour le roy et que vou faciez tres bon guet, vous orrez bien tost de mes bonnez nouvellez plus à plain. Austre chose quant à présent ne vous rescri fors que toute Bretaigne est fransaise et doibt le duc envoier au roy III mille combatans paiez pour iy moys. A Dieu vous commant qui soit guarde de vous. Escript a sully le XXVIIIe de mars.
Jehanne.

17.

Cette liste n'est pas exhaustive, il existe d'autres mentions ou lettres de Jeanne dont nous n'avons pas trace. Il est certain que Jeanne d'Arc a dicté plus de dix-sept lettres. Ainsi, trouve-t-on dans les archives de la ville de Compiègne - année 1428-1429 :

A Tassart du Tielt, pour avoir allé en la ville de Compiegne et ailleurs devers le roy nostre Sir, pour savoir et enquerre des nouvelles, dont il raporta lettres de la pucelle qui estoit devers le Roy ; auquel voyage il vaqua XV jours finans le XVIe jour dudit mois d'Aou est CV s.

Un peu plus tard, est inscrit :
Au même pour avoir allé à St Denis et autres villes devers le Roy nostre Sir pour enquerre et savoir de ses nouvelles, dont il raporta lettres dudit seigneur et aussi de la pucelle ; auquel voyage il vacqua XVIII jours finans le XIVe *jour de septembre ensuivant CV s IX d.*

Ou encore dans dans les A.D. de l'Aube à Troyes, 22 septembre 1429 :
Registre des assemblées faictes des congié, licence et auctorité de M. le bailli de Troie ou son lieutenant, par MM. les gens du clergé, bourgois et habitans de la ville de Troies, depuis le mercredi XXIe *jour du mois de semptembre l'an 1429.*
La mention :
Le dimenche, IIe *jour du mois d'octobre l'an mil CCCCXXIX furent assemblez en la Sale royal à Troies, par l'ordonnance et commandement de Mgr. le bailli de Troies, les personnes qui s'ensuyvent, c'est assavoir, etc, ... et aultres plusieurs, en grant nombre advenuz, pour oïr la lecture de certaines lectres envoyeez par le roy à MM. le clergié, bourgois et habitans ; [...]*
Furent en la dicte assemblée publiées certaines lectres de Jehanne la Pucelle, escriptes à Gien, XXIIe *jourt dudict mois, par lesquelles elle se recommande à MM., leur fait sçavoir de ses nouvelles, et qu'elle a esté bléciée devant Paris.* (Publié par Quicherat, t. V, p. 145).
Dans le *Registre des Délibérations* de la ville de Tours à la date du 19 janvier à celle du 7 février 1430 du *Comptes de deniers communs*, conservés tous les deux dans les archives de la Mairie de Tours à la rubrique « dons et présents », on peut toujours lire :

Le XIXe *jour de janvier, l'an mil IIII*[e] *XXIX, au tablier de la dite ville, présent Guion Farineau, juge de Touraine, es sont assemblez etc. Pour délibérer sur unes lettres closes envoyées par Jehanne la Pucelle au quatre esleus de la ville et sire Jehan Dupuy, faisans mencion que on baille à Heuves Polnoir, paintre, la somme de C. escus pour vestir sa fille, et que on la lui garde.*
Et aussi.
Le VIIe *jour de fevrier, l'an mil IIII*[e] *XXIX, au lieu de la Massequiere, presens Jehan Godeau, lieutenant etc., et Guion Farineau, juge de Touraine, se sont assemblez les esleus, etc [...] Par les quelx a este delibere que a la fille de Heimes (?) Pouvoir, paintre, qui de nouvel est mariée, pour lonneur de Jehanne la Pucelle, venue en ce royaume devers le roy pour le fait de sa guerre, disant à lui avoir este envoyee de par le roy du ciel contre les anglois ennemis de ce royaume, la quelle a rescript a la ville que pour le mariage de ladite fille, icelle ville lui paie la somme de C. escuz ; — que, de ce, riens ne lui sera paie ne baille, pour ce que les deniers de la ville convient emploier es reparacions de ladite ville et non ailleurs ; — mais pour lamour et honneur de ladite Pucelle, iceulx gens deglise, bourgeois et habitans feront honneur a*

ladite fille a sa benediction, qui sera juedi prouchain ; et dicelle feront priee ou nom de ladite ville ; et pour faire ladite priere aux hommes notables dicelle ville, est ordonne Michau Hardoin, notaire de ladite ville, et a icelle fille sera donne du pain et du vin le jour de sadite benediction ; c'est assavoir ; le pain, d'un sextier de froment, et quatre jalayes de vin.

A Colas de Montbazon, pour lui et Heuves Polnoir, paintre, baillé par mandement desd. esleus, donné le XIXe *jour de fevrier l'an MCCCCXXIX, cy rendu avec quittance sur ce, la somme de IIII liv. X sous tournois, qui deue leur estoit, c'est assavoir, aud. Colas XL sous tourn., pour IIII jalayes de vin blanc et claret donné de par lad. ville, le IX*[e] *jour de ce moys, à Héloite, dud. Heuves fille, qui, cellui jour, fut espousée, et aud. Heuves, L sous tourn. pour estre convertiz en pain pour les noces d'icelle fille, pour l'onneur de Jehanne la Pucelle qui avoit recommandée lad. fille à lad. ville par ses lettres clouses, cy rendues ; pour ce IIII livres X sous tourn.*

En marge :

Par mandement et quittance cy rendu avec les lettres de la Pucelle.

CHRONOLOGIE

1412 ?

6 janvier ? : **Domrémy.** Naissance de Jeanne.
Cf. Lettre de Perceval de Boulainvilliers au duc de Milan (29 juin 1429). Mais personne, ni les témoins ni la mère de Jeanne ne fait allusion à cette fête de l'Épiphanie.
Réponse de Jeanne au procès de Condamnation : « Elle répondit qu'elle avait 19 ans ou environ. »

Courant janvier ? : Baptême de Jeanne en l'église de Domrémy.
Par Messire Jean Nivet, curé. De nombreux témoins l'attestent, entre autres certains parrains et marraines, et Jeanne elle-même.
[*Cf.* Procès de Condamnation, Tisset, t. II, p. 40.]

1424 ? : **Domrémy.** Dans le jardin de Jacques d'Arc.
« Elle était âgée de treize ans ; elle eut une voix venant de Dieu pour l'aider à se gouverner. Et la première fois elle eut grand peur. Et cette voix vint quasi à l'heure de midi, en été, dans le jardin de son père. »
[*Cf.* Tisset, t. II, p. 46.]

1425

Domrémy
Henri d'Orly vole du bétail appartenant aux habitants du village. La châtelaine de Domrémy, Jeanne de Joinville, le fait restituer.

1428

Mai : **Burey-le-Petit**
Jeanne séjourne chez Durand Laxart (*Cf.* Quicherat, t. II, p. 443).

13 mai : **Vaucouleurs**
Première entrevue avec Robert de Baudricourt vers l'Ascension.
Juillet : **Neufchâteau**
Les habitants, par crainte des routiers, quittent Domrémy. Jeanne et sa famille sont logées chez une femme nommée La Rousse pendant une quinzaine de jours.
? : **Toul**
Jeanne est traduite devant l'officialité de Toul pour une promesse de mariage rompue (?).

1429

Janvier : **Burey-le-Petit**
2e séjour chez Durant Laxart.
Vaucouleurs
2e entreveue avec Robert de Baudricourt.
Février ? : **Nancy**
Rencontre avec le duc Charles de Lorraine.
Retour à Vaucouleurs en passant par Saint-Nicolas du Port.
Vaucouleurs
Chez les époux Le Royer.
Samedi 12 février 1429 : « Défaite des Harengs » : Jeanne l'annonce (?) lors de sa 3e entrevue avec Robert de Baudricourt.
Exorcisme du curé de Vaucouleurs, Messire Fournier.
Préparation de l'escorte.
Mardi 22 février : **Départ de Vaucouleurs**
En fin d'après-midi. Le trajet jusqu'à Saint-Urbain s'effectue de nuit. Jeanne est accompagnée par Jean de Metz, son serviteur Jean de Honnecourt, Bertrand de Poulengy avec son serviteur Julien, Collet de Vienne, messager royal, et Richard l'archer.
« Onze jours pour aller jusqu'au roi. » [*Cf.* Procès de Nullité, Déposition de B. de Poulengy.]
Cette date semble plus probable pour le départ que pour l'arrivée.
(Pour l'itinéraire et les dates de la chevauchée, voir à la thèse de Doctorat d'État de M. Maurice Vachon, Université de Reims, octobre 1985.)
Mercredi 23 février : **Saint-Urbain — Clairvaux**
Jeudi 24 février : **Clairvaux — Pothières**
Vendredi 25 février : **Pothières — Auxerre**
Samedi 26 février : **Auxerre — Mezilles**
A Auxerre, Jeanne entend la messe dans la « grande église ». (*Cf.* Tisset, t. II, p. 52.)
Dimanche 27 février : **Mezilles — Viglain**
Via Gien.

Lundi 28 février : **Viglain — La Ferté**
Mardi 1er mars : **La Ferté — Saint-Aignan**
Mercredi 2 mars : **Saint-Aignan — Sainte-Catherine-de-Fierbois**
Jeudi 3 mars : **Sainte-Catherine — L'Ile-Bouchard**
Jeanne fait écrire au roi, de Sainte-Catherine pour lui demander de la recevoir. (*Cf.* Tisset, t. II, p. 52.)
Vendredi 4 mars : **L'Isle Bouchard — Chinon**
Jeanne arrive à Chinon vers midi. Elle loge dans une hostellerie.
Samedi 5 mars : **Chinon**
Dimanche 6 mars : **Chinon**
En fin d'après-midi Jeanne est reçue par le roi.
Lundi 7 mars : **Chinon**
Première rencontre avec Jean d'Alençon.
Mardi 8 mars : **Chinon**
Jeudi 10 mars : **Chinon**
Interrogatoires.
Vendredi 11 mars : **Poitiers**
Des interrogatoires ont lieu chez Maître Jean Rabateau où Jeanne est logée.
Mardi 22 mars : **Poitiers**
Jeanne fait envoyer un ultimatum au roi d'Angleterre.
Jeudi 24 mars : Départ pour **Chinon**
Samedi 2 avril : Un chevaucheur part chercher l'épée de Sainte-Catherine-de-Fierbois.
Mardi 5 avril : Jeanne quitte **Chinon pour Tours**
Confection de l'armure, de l'étendard et du pennon.
Jeudi 21 avril : Départ de **Tours** pour **Blois**
Jeanne y retrouve l'armée royale et le convoi de vivres destiné à Orléans.
Confection de la bannière des prêtres.
? : Départ pour **Orléans**
Vendredi 29 avril : Jeanne aborde à **Checy** et entre dans **Orléans** le soir par la porte de Bourgogne ; elle loge chez le trésorier du duc, Jacques Boucher.
Samedi 30 avril : **Orléans**
Jeanne « s'en alla au boulevard de la Belle-Croix », sur le pont et elle parla à « Glacidas ».
[*Cf. Journal du siège d'Orléans.*]
Dimanche 1er mai : **Orléans**
Le Bâtard quitte Orléans pour aller chercher le reste de l'armée à Blois (il reste absent jusqu'au 4 mai).
Jeanne chevauche dans la cité.
Lundi 2 mai : **Orléans**
Jeanne, à cheval, examine les bastides anglaises.
Mardi 3 mai : **Orléans**
Fête de l'Invention de la Sainte-Croix.

Une procession a lieu dans la ville.
Mercredi 4 mai : **Orléans**
Jeanne se porte au-devant du Bâtard.
Prise de la Bastide Saint-Loup.
Jeudi 5 mai : **Orléans**
Jour de l'Ascension. Pas de combat.
Jeanne fait une sommation aux Anglais.
Vendredi 6 mai : **Orléans**
Prise de la Bastide des Augustins.
Samedi 7 mai : **Orléans**
Prise de la Bastide des Tourelles.
Dimanche 8 mai : **Orléans**
Les Anglais lèvent le siège.
Procession d'action de grâces à travers la ville.
Lundi 9 mai : Jeanne quitte **Orléans**
Vendredi 13 mai : **Tours**
Rencontre de Jeanne et du roi.
Entre le 13 mai et le 24 mai : Jeanne se rend à **Saint-Florent-lès-Saumur** ; elle y rencontre Jean d'Alençon, sa femme et sa mère.
Dimanche 22 mai : Le roi est à **Loches**
Mardi 24 mai : Jeanne quitte **Loches**
Dimanche 29 mai : **Selles-en-Berry**
Lundi 6 juin : **Selles-en-Berry**
Rencontre de Jeanne et de Guy de Laval.
Départ pour Romorantin.
Mardi 7 juin : **Romorantin**
Jeudi 9 juin : **Orléans**
Regroupement de l'armée.
Vendredi 10 juin : **Sandillon**
Samedi 11 juin : Attaque sur Jargeau.
Dimanche 12 juin : **Jargeau**
Prise de Jargeau.
Lundi 13 juin : Retour à **Orléans**
Mardi 14 juin : Jeanne quitte la ville.
Mercredi 15 juin : Attaque de **Meung-sur-Loire**
Jeudi 16 juin : Attaque de **Beaugency**
Samedi 18 juin : Bataille de **Patay**
« Le gentil roy aura aujourd'hui la plus grande victoire qu'il eut jamais. Et m'a dit mon conseil qu'ils seront tous nôtres. »
[Déposition de Jean d'Alençon au Procès en Nullité.]
Dimanche 19 juin : Jeanne et les capitaines rentrent dans **Orléans**
Mercredi 22 juin : **Châteauneuf-sur-Loire**
Conseil du roi.
Jeudi 23 juin : Le roi retourne vers **Gien**
Vendredi 24 juin : Départ de l'armée pour **Gien**
Jeanne s'adresse au duc d'Alençon : « Faites sonner trompilles

et montez à cheval. Il est temps d'aller devers le gentil dauphin Charles pour le mettre à son chemin de son sacre à Reims. » [Perceval de Cagny.]

Samedi 25 juin : **Gien**

Lettres dictées par Jeanne aux habitants de Tournai et au duc de Bourgogne pour les inviter à se rendre au sacre.

Dimanche 26 juin : **Gien**

La route du sacre

Lundi 27 juin : Jeanne part de **Gien**

Mercredi 29 juin : Départ de l'armée royale vers **Auxerre**

Lundi 4 juillet : **Briennon — Saint-Florentin — Saint-Phal**

De Saint-Phal, Jeanne écrit aux habitants de Troyes.

Mardi 5 juillet : L'armée est devant **Troyes**

Samedi 9 juillet : **Troyes**

La ville de Troyes accepte de recevoir le roi.

Dimanche 10 juillet : **Troyes**

Entrée du roi et de Jeanne dans la ville.

Mardi 12 juillet : **Troyes — Arcy-sur-Aube**

Mercredi 13 juillet : **Arcy-sur-Aube — Lettrée**

Jeudi 14 juillet : **Lettrée — Châlons-sur-Marne**

Jeanne rencontre des habitants de Domrémy.

Vendredi 15 juillet : **Châlons-sur-Marne — Sept-Saulx**

Samedi 16 juillet : **Sept-Saulx — Reims**

Dimanche 17 juillet 1429 : Sacre de Charles VII dans la cathédrale de Reims.

Jeudi 21 juillet : Départ de **Reims** pour **Corbeny**

Toucher des écrouelles par Charles VIII.

Samedi 23 juillet : **Soissons**

Mercredi 27 juillet : **Château-Thierry**

Dimanche 31 juillet : Lettre de Charles VII octroyant une franchise d'impôts aux habitants de Domrémy et Greux.

Lundi 1er août : **Montmirail**

Samedi 6 août : **Provins**

Lettre de Jeanne aux Rémois.

Dimanche 7 août : **Coulommiers**

Mercredi 10 août : **La Ferté-Milon**

Jeudi 11 août : **Crépy-en-Valois**

Vendredi 12 août : **Lagny**

Samedi 13 août : **Dammartin**

Lundi 15 août : **Montépilloy**

Grosses escarmouches avec les Anglais qui se replient vers Paris.

Mercredi 17 août au samedi 28 août : **Compiègne**, séjour du roi.

Lundi 23 août : Départ de Jeanne de **Compiègne**
Jeudi 26 août : **Saint-Denis**
Lundi 7 septembre : **Saint-Denis**
Le roi arrive dans la ville.
Mardi 8 septembre : Attaque devant **Paris** (porte Saint-Honoré).
Mercredi 9 septembre : Retour à **Saint-Denis**
Jeudi 10 septembre : Ordre est donné d'abandonner l'attaque devant Paris.
Samedi 12 septembre : L'armée retourne vers la Loire.
Du lundi 14 septembre au lundi 21 septembre : **Provins — Courtenay — Châteaurenard — Montargis**
Lundi 21 septembre : **Gien**
Dissolution de l'armée.
Fin septembre : Préparatifs de la campagne de **La Charité**
Octobre : Départ vers **Saint-Pierre-Le-Moûtier**
Mercredi 4 novembre : Chute de **Saint-Pierre-Le-Moûtier**
Fin novembre : L'armée se met en route vers **La Charité**
Elle descend l'Allier puis la Loire. Par la rive gauche ou par la rive droite ? La question n'est pas tranchée.
L'armée traverse la Loire entre **Nevers** et **Decize**. Elle remonte la vallée de la **Nièvre** et se rabat ensuite vers l'ouest, vers **La Charité**, ce qui isole Perrinet Gressart des secours qu'il pouvait attendre venant de Varzy.
Mardi 24 novembre : Les habitants de Bourges, à la demande de Charles d'Albret, envoient 1 300 écrus d'or aux troupes royales.
Le siège commence un peu avant et dure un mois.
Samedi 25 décembre : Jeanne est de retour à **Jargeau**

1430

Janvier : **Meung-sur-Yèvre ?**
Bourges
Mercredi 19 janvier : **Orléans**
Février : **Sully-sur-Loire** ?
Mars : **Sully-sur-Loire**
Mercredi 29 mars : **Lagny**
Lundi 24 avril : **Melun**
Jeanne attend les renforts demandés à Charles VII.
Du mardi 25 avril au 6 mai : **Crépy-en-Valois**
Samedi 6 mai : **Compiègne**
Jeudi 11 mai, vendredi 12 mai : **Soissons**
Guichard de Bournel n'autorise pas les troupes à traverser la ville.
Lundi 15 mai et mardi 16 mai : **Compiègne**
Du mercredi 17 au vendredi 18 mai : **Crépy-en-Valois**

Du 19 au 21 mai : Jeanne attend les renforts.
Lundi 22 mai : Retour vers **Compiègne**
Mardi 23 mai : Prise de Jeanne d'Arc devant **Compiègne**
Philippe le Bon vient de Coudun à **Margny** voir Jeanne.
Mercredi 24 mai : **Clairoix ?**
27 et 28 mai : **Beaulieu-lès-Fontaines**
Lundi 10 juillet : Départ de **Beaulieu**
Du 11 juillet au début novembre : **Beaurevoir**
Interrogée si elle fut longtemps dans la tour de Beaurevoir, Jeanne répond : « quatre mois ou environ ».
Jeudi 9 novembre : **Arras**
Du 21 novembre au 9 décembre : **Le Crotoy**
Mercredi 20 décembre : Traversée de la baie de la **Somme** entre le **Crotoy** et **Saint-Valery**
Samedi 23 décembre : Jeanne arrive à **Rouen**

1431

Mardi 9 janvier : Premier jour du Procès (Procès d'Office). Enquête faite à Domrémy et Vaucouleurs.
Samedi 13 janvier : Lecture des informations faites sur la Pucelle.
Mardi 13 février : Serment prêté par les officiers institués par l'évêque de Beauvais.
Lundi 19 février : Sommation envoyée au vicaire de l'Inquisiteur.
Mardi 20 février : Le vicaire de l'Inquisiteur décline toute compétence.
Nouvelle lettre de l'évêque de Beauvais.
Mercredi 21 février : Première séance publique. Jeanne est amenée à l'audience.
Jeudi 22 février
Samedi 24 février
Mardi 27 février
Jeudi 1er mars
Samedi 3 mars
} Séances du Procès.
Du dimanche 4 mars au vendredi 9 mars : Réunion dans la maison de l'évêque de Beauvais où Jeanne ne comparaît pas.
Samedi 10 mars : Séance du Procès dans la prison.
Lundi 12 mars : Deuxième séance dans la prison.
Mardi 13 mars : Pour la première fois le vicaire de l'Inquisiteur se joint au Procès.
Mercredi 14 mars
Jeudi 15 mars
Samedi 17 mars
} Séances dans la prison.
Du dimanche 18 au Jeudi 22 mars : Réunion dans la maison de l'évêque de Beauvais.

Samedi 24 mars : Lecture faite à Jeanne des questions et réponses enregistrées.

Lundi 26 mars : Procès ordinaire.

Mardi 27 mars
Mercredi 28 mars } Lecture à Jeanne des 70 articles.
Samedi 31 mars

Du lundi 2 au jeudi 5 avril : Délibération des Docteurs et rédaction des 12 articles.

Lundi 16 avril : Maladie de Jeanne après qu'elle a mangé une carpe envoyée par l'évêque de Beauvais.

Mercredi 18 avril : Exhortation charitable faite à Jeanne dans sa prison.

Mercredi 2 mai : Admonition publique.

Mercredi 9 mai : Dans la grosse tour du château, menace de la torture.

Dimanche 13 mai : Grand dîner offert par Richard Beauchamp, comte de Warwick, auquel sont invités l'évêque de Beauvais, l'évêque de Noyon, Louis de Luxembourg, Humphrey Stafford. Ils se rendent ensuite voir Jeanne dans sa prison.

Samedi 15 mai : Délibération des maîtres de l'Université de Paris, et des docteurs et maîtres se trouvant à Rouen dans le palais archiépiscopal.

Mercredi 23 mai : Au château du Bouvreuil. Exposé de l'accusation et admonestation de Jeanne par Pierre Maurice, chanoine de Rouen.

Jeudi 24 mai : Prédication publique au cimetière Saint-Ouen suivie de « l'abjuration » de Jeanne. Elle est reconduite en prison anglaise où elle reprend des habits de femme.

Lundi 28 mai : Dans la prison, Jeanne ayant repris l'habit d'homme, la cause de relapse est introduite.

Mardi 29 mai : Délibération des docteurs et assesseurs.

Mercredi 30 mai : Jeanne est brûlée vive sur la place du Vieux-Marché de Rouen.

BIBLIOGRAPHIE

I. La famille de Jeanne d'Arc

Qualifiés lors du Procès en Nullité d'« honnêtes laboureurs » « bons catholiques », de gens d'« honnête conversation suivant leur état », les parents de Jeanne appartenaient à la classe paysanne, et n'étaient ni riches ni vraiment pauvres.

Nous savons que, par un acte du 7 octobre 1423, Jacques d'Arc, originaire certainement de Ceffonds, était nommé doyen du village de Domrémy ; à ce titre il faisait connaître les arrêtés municipaux et ordonnances, commandait le gué de jour et de nuit, avait la garde des prisonniers, était chargé de collecter les impôts, les rentes et les redevances ; c'est lui enfin qui surveillait les poids et mesures ainsi que la fabrication du pain et du vin. Il était donc reconnu par les habitants du village. Par un autre acte du 31 mars 1427, il est nommé par les habitants de Domrémy procureur dans un procès à soutenir devant Robert de Baudricourt.

Par ailleurs, les parents de Jeanne possédaient environ vingt hectares dont douze en prés, et quatre en bois. Ils avaient leur maison, le mobilier et une réserve de quelque argent. Ils pouvaient, malgré la modicité de leurs revenus, accueillir chez eux les voyageurs qui passaient par le pays. Jacques d'Arc et sa femme Isabelle avaient aussi constitué en faveur du curé de Domrémy une rente annuelle de deux gros sur une fauchée et demie de prés situés à Domrémy, à charge au curé de célébrer chaque année deux messes pendant la « semaine des Fontaines » pour les anniversaires.

L'origine d'Isabelle Romée est plus connue ; c'était une famille modeste du village du Vouthon. Ce village faisait partie du duché de Bar dépendant de la couronne de France. Le frère d'Isabelle, Jean de Vouthon, était couvreur, et vers 1416, il vint s'installer à Sermaise. Sa sœur Aveline, eut une fille, Jeanne de Vauseul, qui par la suite épousa Durant Laxart. Un autre frère d'Isabelle était curé de Sermaise : Henri de Vouthon.

La généalogie de la famille d'Arc :

BOUTEILLER (E. DE) et BRAUX (G.), *Recherches sur la famille de Jeanne d'Arc,* Paris, 1879.

HALDAT (M. DE), *Examen critique de l'histoire de Jeanne d'Arc,* Nancy, 1850.

VALLET DE VIRIVILLE (A.), *Nouvelles recherches sur la famille de Jeanne d'Arc,* Paris, 1854.

Ouvrages et brochures consacrés au père, à la mère, aux frères et aux oncles de Jeanne :

BOUCHER DE MOLANDON (M.), *Jacques d'Arc, père de la Pucelle,* Orléans, 1885.

— *Pierre du Lis, troisième frère de la Pucelle, extinction de sa descendance en 1501,* Paris, 1890.

— *Un oncle de Jeanne d'Arc depuis 4 siècles oublié (Mangin de Vouthon),* Orléans, 1891.

BOUTEILLER (E. DE), *La famille de Jeanne d'Arc,* Paris, 1878.

CAREL (P.), *Une descendance normande de la Pucelle,* Lyon, 1891.

CHEVEL (C.), *Jeanne d'Arc à Burey-le-Petit,* Nancy, 1899.

CHRISTIAN (P.), *Isabelle Romée et les Vouthon,* « Musée lorrain », 1956.

COCHARD (chanoine Th.), *La mère de Jeanne d'Arc à Orléans, son séjour et sa mort (1440-1458),* Orléans, 1906.

GRANGER (Abbé), *Ceffonds, lieu d'origine de Jacques d'Arc,* Langres, 1914.

JOUY (E.), *Simples notes sur Jeanne d'Arc et sa famille, en particulier sur sa famille maternelle dans le Perthois,* Vitry-le-François, 1929.

MENJOT D'ELBENNE (Vicomte), *Jean du Lys, sa descendance et la prévoté de Vaucouleurs, 1456-1575,* Laval, 1910.

PETITOT (M.), *Collection complète des mémoires,* Paris, 1819.

VAULOGER DE BEAUPRÉ, *Les petits-neveux de Jeanne d'Arc,* Bergerac, 1893.

VOIRIOT (C.), *De l'ascendance paternelle ou lieu natal de Jeanne d'Arc,* Dijon, 1954.

De nombreuses familles prétendrent descendre des frères de Jeanne d'Arc ; nous donnons pour mémoire un certain nombre d'ouvrages traitant de cette descendance en rappelant, malgré tout, que les liens ne sont pas toujours établis. En effet, Jean du Lys, fils de Pierre d'Arc qui s'était installé à Orléans, mourut sans héritier direct puisque le prévôt d'Orléans attribua son héritage à sa cousine germaine, Marguerite de Bonnet ou Brunet ; d'autre part, le frère aîné de la Pucelle, Jacquemin, serait mort, suivant la tradition, sans héritier, quoique Braux et Bouteiller au siècle dernier, puis Henri Morel en 1972 aient émis des hypothèses lui attribuant une descendance.

Citons aussi le président de « la Généalogie Lorraine », M. Georges Marante, qui lui aussi est très sceptique : « J'ai travaillé pendant près de trente ans auprès du colonel Paul de Haldat du Lys (pour un nobiliaire de Ligny-en-Barrois). Celui-ci à la fin de sa vie m'a confié que plus il avançait dans ses travaux, plus il doutait de sa parenté avec la Pucelle... »

BRUYANT (P.), *Famille de Jeanne d'Arc,* Nogent, 1909.
LE COURT (H.), *La famille Le Cornu,* Saint-Amand, 1898.
OTT (M.-A.), *Les familles Noël et Villeroy,* Orléans, 1892.
PIEL (L.-P.), *Les Melcion d'Arc,* Paris, 1905.
TARDIEU (A.), *Les Tardieu de Maleissye,* Clermont-Ferrand, 1895.
TERLINE (Baron J. DE), *Recherches généalogiques,* Paris, 1950.

Citons encore une revue qui publie en ce moment-même différents articles sur la généalogie des « descendants de Jeanne d'Arc », *La Généalogie lorraine,* revue trimestrielle, Nancy, nos 55, 56 et 57.

Le nom d'Arc.

BOUQUET (F.), *Faut-il écrire Jeanne d'Arc ou Darc ?,* Rouen, 1867.
BOUQUET (F.), *Nouvelles observations sur l'apostrophe de Jeanne d'Arc,* Rouen, 1868.
DUMAS (P.-G.), *La véritable orthographe de Jeanne d'Arc,* Nancy, 1855.
REMOIS (J.), *Jeanne s'appelait-elle d'Arc ?,* « La Science historique », 1959.
ROBERT DES (E.), *Recherches sur l'origine du nom d'Arc,* Nancy, 1910.

Des études ont été faites pour savoir quelle était l'origine de Jeanne d'Arc : était-elle barroise, lorraine, champenoise ou encore italienne ?

CHAPELLIER (J.-Ch.), *Étude sur la véritable nationalité de Jeanne d'Arc,* Épinal, 1870.
LONGUEVILLE (Chanoine F.), *La famille paternelle de Jeanne d'Arc est-elle barroise ?* Langres, 1958.
POINSIGNON (M.), *Ni lorraine ni champenoise,* Châlons-sur-Marne, 1894.
RIANT (Abbé), *De la nationalité de Jeanne d'Arc,* Épinal, 1870.
BADEL (E.), *Jeanne d'Arc est lorraine,* Nancy, 1895.
FRANCK (I.), *La croix de Lorraine, les origines de Jeanne d'Arc,* « Le Courrier français », 1944.
GEORGES (Abbé E.), *Jeanne d'Arc est-elle champenoise ?,* Troyes, 1882.
PANGE (Comte M. DE), *Le pays de Jeanne d'Arc,* Paris, 1903.

LOPPIN (P.), *Jeanne d'Arc la bonne champenoise,* Paris, 1974.
GAUROY (Chanoine), *Jeanne d'Arc champenoise,* Strasbourg, 1946.
MISSET (E.), *Jeanne d'Arc champenoise,* Paris, 1895.

PERNOT (F.-A.), *Jeanne d'Arc champenoise et non pas lorraine,* Orléans, 1852.
RENARD (A.), *Jeanne d'Arc était-elle française ?,* Paris, 1855.

GHISILIERI (Comte L.), *Cenni sull'origine bolognese,* Lodi, 1908.

II. LA PERSONNE DE JEANNE

ARDWEG (G. VAN DEN), *Une réhabilitation psychologique de Jeanne d'Arc,* archives Centre Jeanne-d'Arc.
CORMAN (L.), *Le vrai visage de Jeanne d'Arc,* Paris, 1951.
DAUZAT (A.), *Jeanne d'Arc parlait-elle français ?,* Paris, 1955.
DOINEL (J.), *Jeanne d'Arc telle qu'elle est,* Orléans, 1892.
DUBOSC (G.), *Autour de la vie de Jeanne d'Arc,* Rouen, 1920.
JOUIN (H.), *Jeanne la Pucelle,* Orléans, 1892.
LEMOINE (Général), *Jeanne d'Arc chef de guerre,* Paris, 1830.
SARRIL, *Jeanne d'Arc, organe du comité de propagande,* Paris, 1908.
SEPET (M.), *Jeanne d'Arc et le surnaturel,* Bordeaux, 1894.

La spiritualité de Jeanne d'Arc, l'acceptation de l'origine divine de sa mission ont été traitées par différents auteurs, entre autres par le chanoine Delaruelle qui donne une étude d'ensemble de tout premier ordre.

DELARUELLE (E.), *La spiritualité de Jeanne d'Arc,* Toulouse, 1964.
DUNAND (P.-H.), *La sainteté de Jeanne d'Arc,* Paris, 1894.
DUNAND (P.-H.), *Les visions et apparitions de Jeanne d'Arc,* Toulouse, 1911.
GROSDIDIER DE MATTONS (M.), *Le mystère de Jeanne d'Arc,* Paris, 1935.
GUITTON (J.), *Problème et mystère de Jeanne d'Arc,* Paris, 1961.
GUITTON (J.), *La spiritualité de Jeanne d'Arc,* Bulletin des Amis du Vieux Chinon, 1961.

L'enfance :

C'est à Siméon Luce que revient l'honneur d'avoir exhumé certaines pièces d'archives permettant de mieux comprendre la position sociale des parents de Jeanne et le « milieu » où Jeanne a vécu à Domrémy.

AYROLES (Père J.-B.), *La paysanne, l'inspirée,* t. II, Paris, 1894.
DUNAND (P.-H.), *Histoire complète de Jeanne d'Arc,* t. I, Toulouse, 1898.
FOURCAUD-LANGENIEUX (C.), *L'enfance de Jeanne d'Arc,* (archives C.J.A.), 1888.
GILLET (Abbé P.), *Sermaize et Jeanne d'Arc,* Châlons-sur-Marne, 1959.

LATOUR (A. DE), *Jeanne d'Arc enfant,* archives Centre Jeanne-d'Arc, 1873.
LUCE (S.), *Jeanne d'Arc à Domrémy,* Paris, 1885.

Le problème des voix :

Plusieurs réponses sont apportées, depuis Jeanne d'Arc l'inspirée jusqu'à Jeanne d'Arc médium.

AYROLES (Père J.-B.), *La paysanne et l'inspirée,* t. II, Paris, 1894.
BIOTTOT (Colonel), *Les grands inspirés devant la science,* Paris, 1907.
CHASSAGNON (Abbé H.), *Les voix de Jeanne d'Arc,* Lyon, 1896.
DENIS (L.), *Jeanne d'Arc médium,* Paris, 1926.
GODARD (A.), *Le positivisme chrétien,* Paris, 1901.
HARTEMANN (J.), *Une Jeanne d'Arc possible,* Paris, 1978.
LALLEMENT (L.), *La mission de la France,* Uriage, 1937.
LANG (A.), *The maid of France,* London, 1908.
VERGNAUD ROMAGNESI (C.-F.), *Examen philosophique et impartial,* Orléans, 1861.

Pour l'étude artistique de Jeanne d'Arc :

LANERY D'ARC (Pierre), *Le livre d'or de Jeanne d'Arc, bibliographie raisonnée et analytique des ouvrages relatifs à Jeanne d'Arc,* Paris, 1894.
SOONS (J.-J.), *Jeanne au théâtre, étude sur la plus ancienne tragédie suivie d'une liste chronologique des œuvres dramatiques dont Jeanne a fourni le sujet en France de 1890 à 1926,* Purmerand, 1929.
Mémorial du Ve centenaire de la Réhabilitation de Jeanne d'Arc, 1456-1956, Paris, 1958 :
DUSSANE (Mme), *Jeanne d'Arc et le théâtre.*
MAROT (P.), *De la réhabilitation à la béatification de Jeanne d'Arc : essai sur l'historiographie et le culte de l'héroïne en France pendant cinq siècles.*

La chrétienté au XVe siècle :

Pour comprendre les sentiments religieux de Jeanne, il faut étudier son milieu naturel, c'est-à-dire sa paroisse ; pour cela nous avons le procès en réhabilitation qui donne le témoignage de parents et amis ayant connu Jeanne et ayant en commun avec elle « l'équilibre et la simplicité ». C'est toutefois ce qui ressort des interrogatoires, et qui est mis en valeur par Francis Rapp dans son article : « Jeanne d'Arc témoin de la vie religieuse en France, au XVe siècle. »

Trois auteurs se sont penchés sur ce problème :

DELARUELLE (E.), *Spiritualité de Jeanne d'Arc,* Toulouse, 1964.
RAPP (F.), *L'Église et la vie religieuse,* Paris, 1980.
VAUCHEZ (A.), *Religion et société dans l'occident médiéval,* Turin, 1980.

On a attribué à la spiritualité de Jeanne d'Arc deux influences : l'une franciscaine et l'autre dominicaine :

BARENTON (H. DE), *Jeanne d'Arc franciscaine,* Paris, 1909.
CHAPOTIN (Fr. M.-D.), *Jeanne d'Arc et les dominicains,* Paris, 1894.
LUCE (S.), *Jeanne d'Arc et les ordres mendiants,* Paris, 1881.

La vie à la campagne c'est aussi le culte des saints :

LUCE (S.), *Jeanne d'Arc et le culte de saint Michel,* Paris, 1882.
PEYRONNET (G.), *Catherine de Sienne et Jeanne d'Arc,* Florence, 1983.
PEYRONNET (G.), *Une série de traditions sur Jeanne d'Arc,* Lille, 1981.
SOYER (Abbé E.), *Jeanne d'Arc, personnification de saint Michel,* Abbeville, 1896.

Le prophétisme féminin :

On ne peut étudier Jeanne d'Arc sans se pencher sur les problèmes du prophétisme féminin. L'action de Jeanne est à rapprocher de celle d'autres femmes qui sont venues elles aussi trouver le roi ou ont fait appel au Pape ou écrit aux puissants de ce monde.

Depuis les années 1350, on se trouve face à une grave crise de l'Église : la papauté s'est installées en Avignon, ce qui a entraîné le Grand Schisme, le retour manqué d'Urbain V et les tribulations entre les papes et les conciles (Constance et Bâle) n'ont rien arrangé et ont conduit à une crise institutionnelle. Cette crise a marqué fortement les esprits dévôts et suscité un certain nombre d'inspirés.

GOYAU (G.), *Un ermite du temps de Jeanne d'Arc,* Paris, 1929.
GROS (G.), *Un siècle du passé de Saint-Claude,* Besançon, 1972.
MOUZIN (A.), *La visionnaire Marie d'Avignon,* Avignon, 1917.
VALOIS (N.), *Jeanne d'Arc et la prophétie de Marie Robin,* s.d.
VAUCHEZ (A.), *Jeanne d'Arc et le prophétisme féminin,* XIVe-XVe s., Colloque d'histoire médiévale, Orléans, octobre 1979.

L'action de Jeanne a suscité des adeptes, ainsi Perrinaic ou Perrione la Bretonne. Perrinaic, jeune fille de Bretagne « bretonnante », comme l'affirme le *Journal du bourgeois de Paris,* a été brûlée vive devant Notre-Dame le 3 septembre 1430 après avoir proclamé sa ferveur et son attachement envers « dame Jeanne », mais surtout parce qu'elle a affirmé que Dieu lui apparaissait, qu'Il lui parlait comme un ami et qu'Il était vêtu d'une robe blanche avec une huque vermeille.

BORDERIE (A. DE LA), *Pierrone et Perrinaic,* Paris, 1894.
QUELLIEN (N.), *Perrinaic une compagne de Jeanne d'Arc,* Paris, 1891.
PASCAL-ESTIENNE (M.-W.), *Perinaik,* Paris, 1893.

Certains ont cru aux réapparitions de Jeanne d'Arc :

CERTAIN (J.), *Apparition de Jeanne d'Arc au roy d'Angleterre,* Orléans, 1877.
FORT (Abbé S.), *Une nouvelle affaire Jeanne d'Arc,* Orléans, s.d.
MEUNIER (G.), *La voyante de Jeanne d'Arc,* Paris, 1909.

Les Anglais ont comparé Jeanne d'Arc à une sorcière, mais elle n'a pas été brûlée comme telle. Les procès en sorcellerie se multiplieront à partir du XVIe et surtout au XVIIe siècle.

MICHELET (J.), *La sorcière,* Paris, 1862.
MURRAY (M.), *Le Dieu des sorcières,* Paris, 1957.
SALGUES (J.-B.), *Erreurs et préjugés répandus,* Paris, 1818.

Les docteurs de l'Église du temps de Jeanne d'Arc :

AYROLES (Père J.-B.), *La Pucelle devant l'Église de son temps,* t. I, Paris, 1890.
VENTACH (J.), *Mémoire latin de Jean Gélu,* Chambéry, 1960.

Les docteurs de l'Université de Paris :

AYROLES (Père J.-B.), *L'Université de Paris au temps de Jeanne d'Arc,* Paris, 1902.
DENIFLE (Ph.) et CHATELAIN (E.), *Le procès de Jeanne d'Arc et l'Université de Paris,* Paris, 1897.

Les juges du procès de Poitiers :

RAGUENET DE SAINT-ALBIN (O.), *Les juges de Jeanne d'Arc à Poitiers,* Orléans, 1894.

Les juges au Procès de condamnation :

BEAUREPAIRE (Ch. DE), *Notes sur les juges et les assesseurs du Procès de Condamnation de Jeanne d'Arc,* Rouen, 1890.

La topographie :

BAUSSAN (C.), *Domrémy,* Paris, 1932.
BOUCHER (M.), *Jeanne d'Arc à Domrémy,* Épinal, 1937.
CHAPELLIER (J.-C.), *Deux actes inédits du XVe siècle,* Nancy, 1889.
COLIN, *Le pays lorrain et le pays messin,* Nancy, 1913.
HINZELIN (E.), *Jeanne d'Arc, la bonne Lorraine de Domrémy,* Paris, 1929.
MAROT (P.), *Jeanne d'Arc, la bonne Lorraine à Domrémy,* Nancy, 1980.

L'étude la plus récente et la mieux documentée sur les étapes de la chevauchée est la thèse en doctorat ès-lettres de Maurice Vachon, *La topographie auxiliaire de l'histoire,* Reims, 1985.

CHAMPION (L.), *Jeanne d'Arc écuyère,* Paris, 1901.

CROIDYS (P.), *Jeanne d'Arc et son temps jour par jour,* Paris, 1948.
LAFLOTTE (D.-B. DE), *Sur les pas de Jeanne d'Arc,* Orléans, 1909.
METZ (J.), *Au pays de Jeanne d'Arc,* Grenoble, 1910.
PERNOUD (R.), *Dans les pas de Jeanne d'Arc,* Paris, 1956.
RICHAUD (M.-F.), *En suivant Jeanne d'Arc,* Paris, 1956.
ROUETTE (Abbé C.), *Itinéraire de Jeanne la Pucelle,* Vilaine, 1984.

Les lieux de séjour :

BOUCHER DE MOLANDON (M.), *La maison de Jeanne d'Arc à Domrémy,* Orléans, 1884.
BOUCHER DE MOLANDON (M.), « Jacques Boucher, son hôtel de l'annonciade », *Bulletin de la S.A.H.Q.,* 1889.
HUGUES (C.), *La maison de Jeanne d'Arc,* Orléans, 1909.
JARRY (E.), *La maison de Jeanne d'Arc à Orléans,* Orléans, 1909.
SOREL (A.), *La maison de Jeanne d'Arc à Domrémy,* Paris, 1886.

L'iconographie et les armes :

La réapparition de pièces d'armure, de l'étendard de Jeanne d'Arc ou encore de bagues lui ayant prétendument appartenu donne lieu à des études sur l'iconographie de johannique, sur ses armoiries, sur ses armes, ou encore sur les lettres qu'il nous reste d'elle.

DONCŒUR (P. P.), *Les portraits de Jeanne d'Arc au trait,* Paris, 1949.
DUBOSC (G.), *Les cheveux de Jeanne d'Arc,* Rouen, 1924.
FRANCE (F.), *Le visage de Jeanne d'Arc,* Paris, 1979.
GUILLAUME (Abbé P.), *Ya-t-il un portrait authentique de Jeanne d'Arc ?,* Orléans, 1965.
COCHARD, *Les armoiries de Jeanne d'Arc,* Paris, 1909.
GOURDIN (P.), « Les armoiries de Jeanne d'Arc », *Bulletin de l'Association des Amis du Centre Jeanne-d'Arc,* n° 7, 1983.
BUTTIN (Ch.), *Une prétendue armure de Jeanne d'Arc,* Paris, 1913.
CITOLLE (J.), *Épigramme sur l'épée de Jeanne,* Caen, 1895.
FYOT (E.), « Une épée de Jeanne d'Arc », *Revue de Bourgogne,* 1911.
SAINT-MESMIN (M. DE), *Épée du temps de Charles VII,* Dijon, 1831.
VACHON (M.), *L'épée de Fierbois,* Archives Centre Jeanne-d'Arc, 1982.
ENKLAAR (D.-Th.) et POST (R.-R.), *La fille au grand cœur,* Djakarta, 1955.
MALEISSYE (Comte DE), *Les lettres de Jeanne d'Arc,* Paris, 1911.
MALEISSYE (Comte DE), *Les reliques de Jeanne d'Arc,* Paris, 1909.
MARTINIÈRE (J. DE LA), *A propos d'une signature de Jeanne,* Orléans, 1930.

Les études les plus complètes, les mieux illustrées pour tout ce qui a trait aux vêtements de Jeanne, à son armure, à son étendard sont celles de :

HARMAND (A.), *Jeanne d'Arc, ses costumes, son armure,* Paris, 1929.
LIOCOURT (Colonel DE), *La mission de Jeanne d'Arc,* t. I et II, Paris, 1974-1981.

Signalons aussi un canular organisé certainement par des carabins à la fin du siècle dernier faisant croire que les cendres laissées sur le bûcher de Jeanne d'Arc avaient été récupérées et qu'elles sont conservées dans un bocal au musée de Chinon...

Quelques exemples de fausses hypothèses :

BOSLER (J.), *Charles VII et Jeanne d'Arc.* Archives Centre Jeanne-d'Arc.
BOURRIER GRILLOT DE GIVRY, *La vérité sur le supplice de Jeanne d'Arc,* Paris, 1925.
CAZE (P.), *La vérité sur Jeanne d'Arc,* Paris, 1879.
DAVID-DARNAC (M.), *Histoire véridique et merveilleuse de la Pucelle d'Orléans,* Paris, 1965.
FORLIÈRE (M. et L.), *Qui fut Jeanne d'Arc ?,* Paris, 1947.
GERMAIN DE MAIDY (L.), *Recherche sur la famille des Armoises,* Paris, 1922.
GRIMOD (J.), *Jeanne d'Arc a-t-elle été brûlée ?,* Paris, 1952.
GRILLOT DE GIVRY, *La survivance et le mariage de Jeanne d'Arc,* Paris, 1900.
GUILLEMIN (H.), *Jeanne dite Jeanne d'Arc, Paris, 1973.*
JACOBY (J.), *La noblesse et les armes de Jeanne d'Arc,* Paris, 1937.
JACOBY (J.), *La Pucelle d'Orléans, fille au grand cœur, martyre et sainte,* Paris, 1936.
MAQUET (F.), *Jehanne la Pucelle, l'histoire, les documents,* Rodez, 1982.
NAY (C.), *Yagel la voyante de l'histoire,* Paris, 1985.
PASTEUR (C.), *Les deux Jeanne d'Arc, enquête et débat,* Paris, 1962.
PESME (G.), *Jeanne des Armoises,* Angoulême, 1960.
SAINT-JEAN (J. de), *Jehanne 1407-1452,* Paris, 1957.
SCHNEIDER (E.), *Jeanne d'Arc et ses lys,* Paris, 1952.
SERMOISE (P. de), *Les missions secrètes de Jehanne,* Paris, 1970.
SERMOISE (P. de), *Jeanne d'Arc et la mandragore,* Monaco, 1983.
SYMPTOR (R.), *Jeanne d'Arc n'a jamais existé !* Paris, 1909.
TOLLEIRE (A.), *La vérité sur Jeanne d'Arc,* Paris, 1895.
WEILL-RAYNAL (E.), *Le double secret de Jeanne la Pucelle révélé par des documents de l'époque,* Paris, 1972.

De nombreux auteurs ont réfuté les différentes thèses des tares physiques et mentales de Jeanne d'Arc, ou de la survivance ou de la bâtardise :

ALTORA COLONNA DE STIGLIANO (Prince D'), *Questions controversées de l'histoire de Jeanne d'Arc,* Paris, 1934.
AMIET (M.-L.), *La condamnation de Jeanne d'Arc,* Paris, 1934.
BILLARD (A.), *Jehanne d'Arc et ses juges,* Paris, 1933.
BROUSSON (J.-J.), *Le secret de Jeanne d'Arc, le secret de polichinelle,* « l'Ordre », 18 novembre 1932.
CHAMSON (A.), « Pas de nouveau procès pour Jeanne d'Arc », *Nouvelles littéraires,* 1970.
DONCŒUR (R.P.), « Sur les origines de Jeanne d'Arc », *Les Études,* 5 novembre 1932.
DONCŒUR (R.P.), « La naissance et la mort de Jeanne la Pucelle », *Les Études,* janvier 1953.
GARÇON (M.), « Jeanne d'Arc est morte sur le bûcher de Rouen », *Historia,* 1953.
GÉRARD (A.-M.), *Jeanne la mal jugée,* Paris s.d.
GUILLAUME (P.), *Jeanne d'Arc est-elle née à Domrémy et morte à Rouen ?,* Paris, 1964.
GRIMAUDEAU (G.) « Bergère ou princesse », *l'Avenir,* 7 novembre 1932.
HALDAT (M. DE), *Examen critique de l'histoire de Jeanne d'Arc,* Nancy, 1850.
HENRIOT (E.), « Du nouveau sur Jeanne d'Arc », *Le Temps,* 7 novembre 1932.
HENRI (Abbé J.-F.), *L'unique et vraie Jeanne d'Arc,* Paris, 1965.
LA JOIE (L.), « Sainte Jeanne d'Arc, la Pucelle de Domrémy », *La Croix,* 20, 21, 22 janvier 1933.
LE BRUN DES CHARMETTES, *Histoire de Jeanne d'Arc surnommée la Pucelle d'Orléans,* 4 volumes, Paris, 1817.
MAROT (P.), « Le prétendu secret de la naissance de Jeanne d'Arc », *Le pays lorrain,* mars 1933.
MARTINIÈRE (H. DE LA), « Les visions sur Jeanne d'Arc de M.-J. Jacoby », *Revue de l'histoire de l'Église de France,* 1933.
PERNOUD (R.), *Jeanne d'Arc devant les Cauchon,* Paris, 1970.
PERNOUD (R.), « Jeanne d'Arc : paysanne ou princesse ? », *Historia* février 1972.
POITEVIN (F.), *Jeanne d'Arc fille de la terre, bergère de Domrémy,* Paris, 1933.
RAMBAUD (M.), « Les deux faux secrets de Jeanne d'Arc », *Le Crapouillot,* 1958.
SAMARAN (Ch.), « Le secret de Jeanne d'Arc », *Revue historique,* juin 1933.

Ouvrages pour enfants :

BOUTET DE MONVEL : Très belle édition, rééditée plusieurs fois, très bien illustrée.
CLIN (M.-V.), *Jeanne d'Arc* (Coll. « le monde en poche ») 1982.
NETTER (D.), *Jeanne d'Arc,* Paris, 1983.

III. Jeanne chef de guerre

Histoire générale :

Autrand (F.), *Charles VI*, Paris, 1986.
Calmette (J.), *La France sous Charles VII*, Paris.
Favier (J.), *Finance et fiscalité au bas Moyen Age*, Paris, 1971.
Favier (J.), *La Guerre de Cent Ans*, Paris, 1979.
Guénée (B.) « État et nation en France au Moyen Age », *Revue historique*, 237, 1967, pp. 17-30.
Huizinga (J.), *Le déclin du Moyen Age*, Paris, rééd., 1967.
Mollat (M.), *Genèse médiévale de la France moderne*, Paris, 1970.
Perroy (E.), *La guerre de Cent Ans*, Paris, 6 éd., 1945.

La guerre, l'équipement au temps de Jeanne d'Arc :

Contamine (Ph.), « Les armées françaises et anglaises à l'époque de Jeanne d'Arc », *Revue des sociétés savantes de Haute-Normandie*, 1970.
Contamine (Ph.), *Chevaliers et gens de pied*, Paris, 1985.
Contamine (Ph.), « La guerre au Moyen Age », *Revue d'histoire militaire*, 1985.
Contamine (Ph.), *Guerre, État et Société à la fin du Moyen Age*, La Haye, 1972.
Garnier (F.), *La guerre au Moyen Age*, Poitiers, 1976.
Lacombe (P.), *Les armes et les armures*, Paris, 1868.
Reverseau (J.-P.), *Les armes et les armures*, Paris, 1982.

Le siège d'Orléans :

Boucher de Molandon, *La délivrance d'Orléans*, Orléans, 1883.
Charpentier (P.) et Dubois (Abbé), *Histoire du siège d'Orléans*, Orléans, 1894.
Craon (Princesse de), *Le siège d'Orléans en 1429*, Paris, 1852.
France (A.), *Le siège d'Orléans*, Paris, 1902.
Guillon (F.), *Études historiques sur le Journal du siège d'Orléans*, Paris, 1913.
Mantellier (P.), *Le siège et la délivrance d'Orléans*, Orléans, 1854.
Pernoud (R.), *La libération d'Orléans*, Paris, 1969.
Quicherat (J.), *Histoire du siège d'Orléans*, Paris, 1854.

Différentes questions se posent à propos du siège d'Orléans sur les troupes en présence, les comptes de la ville et les préparatifs du siège, l'armement au moment du siège, l'envoi de renforts et de secours, les témoins, etc.

BEAUCORPS (Baron A. DE), *Reconstitution du fort des Tourelles,* Archives Centre Jeanne-d'Arc, s.l.n.d.
BOUCHER DE MOLANDON, *Première expédition de Jeanne d'Arc,* Orléans, 1874.
BOUCHER DE MOLANDON, *L'armée anglaise vaincue par Jeanne d'Arc,* Orléans, 1892.
BOUCHER DE MOLANDON, *Études sur une bastille anglaise,* Orléans, 1858.
BOUCHER DE MOLANDON, *les comptes de la ville d'Orléans,* Orléans, 1880.
BOUCHER DE MOLANDON, *Note de Guillaume Giraut, notaire,* Orléans, 1858.
COCHARD (Chanoine Th.), *Les trépassés au siège d'Orléans,* Orléans, 1903.
COCHARD (Chanoine Th.), *L'assistance aux blessés pendant le siège d'Orléans,* Orléans, 1910.
COURET (A.), *Les Espagnols au siège d'Orléans,* Orléans, 1892.
DEBAL (J.), *Fortifications et ponts d'Orléans,* Orléans, 1979.
DESNOYERS (M.), *Les armées au siège d'Orléans,* Orléans, 1884.
JARRY (L.), *Le compte de l'armée anglaise pendant le siège d'Orléans,* Orléans, 1892.
LOISELEUR (J.), *Comptes et dépenses faites pendant le siège d'Orléans,* Orléans, 1868.
PARENTEAU (F.), *Un canon de bronze du siège d'Orléans,* Nantes, 1871.
VILLANT (A. de), *Les Campagnes des Anglais devant Orléans,* 1983.

Les compagnons de Jeanne d'Arc :

ANONYME, *Le sire de Gaucourt,* Orléans, 1855.
BATAILLE (H.), « Qui était Baudricourt ? », *Revue lorraine,* 1983.
BOSSARD (Abbé E.), *Gilles de Rais,* Paris, 1886.
CAFFIN DE MÉROUVILLE (M.), *Le beau Dunois et son temps,* Paris, 1960.
CARSALADE DU PONT (Chanoine DE), *Jeanne d'Arc et les capitaines gascons,* Auch, 1892.
CHAPOY (H.), *Les compagnons de Jeanne d'Arc,* Paris, 1897.
CHEVALIER (P.), *Arthur III, comte de Richemont, s.l.n.d. Archives Centre Jeanne-d'Arc.*
CLAVEL (E.), *Armagnac témoin de Jeanne d'Arc,* Rouen, 1979.
DUFRESNE DE BEAUCOURT, *Jeanne d'Arc et Guillaume de Flavy,* Paris, 1861.
ETCHEVERRY (J.-P.), *Arthur de Richemont, le justicier,* Paris, 1983.
FONSSAGRIVES (E.), *Jeanne d'Arc et Richemont,* Vannes, 1920.
FOULQUES DE VILLARET (A.), *Louis de Couts, page de Jeanne d'Arc,* Orléans, 1890.
GASTINES-DOMMAIGNE (Comte DE), « Les Laval à l'armée de Charles VII », *Bulletin de l'ANF,* 1957.

GALLON (R.), *Les Beauharnais,* Orléans, 1979.
GERMAIN (J.), *Richemont,* Paris, s.d.
GOURDIN (P.), *Le commandemant de Jean II d'Alençon,* Caen, 1980.
GOURDIN (P.), *Monseigneur d'Alençon, le Beau duc de Jeanne,* Tours, 1980.
MARTIN (L.-L.), *Dunois le Bâtard d'Orléans,* Paris, 1943.
MAYOUX (P.), « Jean de Luxembourg », *Bulletin Association des Amis du Centre Jeanne-d'Arc,* Orléans, 1984.
MESTRE (J.-B.), *Guillaume de Flavy n'a pas trahi Jeanne d'Arc,* Paris, 1934.
NOULENS (J.), *Poton de Xaintrailles,* Bordeaux, 1897.
PLAISSE (A.), *Un chef de guerre au* XVe *siècle, Robert de Floques,* Évreux, 1984.
QUICHERAT (J.), *Rodrigue de Villandrando,* Paris, 1879.
TREVEDY (J.), *Les compagnons bretons de Jeanne d'Arc,* Saint-Brieuc, 1896.
TRIGER (R.), *A la suite de Jeanne d'Arc,* Le Mans, 1909.
TROUBAT (J.), *Jeanne d'Arc et Guillaume de Flavy,* Paris, 1880.

Les grandes compagnies et les écorcheurs :

BOSSUAT (A.), *Perrinet Gressart et François de Surienne, agents de l'Angleterre,* Paris, 1936.
CAROLUS-BARRÉ (L.), *Deux capitaines italiens compagnons de guerre de Jeanne d'Arc,* Colloque Compiègne, 1982.
CHÉREST (A.), *L'Archiprêtre,* Paris, 1879.
CONTAMINE (Ph.), *Les compagnies d'aventure en France pendant la guerre de Cent Ans,* Mélanges de l'École Française de Rome, 1975.
QUICHERAT (J.), *Rodrigue de Villandrando,* Paris, 1879.
TUETEY (A.), *Les écorcheurs sous Charles VII,* Montbéliard, 1874.

IV. LA FRANCE SOUS CHARLES VII

BOSSUAT (A.), *Le rétablissement de la paix,* Bruxelles, 1954.
CALMETTE (J.), *La chute et le relèvement de la France,* Paris, 1945.
JUGNAC (P.), *Le Parlement au temps de Jeanne d'Arc,* Paris, 1909.
SEPET (M.), *Au temps de la Pucelle,* Paris, 1905.
VALLET DE VIRIVILLE (M.), *Mémoire sur les institutions de Charles VII,* Paris, 1872.
VIAL (Abbé M.-L.), *Jeanne d'Arc et la monarchie,* Tournai, 1910.

L'occupation anglaise de la France :

BOUCHER DE MOLANDON (M.), *L'armée anglaise vaincue par Jeanne d'Arc sous les murs d'Orléans,* Orléans, 1892.

BOURASSIN (E.), *La France anglaise,* Paris, 1981 (donne un très bon aperçu de l'occupation anglaise jugée par les Français).
CHAMPION (P.), *Paris anglais,* Paris, 1933.
CHAPLAIS (P.), *Essays in medieval diplomacy,* London, 1981.
JARRY (L.), *Le compte de l'armée anglaise au siège d'Orléans (1428-1429),* Orléans, 1892.
LE CACHEUX (P.), *Actes de chancellerie d'Henri VI,* Rouen, 1907.
LE CACHEUX (P.), *Rouen au temps de Jeanne d'Arc,* Rouen, 1931.
LOGNON (A.), *Paris sous la domination anglaise,* Paris, 1878.

La Bourgogne :

BARANTE DE (M.), *Histoire des ducs de Bourgogne,* Paris, 1839.
BOURASSIN (E.), *Les ducs de Bourgogne,* Paris, 1985.
BOURASSIN (E.), *Philippe le Bon,* Paris, 1983.
DUMONT (G.-H), *Marie de Bougogne,* Paris, 1982.
LECAT (J.-Ph.), *Quand flamboyait la Toison d'Or,* Paris, 1982.
SCHELLE (K.), *Charles le Téméraire,* Paris, 1979.

Les autres féodaux :

CHAMPION (P.), *Vie de Charles d'Orléans,* Paris, 1969.
CLAVEL (E.), *Armagnacs témoins de Jeanne d'Arc,* Millau, 1948.
CONSTANTIN (N.), *Jeanne d'Arc et la Provence,* Aix-en-Provence, 1894.
GODEFROY (T.), *L'histoire d'Arthus III, duc de Bretagne,* Paris, 1962.

Charles VII :

DUFRESNES DE BEAUCOURT (G.), *Le roi de Bourges,* Paris, 1882.
DUFRESNES DE BEAUCOURT (G.), *Le règne de Charles VII,* Paris, 1856.
ERLANGER (Ph.), *Charles VII et son mystère,* Paris, 1972.
HÉRUBEL (M.), *Charles VII,* Paris, 1982.
LEVIS-MIREPOIX (duc DE), *Le vrai visage de Charles VII,* Paris, 1956.
VALLET DE VIRIVILLE, *Histoire de Charles VII,* Paris, 1862.
CONTAMINE (Ph.), *Charles VII,* Paris, Fayard (en préparation).

La double monarchie :

AMSTRONG (C.-A.), *England, France, Burgundy XVth,* London 1983.
KRYNEN (J.), *Idéal du Prince et pouvoir royal,* Paris, 1981.

Henry V :

Henry V est représenté comme le type même du héros médiéval qui sauve la France à Azincourt.

HARRIS (G.-L.), *Henry V, The Pratice of kingship,* Oxford University Press, 1985.
WADE-LABARGE (M.), *Henry V,* Londres, 1975.

Le sentiment « national » à l'époque de Jeanne d'Arc :

Pendant la guerre de Cent Ans les habitants de la « France » avaient tous l'impression d'appartenir à une même communauté et ils considéraient les Anglais comme des envahisseurs.

« Le sentiment national est désormais très conscient (au XVe siècle). La nation a enfin acquis une figure propre, elle est devenue la mère à laquelle tous les Français doivent sacrifier leur vie, si nécessaire. L'idéologie nationale a gagné en cohérence et en unité. » (Colette Beaune.)

BEAUNE (C.), *Naissance de la nation France,* Paris, 1985.
CONTAMINE (Ph.), *De Guillaume le Conquérant à Jeanne d'Arc,* Paris, 1979.
GEOFFROY (A.), *Jeanne la Française,* Paris, 1895.
GROSJEAN (G.), *Le sentiment national et la guerre de Cent Ans,* Paris, 1927.
GUIBAL (G.), *Histoire du sentiment national,* Paris, 1875.
LEMIRE (Ch.), *Jeanne d'Arc et le sentiment national,* Paris, 1898.

V. LES PRISONS DE JEANNE

Prisonnière du Bâtard de Wandomme elle l'est donc aussi de Jean de Luxembourg. Elle reste à Marigny entre quatre et cinq jours, puis est emmenée à Beaulieu-lès-Fontaines.

Signalons l'excellent ouvrage d'ensemble :

ROCOLLE (P.), *Un prisonnier de guerre nommé Jeanne d'Arc,* Paris, 1982.

ANONYME, *Jeanne d'Arc à Beaulieu-les-Fontaines,* s.d.

De Beaulieu-lès-Fontaines d'où Jeanne a tenté de s'évader, celle-ci est conduite dans la forteresse de Beaurevoir, qui appartient à Jean de Luxembourg.

GOMARD (Ch.), *Le château de Beaurevoir,* Beaurevoir, s.d.
HANOTAUX (G.), *Jeanne d'Arc à Beaurevoir,* Cambrai, 1914.
NELMONT (P. DE), *La captivité de Jeanne d'Arc au château de Beaurevoir,* Saint-Quentin, 1911.
PREVOST-BOURÉ (J.), *Beaurevoir retrouve son passé,* Beaurevoir, s.d.
PREVOST-BOURÉ (J.), *Jean de Luxembourg et Jeanne d'Arc,* Paris, 1981.

On sait que Jeanne d'Arc séjourna dans ce château près de quatre mois, du 11 juillet au début du mois de novembre. Puis elle passe par Arras.

CHAMPION (P.), *Madame d'Or et Jeanne d'Arc à Arras,* Paris, s.d.
HUGUET (A.), *Jeanne d'Arc au Crotoy,* Amiens, 1929.
LEFLIS (F.), *Jeanne d'Arc au Crotoy,* Amiens, s.d.
Rouen :
BOUQUET (F.), *Notice historique et archéologique sur le donjon du château de Rouen,* Rouen, 1877.
BRUNON (R.), *Jeanne d'Arc au Vieux Marché de Rouen,* Rouen, 1926.
QUENEDEY (R.), *La prison de Jeanne d'Arc à Rouen,* Paris, 1923.
ROBILLARD DE BEAUREPAIRE (Ch. DE), *Mémoire sur le lieu du supplice de Jeanne d'Arc,* Rouen, 1866.
SARRAZIN (A.), *Les derniers souvenirs de Jeanne d'Arc à Rouen,* Rouen, 1897.
SARRAZIN (A.), *Le bourreau de Jeanne d'Arc,* Bruxelles, 1910.

VI. LES PROCÈS DE JEANNE

Le Procès de Condamnation et le Procès en Réhabilitation ont été publiés pour la première fois *in-extenso* par Jules Quicherat de 1841 à 1849. Cette publication a été reprise pour le Procès de Condamnation par la Société de l'Histoire de France par Pierre Tisset et Yvonne Lanhers en 3 volumes. Le Procès de Réhabilitation a été, pour sa part, repris par Pierre Duparc. C'est à la suite des travaux de ce dernier, que l'on nomme cette seconde procédure Procès en Nullité de la Condamnation

CHAMPION (P.), *Le Procès de Condamnation*, 2 vol. Paris, 1920.
DONCŒUR (P.) et LANHERS (Y.), *La réhabilitation de Jeanne d'Arc.* L'enquête du cardinal d'Estouteville en 1952.
Textes établis, traduits et annotés *documents de recherches relatifs à Jeanne la Pucelle,* IV, Paris, 1958.
DUPARC (P.), *Procès en Nullité de la condamnation de Jeanne d'Arc,* 3 vol., Paris, 1977-1983.
FABRE (J.), *Procès de condamnation de Jeanne d'Arc d'après les textes authentiques des procès-verbaux officiels,* traduction avec éclaircissements, Paris, 1884.
O'REILLY (E.), *Les deux procès de condamnation, les enquêtes et la sentence de réhabilitation de Jeanne d'Arc mis pour la première fois intégralement en français d'après les textes latins originaux officiels, avec notes, notices, éclaircissements divers, documents et introduction,* Paris, 1868.
OURSEL (R.), *Le procès de condamnation de Jeanne d'Arc*, Paris, 1955.
OURSEL (R.), *Le procès de réhabilitation de Jeanne d'Arc,* traduit, présenté et annoté, Paris, 1954.
QUICHERAT (J.), *Procès de condamnation et de réhabilitation de Jeanne d'Arc dite la Pucelle,* 5 t., Paris, 1841-1849.

TAXIL (L.) et FESH (P.), *Le martyre de Jeanne d'Arc, seule édition donnant la traduction fidèle et complète du procès de la Pucelle d'après les manuscrits authentiques de Pierre Cauchon,* Paris, 1890.
TISSET (P.) et LANHERS (Y.), *Procès de Condamnation de Jeanne d'Arc,* Paris, 3 t., 1960-1971.
VALLET DE VIRIVILLE (M.), *Procès de condamnation de Jeanne d'Arc, dite la Pucelle d'Orléans, traduit du latin et publié intégralement pour la première fois en français d'après les documents manuscrits originaux,* Paris, 1857.

Extraits des procès :
BRASILLACH (R.), *Le procès de Jeanne d'Arc,* Paris, 1941.
DONCŒUR (P.), *Paroles et lettres de Jeanne la Pucelle,* Paris, 1960.
FROMENT (P.), *Les paroles de Jehanne d'Arc,* Paris, 1910.
LE GRAND (L.), *Vie de Jeanne d'Arc racontée par elle-même,* Paris, 1911.
LEMIRE (Chanoine E.-L.), *Le procès de Jeanne d'Arc au jour le jour,* Rouen, 1931.
MARY (A.), *Paroles authentiques de Jeanne d'Arc, tirées du procès de 1431 et des chroniques contemporaines,* Paris, 1931.
PERNOUD (R.), *Jeanne d'Arc par elle-même et par ses témoins,* Paris, 1962.
PERNOUD (R.), *Vie et mort de Jeanne d'Arc,* Paris, 1953.

Pour ce qui est des problèmes posés par le procès de condamnation comme par celui des voix, ou encore du saut de Beaurevoir, l'information posthume ou tout autre question posée par la condamnation de Jeanne d'Arc, voir le tome III du *Procès de Condamnation de Jeanne d'Arc, introduction avec index des matières, des noms de personnes et de lieux,* de Pierre Tisset.

Signalons également l'ouvrage du P. Doncœur, *La Minute française des interrogatoires de Jeanne la Pucelle,* Melun, 1952, dans lequel il revient sur l'épineux problème de la cédule d'abjuration.

On sait que le notaire Guillaume Manchon, pendant les séances du procès, prenait des notes puis l'après-midi, chez Cauchon, rédigeait un compte rendu. Ces notes étaient prises en français et furent par la suite retraduites en latin pour les cinq exemplaires authentiques qui furent rédigés. Orléans possède une copie de la minute française.

Dans la rédaction qui a été faite juste après sa mort, en latin, on trouve une longue formule d'abjuration qui a été écrite en français et en latin, Jeanne confesse avoir gravement péché en feignant d'avoir des apparitions et des révélations qui viendraient de Dieu. Elle avoue aussi « avoir fait superstitieuse divination en blasphémant Dieu, ses saints et saintes, en trépassant la loi divine, la Sainte Écriture et le droit canon ; en portant l'habit dissolu contre toute honnesteté du sexe féminin [...] en portant l'armure... » Cette cédule est rédigée en une quarantaine de lignes. Or les témoins à la réhabilitation affirmèrent, sur la foi du serment, que la cédule insérée par Pierre Cauchon dans les grosses du Procès n'était pas celle qui fut lue à Jeanne ; plusieurs témoins, dont Jean Massieu qui fut chargé de lui lire la fameuse cédule, affirment que Jeanne a signé un texte qui couvrait uniquement six à sept lignes; l'un des témoins, Pierre Miget, précise que la longueur était à peu près celle d'un *Pater Noster.* Cauchon avait fait rédiger une seconde formule qui devait être largement diffusée au pape, à l'empereur, à toute la chrétienté et on comprend son embarras lorsque, cinq jours après que Jeanne eut signé la cédule, plusieurs des juges aient proposé qu'on la lui relise en lui exposant la cause de relapse. Dans la minute d'Orléans, on peut lire une cédule qui commence par : « Jeanne... » dans laquelle elle se soumet à l'Église et désavoue ses voix ; elle dira plus tard qu'elle a signé parce qu'elle avait peur du feu, qu'elle n'aavait pas bien compris.

Il est donc très probable qu'il y a eu intervention de Cauchon et que l'on a inséré dans le Procès un texte qui n'a pas été lu à la condamnée.

Pour une étude plus précise sur le Procès de réhabilitation voir :

CHAMPION (P.), *Notices des manuscrits du Procès de réhabilitation de Jeanne d'Arc,* Paris, 1930.

DONCŒUR (P.), et LANHERS (Y.), *La réhabilitation de Jeanne la Pucelle : enquête ordonnée par Charles VII en 1450 et le codicile de Guillaume Bouillé,* Paris, 1941.

VII. JEANNE D'ARC VUE PAR SES CONTEMPORAINS (CHRONIQUEURS)

AUVERGNE (Martial d'), *Les Vigiles de Charles VII,* éd. Coustelier, 2 vol., Paris, 1724.

BASIN (Thomas), *Histoire de Charles VII,* éd. et trad. par Ch. Samaran, 2 vol., Paris, 1933 et 1944.

BASIN (Thomas), *Histoire de Louis XI,* éd. et trad. par Ch. Samaran et M.C. Gavand, 2 vol. parus, Paris, 1963 et 1966.

BOUCHER DE MOLANDON (M.), *La délivrance d'Orléans et l'institution de la fête du 8 mai,* Chronique anonyme retrouvée au Vatican et à Saint-Pétersbourg, H. Herluison, Orléans, 1883.

BOUCHER DE MOLANDON (M.), *Note de Guillaume Giraut sur la levée du Siège d'Orléans,* Extrait, t. IV, « Mémoires Société Archéologique de l'Orléanais », Orléans, 1858.

BOURGAIN-HEMERYCK (Pascale), *Les œuvres latines d'Alain Chartier,* C.N.R.S., 1977.

BOUVIER (Gilles le) DIT LE HÉRAUT BERRY, *Les chroniques du roi*

Charles VII, éd. S.H.F. par H. Courteault et Celier, collaboration M. H. Jullien de Pommerol, Paris, 1979.

BÛCHON (J.A.C.), *Choix de chroniques et mémoires sur l'Histoire de France,* Paris, Desprez, 1838.

CAGNY (Perceval DE), *Chronique des ducs d'Alençon,* éd. H. Moranvillé, S.H.F., Paris, 1982.

CHARTIER (Jean), *Chronique de Charles VII,* éd. A. Vallet de Viriville, 3 vol., Paris, 1858.

CHARTIER (Jean), *Chronique latine inédite,* Ch. Samaran, Extrait bulletin S.H.F., 1927.

CHASTELLAIN (Georges), *Chronique,* éd. Kervyn de Lettenhove, dans son édition des *Œuvres* du même auteur, t. I-V, Bruxelles, 1863-1864.

LE CLERC (Jean), *Chronique Martiniane,* éd. P. Champion, Paris, 1907.

COUSINOT (Guillaume), *Chronique de la Pucelle, ou chronique de Cousinot,* A. Vallet de Viriville, Paris, Adolphe Delahays, 1859.

COCHON (Pierre), *Chronique Normande,* éd. Ch. de Robillard de Beaurepaire, Rouen, 1870, 372 p.

DOREZ (Léon), *Chronique de Morosini,* texte établi par S.H.F., 1898-1902, Renouard.

DOREZ (Léon), *Grandes Chroniques de France,* éd. J. Viard, 10 vol., S.H.F., Paris 1920-1953.

GRUEL (Guillaume), *Chronique d'Arthur de Richemont,* éd. A. Le Vavasseur, S.H.F., Paris, 1890.

GRUEL (Guillaume), *Journal d'un Bourgeois de Paris, 1405-1449,* éd. A. Tuetey, Paris, 1881.

GRUEL (Guillaume), *Journal d'un Bourgeois de Paris, sous Charles VI et Charles VII,* éd. A. Mary, préface et notes, Paris, H. Jonquières, 1929.

GRUEL (Guillaume), *Journal de Clément de Fauquembergue,* éd. A. Tuetey, Paris, 1903-1915.

GRUEL (Guillaume), *Journal du siège d'Orléans, 1428-1429, augmenté de plusieurs documents, notamment des comptes de ville,* éd. P. Charpentier et Ch. Cuissard, Orléans, 1896.

LE CACHEUX, *Actes de la chancellerie d'Henri VI concernant la Normandie sous la domination anglaise, 1422-1435,* 2 vol., Paris-Rouen, 1907 et 1908.

LE FÈVRE DE SAINT-REMY (Jean), *Chronique,* éd. F. Morand, 2 vol., S.H.F., Paris, 1876-1881.

LUCE (S.), *Chronique du Mont Saint-Michel,* Paris, 1879.

MONSTRELET (Enguerrand DE), *Chronique,* éd. L. Douët d'Arcq, 6 vol., S.H.F., Paris, 1857-1862.

MONSTRELET (E. de), *Mistère du siège d'Orléans,* éd. F. Guessard et E. de Certain, Imprimerie impériale, 1862.

NANGIS (Guillaume DE), *Chronique parisienne anonyme de 1316 à 1339 précédée d'additions à la Chronique française dite de Guillaume de Nangis*, éd. S. Hellot, Mémoires de la Société de l'histoire de Paris et de l'Ile-de-France, t. II 1884, p. 1-207.
RELIGIEUX DE SAINT-REMY (le), *Chronique de Charles VI*, éd. et trad. par L.-F. Bellaguet, 6 vol., Paris, 1839-1852.
WAVRIN (Jean DE), *Recueil des Croniques et anchiennes Istories de la Grant Bretaigne*, Melle Dupont, S.H.F., Paris, 1863.
WINDECKEN (E.), *Les Sources allemandes de l'histoire de Jeanne d'Arc*, Paris, 1903.

VIII. LA CANONISATION DE JEANNE D'ARC

Démarches :

COCHARD (Th.), *La Cause de Jeanne d'Arc, Pucelle d'Orléans*, Orléans, 1894.
LAGRANGE (Abbé F.), *La vie de Monseigneur Dupanloup, évêque d'Orléans*, Paris, 1883.
LANGOGNE (P.), *Vie de Jeanne d'Arc devant la congrégation des rites*, Paris, 1894.

La béatification et la canonisation proprement dite.

Dupanloup prépare la béatification de Jeanne d'Arc en réunissant tous les évêques des diocèses où Jeanne d'Arc est passée au cours de son existence. L'évêque d'Orléans met en valeur sa sainteté et demande aux autres évêques de signer une adresse au pape Pie IX. C'est là la première démarche officielle, en 1869. En, 1874, est constitué un tribunal diocésain chargé de présenter à Rome les conclusions d'une enquête préliminaire. Deux ans plus tard les conclusions sont portées à Rome. Une biographie est soumise à la congrégation des Rites.

A la mort de Mgr Dupanloup en 1878, son œuvre est poursuivie par son successeur Mgr Couillié. Pendant ce temps-là, à Rome, les cardinaux de la Congrégation des rites décident de soumettre à la signature du pape l'introduction de la cause, ce qui est fait le 27 janvier 1894 par Léon XIII qui signe le « Bref ». La même année, Mgr Touchet remplace Mgr Couillié et reprend à son compte les différentes démarches ; il se rend lui-même à Rome en 1896 et, l'année suivante, on lui demande de procéder à l'étude de l'héroïcité des vertus de Jeanne. Les comptes rendus seront portés à Rome à la fin de l'année par l'évêque d'Orléans.

Pendant les années 1902-1903 Rome étudie les conclusions du tribunal orléanais sur les vertus de Jeanne d'Arc, ce qui aboutit, le 6 janvier 1904, à la proclamation de l'héroïcité des vertus par le pape Pie X. La béatification a lieu à Saint-Pierre de Rome le 18 avril 1909.

Mgr Touchet n'en reste pas là, et demande que l'on reprenne la cause en vue de la canonisation. Il travaille d'arrache-pied à ce dossier qui est présenté à Rome le 17 avril 1914. Les choses ne vont pas aller très vite : aux différentes pressions qui s'exercent sur les tribunaux vient s'ajouter la mort du pape, mais le 3 septembre 1914, Benoît XV accepte que l'on reprenne l'étude du procès de canonisation. Il faudra attendre le 6 juillet 1919 pour qu'il donne son accord. Enfin, le 16 mai 1920, la cérémonie a lieu à Saint-Pierre de Rome.

ANONYME, *Aux pèlerins français,* Rome, 1909.

ANONYME, *Programme du pèlerinage de la béatification de Jeanne d'Arc,* Bar-le-Duc 1909.

ANONYME, « La vénérable Jeanne d'Arc », *La Croix meusienne,* Paris, 1909.

EXTRAIT de semaines religieuses, *La béatification de Jeanne d'Arc,* Arras-Bayeux 1909.

BRUN (Mgr P.-M.), *Les péripéties de la canonisation de Jeanne d'Arc* B.S.A.H.O. Orléans, 1974.

CABRIÈRES (Mgr de), *La béatification de Jeanne d'Arc,* Paris, 1909.

ILLIERS (D'), *Lettres de Rome,* Orléans, 1934.

MOUCHARD (A.), *Les fêtes de la béatification de Jeanne d'Arc,* Paris, 1910.

TOUCHET (Mgr), *Avant, pendant et après la béatification de Jeanne d'Arc,* Paris, 1909.

TOUCHET (Mgr), *Souvenirs de la béatification de Jeanne d'Arc,* Orléans, 1909.

TOUCHET (Mgr), *Lettre pastorale sur les fêtes de Jeanne d'Arc,* Orléans, 1905.

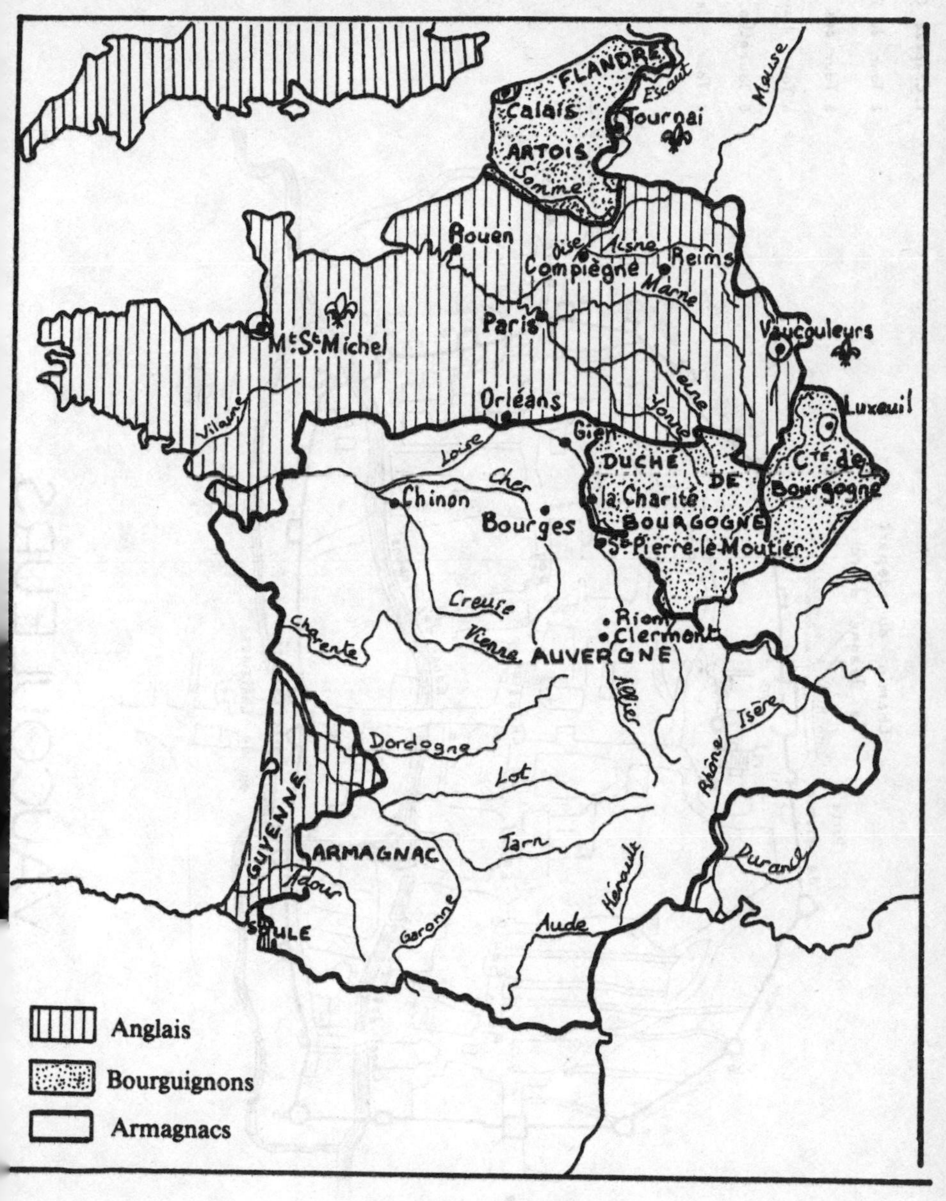

LA FRANCE VERS 1430

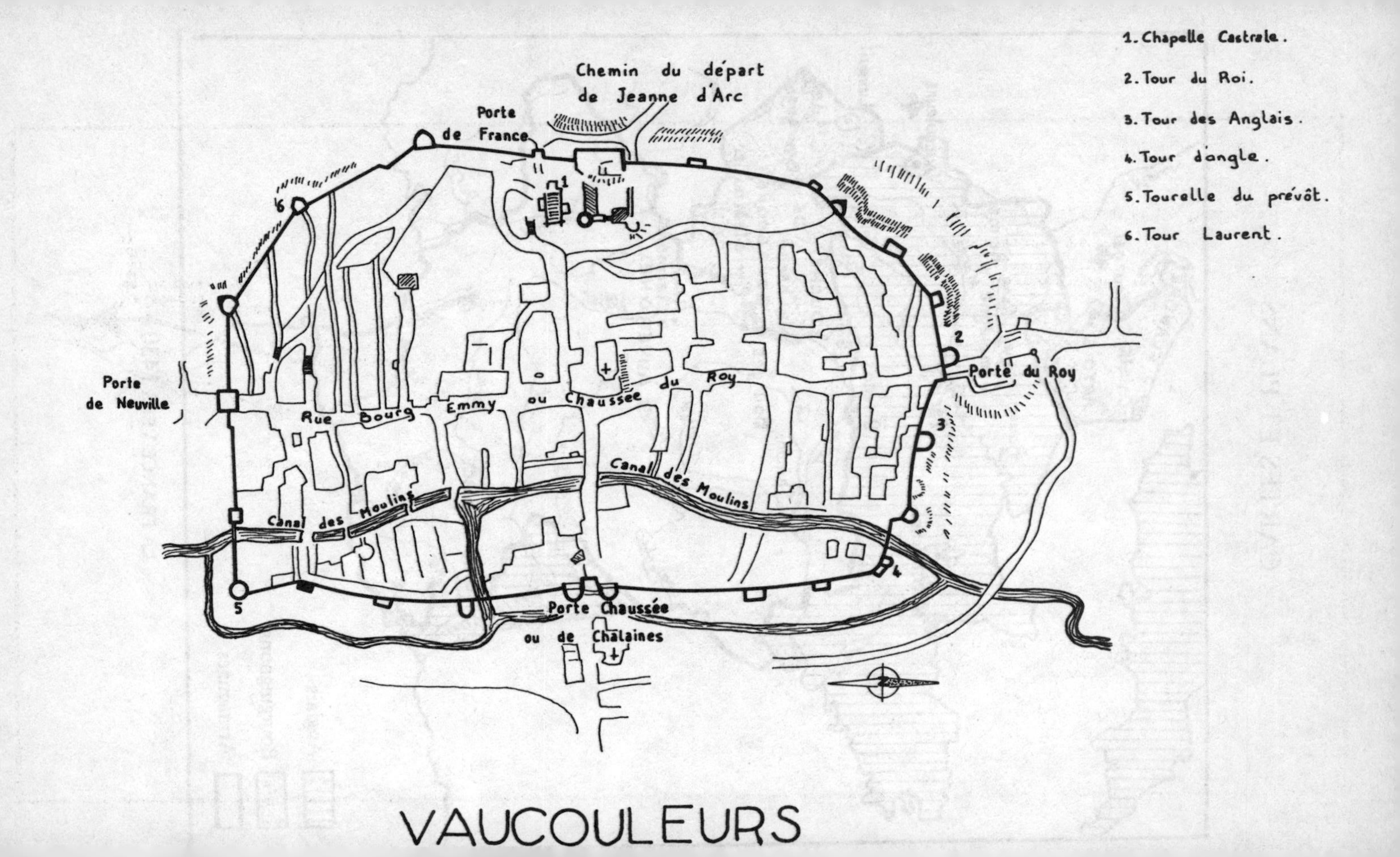

VAUCOULEURS

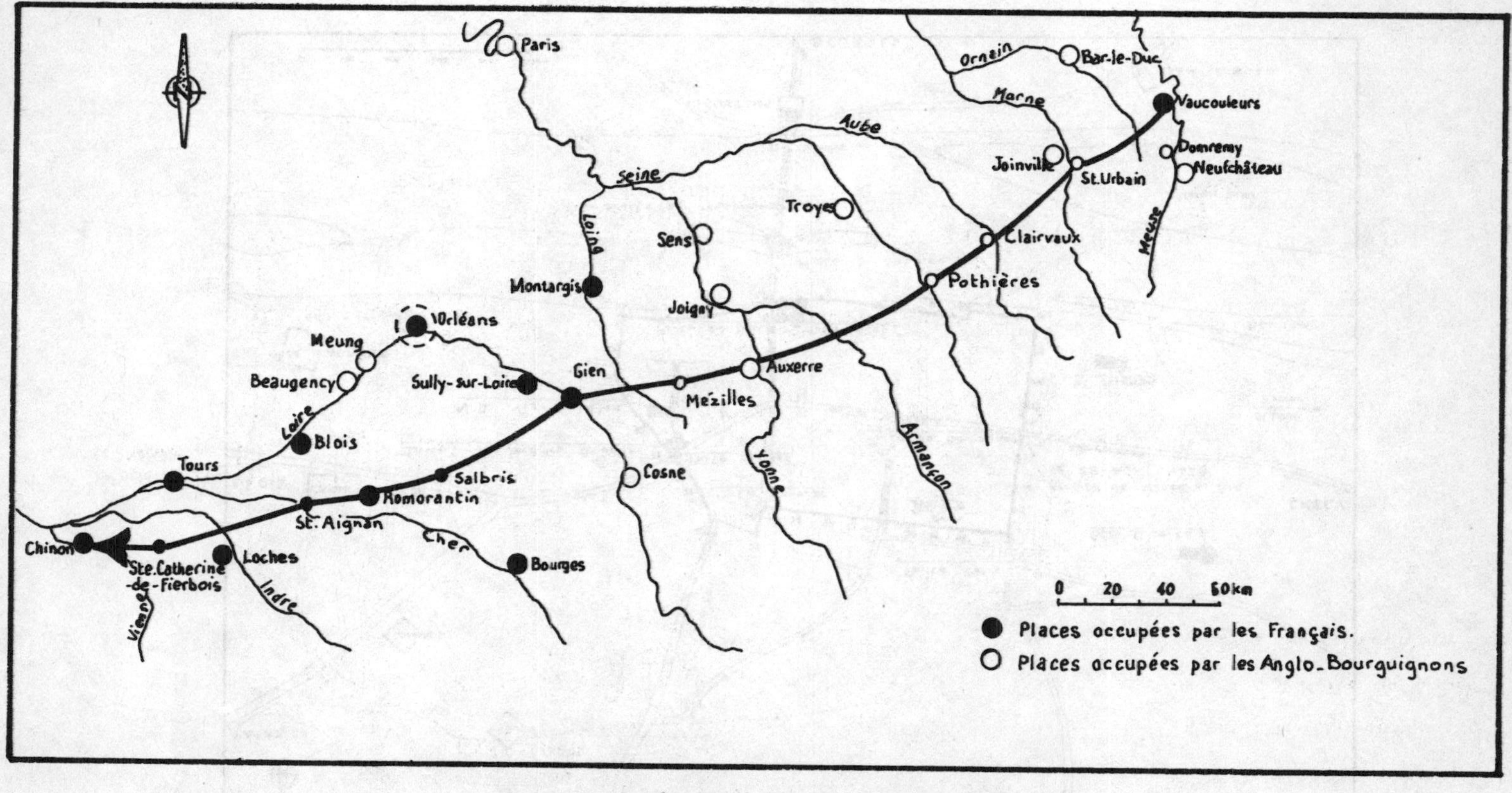

LA CHEVAUCHÉE DE VAUCOULEURS À CHINON

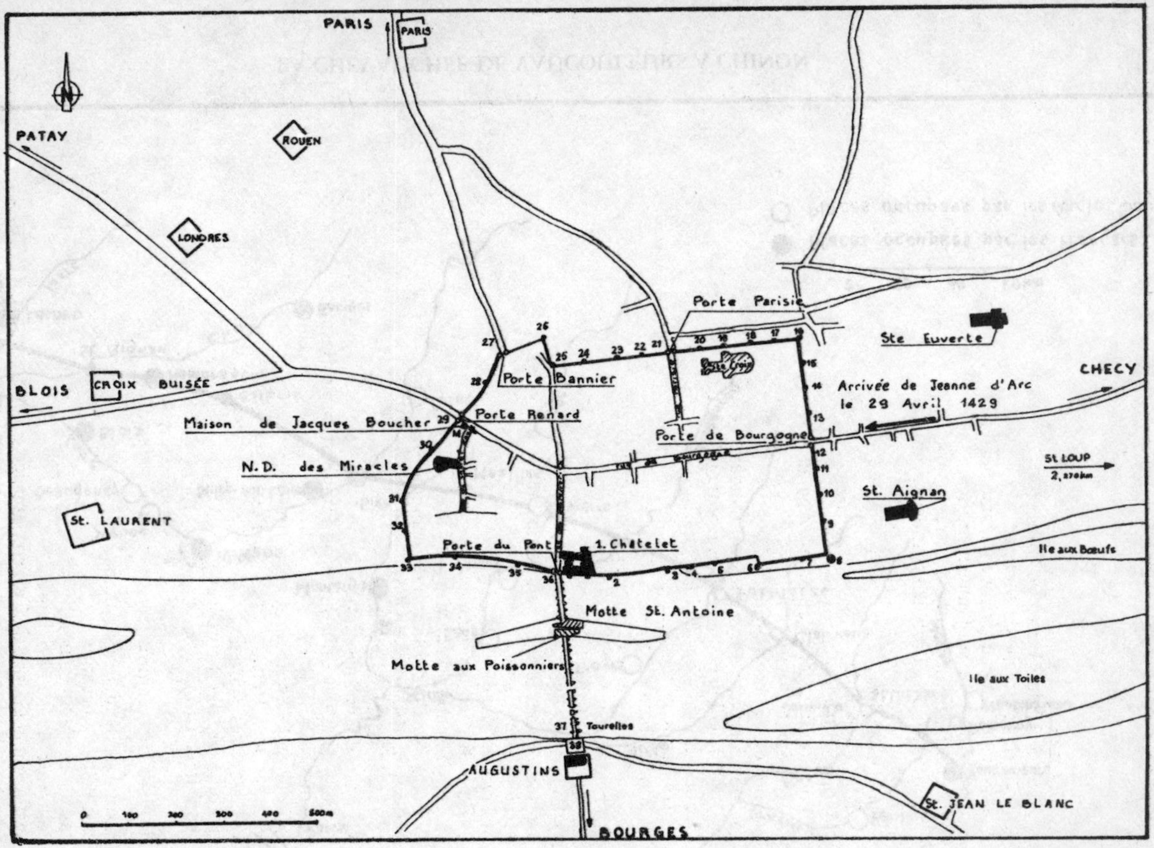

PARIS
PARIS
PATAY
ROUEN
LONDRES
BLOIS
CROIX BUISÉE
St. LAURENT
Maison de Jacques Boucher
N.D. des Miracles
Porte Renard
Porte Bannier
Porte Parisie
Porte de Bourgogne
Porte du Pont
1. Châtelet
Motte St. Antoine
Motte aux Poissonniers
Tourelles
AUGUSTINS
BOURGES
Ste Euverte
Arrivée de Jeanne d'Arc
le 29 Avril 1429
CHECY
St LOUP
2,270km
St. Aignan
Ile aux Bœufs
Ile aux Toiles
St. JEAN LE BLANC
0 100 200 300 400 500m

OLÉANS AU MOMENT DU SIÈGE

CARTES ET PLANS

1 Le Châtelet
2 Tour de Maître Pierre Le Queux
3 Tour de la croiche de Meffroy
4 Poterne Chesneau (fermée par une herse)
5 Tour Aubert ou du Guichet (murée)
6 Tour à huit pans ou tours carrées
7 Tour d'Août et Porte des Tanneurs (murée)
8 Tour Neuve
9 Tour Blanche
10 Tour D'Avalon
11 Tour Saint-Flou
12 Porte de Bourgogne ou Saintt-Aignan
13 Tour Saint-Etienne
14 Tour du Champ-Egron
15 Tour Auvillain ou de Messire Baudes
16 Tour de la Fauconnerie ou de Mgr. L'Évêque
17 Tour du Plaidoyer de l'Évêque
18 Tour au nom inconnu
19 Tour de Sainte-Croix
20 Tour Salée ou des Greniers de l'Hôtel-Dieu
21 Porte Parisie
22 Tour de Jehan Thibault
23 Tour de l'Alleu Saint-Mesmin
24 Tour des Vergers de Saint-Samson
25 Tour Saint-Samson
26 Tour du Heaume
27 Porte Bernier ou Bannier
28 Tour Micheau-Quanteau
29 Porte Renard et Maison de Jeanne d'Arc
30 Tour de l'eschiffre de Saint-Paul
31 Tour André
32 Tour au nom inconnu
33 Tour de la Barre-Flambert ou Frambert ou du Bassin
34 Tour Notre-Dame
35 Tour de l'Abreuvoir et porte (murée)
36 Porte de la Herse et Porte du Pont
37 Le fort des Tourelles
38 Boulevard des Tourelles
39 La Belle-Croix

Bastilles et boulevards construits par les Anglais

Bastille de Saint-Jean-le-Blanc
Bastille des Augustins
Bastille de Saint-Laurent
Boulevard de la Croix-buisée
Bastille de la Grange de Cuiveret appelée « Londres » par les Anglais
Boulevard du Pressoir-Ars, appelé « Rouen » par les Anglais
Bastille de Saint-Pouair appelée « Paris » par les Anglais
Hors plan : Bastille Saint-Loup, à 2,2 km de la porte de Bourgogne

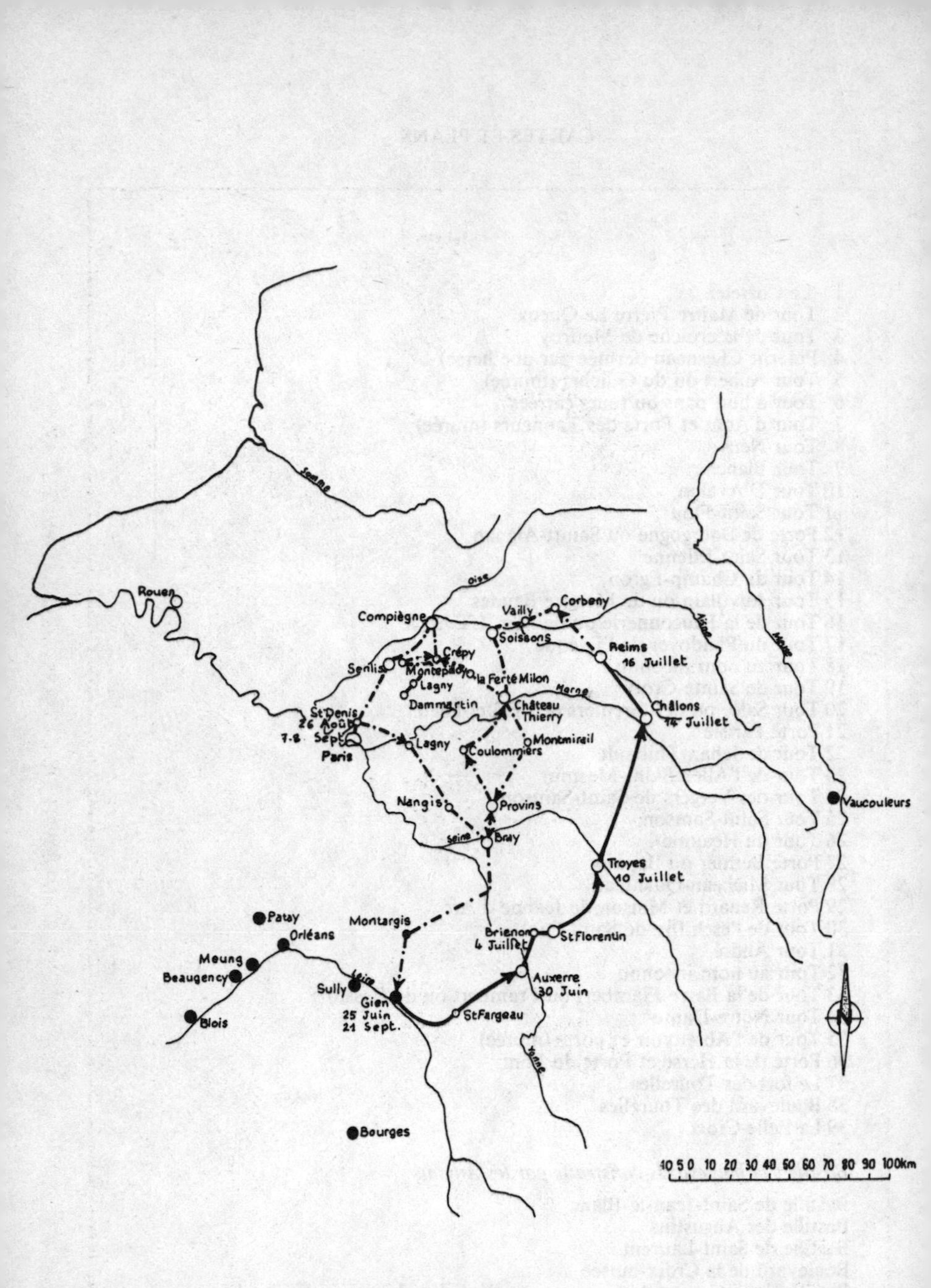

DU SACRE À L'ÉCHEC DEVANT PARIS
(Gien 25 juin-21 septembre 1429)

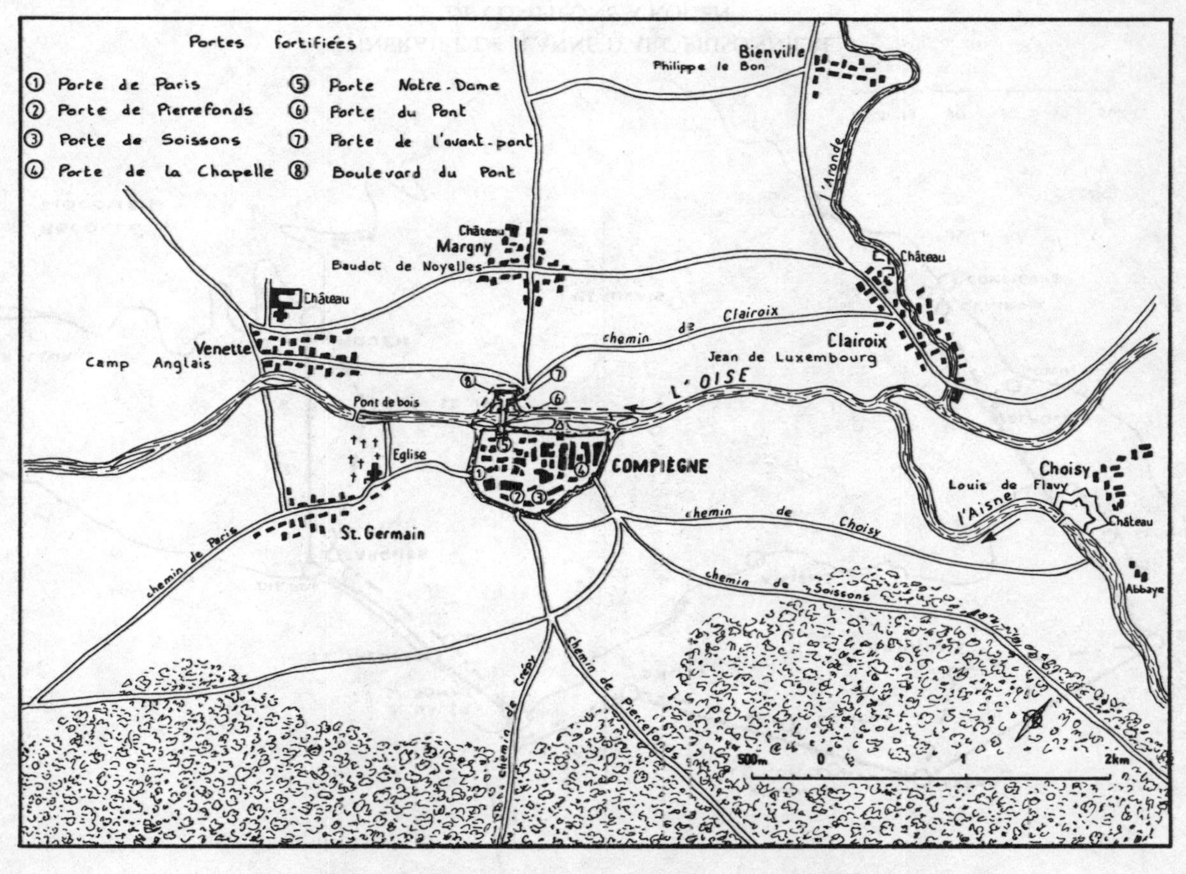

COMPIÈGNE AU MOMENT DE LA CAPTURE DE JEANNE D'ARC

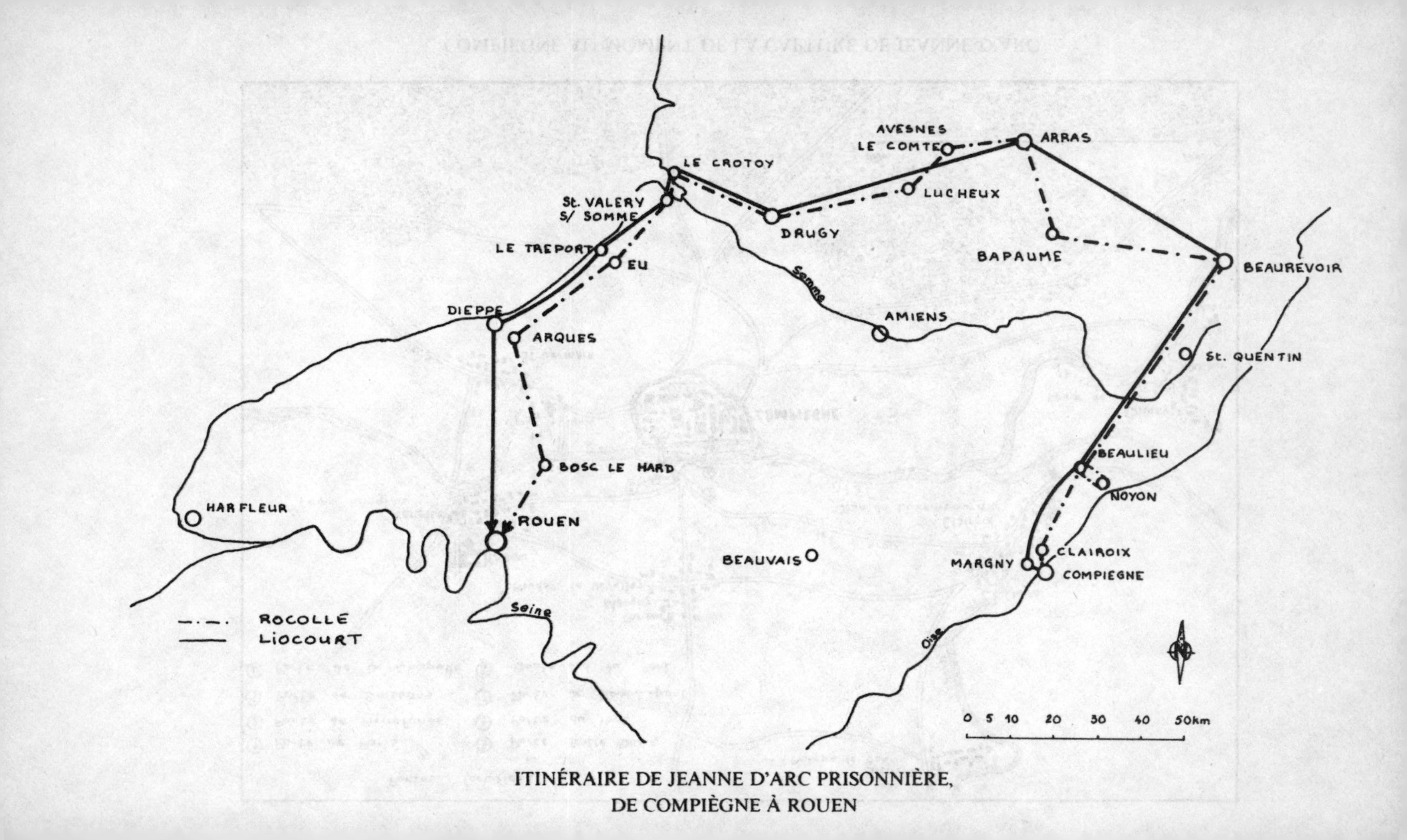

ITINÉRAIRE DE JEANNE D'ARC PRISONNIÈRE,
DE COMPIÈGNE À ROUEN

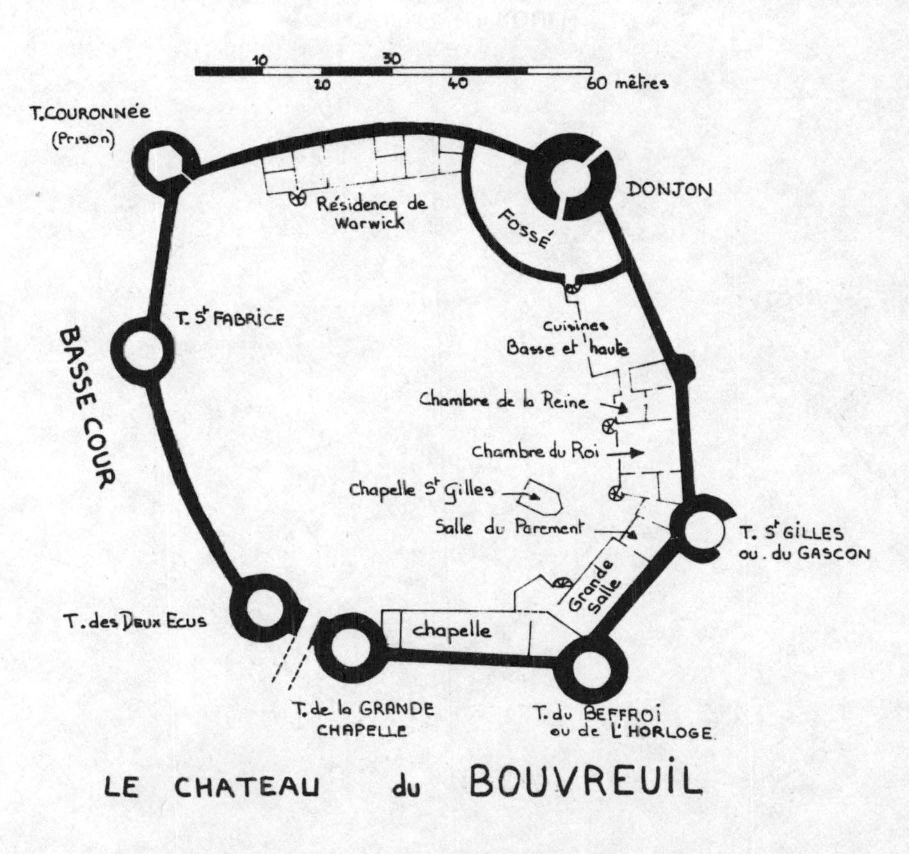

LE CHATEAU du BOUVREUIL

INDEX

TABLE DES MATIÈRES

TROISIÈME PARTIE

Débats

ANNEXES

APPENDICES

CARTES ET PLANS

ERRATUM

P. 143, ligne 8 : lire **entre le 17 et le 22 avril.**

ACHEVÉ D'IMPRIMER
LE 16 AVRIL 1986
SUR LES PRESSES DE
L'IMPRIMERIE HÉRISSEY
À ÉVREUX(EURE)

35-65-7540-01
ISBN 2-213-01768-9
N° d'édition : 1110
N° d'impression : 39696
Dépôt légal : Avril 1986
Imprimé en France

35-7540-4